荀慧生全传

李伶伶 / 著

中国青年出版社

目　录

序 /06

第一章　从梆子到京剧 /001

是谁叫响了“四大名旦”　002
荀慧生，第一次唱戏就忘词　012
一路乞讨到天津　024
被“卖”了两次　031
初入戏门学秦腔　037
练跷功，受尽苦难　043
练腰功，折了腰　052
屈辱的“小黑奴”生活　061
智斗师娘　069
初识京剧　073
拜见师爷爷侯俊山　083
移植梆子为京剧　094
认识王钟声，加入春阳社　109
演“文明戏”被捕入狱　121
“正乐三杰”　129
“逃”出师　135
家庭风波　146
迷上抽大烟　152

改学京剧——158

第二章 南下，转战上海 /171

当了一回票友——172

和梅兰芳的合作——177

遭遇冷嘲热讽、排挤打击——183

阴差阳错的婚姻——190

搭班喜群社——195

“三小一白”下江南——200

走红上海滩——209

留在了上海——227

和海派演员的合作——232

和马连良的合作——245

误签合同上了当——255

与露兰春无中生有的“绯闻”——264

无奈认黄金荣为“义父”——272

拜吴昌硕为师——279

两次遇险——292

第三章 和陈墨香的合作年代 /303

搭班双胜社——304

“四大名伶”大结合——309

“四大金刚”——318

结识陈墨香——335

荀派几出新戏——339

1.与陈墨香合作的第一出新戏《玉堂春》339
2.“演人别演‘行’”的《金玉奴》348
3.别具一格的《赛金花》351
4.再现青楼女子形象的《绣襦记》353
5.“一人分饰两角”的《勘玉钏》358
6.荀派悲剧之首《钗头凤》362
7.“怒沉百宝箱”的《杜十娘》368
8.宫廷戏《鱼藻宫》371
9.文学性最强的《霍小玉》374
10.红楼戏及《红楼二尤》377
11.永远的《红娘》387
12.荀戏及“荀派”艺术 393
四大名旦排座次 401
四大名旦合作灌片 415
与陈墨香的恩恩怨怨 427

第四章 国家有难，天昏地暗 /449
“我在后台演说呢”450
义务戏、合作戏 458
三次上海之行 464
创办留香大饭店 475
拒为日伪唱戏 483
乔迁之累 489
四个女人，三位荀夫人 498

戒烟成功了______518
荀门弟子______525
第五章　孤云独去　/537
传说“打倒四大名旦”______538
参与戏改______542
1.改《红娘》______548
2.改《荀灌娘》《杜十娘》《金玉奴》______554
巡回演出______559
最后的《卓文君》______569
民营—国营—民营—国营______576
了却的、未了的心愿______585
日记——艺事日记______591
“孔庙事件”______595
凄然告别人世______601

尾声　/607
后记　/617

序

我祖父荀慧生离开人间，今年是整整第四十个年头，四十年前见他老人家最后一面的情景宛在眼前。两年前，我执导了反映祖父一生事迹的二十八集电视剧《荀慧生》，这是我献给他的一份礼物，也表达了作为他的后代对他的理解。拍摄的过程，使我有机会沿着祖父一生走过的道路，踩着他留下的人生脚印，一步步往前走，走遍他的整个人生。我一件一件地经历他所曾经历的每一件事情，体会着他曾经尝遍的酸甜苦辣，与他一同喜，一同笑，一同伤，一同悲。这真是一次奇特的旅行——我既像是祖父人生的一个旁观者，又像是一个参与者。在这次奇特的经历中，我一点点加深了对祖父的了解，增加了对他的敬佩。

一个民族拥有自己的艺术大师是这个民族的骄傲。祖父既非梨园世家，又无权贵支撑，一个一字不识的农村孩子，因家境贫困六岁被卖到戏班学唱梆子，十一岁改唱京剧，在廿七岁荣获京剧“四大名旦”的桂冠，成为与梅兰芳、程砚秋、尚小云齐名的艺术大师，个中有多少艰难险阻，一路洒下过多少心血和汗水，都不难想见。京剧是最有代表性和最有群众基础的艺术形式和娱乐方式。祖父和他们那个时代的杰出艺术家们一起创造了京剧最辉煌的年代。

荀慧生的时代虽然已经过去，但美好的东西是永存的。穿过岁月的迷雾，拂去沧桑的尘埃，我们更清楚地发现他身上美好的东西在闪光。他对戏曲的痴迷贯穿了他的一生。“演戏就要成红角，咬咬牙没有过不去的火焰山”，这是他从小立下的志向，成为他一生的座右铭。正是怀着这样的志向，农民的孩子荀慧生靠自己的努力，靠孜孜不倦的追求，成为一代艺术大师。

荀慧生的魅力不仅在于他的艺术，还在于他的人格。他一生不媚权贵，不畏强权，富贵不能淫，威武不能屈，在他的艺术中体现了自己的人生价值。对国家，对民族，他是一腔热血。“七七事变”后，梅兰芳蓄须明志，程砚秋香山务农，尚小云办学传艺，都离开了舞台。荀慧生却以他独特的方式用他的艺术与敌人抗争！

荀慧生是一个感情丰富的人，他的一生有过许多感情的经历。对师长、对朋友他肝胆相照，滴水之恩涌泉相报。对恋人，对爱情他忠贞不渝；对家庭、对父母，他尽孝尽责；对子女，他严于教诲又慈爱有加；对学生，他循循善诱、诲而不倦，毫无保留地传授荀派艺术。作为戏曲界的“老人”，他对旧戏班所谓的师徒规矩并不怎么严格，对学生都很平易、开明，用俗话形容就是“没有那么大的谱儿”。无情未必真君子。他的感情是真挚的，诚恳的，执着的。在他的感情生活中也体现了中华民族的传统美德。

南京女作家李伶伶所著《荀慧生全传》不久就要出版了，这是祖父传记中最全面、最厚重的一本，值得祝贺。希望今后有更多的人关注荀慧生研究，以使荀派艺术发扬光大、长久传承。

荀 皓

2008 年 12 月 1 日

第一章
从梆子到京剧

⊙ 1949年10月30日梅兰芳（右二）、尚小云（左二）、荀慧生（右一）、程砚秋（左一）合影。

是谁叫响了“四大名旦”

很多人都知道，在中国京剧史上，有“四大名旦”这个称谓；鲜为人知的是，“四大名旦”这个称谓的来历，是因为荀慧生。

有一个民间活动，很重要，意义深远，那就是1927年6月北京《顺天时报》举办的一次名伶新剧投票活动。时至今日，仍然有人认为，“四大名旦”称谓的确立，缘于此次活动，更得出这样的结论：“四大名旦”是投票选举出来的。换句话说，这次投票活动，就是为了选举“名旦”。这种说法，在相当长的时期内，很有“权威”性，很普遍，也就被广泛引用。如，有人这样说：

“1927年，北京《顺天时报》举行全国首届旦角名伶评选活动。这完全是一种群众自发的行为，以投票方式选举自己心目中的名伶，结果以得票数多少而定。经过一番角逐较量，梅兰芳以一出《太真外传》，尚小云以一出《摩登伽女》，程砚秋以一出《红拂传》，荀慧生则以一出《丹青引》获得前四名，被称为中国四大名旦（或称京剧四大名旦）。”[①]

甚至连《中国京剧史》也有类似说法："1927 年，北京的《顺天时报》举办了一次京剧旦角名伶评选活动，由读者投票选举。其结果是：梅兰芳……、程艳秋（砚秋）……、荀慧生……、尚小云……、徐碧云……荣膺'五大名旦'。因徐碧云较早地离开了舞台，之后观众中就只流传着'四大名旦'的名字了。"②

实际上，这次投票活动的全称是："为鼓吹新剧，奖励艺员，现举行征集五大名伶新剧夺魁投票活动。"（《顺天时报》1927 年 6 月 20 日第五版）。也就是说，投票活动主要针对的是"五大名伶"的新剧，并不涉及对他们五个人个人艺术的全面评价。"五大名伶"是梅兰芳、程艳（砚）秋、尚小云、荀慧生、徐碧云。更准确地说，活动规则是要求投票者从五个人所演新剧中分别选出最佳的一出戏。

为缩小范围而使选票相对集中，主办方从五人所演新剧中各选出五部作为候选，也就是一共有 25 部候选剧目。它们分别是：

梅兰芳：《洛神》、《太真外传》、《廉锦枫》、《西施》和《上元夫人》；

程艳秋：《花舫缘》、《红拂传》、《青霜剑》、《碧玉簪》和《聂隐娘》；

尚小云：《林四娘》、《五龙祚》、《摩登伽女》、《秦良玉》和《谢小娥》；

荀慧生：《元宵谜》、《丹青引》、《红梨记》、《绣襦记》和《香罗带》；

徐碧云：《丽珠梦》、《褒姒》、《二乔》、《绿珠》和《薛琼英》。

一个月以后，投票活动结束。7 月 23 日，《顺天时报》揭晓了投票结果。从收到的选票来看，这次活动很受读者支持。主办方共收到选票 14091 张，五大名伶各自的最佳剧目分别是：

①谭志湘：《荀慧生传》，河北教育出版社1996年12月版，第184页。

②马少波等主编：《中国京剧史》，中国戏剧出版社1999年9月版，第707页。

梅兰芳的《太真外传》，得票总计1774票；

程艳秋的《红拂传》，得票总计4785票；

尚小云的《摩登伽女》，得票总计6628票；

荀慧生的《丹青引》，得票总计1254票；

徐碧云的《绿珠》，得票总计1709票。

这次活动，从开始刊发启事，到投票过程，以致最后揭晓结果，都只用了“五大名伶”这个名称，而没有用“五大名旦”。这就造成两个后果：

一、有人因此推断，在这之前，还没有“四大名旦”（或“五大名旦”）的说法，否则，主办方应该用“五大名旦”，而不是以“五大名伶”之名；

二、正因为如此，有人得出结论：“四大名旦” 的称谓，就是在此次投票活动结束后确立的，即被选举产生的。

很明显，这样的结论是不符合实际的。首先，此次投票选举活动，针对的只是五个人的新戏，并不是评选孰强孰弱。也就是说，只将他们各自的新戏做纵向比较，而并不将他们五人做横向比较，更不是在五个候选人中选出四强；其次，如果“四大名旦”之说是因为此次投票选举活动而产生的，那么也应该是“五大名旦”，为何漏掉徐碧云而只说“四大名旦”呢？

除此之外，如果以得票多少排列，位列第一的是尚小云的《摩登伽女》，6628票，其次是程艳秋的《红拂传》，4785票，然后是梅兰芳的《太真外传》，1774票，接着是徐碧云的《绿珠》，1709票，最后是荀慧生的《丹青引》，1254票。假使这次活动的目的确是为了选举“四大名旦”，那么，按照票数，排在前四位的，也应该是尚小云、程艳秋、梅兰芳、徐碧云，缘何荀慧生最终位列“四大名旦”之一，而缺了徐碧云呢？仅从这个角度上说，“四大名旦”是由戏迷、读者选举产生的论断，就是错误的。

投票选举，是确立“四大名旦”称谓的其中一种说法。这种说法最终被事实所推翻。另外，还有一种说法，更加没有说服力，不值一驳。

据说，在1924年到1925年期间，在军阀张宗昌家的堂会上，梅兰芳、尚小云、程砚秋、荀慧生合作了一出《四五花洞》。这次演出《四五花洞》，梅、尚饰演两个真金莲，程、荀饰演两个假金莲。由于四个人的表演各具特色，艺术水平难分高下，便从此有了“四大名旦”的说法。这样的说法十分含糊，没有明确到底是由谁最先喊出“四大名旦”这个名称的。民间曾经有这样的流传，“四大名旦”同台演出过多次，但只合作演出一部戏，即《四五花洞》。实际上并不尽然。

1918年5月26日，中国银行总裁冯耿光（梅兰芳智囊团成员之一，也一直是梅兰芳的经济后盾）举办堂会。在这次堂会上，梅兰芳、尚小云、程艳秋、荀慧生与其他京城名角儿合作演出了《满床笏》。这次，可能是四人初次同台、初次合作的一场演出，颇具纪念意义。只是那时，还没有“四大名旦”的说法。

就目前现存资料而言，基本可以肯定的是，“四大名旦”的称谓是由天津《天风报》社长沙大风率先提出来的。沙大风（1900–1973）原名沙厚烈，笔名沙游天。因为沙游天中的“天”，英文名是“SKY”，而俄文人名中的“斯基”，也是“SKY”，所以，又有称他“沙游斯基”。他早年在《天津商报》任戏剧版主编，后得到天津最大的百货公司中原公司的资助，于1921年创办《天风报》，自任社长。

之所以说“四大名旦”源于沙大风之口，依据是：第一，缘于三个知情人的回忆，他们是沙大风的儿子沙临岳、上海文史馆馆员薛耕莘、宁波镇海的陈崇禄。薛耕莘曾经在《上海文史》上撰文，称梅兰芳曾亲口对他说过这样的话。陈崇禄则说他曾经见过沙大风的一枚印章，上有“四大名旦是我封”这七个字。

据沙临岳回忆，“四大”其实是借用当时流传甚广的“四大金刚”之名。“四大金刚”指的是直系军阀曹锟的内阁大臣程克等四人。有人说，由于梅兰芳、程砚秋、尚小云、朱琴心的名气不亚于“四大金刚”，所以有人称他们为“伶界四大金刚”。后来，荀慧生取代了朱琴心，“伶界四大金刚”又指梅兰芳、程砚秋、尚小云、荀慧生。

沙临岳还说，对于梅、程、尚、荀四位艺术家的造诣，其父沙大风总是叹赏不已，但对“伶界四大金刚”这个称谓颇不以为然。他觉得金刚怒目与四旦的娇美英姿不相吻合，所以提笔一改，改称为“四大名旦”。

第二，上海早年的戏剧杂志《半月戏剧》主笔、专事戏剧评论的梅花馆主（本名郑子褒）于20世纪40年代初写过一篇文章，题目是《“四大名旦”专名词成功之由来》。尽管他没有明说，但他的论断，实际上从侧面印证了“四大名旦是沙大风所封”的说法。更重要的是，他直接说明，“四大名旦”的来历，是因为荀慧生。他的这篇文章中有这样一句话：

“提倡‘四大名旦’最起劲的，不用说，当然是拥护留香的中坚分子。”

“留香”，是荀慧生的号；“拥护留香的中坚分子”，是被称为“白党”的捧荀派。旧时京城，达官贵人、文人雅士争相捧自己钟情的艺人，甚至为此另组专社专团，比如，捧艺名“白牡丹”的荀慧生的有“白社”，捧尚小云的有“云社”，捧筱翠花的有“翠花堂”，捧杜云红的有“杜社”等，不一而足。相应的，“社”的成员，就被称为“党”，比如，“梅党”、“白党”等。还有人将荀慧生的戏迷，戏称为“白痴”。

那么，白党捧荀慧生，为何要提出“四大名旦”这个称谓呢？梅花馆主在文章中，很肯定地这样写道：

“因为那时的荀慧生，离开梆子时代的‘白牡丹’还不很远，论玩艺，论声望，都不能和梅、尚、程相提并论，可是捧留香的人，声势却非常健旺，一鼓作气，非要把留香捧到梅、尚、程同等地位不可，于是极力设法，大声疾呼地创出了这一个‘四大名旦’的口号。”

台湾著名剧评家丁秉鐩也这样说：“四大名旦的成名次序，是梅、尚、程、荀。所谓‘四大名旦’这个头衔，就是捧荀的人创造出来的，把荀慧生搀入名旦之林，想与梅、尚、程三人居于同等地位……”①

可以确定的是，沙大风就是白党成员之一。不仅如此，他还被称为“白党首领”。

至于沙大风是在什么时候提出“四大名旦”这个称谓的，上海文史馆馆员薛耕莘明确说是在1921年，即沙大风在《天风报》的创刊号上首次提出的。然而，“1921年”说，是有疑义的。因为那时，程砚秋只有17岁，还处于搭散班演唱的阶段，演出剧目也只限于传统老戏。这个时候，他还没有赴沪演出，也没有独立挑班，更没有一出新戏，他只是作为梅兰芳的弟子，受梅兰芳的委托去过一次南通而已。虽然在梨园界，此时他已渐有名声，但应该尚未达到“名旦”的地步。在这个时候，就将程砚秋列入“四大名旦”行列，似乎不太可信。

按照梅花馆主的说法，“四大名旦”的称谓初始于“民国十七年”，即1928年，也就是《顺天时报》举办“五大名伶新剧夺魁投票活动”后的第二年。从这个角度上看，说“四大名旦”产生于这次投票活动之后，并非没有道理。只是，它不是由投票选举产生的，更不是由此次投票活动所决定的。那么，梅花馆主的“1928年说”

① 丁秉鐩《菊坛旧闻录》，中国戏剧出版社1995年10月版，第259页。

来源于什么呢？

在1928年，上海创刊了一本杂志，取名《戏剧月刊》（共出了36期），主编刘豁公。《戏剧月刊》一经面世，即引起广泛关注，并且深受剧界好评。原因是它是全国唯一的一本以京剧为主要内容的杂志，又有全新的创刊目的及宗旨，如刘豁公所说："我以为戏剧这样东西，从表面上看来，好像只能供给人们娱乐，而其实它的力量确能够赞扬文化，提倡艺术，补助社会教育的不足，反之也能增进社会的恶德。因此，对于戏剧的细胞和性能，当然就有缜密研究的必要。"

正因主编有此觉悟和认识，该杂志所刊登的评论文章也就多有文化含量。不仅如此，该刊文章还以简练精辟是求。其次，该刊容量大——每期平均数十万字的篇幅；内容丰富——有轶闻、掌故、戏园变迁、演员生平、剧评、剧论、词曲、脸谱、剧本等；发行范围广——除上海本地外，还发往广州、梧州、汕头、香港、汉口、长沙、北平、沈阳等地；撰稿人著名——有漱石生、红豆馆主、郑过宜、刘豁公、吴我尊、姚民哀、周剑云、周瘦鹃、梅花馆主等。

梅花馆主自称不是白党，但他因为不仅是《戏剧月刊》的撰稿，也是该杂志的助理编辑，因此与白党诸成员交往频繁。事实上，他对荀慧生，也是偏爱的。他看戏，爱看花旦戏，不爱看青衣戏，他说看青衣戏，"要打瞌睡"。他看花旦戏，却只看荀慧生和筱翠花。早在荀慧生1919年第一次赴沪演出时，他就开始看荀戏了，一直到20世纪40年代初，足足看了二百来出。他认为，筱翠花的戏，"淫荡泼辣"，而荀慧生的戏，"情意脉脉"，因此，他更倾向看荀戏。所以，虽然他不承认是白党，但就他对荀戏的热爱，也与白党无异。

有一天，梅花馆主和白党同赴宴会，席间，不能不谈荀慧生，自然地，也谈到了四大名旦。一位白党成员一时兴起，怂恿主编刘豁公出一期“四大名旦”特号。这恐怕就是梅花馆主所说“四大名旦初步成功于1928年”的由来。

刘豁公一向也喜欢发行特号，对此建议很感兴趣。散席后，他嘱咐梅花馆主多搜集一些四大名旦的照片，以壮“特号”阵容。梅花馆主说：“这个小差使，自然不容推辞。”他停顿了片刻，接着说，“不过，我的主张跟你稍有不同。四大名旦的特号当然是要出的，但是现在还是时非其时。”

刘豁公不解，问：“那依你的意思呢？”

梅花馆主说：“我的意思是，最好先弄一个‘四大名旦’为题的征文（后文详述），试试各界对于留香的印象如何，等到征文揭晓以后，留香在四大名旦的地位已经取得了，将来再出四大名旦的特刊，比较名正言顺，不但我们可以卸却标榜的嫌疑，并且于留香面上，似乎格外来得好看些。”

这段话至少可以说明两点：一、这时，民间似乎已经有了“四大名旦”之说。也就是说，“四大名旦”这个称谓，初始于口头传扬。二、那位白党成员提议刊出“四大名旦特号”，是为了荀慧生。梅花馆主策划的以“四大名旦”为题的征文，说到底，也是为了荀慧生。这样说来，梅花馆主和丁秉鐩断言，“四大名旦”的提法是白党为捧荀慧生而“创造”出来的，大有可能。

荀慧生是谁？他何以能让白党为他造出“四大名旦”这个新名词？

《顺天时报》的那次新剧投票活动，提供了这样的信息：截止到1927年，荀慧生已有多部新戏问世。作为候选的那五部新戏，只是其中的一部分，而《丹青引》是那个时期的新戏代表作。

梅花馆主的那句话，“那时的荀慧生，离开梆子时代的‘白牡丹’还不很远。”提供了两条信息：荀慧生曾经有个艺名，叫“白牡

⊙ 梅兰芳演出《廉锦枫》饰廉锦枫。
⊙ 荀慧生演出《勘玉钏》饰韩玉姐。

⊙ 尚小云演出《秦良玉》饰秦良玉。
⊙ 程砚秋演出《文姬归汉》饰蔡文姬。

丹”；荀慧生曾经是唱梆子的。

荀慧生，第一次唱戏就忘词

旧时梨园艺人，多有艺名。取艺名的方式各不相同，最主要的方式有：

一、有幸进入科班学戏的，会按科班的排名确定艺名。这样的艺名，有两层含义，它既是艺人立身于梨园的符号，也在一定程度上是其坐科的科班的标志。比如，四大名旦之一的尚小云，原名尚德泉，在入三乐班科班后，以“三”字排名，取艺名尚三锡。著名的富连成科班，曾以“富”、“世”、“盛”等字排名，花脸演员袁世海就是该科班“世”字科学员。这样，观众可以通过艺人的艺名，知道他是哪个科班培养出来的。

二、未能进入科班，而只能做手把徒弟的，一般情况下，由他的师傅为他取艺名。有的艺人，虽然科班出身，但另外拜师后，又由师傅另取艺名。为弟子取艺名，也有不同的方式，有突显师承关系的，还是以尚小云为例，据说，“小云”之名，是他的师傅孙怡云为他取的。他在拜孙怡云为师后，由孙怡云取其名字中的一个字“云”，取名“尚小云”。更多的时候，师傅为弟子取名，并没有既定模式，比较随意。四大名旦之一的程砚秋，是满族人，本名承麟。他在拜荣蝶仙为师后，荣师傅将其改“承”为“程”，取名程菊依。

荀慧生“白牡丹”艺名的得名方式，属于第二种，即由师傅所取。他学戏真正意义上的启蒙老师，也就是他初入梨园的第一个真正意义上的师傅，是天津的梆子演员庞启发。之所以这么说，是因为在庞启发之前，荀慧生还拜过另外一个师傅，只是随他学戏的时间太短。

至于庞启发为什么为荀慧生取名“白牡丹”，就连荀慧生自己也说不清楚。人们只能根据牡丹的自然特性加以揣测。素有“花中之王”之称的牡丹华贵娇美，有人推断，庞启发有意让荀慧生日后以演雍容大气的角色为主。这种说法有些不合实际。庞启发是梆子花旦演员，荀慧生初入戏坛，专工花旦。花旦这个行当，多饰演天真活泼俏丽的年轻姑娘，与“雍容”、“华贵”，有一定的距离。

于是又有人推断，幼时的荀慧生皮肤白净，圆脸大眼，又性情温和、少言寡语，与同龄孩子相比，少了些顽劣和野性，而更多些沉静和矜持。“白牡丹”的艺名，相对而言，与他的相貌和性情比较吻合。

还有一个联系，似乎不能被忽视。荀慧生的祖籍在河南洛阳的西炮街，而牡丹花在洛阳，有着特别的意义。洛阳位于黄河中下游、中原西部、黄土高原的东端。这里气候温和、土壤肥沃，非常适宜牡丹栽培。宋代诗人欧阳修在《洛阳牡丹记》一文中写道：“洛阳地脉花最宜，牡丹尤为天下奇。”牡丹花在洛阳的大量种植，最早始于隋代，到唐代，便有了“洛阳牡丹甲天下”的美誉。

不过，荀慧生并非出生于河南洛阳，而是生长于河北省东光县。

早年，河南洛阳西炮街的荀姓家族是个官宦之家。实际上，早年，荀姓家族并不姓荀，而是姓“筍”（音sun）。为何后来改为“荀”，有人说是因为“筍”字过于冷僻，少有人能读音准确。还有一种说法，荀家原本姓“苟”。因“苟”音念起来不大好听，便在“苟”字上多加了一“横”，成为“荀”。荀慧生自己没有说过他本应姓“筍”，还是姓“苟”。也就是说，目前无法确知，他的家族是从什么时候开始改“筍”，或者改“苟”为“荀”的。

荀慧生曾经的“苟”姓，常常被他的好朋友、四大名旦之一的尚小云善意地取笑。20世纪30年代末期，“老生泰斗”余叔岩收李少春为徒，在这次收徒仪式上，好角儿如云。名净郝寿臣一进会场，

⊙ 少年荀慧生（13岁）。

就拱手向余叔岩道贺：

“祝贺您喜收贤徒。”

余叔岩连忙站起来回礼，说：“您一向不太参加这种热闹的场合，今天居然将您给惊动来了，深感不安。”

郝寿臣说：“后起之秀，拜在您的门下，余氏艺术有望，可喜可贺，自当前来，自当前来啊。”

坐在一旁的荀慧生，此时插嘴打趣道：“哟，快听听，这位花脸老先生，说话总是这么咬文嚼字的，是刚从洋学堂里听课出来的吧？”

荀慧生平时说话，与他在舞台上念“京白”[①]很近似，所以很有“舞台味儿”。他的这句话，立即引来笑声一片。在座的尚小云抓住这个机会，玩笑道：

“你呀，说话老是不忘你的姓！”

大家笑得更欢了，因为他们都知道尚小云这里所说的“姓”，是“荀”。“荀”，是“狗”的谐音。当然，尚小云没有恶意。他们之间，常常这样开玩笑。

那么，荀家是在什么时候由河南迁到河北的呢？有人说，是因为到荀慧生父亲这一辈时，荀氏家道中落，在洛阳已难以立足，不得已而迁徙。按照荀慧生自己的说法，并非如此，而是因为先祖奉调到东光县任“县令”，荀家从此举家落户东光县土山乡谷（当地人读“归”）庄。

谷庄的归属几经变迁：1938年以前归属东光县；1962年5月前，它又先后归属“东光河西特区”（县级）的阜东县、阜城县、交河县；之后，它归属阜城县。所以，按照现在的区划，荀慧生应该是河北省衡水市阜城县人。

但是，在一个相当长的时期里，说到荀慧生是哪里人，一般都认为是“东光县八里庄人”，就连荀慧生自己也经常这么说。他之所以这么说，并非没有道理。早年，属东光县的八里庄有好几个，其中有高家八里庄、王家八里庄、刘家八里庄，却都没有荀姓人家。

在距谷庄七里地的泊头市交河镇，有个及家八里庄。这里的人家，大都姓及。荀慧生的母亲及氏，就是八里庄人。荀慧生小的时候，在八里庄的外祖父母家住过一段时间。甚至有这样一种说法：荀慧生就出生在八里庄，所以，他才一直说自己“是八里庄人”。

荀慧生的次子荀令文曾经这样回忆：“1985年，我和大哥令香与先父之弟子宋长荣等一道回到故里访问演出，曾经到先父的出生地凭吊，原来是一个小土地庙，不足20平方米，现在已经改成一个农户的柴禾院。因我家谷庄的区域划分在历史上曾有多次变革……八里庄是先父的外祖父家……[②]”这里所说的“出生地”，应该指的是谷庄，而非八里庄。

“白牡丹”是荀慧生的艺名，而“荀慧生”也不是他的本名。

谷庄的荀姓人家是个很大的家族，有一百多户人家都姓荀。按照荀姓家谱排字，依次为：效、宝、云、凤、福、连、清。荀慧生的父亲是“凤”字辈，名字叫荀凤鸣；荀慧生便是“福”字辈，名“才”。所以，他出生时的大名叫荀福才，字慧声。年长他一岁的哥哥，叫荀福苍，字慧荣。据说，荀慧生还有两个曾用名，荀秉彝、荀秉超，少有人知道，他自己也很少用。

在《中国京剧史》里的“荀慧生”条目中，关于荀慧生的名字，这样介绍：他“原名词，又名秉彝、秉超，字慧声，号留香，艺名白牡丹，后用慧生驰名。”

①京白：是京剧念白中的一种。它的特点是节奏鲜明、重点突出、舒展大方。因为京白是在北京方言的基础上进行艺术加工后形成的，所以京味十足。

②和宝堂整理：《戏苑宗师荀慧生》，辽宁美术出版社1999年12月版，第1页。

⊙ 荀慧生的母亲及氏。

“原名词”这个说法，并不确切。不过，在荀慧生的一生中，除了艺名“白牡丹”，以及最终驰名的“慧生”外，“荀词”这个名字，虽然用时短，流传也并不广，但是对他来说，却也有特别的意义。它的来历，与他初次登台有关，非常具有戏剧性。

对于以唱戏为生的艺人而言，第一次登台，总是难以忘怀的。梅兰芳10岁时第一次登台，演的是应节戏《长生殿·鹊桥密会》里的织女，当时，他是被师傅抱上椅子、登上“鹊桥”的，兴奋极了。程砚秋很幸运，12岁时第一次登台，是借台学艺，借的又是个名角汇聚、名声响当当的大台——春阳友会。也因为如此，年幼的他一下子就被关注了。尚小云8岁初次登台，以武生的身份演出京剧传统剧目《郑州庙》，饰演主角黄天霸。之后，他才改学旦角。可以说，这三大名旦的第一次登台，都是相当成功的，都为日后的演艺奠定了很好的基础。

唯有荀慧生，他的第一次登台，是失败的。也正因为失败，才让他刻骨铭心。

目前，大多数研究资料都说荀慧生初次登台唱戏，是在1908年，也就是荀慧生8周岁的时候。比如，荀慧生的夫人张伟君在《荀慧生传略》中，这样写道：

“慧生以8岁童伶，在天津韦陀庙土台上，首次演出了……”

荀慧生弟子徐凌云在《中国四大名旦》之《荀慧生传略》中，也有类似说法：

“1908年的冬天，荀慧生被推出登台……”

谭志湘在《荀慧生传》中，直言道：“白牡丹第一次登台演戏，只有8岁。”

大家之所以都这么说，恐怕来源于荀慧生自己的回忆。他曾经这样说：“公元1908年3月的一天，那是我终生难忘的日子……我在……登台演出。”[①]

然而事实上，“1908年”说，可能存在着记忆误差。

荀慧生初次登台，是在天津。至于是在天津的哪个戏园子，目前有两种不同的说法：一种说法是在位于天津郊区韦陀庙的一座茶园；另一种说法，是荀慧生自己多年后的回忆，说是在天津西边的小道子魁星楼。无论是韦陀庙的茶园，还是小道子魁星楼，都地处偏僻，远离戏园林立的闹市。可以说，荀慧生艺术生涯的第一次，很不张扬。因为那时，正逢“国丧期”。

何为“国丧”？何为“国丧期”？清帝制时代，皇帝或太后、皇后死了叫做“国丧”，民间称“断国丧”、“断国服”。早年，皇帝死后三年、皇后或太后死后一年之内，是国丧期。国丧期间，必须“遏密八音”[②]。国人在这段期间，必须身着丧服为他们服丧戴孝。除此之外，还不许剃头，不许宴会，不许娱乐，不许动任何响器，甚至连街上做小买卖而使用的唤头（如鼓、锣、铃、钹等）都禁止敲打。如果背着的箱子、柜子是红色的，在国丧期间，也得改成黑色蓝色。既然禁止一切娱乐，各戏院自然全部停业。

清朝末年，国丧期一律改为一百天。一百天后，半开国服。就娱乐业而言，半开国服，意味着由完全禁止转为有限禁止。这时，演员可以上台，但不能着行头，必须穿便衣，名为“说白清唱”。这时，“唱青衣的头上包一块蓝绸子，老生可以戴髯口，小丑在鼻子上抹一点白。花脸用包头的颜色来表示他的身份。另外在脸上画两道浓眉，代表戏中人的性格。场面[③]上，大小锣、堂鼓等乐器，都

①和宝堂整理：《戏苑宗师荀慧生》，辽宁美术出版社1999年12月版，第18页。
②八音：指金、石、丝、竹、匏、土、革、木；遏密八音，即禁止弹奏各种乐器。
③场面：就是现在的乐队。

在禁用之列。打锣的人，左手虚作提锣的姿势，右手拿着锣锤，嘴里念着锣经，以口代锣。打鼓的也不能使劲敲打”。[①]

那么，荀慧生初次登台，是在国丧期内，还是在过了一百天、半开国服之后呢？张伟君在回忆文章中，这样写道：

“慧生第一次登台演出就不顺利。当时正赶上慈禧和光绪逝世的‘双国丧’，‘禁止八音’，当然更不准唱戏。庞师傅为了徒弟能早日成材为他赚钱，就带着慧生到这个僻静些的韦陀庙来演唱。好在这不是京城，又不响铜器，自然也就没人追究了……”

另外有人说，当时，因为不允许戏园开锣唱戏，所以，茶园老板一方面想开业赚钱，一方面又怕担风险，便与庞启发谈好：如果有人追究，就说是小孩子唱着玩儿的，不算是正式开门营业。不过，他还是要求庞启发不得动响器。

按照这样的说法，荀慧生初次登台，似乎应该是在一百天的国丧期内。然而，无论是庞启发，还是茶园老板，似乎都不太可能有那么大的胆子。就算是庞启发急于要让荀慧生登台赚钱，也不至于敢冒杀头风险。另外，从荀慧生当天唱戏时的穿着打扮来看，这个时候，应该出了国丧期，已经半开国服了。

那天，庞启发安排荀慧生唱的，是青衣戏《双官诰》中的一折《忠孝牌》(又叫《三娘教子》)。这出戏的故事大意是：明朝一个书生，叫薛子奇。他外出经商，路遇王文，二人同行。后来，王文意外丧命，薛家误将王文尸首认作是薛子奇的，悲伤不已。不久，薛家大夫人和二夫人相继改嫁，撇下幼儿倚哥，由三夫人织补为生、苦心抚养。许多年后，薛子奇弃商为官，升任兵部尚书，返回家乡。倚哥进京赶考高中，也荣归故里。三夫人身受双官诰命，被皇上封为贞节夫人。

年幼的荀慧生扮演的就是三夫人王春娥。当时，他没有穿正式的戏衣，只穿了件竹布长衫，白裤子，黑布鞋，腰间系了条素色长巾。为显示青衣身份，他头上被包了块蓝布手帕。这样的装扮，符合半开国服之后青衣演员的装扮要求。

更重要的是，开戏时，由于仍然禁用大小锣、堂鼓之类的乐器，所以，庞启发手敲枣木梆子，以口代锣，用嘴念锣经，也用嘴代替胡琴，为荀慧生“伴奏”。这也与半开国服后，对场面的要求相一致。

光绪死后第二天，慈禧也死了，时间是在1908年的11月。这也就意味着，荀慧生初次登台的时间，不可能是在1908年的3月，而只能是在11月之后。又由于从11月起，有一百天的完全禁止娱乐的“国丧”期，所以，他所说的“3月”，更有可能是1909年3月。那时，他刚刚过完9岁生日。

早期梨园界，弟子拜师后，要学几年的戏，才能登台，并不固定，视各人情况而定。比如，梅兰芳8岁开始学戏，10岁初次登台；程砚秋6岁开始学戏，直到12岁才在春阳友会借台学艺；尚小云7岁开始学戏，8岁就出外跑码头，在天津初次登台，四大名旦中，他算是出台最早的了。除了他天资的确聪慧外，科班出身，也是原因之一。

现存资料显示，荀慧生是在1907年下半年拜师的，如果他的确是在1909年3月初次登台的话，那么，他只学习了一年多的基本功，按照他自己的说法，只“学习了两三出戏”而已。师傅庞启发收徒，自然没有为中国戏曲培养后备人才的超前思想，他更多的是将徒弟视为挣钱工具。收了徒，教了些基本功，传授了几出戏，他就急于让徒弟们上台唱戏了，为的是早点挣戏份。荀慧生几乎是被逼着，在没有充分准备的前提下，匆匆上了台。

舞台给予荀慧生的最初印象，并不炫目、璀璨，因为舞台设备简陋，因为不完备的化装和服饰，不免让年幼的他产生错觉：这，不是在唱戏。但是，台下，毕竟密密匝匝挤满了戏迷，他们因为百日“国丧”，观戏的热情已经被压抑了太久。也许，正是因为他们急

①梅兰芳：《舞台生活四十年》，河北教育出版社，2001年5月版，第18页。

⊙ 少年时期的荀慧生。

迫的眼神、疯狂的喝彩叫好声吓住了他，让他一下子紧张起来，以至于手足无措。

荀慧生站在舞台中央，看上去很可怜、很无助的样子。师傅庞启发手敲枣木梆子，用嘴念锣经，以嘴代胡琴，哼起了过门。可是，荀慧生仍然木木地站在台中央，怎么也张不开口——他忘词了。

那个时候，他还不知道什么叫“脑子一片空白”，他的眼里，满是表情错愕的观众；他的耳朵里，灌满了台帘一侧师傅“词儿，词儿”的低声且焦急的呼唤。他知道，师傅是在提醒他“赶紧说词儿”。可是，他的脑子里，哪有什么词儿？他也不知道什么叫“急中生智”、“随机应变”，他只知道，转身，“逃”。台底下，观众哄闹起来了，嘲笑声、叫倒好声，响成一片。

荀慧生刚跑到台侧师傅身边，就见庞启发抡起手中的枣木梆子，朝自己打来。庞师傅一边没头没脑地狠打，一边大叫：“词儿！词儿呢？”庞启发下手，一向不分轻重，枣木梆子落在荀慧生的小脑袋上，让他眼冒金星，顿有天旋地转之感，险些晕过去。他不敢说“我忘词儿了”，他咬牙忍受着毒打，心里却想着：师傅，您快提醒我词儿啊！

台上没了演员，“开了天窗”，这当然不行。挨了打，也被提醒了词儿，荀慧生又赶紧跑回台上，咿咿呀呀地唱了起来。但是，因犯错而自然生成的羞愧，因毒打而火辣辣的疼痛，使他忍不住想哭。虽然他忍着痛，憋着泪，坚持着，继续往下唱，但是，唱得荒腔走

⊙ 荀慧生请人篆刻的“荀词”图章。

板，错误百出，响若洪雷的喝倒彩声几乎淹没了他结结巴巴、断断续续的唱声。

回到家，余怒未消的庞启发拎起荀慧生，又是一顿毒打，自然还是一边打一边嚷：“脑袋里的词儿呢？死到哪儿去了？居然第一次唱戏就忘词儿。我真是白教你了。你这个没出息的东西。”打累了，他坐下喘气，抬眼看见荀慧生低头驼背，怯生生的样子，又气不打一处来，手指猛点荀慧生的脑门，狂叫着：“词儿！词儿！这顿打，让你一辈子记住，别忘了词儿！”

从在舞台上忘词起，到勉强唱完，然后回家、挨打，荀慧生满脑子只有两个字：“词儿”。即便面对毒打，他似乎也感觉不到疼痛了。“我为什么会忘词儿了呢？”他始终想不通这个问题。那时，他只有9岁，天生内向、胆小的他，紧张，是必然的。然而，除了紧张，技艺不精，功夫不到家，也是原因。

这次失败，让庞启发对这个弟子担心起来，他甚至有些怀疑，祖师爷到底有没有赏这碗饭给这个孩子，这个孩子到底适合不适合以唱戏为生。在他看来，荀慧生太内向了，以至于有些木讷。以后每次排戏，他就时不时地提醒着：“别忘了词儿。”或者是：“记住词儿。”甚至有的时候，他一见到荀慧生，就指着他，只说两个字：“词儿，词儿。”演出前，他就更要左叮咛，右嘱咐：“想着词儿，词儿。”当荀慧生上了台后，他更紧张得手脚冒汗，不怕他唱跑调，就怕他忘词儿。

这次失败，也给荀慧生很大的打击，他的自尊心受到很大伤害。他对自己，也有了怀疑，怀疑自己是不是唱戏的这块料，甚至怀疑自己是不是不够聪明。学戏，唱戏，是他的，在一定程度上也是他的父母、他的哥哥的生存手段。如果不能唱戏，一家人吃什么呢？荀慧生内向，但也倔强。“再也不能忘词儿了。”这是他当时朴素而真实的决心。为此，他为自己取了新名字："荀词"，用以铭记第一次唱戏就忘词的难忘经历。

许多年以后，在他成名后，他在一枚闲章上，请人刻下这样一句话："河北东光是我家，荀词慧生是我名。"

在荀福才、荀慧声、荀词之后，荀慧生又有了"白牡丹"的艺名。虽然荀慧生并不十分了解师傅为他取这个艺名的真实原因，但有一点，他记得很清楚，那就是确定这个艺名的时间，是在1909年，也就是在第一次登台忘词之后。

庞启发在这个时候为荀慧生取艺名，可能与"忘词事件"有很大关系。也许，他希望通过改名而改变荀慧生的运势，扭转开局不顺的局势；又也许，他希望以高贵典雅的"牡丹"掩盖弟子野草般卑微的身份，给观众一个全新又深刻的好印象，以抹去不久前那场失败的阴影。

荀慧生以"白牡丹"的艺名第一次登台，是在天津下天仙戏园。有意思的是，这次，荀慧生仍然唱《忠孝牌》，演的还是三夫人王春娥。庞启发这样安排，颇有些"在哪里跌倒就在哪里爬起来"的意思。从解决心病的角度讲，越是隐秘伤痛，越应该直面。逃避，只能使伤痛隐藏得更深而永远无法根除。

庞启发的做法很有效。

那天，下天仙戏园的海报上，是粗大清晰的"白牡丹"三个字。下面的一串小字，写的是："老十三旦再传弟子"。然后，是戏目：《忠孝牌》。这个时候，已经全开国服了，也就是说，国丧期完全过去了，各行各业都恢复了正常。具体到梨园，戏园也已重现鼓乐齐鸣的壮观了。演员呢，也都可以浓妆艳抹了。扮戏[①]之后的"白牡丹"荀慧生，完全是个地道的小媳妇模样，内向而又略显腼腆的个性，让他更添小家碧玉的神韵。

这次演出，荀慧生并非完全不紧张。如果上次的“第一次登台”，很大程度上是体验、是尝试的话，那么，这次的登台，又有“白牡丹”的新艺名，便可以称得上是真正意义的“第一次登台”了。他演得很认真，很卖力。事实上，在此之前，他练得很认真，很卖力。对于唱词、念白，他更是背了个熟透。为了不忘词，他甚至在梦里都在背词。

如果说白牡丹一下子就唱红了，不免夸张。不过，他的这次演唱，的确给观众留下了不错的印象。一个不过9岁的小孩子，扮相上，像个小媳妇，演唱上，不走调不错漏，就已经很不错了，何况他还能够像模像样地表现出王春娥含辛茹苦抚育幼儿的悲苦经历，以及用眼神透露出王春娥期盼幼儿成材的内心情感，实属不易，也很难得。因此，他得了个“神童”的美誉。

从此以后，直到1925年，荀慧生一直用的是“白牡丹”的艺名。

1925年10月2日，北京西珠市口开明大戏院的门前，一幅巨大的海报吸引了不少人驻足观望。海报上，当天的戏目是《打渔杀家》，演者是老生泰斗余叔岩和荀慧生。荀慧生？他是谁？了解内情的戏迷说：他就是白牡丹。

也就是从这天开始，“白牡丹”正式更名为“荀慧生”。

荀慧生之所以改名，是遵从武生泰斗杨小楼和著名老生余叔岩的共同建议。他的本名是福才，字慧声。两位戏界泰斗为何改“声”为“生”呢？生，有产生、生气之意，他们希望荀慧生更生灵慧，像他所饰演的诸多花旦角色一样，更具生气而充满活力。自然地，“荀慧生”这个新名字，是在抛弃“白牡丹”的基础上产生的。可以揣测，无论是杨小楼，还是余叔岩，甚至是荀慧生自己，都对“白牡丹”这个艺名不以为然。其中原因，很大程度上缘于他活泼俏丽的花旦身份，与高贵雍容的牡丹，不大相配。

有人曾经特别为白牡丹更名撰文表示祝贺，其中于不经意间，

①扮戏：戏曲名词，意即戏曲演员化装。

也提到了更名可能存在的另一种隐秘原因。该文称其更名:“用意甚佳。盖因小叫天改名谭鑫培、小杨猴改名杨小楼、小小余三胜改名余叔岩等，此皆更名后得享盛名也。况白牡丹已名享南北，再更名后，更可预料其胜达而上矣。”

还有一个原因，也不可忽视。这个时候，荀慧生结束在上海长达五年的演艺生活，刚刚回到北京重新登台。相比五年前，他已经由一个默默无闻、饱受非议而被人看不起、甚至嘲弄讥讽的无名小辈，成长为红透大上海的花旦名角儿。重返京城，大有衣锦还乡、荣归故里的意味。一个“生”字，也就有了“重生”、“再生”的意思。

那么，他缘何会被人看不起、被人嘲弄讥讽？是因为他原先是唱梆子的。

一路乞讨到天津

无论是梅兰芳、程砚秋，还是尚小云、荀慧生，都可以用“生不逢时”这个词来概括他们的出生。生、长于腐朽溃烂的清朝末年，又有谁的出生能够称得上是“生逢其时”的呢?

梅兰芳出生的那天，是清光绪二十年（1894年）10月22日。那天，整个北京城的气氛很压抑。因为就在这天，李鸿章中堂被摘去了三眼花翎、褫去了黄马褂。北洋水师“济远号”战舰管带方伯谦因在十天前的海战中畏敌逃逸，也是这天在菜市口被斩首示众。这一切都源于三个月前爆发的中日之间的战争，史称“甲午战争”。北洋水师节节败退，日本军队横扫东北，清廷被迫签订了诸多丧权辱国条约，割地赔银，几乎掏空了国库。

在四大名旦中，程砚秋的年龄最小，出生于1904年1月1日。这个时候，世界列强纷纷崛起，对中华大地虎视眈眈，而清廷腐败无能，民众愚昧不堪，南方革命党不断起义。侵略、腐败、战火，国势危如累卵。

荀慧生与尚小云一样大，都出生于1900年1月，荀慧生年长两天，1月5日的生日，尚小云则是在1月7日降生。这年的国势，更加风雨飘摇，最主要的是“拳匪构乱”。社会的巨大混乱，与其说是其中某一个方面的原因，不如说是多重因素交杂造成的。相对而言，八国联军的祸害更大一些。联军自天津大沽口入侵的消息传到北京时，京城就陷于恐慌与混乱之中。紧接着，慈禧太后、光绪皇帝和众臣逃离北京，北京失陷。然后，八国联军在京城烧杀抢掠。

这年的社会动荡，刚刚出生的荀慧生自然没有直观印象。至于发生在北京的八国联军的暴行，对于蜗居在距离北京遥远的河北东光县土山乡谷庄的荀家人来说，也没有切肤之痛。而因义和团活跃在天津、河北一带，被镇压时造成的恐惧，谷庄人，包括荀家人，都感受到了。所以，荀慧生从荀家长辈那里基本上没有听过关于八国联军的一切，更多的则是关于义和团的种种。为了消灭义和团，清官府与洋人勾结，屠杀义和团，其间不可避免地错杀了无数手无寸铁的百姓。

荀慧生小的时候，从他的母亲及氏那里，经常听到的故事，不是白雪公主与七个小矮人，而是关于杀头。每当母亲绘声绘色地描述人头滚落，或者“每一棵树上都挂着人头”的时候，他就会感到一股寒气从脚底直冲脑门，让他浑身发抖。晚上，他就不断地做噩梦，梦见的，也全是人头，和人头上不肯瞑目的血红的眼睛，以及挂在嘴巴外的血红的舌头，直到一身冷汗地被吓醒。

四大名旦中的三人，梅兰芳、程砚秋、尚小云都有过家道中落，甚至沦为赤贫的经历。梅兰芳的家，之前，主要依靠“六场通透”的伯父梅雨田，他凭借着过人的戏曲本领，维持一家老小的生活不成问题。可是，在八国联军打进北京之后，戏班停演，梅家和其他以

⊙ 少年荀慧生（右）和他的母亲及氏。

戏为生的人家一样，生活状况遽然下降。梅雨田以前凭兴趣跟人学过维修钟表，此时派上了用场，竟赖此为生了。他由一个戏曲音乐天才的角色，一转而为钟表匠师傅了。角色的遽变，真是对社会巨大动荡的真实写照和辛辣讽刺。

程砚秋出身于官宦之家，从他的先祖到他的父亲，世代享受爵禄。因此，他的童年，有那么几年，无忧无虑。但是，在他父亲去世后，特别是辛亥革命后，世袭爵禄没有了，孤儿寡母的，生活无着，每况愈下。

受环境影响最大、因社会动荡而使家庭生活陷于困顿、几近难以生存的，是尚小云。在他出生之前，他的父亲在京城的一家王爷府当总管，尚家虽然谈不上大富大贵，生活也还过得去。在义和团、八国联军造成的一系列社会动荡之后，尚家有限的家财悉数毁于战火，生活随之由小康一下子沦为赤贫。

他们三人都生长于皇城根下的北京城，更容易受到社会环境的影响。只有荀慧生出生于农村。但是，乡下的日子，也不好过。农村经济发展，自然是谈不上的，多如牛毛的苛捐杂税，又压得农民们无法喘息。荀家，和众多农户一样，日子过得很艰难。尽管荀慧生的祖上做过县令，显赫一时，但是，到了荀慧生父亲荀凤鸣这一代，家道已经败落到不得不以务农为生。

如果不是发生意外，荀慧生自可以随父母在乡下继续过日子，尽管艰难，但也没有其他想头。那次的意外，改变了荀慧生的人生。在这之前，他只是一个农民的后代，也许日后也就是谷庄新一代的农民，过着老婆儿子热炕头的平凡农耕生活；在这之后，他不得不离开了家乡，离开了赖以生存的土地。还是为了生存，他被命运推着，走上了戏曲这条路。

那次意外，发生在荀慧生 6 岁的时候，即 1906 年。

谷庄的荀姓大家族，无论外面的世界如何变化，国势如何衰败，族内成员之间的不和与明里暗里的争斗，从未消停过。不知为什么，那年，荀慧生的父亲荀凤鸣突然被族人扣上了一个罪名，说他“盗卖祖坟上的树木”。族中大小事宜，由族长说了算。也就是说，只要族长认定了荀凤鸣的“罪行”，荀凤鸣无论如何申辩都无用。族长有令：严惩荀凤鸣。

“严惩”的方式，就是“绞死荀凤鸣”。这个时候，那些曾经与荀凤鸣有矛盾的族人，乘机向族长进言：破坏祖坟是大罪，理应“满门抄斩”。族长还在斟酌、犹豫，荀家听见风声，当然大为惊慌。怎么办？为了保住一家大小的性命，唯一的出路，就是一个字：逃。

在一个月黑风高的夜晚，荀家四口人：一家之主荀凤鸣、夫人

⊙ 荀慧生的父亲荀风鸣。

及氏、长子荀慧荣、次子荀慧生（当时还叫慧声）悄悄地潜出家门，沿着通往庄外的小道，一路狂奔。没有月光，一片漆黑，他们的脚步，有些踉跄。

对于6岁的荀慧生来说，这个时候，他还不能清晰地明了所发生的一切。相反，在一个孩子的眼里，这样的奔逃，当然富有历险的刺激。因为父母，因为环境，他不自觉地有些紧张，同时，他又有些兴奋。如果他知道，未来的生活将比以前更艰苦，甚至更屈辱，他一定不会像现在这样兴奋。

荀家本就是个破落户，农耕生活连填饱肚子都成问题，自然家无积蓄。匆忙外逃，来不及收拾行囊。实际上，也没有什么可收拾的。然而，一旦摆脱了外界对生命的威胁，穿衣、吃饭、睡觉这些基本问题，就变得突出起来，急待解决。没有半文钱，四个人除了身上避寒的破烂衣衫外，别无他物，能变卖的东西也没有。他们能做的，只能是乞讨。

走出东光县，荀风鸣也不知道该带着妻儿往哪儿去。东光县在运河之畔。水，是生命之源。即使没有文化，荀风鸣也明白这个道理。于是，他决定沿着运河一路往北，走到哪儿算哪儿，只要可以落脚就行。经过沧州、青县、静海之后，他们来到了天津。这个时候，已是1907年，荀慧生7岁了。

这一路上，荀慧生挨饿、受冻，饱受艰辛。白天，他要乞讨；晚上，却无处栖身。屋檐下、大树下、草棵里、山洞中，都是他的“床”。每天不间断地行走，没有一双完整的鞋，让他的小脚起泡、化脓、结痂。痂脱落后，再起泡、化脓、结痂，如此反复，苦不堪言。乞讨的生活，给他留下了难以磨灭的凄惨印象。

让荀慧生难过，并一辈子不能忘记的，不只是饿、冻、累、疼，还有屈辱。当他伸出小手，向人乞讨时，强烈的自尊心让他饱受屈辱的折磨；当他遭到有钱人的白眼、喝斥、嘲弄、侮辱时，屈辱感让他体味到何为生不如死。尽管他当时只有六七岁，在别人眼里，还只是个孩子，但生活的磨难，让他有超越年龄的成熟心智。他在感受到人情温暖的同时，感受更多的，是人性的丑恶。这是他接触社会、认识社会、了解人性的开始。这样的开始，对他的性格、日后的为人处世，乃至戏剧观，都有很大影响。

结束乞讨，并不意味着结束悲苦的生活。荀凤鸣选择在天津落脚，很大程度上是因为天津作为中国北方第一大商埠，繁华热闹。在他看来，在这里找个活儿干，不是难事，而一旦有了工作，不但可以解决一家人的生活，也可以顺理成章地变成城里人，从此与面向黄土背朝天的生活彻底说再见了。

然而，他想得太美。起初，他根本找不到工作。他这样一个农民，没有文化、没有技能、没有背景，甚至连一个熟人、一个可以为他做担保的人都没有，能干什么？做生意？没有本钱，连想都不敢想；进工厂？无处入门。

荀凤鸣心急火燎，四处奔波。终于，经人介绍，他开始以造香为业。所谓“香”，又称“线儿香”，是一种熏香，俗称“芭兰香”。无论怎样，荀凤鸣由农民、乞丐“升级”为城市手工业者了，也算是一个进步，一个飞跃。但是，荀家的日子并不见起色。造香收入微乎其微，难以餬口。为维持生计，荀慧生的母亲及氏也不得不为人缝缝补补，挣些小钱以贴补家用。

荀慧生对于小时候生活的印象，只有两个字：贫穷，贫穷到有了上顿不知下顿的地步。在家乡时的生活是如此，乞讨时的生活也是如此，在天津安身后的生活，还是如此。

程砚秋曾经说过这样一句话：“人们确实没有了活路，才不得不卖身学戏的。万一有一线生路，也绝不会狠心把儿女送进火坑。”

他之所以这么说，是因为他学戏源于贫穷，贫穷到几乎没有了活路。尚小云学戏，也是因为家道中落后生活陷于困顿。同样的，荀慧生最终走上戏路，也是因为贫穷。

那个时候，小孩子去学戏的原因，除了贫穷之外，便是出身梨园世家。“唱戏的子女只能从事唱戏”的户籍制度，是中国封建社会的缩影。到了清末，这样的祖制虽然已不再具有强制性，但它的余毒仍然左右着人们的思想。因而，梨园世家在戏曲界是常见的。梨园子弟，承继祖业，自然而然地以唱戏为生，似乎还是天经地义的。其中的典型，便是梅兰芳。

因而，四大名旦中，除了梅兰芳因出身梨园世家而学戏外，其余三人都是因为家贫而走上唱戏这条路的。不同的成长经历，造就了他们不同的戏剧观。

梅兰芳的梨园世家出身，使他相对其他三人，更多了戏的遗传，对戏本身，也更多了热爱。他唱戏，不是因生活所迫的不得已，不单纯是谋生手段。在一定程度上，他视戏为任人打扮的小姑娘，他将对艺术的认识和热爱，对艺术的创造，寄托在这个“小姑娘”的身上，然后加以实践。所以，他专注于戏曲本身，他热衷于技术层面上的创新与开拓。他演的角色，大多是深居高墙之内的宫廷贵妇、不食人间烟火的天女仙人。梅派戏，也以雍容华贵、色彩艳丽为主。

程、尚、荀三人有个共同点，那就是祖上都是为官的。相对而言，程砚秋与尚小云更相像，都出身于官宦人家，家道中落的原因，受社会环境的影响很大。荀慧生有所不同，他生长于农村，贫困伴随着他的出生与成长。因此，虽然他们都是因为家贫而不得不唱戏，都以唱戏为维持生计的手段，但程、尚二人对生活的巨大落差，更有切身感受，更能体会到世事难料、命运无常，以及人在命运面前的无奈。

天生内向的程砚秋，忧郁而悲观，却因此更有思想。体现在戏剧观上，他开创性地将戏剧的功能由单纯的娱乐、取悦于人，提到“提高人类的生活目标”的高度，同时又呼吁艺人不要仅仅将自己的职业视为谋生手段，而更应该承担对社会负有的劝善惩恶的责任。因此，程派戏，以悲剧为主，除了艺术性外，十分注重思想性。他所饰演的女主人公，以烈女为主。

尚小云的性格不如程砚秋悲观，因此，尽管他与程砚秋有相似的家庭背景和生活经历，但尚派戏少有悲剧。如果说他的经历对他的戏也有影响的话，那就是他的戏有着极强的反抗性。他所饰演的角色，以侠女为主。

荀慧生呢？他是四大名旦中唯一专工花旦行当的(其余三人，都以青衣为主)。正如青衣梅兰芳后来也唱花衫一样，荀慧生除了本工花旦外，也唱青衣、刀马旦和花衫。相对而言，他的戏路更宽，文武兼备、悲喜兼长。不过，他的生活经历，使他倾向于饰演被压迫、被损害，却又不乏反抗精神的底层劳动妇女。

有一点让人有些疑惑：荀慧生的性格天生内向、腼腆，平时不爱说话，见了生人还有些害羞，这样的性格，为什么会专工花旦这个以活泼俏皮见长的行当呢？这就涉及到他小时候卖身学艺的经历。

被“卖”了两次

四大名旦中，有三个人，初次学戏，都不得不“卖身”。唯有梅兰芳是个例外。这是他们不同的学戏原因造成的。

旧时梨园界，戏曲演员的培养方式主要有科班学艺、拜师做手把徒弟、请老师到家中授艺、票友学艺这四种形式。对于初入戏门的孩子来说，票友学艺，自然不谈。能够请得起老师到家中授艺的，多半是家境说得过去的。对于在贫困线上挣扎的程砚秋、尚小云和荀慧生来说，若想学艺，只有科班学艺和拜师做手把徒弟两种方式可供选择。

程砚秋、尚小云都是在决定了要学戏之后，才开始考虑采取什么样的学戏方式的。程砚秋一开始，就做了荣蝶仙的手把徒弟；尚小云则是在被富连成科班拒绝后，才拜李春福为师的，但不久后，他还是如愿进了科班三乐班。荀慧生的学戏方式，容不得他选择。

关于荀慧生是如何踏进戏门的，目前有两种说法：一种是荀凤鸣在线香工厂结识了几个老乡，其中一人叫谢载河，他的妻子、女儿都是唱戏的。荀凤鸣常在谢载河面前为生活而唉声叹气，谢载河很同情他，又见慧荣、慧生兄弟俩长相俊秀，便向荀凤鸣提议，不如让两兄弟去学戏。荀凤鸣想想这的确也是个解决吃饭问题的法子，就答应了。然后，由谢载河介绍，慧生和哥哥一同进了梆子班。

另一种说法是，就在荀家的生活难以为继、荀凤鸣终日为无法填饱肚子烦恼时，意外地听到了一个消息：小桃红梆子班正在招收徒弟。小桃红和小桃红梆子班的小喜禄，是天津有名的梆子演员。小桃红梆子班和天津镇总兵周盛传在津郊小站创建的盛军的童伶梆子小班，在当时，都是颇有名气的梆子童伶班。这两个梆子班，兼有戏班、科班的双重性质，以培养梆子童伶为主。

早先，娼、优、隶、卒四种职业被归于贱业，伶人的地位不及娼妓。但尽管如此，贫寒的家庭，当生活无着时，还是愿意将自己的孩子送去学戏。一来，家里因此少了一张吃饭的嘴，家庭负担因此得以减轻；二来，日后如果唱红了，生活将发生翻天覆地的变化。所以，学戏就成了贫苦孩子的一条求生之道。

梆子班收徒的消息，让荀凤鸣的精神为之一振，他陡然看到了生活的希望。特别是，当他听说如果此时将孩子“卖”给梆子班，还能获得25块大洋时，兴奋之情，无以言表。一个孩子25块，“我可是有两个儿子啊，岂不可以换回50块大洋？”这样一想，他也就下定了送孩子去学戏的决心。

目前看来，这第二种说法比较符合史实，因为荀慧生自己也是这么说的。

50块大洋，荀凤鸣将慧荣、慧声两个儿子一起“卖”给了梆子戏班。

7岁的荀慧生无可选择地踏入戏界，从此开始了他长达60年的艺术人生。

不过，荀慧生在小桃红梆子戏班待的时间很短，几乎没有学到什么东西，就不得不退了出来。原因不在于他，而在于他的哥哥荀慧荣。

程砚秋为什么会把人们送子女学戏比喻为送进火坑？因为那时学戏极苦。这个“苦”，不仅仅在于练功辛苦、唱戏辛苦，也在于几乎每个学戏的孩子，学戏的过程，实际上就是挨打的过程。那个时候，学戏，又称“打戏”。无论是在科班学戏，还是拜师学戏，都不可避免地要挨打。似乎没有不挨打的孩子，甚至有的孩子因此死在师傅的棒子底下。程砚秋被师傅毒打后，大腿后侧形成的血疙瘩，一直伴随了他十多年，直到用手术消除；尚小云被师傅毒打捅破了肚子，留下打嗝的后遗症，终生未愈。

荀慧生、荀慧荣弟兄俩进了梆子戏班后，最初的一堂课，便是挨打。在他们的眼里，凶神恶煞的王姓师傅无异于魔鬼。每一句话，都是喝斥；毒打，是家常便饭。尽管之前，他们的日子是贫困的，吃不饱穿不暖，但至少没有皮肉之苦。经常性的皮肉之苦，很自然地引发为精神之痛。

不知道慧荣事前有没有和弟弟“密谋”，也不知道慧生事前是否了解哥哥的打算，一天夜里，哥哥荀慧荣从戏班逃跑了，跑回了家。第二天，戏班班主和王师傅发现荀家兄弟少了一个后，责问弟弟荀慧生。荀慧生唯有沉默，也不知道他确实不知道，还是他知道而不说。班主、王师傅气极了，开班多年，还没有出现过胆敢私自脱逃的事情。“这个小子，胆子也忒大了吧！”他们咬牙切齿。

荀慧生的“不逃”，无外乎两种解释：

一、哥哥没有泄露他的计划，也就是说，他并不想带着弟弟一起逃跑。换句话说，荀慧生不知道要逃跑，所以没有逃跑。

二、当哥哥让他一起逃跑时，他拒绝了。如果他是拒绝的，那么，他拒绝的原因，也有两种不同解释：

1.他胆子小，害怕招致师傅更加狠毒的殴打，也害怕被父母责骂；

2.他有比较强的忍耐力。内心，他痛恨王师傅的虐待，但他能忍。

于此似乎可以说，荀慧生天生具有“坚持”的秉性；从消极的方面说，他没有强烈的反抗精神。

有的时候，忍受、不反抗的后果并不一定比不忍受、反抗的后果好。戏班班主在遍寻荀慧荣不得的情况下，领着荀慧生冲到荀家。他并不向荀父凤鸣要人，而是提出：既然荀慧荣无意学戏，那么，他也不要荀慧生了。同时，他要求荀凤鸣退回当初的50块大洋。也就是说，双方解除“买卖”合同，互不相欠。

那50块大洋，早已被荀凤鸣拿去还了债，如今家徒四壁，哪能一下子凑到那么多钱呢？母亲及氏痛哭失声，又忍不住责怪儿子不懂事、任性而不能体谅父母的难处。荀凤鸣对班主作揖磕头，请求宽限，又当着班主的面，狠打两个儿子。犯错的是荀慧荣，荀慧生却也挨了打，他的心里，有说不出的苦楚。一番闹腾，总算稍稍消了班主的气，他答应可以宽限几天，然后就走了。

有了前一次的“卖”儿经历，这次，为了尽快凑齐用以偿还小桃红梆子戏班的50块大洋，荀凤鸣很自然地想到再次“卖”儿给别的戏班。他明明知道荀慧荣无法忍受戏班的苦，很可能会再次逃跑，但他为了还债，也顾不得那么多了。

于是，荀慧荣、荀慧生兄弟俩二次被“卖”。“买”他们的，就是慧生真正意义上的戏曲启蒙师傅庞启发。相比前一次，这次他的身价涨了些。上次，兄弟俩一块儿“卖”了50块大洋；此次，他俩被“卖”了70块大洋。除了其中的50块大洋还给小桃红梆子戏班，荀凤鸣还额外富余20块大洋。

荀凤鸣捧着那净得的20块大洋，笑得合不拢嘴，哪还顾得上那一块块大洋上，将会沾染多少儿子的血和泪。这次，兄弟俩之所以能被“卖”到70块大洋的“高价”，是因为父亲在一份类似“卖身契”的字据上按下了手印。也就是说，荀慧荣、荀慧生拜庞启发为师，成为他的手把徒弟。

所谓“手把徒弟”，就是师傅在家中收徒，单独授艺。拜师时，要订立文书字据，行话把立字据叫“写”、“写字”。与师傅签订字据，被称为“写给师傅”。字据上的内容，一是约定学艺年限，通常为七年。事实上却是九年，因为最初一年，是学徒，最后一年，是帮师。二是约定规矩，比如，徒弟在学艺年限内，承做师傅家的各种杂务，演出收入全归师傅；徒弟生老病死、天灾人祸、觅井逃亡等，师傅概不承担责任；徒弟须任师傅打骂，打死勿论，家属不许过问、探视。在期限内，也不得赎身等。当然，在期限内，徒弟的一切衣食住行都由师傅负责。字据上的内容，很容易让人联想到“卖身契”。

没有文化的荀凤鸣，见钱眼开的荀凤鸣，他看不懂“卖身契”上的文字，他也无暇逐字逐条地细细揣摩“卖身契”上买卖双方的权利义务。为了尽快拿钱还债，他匆忙在“卖身契”上按下了手印。

这为后来因这份“卖身契”条款的不明晰而惹出纠纷害惨荀慧生，留下了隐患。

一手交钱，一手交人。荀凤鸣接过庞启发的70块大洋，庞启发领走了荀慧荣、荀慧生。荀慧荣哭闹着，不肯去；荀慧生逆来顺受的样子，默默地跟着去了，没有像哥哥那样哭闹，甚至没有一步三回头。那个时候，荀慧生只有7岁。成人后，他也记不得当时是怎样的心情了。也许，他的思想很单纯，去学戏，就是为了能吃饱饭。当然，家境的贫寒、母亲的眼泪，也是一种刺激，让他有另外一种朴素的思想：家里少了他吃饭，就少了一分负担。

早年，京剧艺术的继承和发展，主要依靠的是师徒之间口传言教得以实现的。拜师，是学戏的重要方式，这在一定程度上造成师傅有至高无上的绝对权威。加之中国封建社会固有的家长制、长幼尊卑、师道尊严等，“一日为师，终身为父”、“师徒如父子”等传统师徒关系，在梨园界，表现得最为突出。所以，那个时候的师傅，没有不打徒弟的，他们既有维护权威的思想，也因为崇尚“棍棒底下出孝子”、“不打不成材”等传统认识。

与小桃红梆子戏班的王师傅一样，庞师傅对荀家兄弟，也是凶狠有加，没有循循善诱的耐心，也没有和风细雨的温柔，有的只是动辄打骂。有在小桃红梆子戏班的经历，荀慧生对学戏的残酷、对练功的惨烈、对师傅的虐待，有过切身体验，而有了足够的心理准备。所以，他一如既往地忍受。

哥哥荀慧荣却是照样不能忍受。因为日日的被打骂，他恨透了庞启发，也恨透了学戏。就上次的经验来说，逃跑的后果，是被父亲打一顿。那也只是一顿而已，如果不逃跑，挨师傅的打，则是无休无止。天平两侧的轻重，不用细细比较，一目了然。两害相衡取其轻。一天深夜，荀慧荣翻过墙头，又一次出逃了。

相似的情景，重又出现：庞启发奔到荀家，向荀凤鸣要人，否则，还钱。面对打死也不肯回去的荀慧荣，荀凤鸣只能妥协。好在庞启发没有小桃红梆子班的班主绝情，他没有在一怒之下，也将荀慧生退回来。因此，荀凤鸣还钱，也只归还了70块大洋的一半——“卖”荀慧荣的那35块大洋。

荀凤鸣可能不知道，当初他为躲避族人的惩罚而举家逃离家乡的行为，早已在荀慧荣的心上刻下了“逃跑”两个字。也就是说，荀慧荣从父亲那里学会了在迫不得已的情况下，是可以用逃跑的方式来保护自己的。虽然他只年长荀慧生一岁，但相比老实的弟弟，却精明得多。

荀氏兄弟的行为，也印证了“会哭的孩子有奶吃”的民间俗语。荀慧荣两次出逃，使他避免了挨打受骂、苦不堪言的学戏生活，从此安安稳稳地生活在父母的羽翼之下；荀慧生的容忍，使他吃尽了苦头，也使他不得不为家庭背负起沉重的包袱。

也许我们说荀慧荣是个勇于掌控自我命运的人，有着可贵的反抗斗争精神，相反地，也可以说荀慧生性格中有懦弱、顺从的成分。但是，撇除荀慧生因此比哥哥有更强的毅力和忍耐力之外，也更有责任感。许多年以后，荀慧生这样回忆道：“那时候，我也想过，如果我不学艺，也逃回家中，生活更没有保障，只有忍受这一切痛苦，饮泣听命，求得一线生机。”①

也许正因为如此，荀慧生在演艺这条路上，走出了一条光辉大道，在中国京剧史上得以留名，而哥哥荀慧荣一生碌碌、默默无为。

初入戏门学秦腔

荀慧生以“白牡丹”的艺名，第一次在天津下天仙戏园演出《忠孝牌》时，戏园海报上对他身份的界定，是“老十三旦再传弟子”。这次演出后，有人说他是“神童”，更有人说他的唱，“很有

①和宝堂整理:《戏苑宗师荀慧生》，辽宁美术出版社1999年12月版，第3页。

老十三旦的味道”。师傅庞启发对“神童”的美誉，并不十分看重，却因为“有老十三旦的味道”这句话，在荀慧生面前，露出了难得的笑容，连瞅荀慧生的眼神，都变得温柔了许多。

凭借“神童”和“老十三旦再传弟子”的定位，白牡丹一下子成了下天仙戏园的小红人。特地到“下天仙”看白牡丹演戏的人，口口相传，越来越多。

“老十三旦”，是艺名，他的本名叫侯达，号俊山（1854—1935），小名瑞子。山西洪洞县人，非常著名的梆子花旦演员。当年的梆子演员，演生行的，多以“红”字作为艺名，如“十三红”、“元元红”、“盖天红”、“十四红”等；演净行的，多以“黑”字作为艺名，如“八百黑”、“彦章黑”、“狮子黑”、“马武黑”等；演丑行的，多以“丑”字作为艺名，如“秃丑”、“自来丑”等；演小生的，多以“生”字作为艺名，如“三儿生”、“子都生”等，而演旦角的，多以“旦”字作为艺名，如“八仙旦”、“元元旦”等。

侯俊山原来的艺名叫“喜麟”。因为初次登台时是13岁，所以改艺名为“十三旦”。后来，有个坤旦演员，不知是出于崇拜侯俊山之故，还是欲借“十三旦”的大名为自己扬名，居然也取了个“十三旦”的艺名。有一次，侯俊山到北京演义务戏，为与那个坤旦“十三旦”有所区别，从此更名为“老十三旦”。

荀慧生的师傅、梆子花旦演员庞启发，是老十三旦的弟子，而且是得意门生，深得老十三旦的真传。不过奇怪的是，庞启发的艺名，没有“旦”字，而是“庞艳云”。不可否认，庞启发很有天分，又因为深得老十三旦的教诲，虽然专工花旦，但是会很多戏，青衣戏、刀马旦戏等都能演，所以他有个绰号，叫“戏包袱”。这点很重要，荀慧生日后也是如此，可以说与庞启发的教导大有关系。

因为老十三旦是梆子花旦演员，弟子庞启发也是梆子花旦演员，所以，庞启发的弟子荀慧生便是“老十三旦的再传弟子”，学的自然也就是梆子花旦。

长期以来，在提到荀慧生早年是唱梆子的这段历史时，习惯上，都说他学的是河北梆子。有人甚至很肯定地说荀慧生唱的就是河北梆子。这是因为荀慧生自己在《荀慧生演剧散论》中的33篇戏曲理论文章中，有几处明确提到“河北梆子”四个字，也在《谈学习、练功和旦角的表演》一文中的开篇，这样写道：

“梆子剧的历史相当悠久。我在幼年便学过河北梆子，所以……”

然而在20世纪60年代中期，荀慧生被聘为河北省河北梆子剧院的院长，经常到该院讲学。在讲学中，他不止一次地说到这样一句话：“我这个河北梆子剧院的院长，可没有学过河北梆子！”

因而，也有人极力反对“荀慧生唱的是河北梆子”这样的断言。至于荀慧生为什么会在文章中直言是“河北梆子”，便有了几种揣测：

一、留存于世的《荀慧生日记》，是荀慧生从20年代中期，一直到1968年去世前的生活、艺事日记，记录得相当详实。也许早年的日记，的确是他亲笔所写。但是后来，特别是解放以后的“日记”，则由他口述，秘书代笔。日记的记述方式尚且如此，何况是戏曲理论文章，由他人代写的可能性就更大了。这就存在着这样的可能：代写者对“梆子”的沿革和历史不甚了解，想当然地在“梆子”前加上“河北”二字。

二、尽管荀慧生很清楚早年他学的并非是河北梆子，但在当时，大多数人对梆子的认识，似乎只有“河北梆子”。面对这样的状况，他也就不那么较真了，而直接以“河北梆子”代之。

三、正因为河北梆子的普及程度和广泛影响，所以，也有可能是负责文字校对的编者，擅自主张，将“梆子”误写成“河北梆子”。

事实上，荀慧生在戏曲理论文章中，提到他早年的学戏经历时，用的更多的，只是“梆子”二字。比如，在《缅怀往事谈梆子庆幸今朝话新人》一文中，有这样几段文字：

“河北梆子是很古老的剧种，剧目繁多，传统表演技巧丰富。我幼年随师庞启发搭班学艺，开蒙学的就是梆子。”

“我最初学的一些戏，都是梆子……”

在《练功杂忆——忆跷功》一文中，也有类似说法：

“我的开蒙师傅是庞启发，我的祖师是侯俊山，他们都是唱梆子的，所以，我一开始学的也是梆子。”

物质性的梆子，是中国的一种打击乐器。它是由两根长短不等的硬木棒组成。长者为圆形，约17厘米；短者为长方形。演奏时，两手各取其一，互相击打，发出声音。它是梆子戏不可或缺的伴奏乐器。所以，准确地说，“梆子”，应该是“梆子腔”。而梆子腔，是一种戏曲声腔。也就是说，它是用梆子作为打击乐器，击打出一定节拍的地方戏曲剧种。

有人说，荀慧生唱的是“河北梆子”，反对的人说他唱的是“陕西梆子”，还有人说是“直隶梆子”、“卫梆子”等。之所以出现这样的争议，是因为梆子腔的历史沿革非常复杂。

尽管目前对于梆子腔的源流，有各种不同的说法，但最普遍的说法是：它最早源于明朝陕西、山西一带的民歌。首先出现的是同州（今陕西大荔一带，位于陕山交界，紧邻山西永济）梆子和蒲州（今山西永济一带，位于陕山交界，紧邻陕西大荔）梆子，统称“山陕梆子”，又称“秦腔”。关于这点，荀慧生是认可的，他在《练功杂忆——论跷功》中也这样说：

“据我所知，梆子剧种发源于山西、陕西一带。而梆子中被称为‘正宗’的是山西梆子。”

山陕梆子，也就是秦腔，逐步朝东发展，分别与各地的民间曲调相融合，又渐变产生晋剧、豫剧、河北梆子等剧种。简单地说，河北梆子的定义应该为：它是河北省的主要地方剧种，是梆子腔的一个支脉，是“山陕梆子”传入河北后，与河北当地的民间曲调结合后，产生的新的地方剧种。

河北省，是在1928年正式确立的行政区划称谓。也就是说，在这之前，尚没有“河北”之名，因此也就不可能有“河北梆子”之说。“河北梆子”这个名称，是在1952年正式确立的。据说，之前，当山陕梆子传入河北、天津、北京一带后，产生了京腔、直隶梆子、卫梆子、秦腔、笛梆子、反调、山西梆子等诸多名称。因此，现在所说的“河北梆子”，是一个大的概念。

荀慧生的太老师侯俊山，是山西人，在太原学艺。就此可以推测，他学的应该是山陕梆子，即“秦腔”。也因此可以断定，庞启发学的也应该是秦腔。荀慧生既然是庞启发的学生，初次登台唱梆子戏《忠孝牌》时，又被戏迷们认为“有老十三旦的味道”，因此，荀慧生初学梆子，唱的是秦腔的结论，与事实更接近。

在荀慧生被聘为河北省河北梆子剧院院长后，有一次，他在与该院副院长李桂春交谈时，说过这样一句话：“咱们过去唱的可不是河北梆子。咱们学的是秦腔，那时候就叫‘梆子’，前头没有‘河北’两字。河北梆子是后来的事了。说俗了，那时咱们学的也叫‘老梆子’。”

不过，也有这种说法：侯俊山从山西入京城后，唱过“京腔”（又被称为“京梆子”）。因为京腔后来被统一称为“河北梆子”，所以从这个意义上说，说侯俊山也唱河北梆子，也不是不可以。另外，庞启发长期生活在天津，唱过“直隶梆子”、“卫梆子”的可能性也很大。荀慧生初次学戏，就是在天津。那么，他的“梆子腔”中，有没有可能含有“卫梆子”、“直隶梆子”的味道呢？

既然河北梆子是秦腔与河北地方戏曲曲调结合而形成的，那么，河北梆子里含有秦腔成分，也就是可能的了。是不是也可以这么认为：广义上的“河北梆子”，因为包含了秦腔和地方曲调，所以，“荀慧生唱的是河北梆子”这样的说法，并非完全说不通。只不过这是站在现代人的角度上的说法，不够精确。

初学梆子的经历，对荀慧生的影响很大。首先，荀派剧目纷繁多彩，其中有些戏，就是由梆子戏移植为京剧的。其中有《元宵谜》、《花田错》、《辛安驿》、《香罗带》、《庚娘》、《赵五娘》等。

他曾经这样说：“在我数十年的演剧活动中，除去京剧的传统剧目之外，曾经不断编演新戏，其中少数是根据梆子的传统剧目移植改编的……”[①]

其次，他在京剧表演中，不拘于成规和既定程式，很巧妙地融入了许多梆子表演技艺，极大地丰富了京剧表演形式。

他曾经这样说：“由于我具有自幼学习梆子的基础，所以在改演京剧之后，很自然地在唱、做当中融合了梆子的传统技巧，从而渐渐地突破了京剧表演艺术的成规，有了一些革新和创造。”[②]

这一切，可以说是他对京剧的贡献。除此之外，梆子与京剧比较而言，更注重功夫的训练，如翎子功、扇子功、帽翅功等，特别是跷功。在技术和技艺方面的要求，梆子也比京剧有更严格的要求，甚至更苛刻。正因为如此，荀慧生有很坚实的腰腿功夫。在1931年《戏剧月刊》举行的“四大名旦征文比较”中，相比其他三人，荀慧生在“武艺”一项，得分最高，为100分（梅、程、尚分别是80分），更被评论家赞誉为“刀马见长，跷功独擅”。

“跷功独擅”的荀慧生，练习跷功，足可以用“惨烈”来形容。可以说，独擅跷功的代价，是他用血和泪换来的。

练跷功，受尽苦难

曾经有人说，梅兰芳有个秘密，那就是他“足踝乏力，连刀马旦的基本功夫——跷功都不曾练好，所以他一生不曾动过跷功戏”。[3]虽然“足踝乏力”、“跷功不曾练好”这样的论断，用于梅兰芳，不免尖刻，但事实上，梅兰芳的确从来没有在舞台上表演过跷功。

据说，梅兰芳唯一一次踩跷表演，演的是《打面缸》中的周腊梅。演出地点在梅党成员、中国银行总裁冯幼伟家的客厅里。当时，友人齐聚冯家，为冯庆贺生日。梅兰芳经不住大家鼓动，即兴踩跷表演了一段。因为从来没有踩跷演过戏，他确实有些不习惯，摇摇晃晃的，惹得大家哈哈大笑，连他自己也忍俊不禁。

梅兰芳从不踩跷表演，并非跷功见不得人。小的时候，他练跷功练了两三年。那个时候，他被要求踩着跷站在一张长板凳上的一块长方砖上，一站便是一炷香的时间，直站得汗如雨下眼泪汪汪。寒冬腊月里，他踩着跷在冰面上跑圆场，常常被摔得鼻青脸肿。至于脚上起泡、化脓等，就更常见了。

跷功，是花旦的基本功，专工青衣的梅兰芳，虽然也学花旦，但跷功对他来说，只是诸多基本功中的一种。所谓“跷”，又叫跷板、寸子、末子，是一种木制（多用枣木或榆木等坚实耐用的木材）的小脚形，类似于旧时妇女的三寸金莲，甚至有些跷，宽窄、大小、曲度等也都与真的小脚极为相似。因此，踩跷，是为了表现妇女的三寸金莲，也为了表现妇女的袅娜体态。正因如此，辛亥革命后，激进人士主张废除跷功。

最早提倡花旦不踩跷的，就是梅兰芳的祖父梅巧玲。他率先将

①荀慧生：《荀慧生演出剧本选》，上海文艺出版社1982年2月版，第2页。

②荀慧生：《荀慧生演出剧本选》，上海文艺出版社1982年2月版，第1页。

③张或驰：《梅兰芳与程砚秋》，《梅兰芳传记资料》，台湾版。

⊙ 硬跷
⊙ 软跷

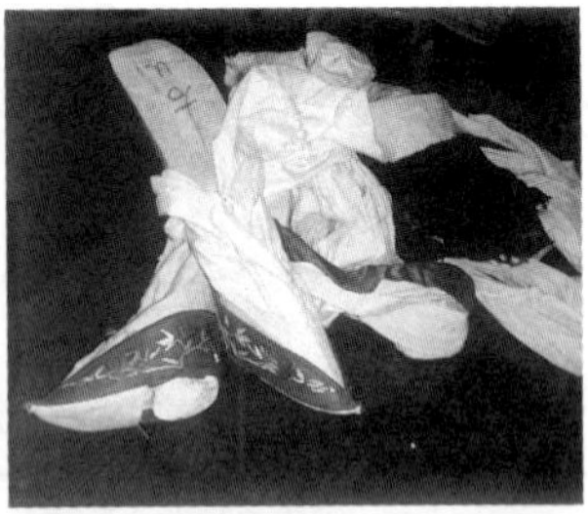

跷改为彩鞋。梅兰芳的父亲、旦角演员梅竹芬演花旦戏时，也从不踩跷。所以，梅兰芳演戏不踩跷，并不存在所谓“足踝乏力”的秘密。尽管他从来没有踩跷表演过，但跷功锻炼了他的腰腿，使他60岁以后还能演出繁重的刀马旦戏。

除了梅兰芳，程砚秋和尚小云也都曾练过跷功。他们练习跷功，并非为了踩跷表演，更大程度上是为了增加腿部肌肉力量。相对而言，跷功对于专工梆子花旦的荀慧生来说，是无法逃避的基本功中的基本功。

梆子花旦之所以非常讲究练习跷功，恐怕与梆子的发源地有关。前文所述，梆子起源于山陕两地，又以山西梆子最为正宗。在山西，妇女缠足相当普遍。戏曲艺术同样不外乎是生活的反映。梆子产生于这样的社会环境下，为追求生活的真实，更为适应观众的审美，戏中的女性形象，也就必须踩跷。

通俗地说，跷，就是假脚，形状像一只长柄的大汤匙，下端是前尖、后圆、中间凹。在靠近“假脚”后足跟的地方，有一段长约八寸、宽约二寸、厚约二三分的托足板，如同匙柄。踩跷时，演员三分之二的中后部脚掌，被这块托足板托着，三分之一的前脚掌踏在“假脚”背部的平面上。这样，演员身体的重量，全部集中在前脚掌上。

尽管踩跷这种方式，与裹小脚一样，有侮辱女性的意思，但是，客观地说，跷功练得好，可以使演员“锻炼脚底下的根基，使演员的身段好看。因为一踩跷，全身的重心就都集中到足尖和脚掌上，为保持身体的平衡，腿肚子就必须往回收，全身的肌肉往上提，走起路来婀娜多姿，就不会把身体瘫下来，自然是挺胸、收臀、吸肚子，一举一动都好看。”①

然而，为了这个“好看”付出的代价，却是令人难以想象的。荀慧生说，他投入师门之后的第一道练功“工序”，就是练跷功，而在他最初学戏的几年时间里，大部分时间都用在跷功上了。

初练踩跷时，庞启发师傅用两条长达五六尺、宽约数寸的白布粗带子，将年仅7岁的荀慧生的两只脚紧紧地绑在跷上，然后让他背靠墙，直直地站着，不能动。站的时间，由短渐长。刚开始，他感到两脚由胀到酸，由酸到痛。接着，腿、腰、背也都由胀到酸，由酸到痛，几近麻木。随后，他便“目泪下落，鼻涕长一尺”，浑身上下，像从水里捞出来一样，都湿透了。

这个时候，他想起了哥哥荀慧荣，想起了哥哥的两次“逃跑”。他有些后悔，后悔当初没有效仿哥哥。也许这是他第一次对“逃跑”这两个字产生了向往。不过，他更希望的，却不是“逃”，而是“死”。这是他第一次想到“死”这个字。

然而，当他知道，逃跑，或者死，都是不可能的时候，他的内心升起一股怨恨——恨绑在脚上的跷，恨把跷绑在他脚上的他的师傅，这时，他认为师傅是天下最冷酷无情的人。他甚至恨发明跷的人。当然，他也恨把他“卖”了的父亲，也恨懂得逃跑的哥哥，他也恨他自己，为什么这么懦弱而受这份罪。

就这样，荀慧生带着满腹怨恨坚持着。当他解下跷，在师傅的指点下，轻轻地揉搓、按摩腿脚，然后慢慢活动。渐渐地，血液正常循环了，腿脚恢复了知觉，而后从他的喉咙里发出一声与他年龄不相称的长叹。

第二天，相同的折磨重新开始，心中的怨恨重又翻腾出来。也许正是从这个时候开始，他的性格有了些许变化，不再只是内向，不再只是软弱，而渐渐有了强硬和刚毅。或者说，他性格中原本就

①和宝堂整理:《戏苑宗师荀慧生》，辽宁美术出版社1999年12月版，第6页。

有强和刚，只是他表露出来的，是柔和弱罢了。

接着，一天天继续下去，奇迹也出现了，他腿脚胀、酸、痛的程度逐渐减轻，不仅能够一口气站很长时间，而且还能扶着墙壁慢慢挪步。再接着，他能离墙独自踩跷站立了。他到底还是个孩子，师傅给他一根棍子，他就当作拐杖，踩跷行走。虽然拄着“杖”，但好歹是自己跨出步子的，他很高兴，很有成就感。于是，每天，他就这样以棍当拐，踩着跷，在院子里来来回回地走。

这才是跷功的第一关。其后，“师傅又给我添上了新的花样。”他说。

所谓“新花样”，就是庞启发将一块长约八九寸、宽约四五寸、厚约两寸的“大开条”青砖，平放在地面上，让荀慧生踩着跷，双脚并拢，横踏在砖面上，笔直地站着，不许动——也不能动，因为一动就会摔下来。这样的踩跷训练方式，程砚秋、尚小云都曾经历过。

完整的程序是：当在平放的砖上能够站稳了，师傅就会将砖竖起来，踩跷的人，就必须立在窄窄的砖的侧面上。站的时间，由点完一寸长的香，逐渐增加到点完几寸长的香。按照现在的时间算法，大约需要一个多小时。这被称为“耗跷”。

荀慧生曾经回忆，在耗跷的初期，为了防止两腿由于疲乏、酸痛而弯曲，庞师傅用一段两端都有刺的笤帚断柄，绑在他的腿弯处，他只要稍不留神，两腿略有弯曲，就会被刺痛。之后，带刺的笤帚断柄换成了一束两端削得很尖的细竹签。这个时候，如果两腿稍有弯曲，那一束细竹签会齐刷刷地刺入皮肉。

那笤帚断柄另有用途——被要求夹在两膝之间练习走台步。也就是说，走的时候，不能让它掉下来，以确保走台步时，上身保持不动，以显袅娜体态。只要笤帚断柄落地，就是一顿狠打。

耗跷进一步升级，就是踩跷站在桌子上、凳子上，以及桌、凳垒起来的高台上。最难的，是在两张垒起来的桌子上叠加一张板凳，在板凳上放上一块竖立起来的青砖。荀慧生踩着跷，就站在那块窄小的青砖侧立面上。

开始时，他必须拄着根棍子方能站稳，然后扔了棍子，就那么笔直地站着，思想需要高度集中，不能有丝毫松懈，否则一个跟头栽下来，必定会摔得头破血流、筋折骨断。这个耗跷的时间更长，足有大半天，往往耗得两腿、两脚全都失去了知觉。这个时候，即便他想偷个懒，乘师傅不注意下来歇会儿，也是不可能的。站得那么高，没有外人的搀扶，根本下不来。

当终于被放下来后，他也不能随心所欲地躺倒在地、一睡不起，必须在两个人的搀扶下，立即跑圆场。起初，他很不理解，总认为师傅太心狠手辣，容不得他有半刻歇息。庞启发本就严厉，不苟言笑，态度恶劣粗暴，又不善言辞，不懂得与弟子交流，只一味地要求弟子按他的要求去做，却从不言明这么做的目的。

其实，耗跷之后立即跑圆场，是有一定道理的。当然，这也是荀慧生事后才了解的。如果耗跷后不立即活动，两腿、两脚就会淤血，严重的，会致残。跑圆场，便是一举两得的活动方式：既活动筋骨，又练习跑了圆场。跑到身上出汗，两腿、两脚完全恢复知觉，荀慧生才能停下来。虽然这么做是必须的，但对于刚刚经过长时间耗跷“酷刑”的孩子来说，却是极其痛苦的。

练习跷功的过程，实际上也是对意志力的锻炼，荀慧生经受住了考验，他熬，他挺，终于一关关地闯了过来。小小年纪的他，甚至还从中悟出些道理：“当人遇到任何艰难、困苦、危险的时候，是绝不能低头退却的。只要把心一横，就没有过不去的‘火焰山’。任何复杂的、尖端的技术、技巧，只要肯刻苦、肯钻研、肯用功，就总有掌握住它的一天。”[①]他性格中的倔强成分，可见一斑。

外表文气清秀，小时候给人以老实纯朴印象的荀慧生，骨子里

①荀慧生：《练功杂忆——论跷功》，《荀慧生演剧散论》，上海文艺出版社1980年8月版，第324页。

却也有顽皮、狡黠的成分，这从他练习跷功时发生的几个小故事，就可以看出来。

在耗跷之后，荀慧生开始学习更为复杂的跷功科目，其中包括：跷步（即走步、跑步、侧步、碎步、退步、围步）和走花梆子。所谓花梆子，它是综合了跷步、两臂、身、腰、头颈、手、眼和面部表情的一种表演形式的概称。在练习跷步的同时，还要配合练习如拾东西、耍手绢、耍线尾子、耍辫子、耍扇子、耍盘子、翻筋斗、打把子等动作。所以它被称为跷功达到成熟阶段的技术、技巧。

有一次，荀慧生在练习走花梆子中的各种动作时，实在累得不行，偷眼瞅瞅，庞师傅不知干什么去了，于是，他一屁股坐在一条长板凳上，偷懒休息一下。不过，他知道这么干坐着休息肯定不行。如果师傅就在不远处，听不到特有的跷步声，必会马上过来看个究竟。一旦被师傅发现他正在偷懒，皮肉之苦是免不了的。两眼一转，他心生一计：虽然坐在板凳上，但他的两只踩着跷的脚，仍然按照跷步的节拍，有节奏地跺着地，以此来瞒师傅。

然而，就在他为自己的小聪明暗自得意时，却不知，庞启发师傅早已神不知鬼不觉地出现在他的身后。他正跺脚跺得起劲儿，突然被一股巨大的力量推倒在地，随即感觉到后脖颈火辣辣地痛。又因为他是在完全没有防备的情况下从凳子上跌落下去的，脸朝下一下子趴在地上，鼻子受到猛烈撞击，破了，血，顷刻间顺势而下。荀慧生不回头也会知道，他中了师傅的一记“铁砂掌”。

庞启发怎么可能仅仅满足于这一掌？他太气了，气弟子的偷懒，更气弟子的欺骗。尽管荀慧生破了的鼻子流着血，但丝毫没有让庞启发产生同情。他像拎小鸡一样，揪着跌落在地的慧生的耳朵，将他拎了起来，一顿拳打脚踢，外带恶言恶语地痛骂。自知理亏的慧生，不敢言语，更不敢反抗。

对于一个不到10岁的孩子来说，练功的痛苦、四处赶场的疲累，有时的确难以承受。在这种情况下，偷懒，便是不得已的，是缓和自己身体疲乏的一种方式。

在荀慧生开始正式登台演出后，随师傅和其他师兄弟们，穿梭于乡村田野，演出频率高得惊人。按照他自己的说法，“几乎一天一个‘台口’”。也就是说，常常地，他们必须一天赶一个地方。今天在这个村镇演出，明天就要赶到另一个村镇去。白天要演出，晚上就用来赶路。路程的远近也不一定，短的有几里，长的有十几里，甚至几十里。有的时候，刚刚散戏，顾不得洗脸卸装，也顾不得换掉戏服，更顾不得吃饭，便忙不迭地收拾东西赶往下一个演出地点。至于睡觉，也只能是在途中休息的时候，打个盹而已。

演戏、赶路，已经够辛苦的了，荀慧生比其他人，还要多一份辛苦。师傅为了锻炼他的跷功，就连赶路时，也要让他踩着跷。别人用一双大脚走平路都直喊吃不消，而荀慧生必须踩着跷爬山涉水，还不能掉队，真是苦不堪言。但是，师命难违，他常常是一边流着眼泪，一边踩着跷跟着走。

实在太苦了，也太累了，他又要想点子偷偷懒了。因为他是踩跷走路，所以走在队伍的最后。这也给了他取巧的机会。当他发现没有人注意他的时候，特别是师傅不怎么搭理他的时候，他就偷偷地用真脚着地。精明的师傅常常突然袭击来检查，又有上次偷懒被发现的教训，这次，他一直很小心，总是真脚、假脚交替着走。也就是说，一会儿用真脚走，一会儿踩跷走。因为秘密始终没有被发现，他暗自偷笑。有的时候，他还在心里夸自己“太聪明了”。

时间长了，警惕性也松懈了。有一天夜里，荀慧生真脚、假脚换了几遍，却发现师傅一直没有来检查，他便放大了胆子，干脆直接不踩跷了。正走着高兴，忽然听见一声断喝：“停下！”这一声喊，把他吓得魂飞魄散。他想：完了，终于被师傅发现了。不过，他的反应很快，立即重新踩上了跷，等待着发落，却又听见有人喊：“快拿灯笼来！”接着，又传来惊恐的声音：“不好了，有人从车上摔下来，死了，脑袋全都凉了！”

这时，他才知道，并不是他被发现了。他忙往前跑，想看个究竟。灯笼照亮处，躺在地下的，竟是师傅庞启发！

“师傅死了？！”荀慧生一阵心惊。有人伸手摸了摸鼻息，惊喜道：“还有热气呢。”这一番折腾，倒把庞启发弄醒了。他睡眼惺忪，不知发生了什么事，只是低语：“太累了，太困了，撑不住了。”于是，大家纷纷责怪刚才惊叫“有人死了”的那个人。

原来，又累、又困、又冷、又饿的庞启发终于也顶不住了，爬上了装行头的车。因为寒冷，他也顾不得许多，一头钻到演戏用的道具——“虎形”里面去了，眼睛一闭，就进入了梦乡。一路颠簸，车子摇摇晃晃的，“虎形”突然就掉下去了。有人听见咚的一声响，就料定是有人从车上掉下去了，便连忙喊停。下了车，在黑暗中，他伸手去摸，摸到了一颗冰凉的“头”，吓得大叫。其实，他摸到的不是人头，而是“虎形”的虎头。虎头是用硬纸做的，摸上去自然是凉凉的。随着“虎形”掉下车的庞启发，仍然睡得香甜。

这场闹剧，一方面让荀慧生感觉实在好笑，一方面也激起他心中的怨恨。大家每天像行军一样，不停地走，师傅却坐着车，师娘骑着驴，年少体弱的像他一样的弟子们，只能依靠一双脚。而他，还不得不被逼着踩着跷，跟着走，跟着跑。一旦落在后边，便是一顿暴打。他恨师傅，也恨和师傅一样刻薄毒辣的师娘。入师门以来，他没少挨师娘的虐待。师傅掉下车的意外，使荀慧生内心活动开了：“师傅你也知道累，也知道要睡觉啊，为什么拿我们就不当人呢？”

⊙ 荀慧生踩跷演出《辛安驿》。

练习跷功的经历，印刻在荀慧生的心底，从来不曾忘却。直到他成名、走红、年老，他始终保存着一副他小时候用过的跷。每当看到它，他总是心生感伤。为了它，他经受过肉体上的痛苦和精神上的折磨，流过汗，流过泪，流过血。

在“废除跷功”的强烈呼声中，他也是积极支持者。有人劝他：“跷功是你的擅长，你可不能轻易抛弃啊。”还有人直斥他主张废跷，是在“消灭国粹”。他认为：花旦的踩跷表演，为的是展现真实生活中的小脚女人形象。女人裹小脚，不是“国粹”，是封建糟粕，应当被清除。同样道理，踩跷也应当被废除。

尽管荀慧生支持废除踩跷表演，并不希望它再在舞台上出现，但他从不否认他在练跷功中所获得的收益。最明显的，便是他的腰腿有力，运用自如，身体姿态优美，行动起来袅娜好看。这个时候，他对庞启发，还是心存感激的。

练腰功，折了腰

荀慧生练功，是从跷功开始的。除此之外，他当然还得练习其他的旦角基本功，比如眼神、哭功、笑功、念白、身段、腰力、跑圆场等。

青衣，以唱为重；花旦，以演为主。为了表现年轻姑娘的活泼俏皮可爱，有一双会说话的眼睛，就显得格外重要。

荀慧生练眼神的方法，很有趣：师傅拿一块烧饼，让他专心致志地盯着看。然后，他将烧饼慢慢地上下左右地移动，荀慧生的眼睛不能离开烧饼，便也跟着上下左右地转，速度由慢到快。这种独特的训练方法，想来在练习者饥肠辘辘的时候最有效。

或者，他面对一块镜子，眼睛盯着，头不能动，只用眼珠子向上看，用来练习斜视。又或者，师傅点燃一根香，让他死盯着香头。

经常地，师傅突然拿起香，直戳向他的眼睛。他必须躲，而为躲得及时，就必须一直盯着香头。像用烧饼练习一样，师傅也拿着香，上下左右地转，荀慧生的眼睛随之而动，越转越快。

盯看一件东西，是练眼神中的“死练”。之后，便是“活练”。师傅扔一块旋转着的手帕，荀慧生的眼睛跟着手帕转动。眼睛转动得再快，往往不及手帕旋转得快。一旦他的眼睛跟不上手帕旋转速度，师傅或师娘的棒子就打下来了。

练眼神的同时，其实也需要配合身段。聪明的人，会以不同的身段配合不同的眼神，更显眼神的灵活；较笨的人，就只知道冲着镜子瞪眼睛。这样的“笨法”，被称为“不是在练眼睛，而是在练镜子”。荀慧生自认不够聪明，他甚至自谦“属于那个笨的”。为此，他没少挨打。

但是，他懂得以勤补拙。按照他自己的说法，“架不住我给它一个死练”。在他看来，尽管一时间尚不能做到眼神和身段的协调融合，但通过死练，自然也就有了一双会说话的眼睛。他“死练”的办法，就是随时随地死盯着一个东西看，一只飞翔的小鸟，一片缓缓飘移的云彩，都是他死练的对象。

其实他并不笨，他所说的“死练”，也是相对的。他的聪明在于会揣摩、会总结。他在死练的时候，发现了一个窍门，那就是无论怎样死练，就是不能傻瞪眼。因为一傻瞪眼，眉毛就抬上去了，抬头纹也挤出来了，喜怒哀乐自然难以表现。

他有心，很清楚练眼神的目的，不仅是为了让眼睛有神韵，在舞台上能够眉目传情、好看动人而打动观众，更是为了让眼睛有表现力，能够恰如其分地表现所饰演人物的内心情感。由于功夫下得足，日后他演戏，真的“眼似秋波能生慧”。

因为师傅的不够耐心和粗暴，客观上也逼着荀慧生养成了独立思考、勤于摸索和钻研的习惯。内向的人往往心理活动丰富，荀慧生即如此。他话不多，但想得很多。师傅在让他练功的时候，只是让他练而已，从来不会告诉练的目的、练的技巧。应该说，真正实践“死练”的，反而是师傅。练跷功、练眼神，莫不如此。之后练腿功、翎子功①等，也是这样。

荀慧生最怵的，就是翎子功。师傅事先也不传授练功技巧，只给了荀慧生一副破旧不堪、没有毛的翎子。在练掏翎时，起初，荀慧生怎么也掏不好，一掏，翎子就折；翎子一折，就挨打。再掏，再挨打。那个时候的师傅，哪懂得教育学、心理学，只知道一个“打”字。

对于一般的孩子而言，有的时候，越打越笨，越笨越学不好。荀慧生却在不断地挨打中，思维愈加活跃。渐渐地，他为掏翎子，悟出了诀窍，那就是：“掏翎腕要活，中指必放松。快掏到翎梢时，翻腕再亮相。不但从头顶加以运用，尤须贯串全身之力，顾到通身之美。”这样一来，那副破翎子，陡然变得听话起来，他挨打的次数，也随之少了。

接着，就是练习跑圆场。起初，练空人跑，上身挺立，不得摇摆。为了锻炼瘦弱的慧生的腿功，庞启发在慧生的小腿上绑两个铁砂袋子让他跑。起初，荀慧生感觉腿有千斤重，连迈步都困难，别说跑了。但是，师傅不时地挥舞着鞭子，驱赶着，他不得不拼尽全力。有天师傅给他解下铁砂袋子，他顿时身轻如燕，高兴极了。可是他高兴得太早了，师傅是要给他换上更重的两个铁砂袋子，对他说：“好小子，照这么练，你的腿脚才能利落。”就这样，砂袋越来越重，他练得越来越苦，身子却越来越轻。

然后，是挑担子跑。担子不能晃，更不能掉下来。更难的，是在挑担子的同时，两个肩头各放一碗水，跑的时候，碗里的水不能洒落一滴。练好了，师傅又将一碗水放在他的头上，让他顶着跑，不能让碗里的水洒落一滴。

扎靠跑圆场，也是基本功。冬天，荀慧生扎着靠，踩着跷在冰面上跑圆场，摔得七仰八叉是常事。难度不断增加，不但要跑得利落、迅急如风，还要加鹞子翻身、弯腰捡物等动作。正跑得欢实，突然听到师傅一声断喝："停！"他必须立即做出反应，快速收住脚步。如果反应稍慢，就会在冰面上滑出去很远，又会挨一顿打。

练功期间，荀慧生从师傅嘴里听得最多的话，就是："冬练三九，夏练三伏，才能出功。"起初，他只是将此单纯地理解为：最冷的三九天，要练；最热的三伏天，也要练，却不知道，这个"练"字，别有意味。三九天，他在师傅指点下，脱去棉袄棉裤，只着单衣单裤，在北方零下十几度的严寒中练功。开始时，他被冻得浑身青紫，手脚僵硬。撇除为功而练，只为取暖，他就得拼命练，直练到浑身冒汗为止。三伏天，他又要穿上厚衣厚裤，扎着用破羊皮缝制的大靠。功还没有开始练，就已经汗流浃背了，热得几乎要窒息。

在这样的情况下练功，他对"冬练三九，夏练三伏"这句话，有了更深的理解：一、在最冷或最热的气候里，人的筋骨、肌肉、皮肤，都和平时不一样，或收得很紧，或放得很松，也比较怕活动。这时候练功，就必须付出更多的气力。自然地，练出来的功夫，也比在一般情况下练得扎实；二、它可以培养、锻炼人的坚强意志和不怕困难、百折不挠的精神。

除了练习基本功之外，荀慧生也在庞启发的指导下，练习《阴阳河》的"耍水桶"、《巴骆和》的"耍杠子"、《盘丝洞》的"耍盘子"，以及水袖、绸子、扇子、辫子等各种技巧功夫。总之，他的功夫，是在挨打中日益增进的。对于学艺阶段的生活，直到很多年以后，荀慧生仍有不寒而栗的记忆。

尽管庞启发对荀慧生严厉得近于残酷，荀慧生因此吃尽了苦头，但客观地说，也许正因为如此，荀慧生功底扎实，基本功全面。

①"翎子功"：是通过舞动插在盔帽上的两根雉鸡翎，以增加身段动作的装饰美，以及表现人物的情感与神气。舞动翎子的动作，叫"耍翎子"。包括掏翎、衔翎、栽翎、绕翎、涮翎、抖翎等。

这为他日后创建的文武兼备的荀派艺术，打下了坚实的基础。所以尽管荀慧生对庞启发不免有所怨恨，但就他善良的个性，对师傅却是更多的感激。他曾经说："练功，特别是练跷功的功劳，真还要大大地感激庞师傅呢。"

一般来说，小孩子再遇到什么痛苦的事，也不大会想到死，可是荀慧生却不是这样。在学艺期间，他曾有过死的念头，而且还不止一次。初练跷功时，因为难以忍受的肉体摧残和精神折磨，只有8岁的荀慧生第一次想到了以死解脱。他第二次想到死，是在他第一次登台忘词之后。忘词后挨打，是预料中的事，所以，荀慧生死的念头，并非起自这顿毒打。对于内向却又倔强、自尊心强的他来说，第一次唱戏就忘词，是令人羞耻的，是不能自我原谅的。强烈的羞愧和耻辱感，让他无地自容，便想一死了之。

这个时候，荀慧生和师傅、师娘住在天津大元宝胡同的一个大杂院里。院里住着一个姓王的老艺人，年过半百。因为他连平日里头上都插戴齐全钗、钏、簪、环，所以被人讥讽为"首饰楼"。他年轻时曾红极一时，老了，也像庞启发一样，以收徒教戏为生。

"首饰楼"买了一个徒弟，本名叫王灵芝，艺名叫小灵芝。不过，平时大家都叫他"链儿"。"链儿"是小灵芝为自己取的艺名，取"练"字的谐音。原来，他也像荀慧生一样，学艺时常挨"首饰楼"的毒打。但他很好强，下决心勤练、苦练，一定要练出名堂。为自勉，便取名"链（练）儿"。后来，荀慧生为自己取艺名"荀词"，恐怕就是受链儿的影响。

大杂院里，还住着一位姓王的，人称王大爷。他是个卖鱼的，还精通医术。当荀慧生第一次登台忘词，回到家被庞启发毒打时，王大爷、链儿都看在眼里。事后，他们眼见荀慧生情绪低落，甚至痛不欲生，便唤他过去说说话。

王大爷一方面为荀慧生敷药疗伤，一方面与他拉家常。在说到忘词时，荀慧生眼泪汪汪地，懊恼不迭，连说："我也不知道是怎么了，上台前，记得好好的，上了台，全都忘了，一个字儿也想不起来。"谈话间，他不经意地流露出内心想法：实在太丢人了，不想活了。

王大爷以链儿的经历，耐心开导他；链儿也以自己的经历，劝他、哄他。链儿和荀慧生年龄相仿，但比荀慧生早入行，也早一年登台。也许正是如此，他比荀慧生成熟一些。他对荀慧生说："忘一次，就不要忘两次了嘛。下次记着不就行了？为这小事，犯不着想不开，不值。"王大爷也说："你看，链儿苦练、死练，不就练出来了？'首饰楼'还打他吗？早不打了。要想不挨打，得靠自个儿。"

在他俩的劝慰下，荀慧生的情绪好了很多。不夸张地说，王大爷和链儿不仅挽救了他的自然生命，也拯救了他的艺术生命。王大爷虽然以卖鱼为生，但特别爱听戏，又长期与庞启发、首饰楼这样的艺人住在一个大杂院里，耳濡目染，对戏，也能称得上是个内行。荀慧生的第一次唱，王大爷和链儿都听了；荀慧生平日里在大杂院里练唱，他们也经常听。对于初次登台，除了因忘词而有些荒腔走板外，他们认为，荀慧生最大的问题，并不在于忘词，而是嗓音高亢不足、委婉有余。这个直观感受，对于荀慧生来说，有相当大的意义。

实际上，荀慧生的嗓音并非天生的好，庞启发也感觉到了。特别是他的嗓子缺少梆子特有的高亢和豪放。这固然与他本身的嗓音有关，与他内敛的性格也有关系。他的嗓音天生不够高亢，他的性格又限制了他的豪放。所以，他的唱，柔媚、委婉，也就是自然的了。在他成名后，他为创排的新剧设计唱腔时，有意以低沉、婉转、缠绵的旋律为主，以期扬长避短。

依常理，荀慧生内向而沉稳的性格，比较适合饰演端庄大气的青衣，但他的嗓音，又不适合以唱为主的青衣角色。庞启发没有让他学青衣，是明智的。考虑到荀慧生的嗓音条件，庞启发在让荀慧生学了一段时间的花旦后，忽然改变主意，让他改学武旦。他没有向荀慧生明说他这么做的理由。

可以推测，在荀慧生开始登台后，庞启发对他的嗓音和唱，生出些许失望。反过来，荀慧生的功夫练得不错，特别是跷功。既然不能吃“唱”这碗饭，那就“打”吧。

让荀慧生改行，是庞启发的大失误。他只知道荀慧生唱得欠缺，而武得像模像样，却忽略了荀慧生天生没有“武”的因子，他从来不像大多数男孩子一样喜欢舞刀弄枪、打打杀杀。荀慧生学武旦，有被迫的成分，心里很不情愿，但他又不是个反抗性强的人。在他日后的回忆文章中，多次提到“师命难违”这个词。在学艺阶段，对于师命，他并非难违，而是不敢违。

庞启发的主意拿定后，随即为荀慧生请来了一位教武旦[①]的师傅。这位师傅姓李，个子不高，但很结实，矮矮墩墩的，又力大无穷，因此便有了一个“菜墩子”的绰号。荀慧生跟随李师傅，最初学的是拿顶、下腰、压腿等腰腿基本功。

所谓“拿顶”，通俗地说，就是“倒立”。初练时，荀慧生两手撑地，两腿甩上去，李师傅双手抓住他的两只脚，一是帮他稳住身体，二是助他一臂之力。刚刚练习时，他细如麻秆的小臂，根本撑不住。就这样，倒立着，撑一段时间。这被称为“耗顶”。当他实在支撑不住时，李师傅拽着他的两只脚，稍稍往上用力。

练了几天后，李师傅以为荀慧生的臂力有了长进，又一次耗顶时，突然松了手，荀慧生没有心理准备，又实在没有了力气，两臂一软，整个身体轰然倒地，口鼻扑地，牙松了、鼻破了，满脸的血，

① 武旦、刀马旦都是以扮演擅长武艺的青壮年妇女为主。两者在表演上的区别在于，武旦的武打，相比刀马旦，更激烈些。特别是武旦使用“打出手”（即抛、掷、踢、接等）特技，而刀马旦一般不用这些特技。再者，一般地，武旦踩跷，而刀马旦不踩跷。

沾和着泥土，真是惨不忍睹。

李师傅和庞师傅一样，凶神恶煞。荀慧生刚落地，他就拳脚相加，大打出手。荀慧生吐出口中血，擦去鼻中血，憋着眼中泪，还得继续练。

拿顶过后，是下腰。旦角演员的腰，要软、要活、要硬、要挺，也就是刚中有柔，柔中有刚。所谓“腰功”，就是从练下腰开始的。按武旦的要求，好的腰功，能够拿“元宝顶”，也就是说，腰软到能让脑袋从双腿中穿过。当然，达到这样的程度，非一日所能，得循序渐进。

李师傅是个急性子，他还没有等到荀慧生的腰力达到一定水平，就急着采取更进一步的练功方法——扛腰（也称“撅腰”）。他把荀慧生的后腰放在他的大腿上，然后用双手压他的肩部和腿部，使他的腰达到最大限度的弯曲。他的目的是荀慧生能够用双手抱住双脚。双手抱住双脚后，整个身体也就形成了360度的圆形。

训练时，李师傅一手按慧生的腿，一手按慧生的肩，分别往下压，以使慧生的头和脚慢慢靠拢。开始时，他颇有耐心，压几下，停一会儿，再压几下，再停一会儿。此时，荀慧生虽然很痛苦，但还能忍受。渐渐地，李师傅失了耐心，下手越来越狠。

荀慧生明显感到师傅手上的力量越来越大。以他的性格，他不会喊不会叫，只是默默挺着。可是，他的沉默，使李师傅错误估计了他的承受能力。他不愧“菜墩子”的绰号，加之没有了耐心，竟然使上了蛮力。

李师傅双手猛然用力，荀慧生惨叫一声，随即就听到咔嚓一声——他不能动了。李师傅也感觉不妙，连忙让慧生平躺下来，只见慧生一张小脸没有了血色，汗浸身下土。他想让慧生活动活动，可是，慧生无法动弹。慧生并不嚎哭，腰部的剧痛使他哭不出来，但他的眼泪却再也止不住了。事后细想想，他说当时真有“撕肝裂肺、灵魂出窍的感觉，似乎与阎王爷已经近在咫尺了”。

闻声而出的庞启发师傅和师娘，过来一看，也有些傻了。庞启发低语了一声：“八成腰折了。”师娘一听，便鬼哭狼嚎起来，用头猛撞李师傅，嘴里尖嚷着让他赔人。师娘可不是心疼慧生，也不是担心慧生的父母来向她要人。“卖身契”白纸黑字，写明一切的一切，父母都不得过问，师傅家也不负任何责任。她这么做，只是为了银子。如果慧生真的残了、废了，就不能登台唱戏了，也就不能作为摇钱树任她摇了。这样一来，他们夫妇先前为买荀慧生而花出去的35个大洋，可就收不回来了。也就是说，她的投资，失败了。

菜墩子吓呆了，真的像一个墩子那样，杵在原地，无法动弹。尽管那个时候，师傅打残弟子甚至打死弟子的事时有发生，但无论庞启发，还是李师傅，并非毫无人性的人，他们对弟子是严苛，主观上并没有虐待而致人残致人死的故意。眼见慧生有可能真的残在他的手上，他也害怕，也有悔意。好半天，他才缓过神儿，在庞启发的招呼下，两人小心翼翼地将慧生平着抬起来，送到屋里的炕上。

庞启发辞了李师傅。李师傅临走，对庞启发说：“这孩子，细皮嫩肉的，柔得很，弱得很，唱武旦，怕是不合适的啊。”庞启发没有吱声，心里是认同的。

之后一个月，荀慧生的全部生活，就是在炕上躺着，不动——不能动，也不敢动。没有灵丹妙药医治，没有山珍海味营养，有的，只是演员们最常用的外伤药膏。那段日子里，他的心情很复杂，不能说好，因为伤着，躺着，很难受；也不能说不好，因为师傅不打，师娘不骂。更难得的是，师傅的脾气也好多了，甚至有了笑脸。他虽然没有为慧生请医问药，也没有为慧生熬汤热饭，但常到慧生跟前，嘱咐他要耐住性子，不要乱动，好生养伤。这一切，既让慧生受宠若惊，也让他为伤而忧郁的心情，明朗了许多。

庞启发有三个儿子，名字很奇怪，分别叫庞大秃、庞二秃、庞三秃。大秃、二秃学武生，和他爸他妈一样，为人刻薄，对老实巴交的荀慧生，总是要欺负的。只有学丑角的三秃，为人善良。他很同情慧生的遭遇，每次慧生挨打，他虽然不敢奋勇相救，但事后总是陪着慧生一起痛，一起流泪，更安慰他。平时，他对慧生也很关心，遇到慧生犯错，比如，在洗碗时摔了碗，在烧菜时多放了盐等，他也总想法为慧生遮着、掩着。他的善良，使困苦中的荀慧生感受到人间的温暖。应该说，他是荀慧生人生中第一个好朋友。

在荀慧生养伤期间，最大的安慰，便是三秃的照顾。生活上，三秃一日三餐端水端饭；精神上，三秃练功之余，陪他说话。他说的最多的，就是各种各样稀奇古怪的笑话，为的就是让寂寞中的慧生开怀一笑。

说来也是奇迹。没有更多的治疗，荀慧生就这样在炕上躺了一个多月后，慢慢地能够活动了。然后，他可以下炕了，可以走路了。他高兴极了，庞三秃高兴极了，庞启发师傅和师娘，也都高兴极了。

这次折腰意外，让荀慧生因祸得福。庞启发不再逼他学武旦了，这就意味着他不必以一副柔弱的身躯去承受随时骨裂筋断的风险了。在他的身体逐渐恢复以后，他在庞启发的安排下，重新学习青衣和花旦戏了。

屈辱的“小黑奴”生活

荀慧生被逼改学武旦的责任，不在于师傅庞启发，而在于师娘。而他第三次想到死，便是无法忍受师傅的毒打和师娘的折磨。

关于师娘这个人，荀慧生夫人张伟君曾经这样描述：

据说，她是一位从宫里出来的宫女。她有一张长方形的大脸，眉、眼、口、鼻在面部的位置也不够协调，鼻子周围有一些黑黑的雀斑和麻点，身材和脚都比较大。从长相上看，她不像一个宫女；但从气派上看，倒又确实像是一位在宫廷里边住过的人。她喜欢摆谱儿，说话总是尖起嗓子、拉长音，跟舞台上扮演的太监或梳旗头的妇人差不多。

她固执得可怕，只要她认定是对的，任何人也不能反驳。即使以后事实证明是她错了，也决不认账服输。她一旦发起脾气来，整个家庭就要天翻地覆，就连庞师傅也得乖乖地在一旁忍着，或者溜之大吉。[①]

正因为师娘有那样的生活经历，那样的火爆脾气，那样的不服输性格，所以，即便是庞启发，也不得不让她三分。庞家的一家之主，不是师傅，是师娘。也就是说，师傅对弟子近乎虐待的管教，除了他本身的原因外，师娘从中教唆，也是很重要的原因。

对于荀慧生应该学青衣、花旦，还是武旦，庞启发的心里明镜似的。慧生长相清秀，性格文静甚至有些怯懦，自然是青衣、花旦的料。但是，师娘却坚持让慧生改学武旦。她固执地认为，这孩子天生就是唱武旦的。也不知道她这么认为，到底因为什么。反正，她就认这个死理儿。庞启发自知拗不过，也不敢拗，便请来了菜墩子。最后，出事了。

父亲荀凤鸣在“卖身契”上按下手印，与其说是将儿子慧生卖给了庞启发，不如说是将他推进了人间地狱。学戏、练功，是极苦的，荀慧生事先有心理准备。即便如此，他在练跷功时，还是想到了死。在庞家如奴隶般的生活，是炼狱，这是他没有料到的。说得好听些，是学徒，实际上，他受到的残酷待遇，按照他自己的说法，

“就跟西洋戏剧《黑奴恨》中的黑奴小露西一样”。因此，他不适应，也委屈极了，便又想到了一死了之。

庞启发有一个“庞剥皮”的绰号，可想而知他是如何心狠手辣了。他对付弟子当然包括对付荀慧生的“刑具”，有棍子、棒子、板子，最著名的，是一条用麻绳搓成的鞭子。他用棍子打，用棒子敲，用板子拍，用鞭子抽，似乎都嫌不过瘾。在师娘的帮助下，他有更狠的一招：先将鞭子蘸水，然后往弟子（荀慧生）身上抽。这蘸过水的鞭子，被称为“懒驴”。“懒驴”过身，慧生的身上往往是一道道鞭痕，鲜血淋淋，惨不忍睹。

一个不过七八岁的孩子，遭受如此酷刑，难免嚎啕。庞剥皮的规矩，就是被打时不准哭，否则被打得更狠。可是，真正被“懒驴”抽的时候，荀慧生是无论如何也忍不住的，扯开嗓子，大放悲声。为了不让他哭出声来，庞剥皮往他的嘴里塞上棉花。比师傅更狠的是师娘。每到这个时候，她唤来大秃、二秃两个儿子，死命按住慧生的手脚、身体，让他动弹不得，便于庞启发继续抽打。

练功练得不好，被打，荀慧生无话可说，他甚至认为，那是师傅为他好，好让他快些成材。让他痛恨的，是师娘的煽风点火、挑拨离间。这个时候，挨打，让他的内心充满了仇恨，恨的多的，是师娘。而更让他自感如奴隶一般的，则是师娘的刁难、折磨、无休止地驱使。

那时，每天天不亮，他就必须起床。其实无所谓“床”。在庞家，庞氏夫妇睡在大炕上，大秃、二秃、三秃也各得其所，唯有荀慧生，只能露宿，蜷缩在屋檐下、草棵里。起“床”，练一遍早功后，他就要为师傅、师娘去买早点。待他们起床，他要侍候他们梳洗，递上早点。

接着，他就要去倒尿盆、收拾床铺、打扫卫生、生火烧水、买菜劈柴。当然，夜幕降临，他还要为师傅、师娘打水洗漱，倒洗脚

① 张伟君：《荀慧生传略》，《京剧谈往录》，北京出版社1985年2月版，第291页。

水。在做这一切时，稍有不慎，招致不满，师娘便会在师傅面前尽情数落他的不是，然后师傅就会将他痛打一顿。或者，师娘亲自动手，将他暴打。

荀慧生开始练习跷功后，为了达到“有跷如同无跷”的跷功最高境界，他必须时时处处都得踩着跷，夜里也得踩跷睡觉，更别说是干杂活，甚至早上出门买早点，上午出门买菜，都得踩跷。最让他感觉屈辱的是，家里来了客人，他这个“小家奴”必须沏茶倒水，此时，他还得踩着跷穿梭于宾客之间。踩跷走路，身体婀娜摇摆，像极了妇人。

他虽说从小学旦角，年龄也还小，但他在性别问题上很清醒，将台上演员的自己，和台下生活的自己，分得很清。他不能容忍在生活中，在众目睽睽之下，像个女人一样扭捏作态。他宁愿只做真正的“小黑奴”，而不做“变态”“小黑奴”。但是，师娘却很乐意看到他踩跷侍候客人，这为他们增加了闲聊的话题。

这是荀慧生感受到的屈辱之一。

屈辱之二。踩跷出门，倒也罢了，荀慧生也忍了。可是，师娘嫌不够，她还要慧生在“有跷如同无跷”的同时，实现“有靠如同无靠”。于是，有的时候，他脚上踩着跷，背上扎着靠，在街上人流中穿行。

那个时候的天津，在端午节时，家家户户都要做香袋。大人在香袋里装上一只咸鸭蛋，挂在小孩子的脖子上。用来做香袋的，多是闲置的碎布头。因此，这时的碎布头，便成为紧俏物。哪儿的碎布头最多？当然是裁缝店。许多裁缝店都会将碎布头收拾好，送给需要的人。

此时，荀慧生多了一份“工作”：奉师娘之命，频繁出入各大裁缝店，取回碎布头。师娘需要大量碎布头，并不用来做香袋，而是做靠旗上的飘带。

于是，荀慧生便又有了这样一个新形象：踩着跷，背上扎着陈旧破烂的大靠。但是，靠旗上的飘带却是崭新的——师娘刚刚用碎布头做的。这个样子走在街上，当然引来路人指指点点、窃窃私语，甚至无所顾忌地哈哈大笑。不懂事的小孩子们，更放肆地大叫："臭唱戏的，怪模怪样。"

一听是"唱戏的"，又见是个细皮嫩肉的小男孩，就又会有心底阴暗龌龊的人，不怀好意地伸手在他的小脸上捏一把。每到这个时候，他真恨不得化作一阵烟，融化在空气之中。

屈辱之三。荀慧生开始登台表演后，师娘为了让他多挣钱，逢年过节唱野台子戏的时候，就叫庞启发为慧生多安排些苦戏。演出前，她都会恶狠狠地威胁慧生："你要不把台下看戏的眼泪唱下来，完了戏，你就别想吃饭。"

为了能吃饭，更怕被毒打，慧生上了台，咿咿呀呀地唱着《孟姜女》、《烧骨计》之类的悲戏、苦戏，心里想的却是：我比那戏中人，还要苦啊！想到自己受的苦，受的委屈，受的屈辱，不等把台下看戏的眼泪唱下来，倒先把自己的眼泪给唱下来了。小小人儿，满含愁怨，眼泪汪汪，唱腔中饱含悲苦。看戏的真的被他感染了，陪着他一块儿落泪。一时间，台上台下，一片凄凄惨惨。

在观众看来，这个孩子演得实在太好了，唱念动人，感情真挚。他们太喜欢他了，便纷纷朝舞台上扔铜板，扔金银首饰。站在舞台中央，眼见脚底四周的铜板、金饰越积越多，荀慧生不由产生了幻觉，自己仿佛真的变成了一棵摇钱树，师娘抱着树干，欢快地摇啊摇，那尖利的笑声，十分刺耳，几乎要穿破耳膜。

此时，他不用回头看，就知道，站在台帘后的师娘，脸上满是笑，笑起来的皱褶裹住了脸上的雀斑和麻点。他在台上，苦；师娘在台后，乐。师娘的乐，是用他的苦换来的。于是，他又有了很强烈的屈辱感。

⊙ 荀慧生少年时期以艺名白牡丹演出的《打渔杀家》。

屈辱之四。荀慧生是在10岁的时候，随师傅、师娘离开天津到北京的。这个时候，他已经是舞台上的“老演员”了，以“白牡丹”的艺名，穿梭于大小戏园、野外土台。庞启发为了多挣钱，带着慧生四处“走穴”。主观上，他是为挣钱，但客观上也给了慧生比较多的演出实践机会，使他的艺术进展迅速。

进京后，师傅、师娘嫌慧生只唱戏挣钱，太慢，钱也不够多，便又为他另外安排了一件差事：为官宦巨贾等有钱人家的婚丧嫁娶，即红白喜事中当执事。所谓“执事”，通俗地说，就是“仪仗队”。

那时候的豪门富户，为了显阔，都讲究排场，不论嫁娶、丧事，都大事张扬。娶亲时，要用彩车或大花轿；出殡时，要用杉木十三元，或者是金丝楠，或者是阴沉木等名贵木材定制的棺材，棺材外还要罩上绘有金色或银色花纹的大棺帏。抬棺人数，少的有36人，

一般的，是72人，多的甚至达到108人。人多，被称为“大杠”；人少，被称为“小杠”。自然地，大杠，说明死者生前身份显贵。

无论是娶亲，还是出殡，“执事”也就是“仪仗队”，是必不可少的。他们分成两行，走在队伍的前面，沿街行进。娶亲时，他们穿红色衣服；出殡时，他们穿白色孝袍子，戴白色孝帽，手里举着一根用白纸条粘的哭丧棒（也称“雪柳”）。荀慧生在唱戏之外的新差事，便是在有需要时，充当小“执事”，跟着队伍走，少则十几里路，多则几十里路，一次可以挣六七个铜板。当然，他挣的每个铜板，都归师傅、师娘。他自己，分文得不到。

那时，他不过10岁出头，身材矮小又瘦弱，却要穿着宽大的红衣或白孝服。因为衣服过于宽大，他不得不在红衣外束一根红色带子，而在白孝袍外系一根麻绳。难以解决的是靴子。统一发放的靴子，对于小执事荀慧生来说，太大了，足足比他的脚大了三分之一。靴子不像衣服，可以用带子、用麻绳又扎又系，靴子大了就是大了，没有其他办法。不得已，荀慧生拖着一双大靴子，走在执事队伍中，十分费力。他的脚，因此被磨得满是水泡。

在迎亲、送亲时充当执事，还说得过去，毕竟是喜事，心情也很舒畅。难的是在丧事中充当执事，因为是丧事，因为充当的是“孝子贤孙”，所以，执事们脸上必须愁云密布，无论心里本来多么高兴，也得做出哀伤、悲苦的表情。这对于以唱戏为生、以演员作为职业的荀慧生来说，正好可以用作演戏练习。

最初充当执事时，少不更事的荀慧生不知道规矩，也不清楚程序，又因为内向胆小又老实，刚刚进京，人生地不熟，因此吃了不少苦。

一般地，在抵达坟场、棺材入土后，执事的工作也就完成了。有经验的执事将哭丧棒随手扔在坟地，脱下孝袍往腋下一夹，将孝袍送还回去，领出工钱就可以回家了。荀慧生没有经验，事先也没有人告诉他完事后应该怎么做。他虽然看到别人扔了哭丧棒、脱了孝袍子，自己却不敢照做。大家一哄而散，只剩下孤零零的他，一时间不知该怎么办。不得已，他仍然穿着孝袍子、戴着孝帽子，举着哭丧棒，试图沿着来时的路，一路走回家。

但是，北京对他来说，是个完全陌生的城市。走着走着，他就迷路了，焦急地东窜西跑。他这样的装扮，走在路上，本就很扎眼，又满街乱窜，自然招来冷眼和嘲弄。小孩子笑话他，说他傻，大人们骂他，说他晦气，更有人讥讽道："看呐，怎么满大街的跑孝子呀？"

夜色暗了下来，荀慧生还是找不到回家的路。他也想过向人问个路，但内向的他，始终开不了口。其实，即使他开口，相信也没有人会搭理他。人们看他的打扮，就知道他是从坟场来的，还有谁愿意与他接近、对话？就这样，他转啊转，从这个小巷穿过，进了那个胡同，又从那个胡同出来，走到另一个小巷。这时候，肚子也饿得乱叫，身上也冷得开始发抖。实在没有办法，他便蜷缩在一户人家的屋檐下，熬了一夜。

第二天，他好不容易回到家。一进门，师娘就冲着他破口大骂："你这个废物！"在她看来，慧生居然连家都找不到，不是废物是什么？她哪管慧生受的苦，受的罪，以及心里的委屈。师娘看见慧生身上仍然穿着孝服，手里还紧攥着哭丧棒，更加来气，一手叉腰，一手指着慧生，继续骂："你这么大的人了，连个家也找不回来，这么多年的饭，你是白吃了？居然还把哭丧棒带回家来，多丧气啊！我们家倒霉就倒在你这个废物身上了！"

师娘越骂越凶，也挑起了师傅的火气。往往就是这样，一件小事，师娘总是喜欢无限放大。其实，她就是找茬让庞启发打慧生一顿。眼下也是，庞启发原本也就气慧生傻、迂。师娘左一个"丧气"，右一个"倒霉"，他越听越觉得老婆说的对，也就真的对慧生动了气。他跳起来，就把慧生痛打了一顿。

对于小时候的家奴生活，荀慧生曾感慨道："人生困苦，此为其极。"

智斗师娘

屈辱感往往会生发出仇恨。荀慧生对于师傅庞启发，是畏之如虎，不敢反抗，畏的成分更多一些；对于师娘，则是恨之入骨，一有机会，就想抗一抗。

到北京后，"白牡丹"日渐有了名气，请他演戏的邀请也多了起来。为此而得意洋洋的，不是荀慧生自己，而是师娘。原本就爱显摆的她，因为有了一个能挣钱的弟子，更增添了一份不可一世的傲气，谱儿也摆得更大了。她每天都要出门走亲串友。其实，所谓"亲"，所谓"友"，也都不是上得了台面的人。也许正是如此，才给了她摆谱的机会。

每次出门，她总是大包小包，有要送的礼，有在路上要换的衣物，总之，吃的、用的，一大堆。既然是显摆，身旁总得有个随伺的小伙计。平时，她虽然恶毒对待荀慧生，出门时，她却最愿意带上他。因为在弟子当中，慧生的眉目最为清秀，虽然不算聪明伶俐，但也不失可爱。

可是，荀慧生最怕陪师娘出门。肩挑背扛大包小包的事，准是他干。他还得赶驴。每出门一次，他都是筋疲力尽。晚上回到家，师傅让他练功，他没有了力气，又要挨师傅的打。所以，除了脸，他的身上，永远是青一块紫一块的。

有一天，师娘又要出门了。荀慧生照例肩挑背扛大包小包，一路跟着。眼见坐在驴背上一颠一颠的师娘，一副悠然自得的样子，而自己，气喘如牛，汗落八瓣。忽然，一个恶作剧的念头，一个报复的想法，涌上荀慧生心头。

半道上，停下休息。师娘下了驴，躲到一边方便去了。荀慧生感觉这正是下手的好机会。他顺手捡起地上的一只蜣螂（俗称“屎壳郎”），然后从衣服袖口的脱线处抽出一根棉线，将那小虫子用线拴住。他四下张望，不见人影，只有远处树丛中师娘的影子若隐若现。他有些紧张，感觉到自己的心跳扑通通。他挪到驴子的身后，三下五除二，将屎壳郎拴在毛驴的尾巴上。

“小动作”刚刚完成，师娘就回来了。她上了驴，继续赶路。这一路上，荀慧生的心情一直很紧张。他焦急地等待着，一方面盼望着他所期望的结果，一方面又有些担心结果可能会伤害到师娘。他很矛盾，既想报复一下师娘，又不想真的伤到师娘。但这时，他已经骑虎难下了。他看见，那只屎壳郎正努力地爬向驴子的屁股。他的心，就要跳出来了。

驴子正不慌不忙地走着，也不知它突然感到屁股上一阵刺痛，还是一阵奇痒，出于本能的反应，它猛地跳了起来。这一跳，将背上的师娘掀翻在地，竟使她半天爬不起来。驴哪里知道，师娘起初也不知道，是那只屎壳郎惹的祸——不知它把驴屁股当作什么了，也不知它对驴使了什么招，使偌大个毛驴惊乍如此！师娘一边骂着“臭驴”，一边慢慢地从地上爬起来。

看到师娘的狼狈样，荀慧生痛快极了，有心下大快之感。若不是硬憋着，他几乎要笑出声来。师娘的一声断喝唤醒了他：“你是死的啊，还不快把那臭驴给牵回来。”原来，受了惊的驴，一溜烟窜出去好远。慧生赶紧跑着追上去，牵回了驴。

在慧生的搀扶下，师娘重新坐上了驴背。两人又上路了。仍然走在驴后的慧生，看见那只屎壳郎仍垂在驴尾巴下，随着驴子行走的节奏来回晃荡。慧生知道，准是刚才驴子跳起来后，把它从屁股上震下来了。荀慧生随即发现，这机灵的小甲虫，正随着有节奏的摇摆，努力寻找着再次攀登驴臀的良机！眼见它顽强地又一次爬到了驴屁股上。慧生的心，又狂跳了起来。果然，喜剧再次上演，只见那驴子突然疯狂地甩起了尾巴，紧接着，两只后蹄高高扬起，又重重落下。突然，驴子向前一蹿。毫无防备的师娘，又一次被掀翻在地。

小孩子总是斗不过大人的。师娘终于还是发现，这是慧生使的坏。原来，她被摔了两次后，不敢再骑驴了，让慧生牵着它，她自己走到后面。正是如此，她看见了拴在驴尾巴上的屎壳郎。她一下全明白了。她一把揪下屎壳郎，冲到慧生的面前，将那虫子狠狠地掼在地上，用脚碾碎，又以她招牌式的姿势，一手叉腰，一手指着慧生的鼻尖，骂道："好小子，原来是你下的毒手啊！"

于是，晚上回到家，慧生又被师傅、师娘暴打了一顿。挨打时，他像以往一样不出声，默默地咬着牙，挺着。不过这次，他的心里，有一种出了一口气后的舒畅与愉快。

一直以来，文弱的荀慧生给师傅师娘的感觉，是迷迷瞪瞪的，有些傻，要不然，他也不会在做完执事工作后，还穿着孝服举着哭丧棒回家。所以，他们给他取了个"小迷糊"的绰号。荀慧生的性格天生内向、木讷，从外表上看，的确有些迷糊的样子。在被卖给庞家做学徒、实则做小家奴后，棍棒下的生活，让他日夜处于恐惧忧虑的状态下，也使他更加内向，更加木讷，也就更加迷糊。

屎壳郎事件，尽管让师娘气得暴跳如雷，却也让她对慧生的认识有些改观。私下，她对庞启发说："敢情这孩子，精着呢，坏着呢，倒也有血性呢。"

令慧生惊异的是，师娘对他的态度，竟有些好转，甚至偶尔还显露出慈祥的一面。那年冬天，慧生的手生了冻疮，红肿溃烂。但是，他每天还得下冷水洗米洗菜洗衣服，当然还要练功。他拿着根棍子，对着一棵大树，练"打"功。一下又一下，因为剧烈震动，他手上原本就有的裂口被震开了，血漾了出来。他按照民间偏方，将冰糖化水后，涂抹在伤口上。这样的“医治”，非但不能止血止裂，反而让他更加疼痛难忍。他没有了办法，只能像以往一样，独自躲在角落里，哭。晚上演出时，他的眼睛还是又红又肿的。

师娘知情后，并没有责打他，只嗔怪道：“我看你真是迷糊到家了，那东西能治好冻疮、裂伤吗？”她又说：“我有秘方，保管让你止痛。”她的“秘方”，竟然是蚕屎。她一边将蚕屎递给慧生，一边教他：“用水化开后，涂在伤口上。”慧生哭得更伤心了，不是为了手上的伤，而是为了师娘的态度。用了师娘的秘方，慧生觉得伤口果然不疼了。这除了药物作用外，显然还有他的心理作用。对于像他这样长期被置于冷漠中的孩子来说，一丝关爱，足以让他有阳光满身的感觉。

许多年以后，师娘死了。曾被她斥为“废物”的荀慧生，主动拿出30元钱，帮助师傅庞启发，为师娘办了一个体面的丧事。师娘若泉下有知，该想些什么呢？是想她当年错看了这个孩子，还是想慧生是个以德报怨的善良孩子呢？

我们在对四大名旦的艺术进行比较时，可以发现，相对而言，梅兰芳、程砚秋、尚小云的艺术风格比较单纯，特点显著，荀慧生则要复杂一些，或者说，更多元化。梅派戏雍容大气，程派戏肃穆端庄，尚派戏刚健激昂。荀派戏，则很难用简单的活泼俏丽或哀怨悱恻来概括。

有人说，荀慧生擅长饰演小家碧玉，又有人说，他擅演“浪”女。“通天教主”王瑶卿就曾各用一个字，分别评价四大名旦：“梅兰芳的样（相），程砚秋的唱，尚小云的棒，荀慧生的浪”。然而，如果仅以一个“浪”字概括荀慧生的艺术风格，也不确切。准确地说，“浪”，只是荀派戏的其中一个特点。

荀慧生自己也曾经说很难说他创造了什么风格，他既演“天真无邪的闺女”，也演“温柔善良的少妇”，还演“刚毅勇敢的巾帼英雄”，更演“聪明伶俐而又泼辣刚强的丫环”。即使如此，荀派终究还是有其特有艺术风格的。

纵观荀派剧目，总的来说，荀慧生所饰演的女性角色，无不透露出“受气”二字。尽管角色分属不同阶层、不同生活背景、不同性格，但大都是饱受欺凌而处于受气的状态。比如，《鱼藻宫》里的戚妃，受皇后的气；《钗头凤》里的唐蕙仙，受婆婆的气，等等。

总之，荀派戏，侧重于表现那些处于社会底层的被损害、被侮辱、被压迫，但又是有良知、有道德的弱女子形象。荀慧生的表演风格，不仅在于能够恰如其分地展现弱女子受气的形象，更在于体现她们处于受气时委屈而有苦无处诉，却也有抗争意识、反抗精神的复杂心理状态，以引起观众对弱者的同情，从而产生共鸣。

很明显，荀派戏的特点，多少带有凄凉抑郁的成分，这来源于他本身有些内向的性格，更因为他幼年时“小黑奴”般被侮骂、被殴打、被践踏自尊的生活经历。这种经历，让他对他戏曲作品中人物的受气处境和委屈状态，感同身受，因此更能理解、更易体会，也就更适合塑造与表达。

初识京剧

初次唱戏就忘词，荀慧生就这样跌跌撞撞地开始了正式登台。这样的演出失败，是他演艺生涯的第一次，也可以说是最后一次。之后，他以“白牡丹”之名在天津下天仙戏园成功演出《忠孝牌》，并获得“神童”的美誉后，他的唱戏之路，越走越顺了。

结束在“下天仙”的一个周期的演出，许多人都知道了有个神童叫白牡丹。庞启发乐坏了，便带着荀慧生日夜赶场演出，短短数月，几乎跑遍了天津的四郊。这个时候，荀慧生唱的是梆子，而梆子腔，在市郊、农村更有市场。因此，出生于农村的荀慧生，最初的舞台，主要是村镇的土台子。

之后，庞启发夫妇带着三个“秃”儿子，和荀慧生等几个弟子，走出了天津，奔波于河北（当时称“直隶”）、山东一带的村镇、渔村。按荀慧生的说法，是“唱野台子戏”。所谓“野台子”，意即他们的演出，不在正规的茶楼、戏园、剧场，多在村头、野外、庙会，搭个台子，简单扮个戏，就上台唱。

不可否认，庞启发很精明，也很有头脑。每到一地，他都要和妻子一起逛庙会。不过，他的逛，不是瞎逛，而是用心观察，观察其他戏班演什么戏，观察戏迷们爱听什么戏，观察哪儿人多适合搭戏台等。一番观察比较后，他再安排他们的戏目，安排荀慧生是唱苦戏，还是武戏。经他精心选戏目、选台口之后，他们的戏目从来不和别的戏班“撞车”，又因为台口选得好，人气旺，因此每次演出，收益都不错。

为什么庞启发会为荀慧生特别安排戏目呢？原因便在于，无论在哪儿演出，庞家班最受欢迎的演员，就是白牡丹。这个只有9岁的孩子，长相清秀，皮肤白皙，一双乌溜溜的大眼睛里透出未经世俗浸染的纯真，又有一丝淡淡的忧郁和惊恐。人们不由猜测，一个孩子，为何会有这样的眼神，他会有怎样的身世和经历？他开口一唱，嗓子并不十分清亮，却有低婉、缠绵的特别韵味儿。

客观地说，这个时候的荀慧生，唱功称不上特别精湛，表演也谈不上十分细腻，看客们爱看他的表演，爱听他的唱，更大的可能，在于喜欢他这个人。这些人当中，不乏对唱旦角的小男孩另有阴暗思想的人。然而，对于庞启发来说，他不管那么多，只要有更多的人喜欢白牡丹，他就高兴。这意味着，他能在荀慧生的身上，“摇”出更多的银子来。

⊙ 少年时期的荀慧生。

在河北正定演出时，庞启发他们常被邀请到达官贵人家唱堂会。人们一样地喜欢白牡丹。精明的庞启发心生一计：在唱完既定的戏之外，特别安排白牡丹唱一出苦戏。因为他知道，在当地，唱苦戏时，观众是要“打钱”的。所谓“打钱”，就是往台上或往摆放在台上的铜盘里扔钱。

荀慧生曾经被师娘威胁：一定“要把台下看戏的眼泪唱下来”，为此，他练就了一套唱苦戏的本领：在心中默想自己的苦。所谓“相由心生”，心里有苦，自然会表现在脸上。所以，他的苦戏，发自内心唱出来，苦味十足，很能打动人。那个时候，他经常唱的苦戏，有《烧骨记》、《三上轿》、《秦雪梅吊孝》、《送灰面》等。每次唱苦戏，观众都是一边陪着落泪，一边往台上打钱。这时，往往会激起一般演员的亢奋，因为观众的举动等同于喝彩，可荀慧生却有很强烈的屈辱感。但同时，他也知道，既然无可选择地以唱戏为生，他必须压抑住自己的屈辱感。

因为慧生讨人喜欢，有人缘，许多人都是冲着他去看戏的，因此有了他，庞启发就赚得多。看在银子的分上，他对慧生，也就少了约束。于是，唱戏之余，慧生常和庞三秃一起到处逛。他最爱逛的地方就是庙会。在庙会上，他又最喜欢看民间杂耍如“跑旱船”、“大头和尚戏柳翠”、“踩高跷”、“十样杂耍”、“跑驴”、“古典戏法”等玩意儿，他看了一遍又一遍，着迷极了。

也许他在当时，并不十分清楚这些杂耍也是艺术花丛中的一朵。他之所以对杂耍感兴趣，实际上表明他对艺术有一份天生的感知能力。他看杂耍，不只是看热闹，在朦朦胧胧的意识里，他自觉这些杂耍会为他日后的演艺，提供不少充满乡土气息、又充满艺术味道的养料。

可以说，荀慧生在艺术上的广收博采，就是从那个时候开始的。

“唱野台子戏”期间，荀慧生最开心的事情，不是唱戏受欢迎，而是因讨人喜欢而时常能吃到之前他从来吃不到也不敢想的好东西。说是“好东西”，其实也就是乡下常见的瓜果。大娘大婶很疼爱他，总是将桃子、李子、梨子等一股脑地塞给他。他吃得那个香啊，把所有的一切都丢在了脑后。等他回到师傅身边，这才猛然清醒过来，还有一大堆事情等着他干呢。果然，师傅、师娘正为找不见他在发火呢。看见他回来，立即操起板子就打。

一板子下去，荀慧生的裤子顿时湿了一大片。“不好，皮开肉绽了？”庞启发大惊。他不是心疼荀慧生，而是担心打坏了他，他就不能登台唱戏；不能登台唱戏，就不能为他挣钱了。可是，他发现荀慧生不哭不叫，一副无动于衷的表情，怎么看也不像是被打得血肉模糊的样子啊。“难道他被打傻了？”他慌了神，扔下板子，扶起荀慧生，一边问“伤到哪儿了”，一边扒他的裤子。

裤子扒下，庞启发看见慧生满裤子、满屁股的果汁，还有被打烂的葡萄肉、葡萄皮沾在裤子上。他明白了，这小子一定是连吃带拿，将吃不完的葡萄塞在裤子里，带回来给三秃吃。他俩经常你给我东西吃，我给你东西吃，有一点点好东西，都会想着对方。看到这情景，想到慧生和三秃的情谊，庞启发心里不免有些酸酸的。他替慧生穿好裤子，交代了一句：“赶紧将裤子换了，黏不拉叽的，也不嫌难受。”见师傅不打了，言语中又有那么一丝温情，慧生的心里暖暖的。

离开正定，荀慧生随师傅、师娘和师兄弟们来到保定。在这之前，他们就听说有一个叫崇庆班的梆子戏班在保定一带非常出名。

他们到保定，就是为了能够搭班崇庆班参加演出。

崇庆班是由清末举人常顿创办的，最早的时候，它以招收直隶饶阳地区的农家子弟为主。它的出名，不仅在于创办时间早、有一定规模，还在于它是比较早的招收女子的农村梆子戏班之一，也在于戏班里的鼓师单贵良。此人在梆子戏界鼎鼎有名，几乎无人不晓。早年，崇庆班主要演出于饶阳一带，后来移师保定，成年累月在当地的火神庙演出。

这个火神庙，叫“洞阳宫”，是个很大规模的道观，里面有百余位道士。在洞阳宫的旁边，有一个茶园，它是洞阳宫的产业，所以叫“洞阳宫茶园”。崇庆班便是在洞阳宫茶园演出。荀慧生随师傅搭班崇庆班后，也在这里演出了一个时期。在这段时期里，对他来说，有几件事，有几个人，给他留下了很深的印象。其中最重要的，是他初识了京剧。

一、负责管理洞阳宫茶园的，是一位人称“张疯子”的道士。他的“疯”，表现为行为怪异。每天天不亮，他就把一只大花公鸡放在左肩膀上，在火神庙一带四处转悠，别人遛狗、遛鸟、遛鹰，他说：“我遛鸡。”

伴随着旭日初升，大公鸡立于张疯子的左肩，引颈“高歌”。这个时候，张疯子会得意地哈哈大笑。遛完鸡，回到茶园，无论张疯子到哪儿，大公鸡总是如影随形。人鸡亲密无间，是茶园的一道“风景”，倒也因此吸引了不少人到茶园来喝茶、听戏。

张疯子还有一“疯”：四处散布一个美丽的传说。传说，洞阳宫的井水是“八仙”之一的吕洞宾喝过的，所以甘甜的井水能治百病。茶园的茶水就是用此井水所泡，不说能治百病，说它能够清肺、润喉、明目、健体、强身，也不为过。慕名到洞阳宫的香客络绎不绝，洞阳宫的香火因此而旺盛。烧了香，到茶园喝茶，顺便听个戏，就是自然的了。洞阳宫茶园的生意，一度十分红火。

外人都说张疯子是“疯子”，也直呼其“疯子”。不仅是崇庆班的人，远道而来的庞启发师徒，都这么称呼。唯有荀慧生，他从来不唤其疯子，总是恭恭敬敬地称他“道士”。张道士虽然对别人称他“疯子”，并不在意，但对这个叫“白牡丹”的孩子总是老老实实地称他为道士，还是感到格外高兴。他一下子就喜欢上了这个眉清目秀、老实厚道的孩子。他给慧生讲故事，讲发生在洞阳宫的稀奇古怪的传闻传说。因为他精通武术，便教慧生练拳。无论张道士讲些什么，慧生都专心听；张道士教他拳术、武功，他都用心学。

荀慧生人缘好，在梨园界，人所共知。日后，他在演艺路上，总有“贵人”提携他、帮助他，以致白党为力捧他而创出“四大名旦”的称谓，他的好人缘，恐怕是原因之一。从他与“张疯子”的交往可以看出，他的人缘好，首先基于他懂得尊重别人，以及虚心好学、虔诚聆听教诲。

二、在洞阳宫茶园的对面，是保定城防司令的大宅。司令公子名叫南铁生，小名叫“老铁”。有人说他是“戏迷”，实际上，说他是“戏痴”，也不为过。他当时正在学堂读书，每天放学后的第一件事，就是到茶园看戏。

“老铁”看戏，与一般看客又有不同。开戏前，他跑到后台，看演员化装；开演后，他跑到前台，挑个好座儿，每出戏都看得津津有味；散戏后，他又跑回后台，看演员卸装，与他们说话，听他们谈演出心得，他也说他的观感。

因为南铁生是司令少爷，谁都知道得罪不起，也就随他前台、后台乱窜。茶园管事张道士，对这位少爷更是小心伺候着。不过，南铁生并没有一般官家少爷的恶习，不仅从来不仗势欺人，而且极富同情心。

当庞家班到茶园搭班演出后，南铁生对荀慧生格外关照。因为他发现，这个孩子平时话很少，但却是最忙碌的一个：没有戏的时候，他要伺候人，为师傅、师娘，也为师兄们端茶递水送毛巾，还要打扫卫生，收拾行头。更让他惊异的是，慧生无论演戏与否，都踩着跷。有一次，他偷偷问慧生：

“你这样踩着跷干活，脚不疼吗？我看着，都觉得脚疼哩。”

慧生腼腆地笑笑，算是认可。细心的南铁生看见，慧生在向他以微笑作答的时候，眼睛却警惕地往师傅师娘那里瞥了一眼，眼神里有一丝惊恐、一丝紧张。南铁生由此知道，他与慧生的接触，可能会给慧生带来麻烦。于是，他故意在庞师傅、庞师娘面前，有些夸张地赞美白牡丹的戏如何如何的好，又高调宣布：“我最爱看的，就是白牡丹的《小放牛》。”

起初，荀慧生并没有与南铁生交好的意愿。他以为，这个阔少爷不过是将戏作为生活的点缀罢了。与其说他是与他们这些艺人交朋友，不如说他是以此打发无聊的生活。但是，时间长了，他发现南铁生并不是那样的人。他对自己的关心是真诚的。

南铁生得知慧生吃不饱后，从家里拿来许多精美点心、糖果，然后将慧生拉到角落，一股脑地塞给他；当慧生被师傅打了以后，南铁生又拿来药膏，为他擦拭伤口。更重要的，他常常安慰慧生、鼓励慧生。于是，慧生慢慢向南铁生敞开了心扉。他告诉南铁生他的学徒生活、学艺经历，他知道南铁生真的爱戏，便细致地讲解如何练功，如何用嗓子，如何唱好每出戏。反过来，南铁生告诉他学堂里的事，说读书认字的好处，他对慧生说，将来一定要读书。两个年龄相仿的孩子成了好朋友，没事就在一起嘀嘀咕咕，谈个没完。

与南铁生的交往，让荀慧生感受到人间温情。这份温情温暖着他那悲苦的心，未来在他眼里，也因此有了一丝光亮。在南铁生的眼里，荀慧生除了人品上的老实厚道、没有坏心眼、与人为善外，他对戏曲的努力学习，面对苦难的坚毅忍耐，对生活的不懈坚持，也令人钦佩。南铁生日后真的也走了戏路，这固然因为他从小就爱戏，但与这段时期和慧生的交往，不能说没有关系。

南铁生下海后，唱的不是梆子，而是京剧。那个时候，荀慧生早已经由唱梆子转唱京剧了。巧的是，在荀慧生拜过有“通天教主”之称的王瑶卿为师后，南铁生也从河北到北京，拜王瑶卿为师。有意思的是，南铁生没有学荀派，学的是梅派，而且学得很像，甚至一度有“汉口梅兰芳”的美誉。有一段时间，荀慧生和南铁生都在北京，分别挑头牌演戏。有一年，在王瑶卿寿辰之际，他俩合作演出了《十三妹》。回想起洞阳宫茶园时期的交谊，两人都有恍若隔世之感，别有一番感慨。

三、荀慧生初识京剧，就是在洞阳宫茶园搭班演出期间。

观众素来厌旧喜新，这是梨园艺人不得不面对的。求新、求变、求怪，是人的习性。正因为如此，就梨园界而言，戏目翻新，新人层出不穷，便是自然的了。由于洞阳宫茶园常年只有梆子戏班崇庆班把持演出，同时，张道士的“遛鸡”绝活和他宣扬的治百病的井水也不再新鲜了，天长日久，观众对这一切都没了兴致，戏班生意日渐没落。

在这种情况下，庞启发的庞家班来了。以“白牡丹”为首，他们带来了《小放牛》、《双锁山》、《西湖阴配》、《翠屏山》等新剧目，令人耳目一新。不过，他们到底也还是梆子戏班，从本质上来说，与崇庆班并无太大区别。尽管“白牡丹”荀慧生有人缘，有戏缘，很能叫座，但他终究唱的还是梆子。

张道士不愧为“疯子”，的确有一套。他不再满足洞阳宫茶园只演梆子戏，而是大胆地引入京剧戏班。于是，北京的一个京剧李家班，也来到了保定，入驻洞阳宫茶园，与崇庆班及庞启发带领的梆子戏班同台演出。也就是说，在一台戏中，既有梆子，也有京剧，行话说，这叫“梆子、京剧两下锅”（或称“皮黄、梆子两下锅”）。荀慧生因此得以认识了京剧。

李家班的当家人，是老生演员李春福，他的儿子李洪春，就是日后以“关公戏”闻名、有“红生泰斗”美誉的著名京剧红生演员。李春福幼年时曾在山东曲阜“衍圣公”府孔家办的科班学过艺，工净行，与著名武净李连仲、著名旦角演员路三宝是师兄弟。出科后，他先后搭谭鑫培的同庆班、余玉琴和俞菊笙的福寿班、田际云的玉成班，改唱老生。然后，他应邀分别在陆华云的长春班、李际良的三乐班等担任教职。

说起李春福的弟子，最出名的，是四大名旦之一的尚小云。

1907年，也就是7周岁的荀慧生被卖给庞启发的这一年，也是7周岁的尚小云因生活所迫，投奔到北京城最有名的京剧科班富连成社长叶春善的门下，请求入科学艺，却不幸被叶春善以“骨架过大，不是学艺的材料”为由拒之门外。后来，经人介绍，学戏心切的尚小云找到了李春福，请求拜师。

李春福心地善良，答应收尚小云为徒，教他学习老生戏。但是不久之后，李春福发现尚小云并不适合学老生行，而见他非常聪明、反应快、悟性高。因为李春福当时正在三乐班任教职，便出面将尚小云推荐到三乐班科班。从此，尚小云入科学艺，进步很快。巧的是，几年后，荀慧生也进了由三乐班改名的正乐班，与尚小云同科学艺，共同成为“正乐三杰”。

在“国丧”期间，所有戏班停演，李春福父子无戏可唱。之后，为了生活，李春福带着两个儿子李洪春、李洪福离开北京，到天津、河北、山东、山西、河南等地演出。一路辗转，他们来到了保定。

那段时期的洞阳宫茶园，重现热闹场面。每天的演出戏目非常丰富，以崇庆班为班底，戏目有来自天津的梆子演员“白牡丹”和庞氏三秃合作的梆子戏《紫霞宫》、《西湖阴配》、《小放牛》等，有来自北京的京剧演员李氏父子合作的京剧《连环套》、《定军山·阳平关》、《古城会》等。

对于戏迷们来说，在一台戏中，既听梆子，又看京剧，很过瘾。对于荀慧生来说，这给了他近距离观摩京剧的大好机会。似乎是命里注定他本就应该是京剧演员，有人甚至说他唱梆子，其实是个误会。总之，当他刚刚接触京剧时，一下子就爱上了这个于他而言完全是新的戏曲剧种。

每次演出之后，他就急急忙忙地做完他应该做的杂活，然后躲在一个角落里，偷偷地看李氏父子的京剧演出。看的同时，他也在心里暗暗地比较，比较京剧与梆子的不同。他发现，无论是演出内容、唱词唱腔，还是行头、场面，以及灯光、布景等，京剧都比梆子讲究，通俗地说，就是"好看"。也不知道是这个原因，还是因为观众早已看多了梆子而不觉稀奇，总之，荀慧生发现，观众似乎更喜爱看京剧。这对他有所触动。也许，改行唱京剧的种子，就是在这个时候悄悄种下了。当然，他当时并没有意识到。

数十年之后，80多岁高龄的李洪春在荀家老宅，翻看一张张发黄的老照片、追忆"文革"中去世的老友荀慧生时，老泪纵横。他回忆说，当时，"我们一块儿演戏，早晨一起洗脸，他一抬胳膊，总是青一块紫一块的，问他'又挨打了？'他总是摇摇头，不说话"。因此，荀慧生给李洪春最深刻的印象，就是"老实、厚道"。

老实厚道的荀慧生，却生活在无休无止的斥骂和毒打中，为此，他的遭遇深得南铁生以及李洪春兄弟的同情。南铁生常给他送东西吃，李洪春、李洪福兄弟常替他打抱不平。几年后，荀慧生应该出师却被庞启发扣着不让出师时，在尚小云的帮助下，大胆出逃。其时，李洪春也帮了大忙。

荀慧生比李洪春小两岁，与李洪福同岁，因此，两个同岁的孩子很投缘。有一天，他俩偷偷撮土为香，义结金兰。在保定分手后，李氏父子返回北京。不久，荀慧生也随师傅进了北京城。当时，李氏兄弟住在草场四条兴隆街，荀慧生住在前门外打磨厂南深沟鸾庆胡同东口内第三个门。“兄弟”得以在京城相见，自然很高兴，便常来常往，一起练功，一起喊嗓子，后又经常同台演出。

进京，是荀慧生艺术生涯很重要的转折。

拜见师爷爷侯俊山

对于自己的几个“第一次”，荀慧生当然是刻骨难忘的：第一次唱戏忘词；第一次以“白牡丹”的艺名唱戏，获得“神童”美誉；第一次以“白牡丹”的艺名在北京正式亮相，使他从此在戏曲荟萃的京城，站稳了脚跟，也为他日后由梆子改唱京剧，打下了基础。

荀慧生进京后的第一次正式演出，是在1911年7月15日，演出地点在离他租住的地方不远的前门外打磨厂福寿堂饭庄，演出剧目是他当时的拿手好戏《小放牛》。演出效果很好，外界评价说：“神童不假，名不虚传”。

《小放牛》是一出轻松的、载歌载舞的“小戏”。“小戏”的说法，来自于荀慧生自己。之所以这么说，恐怕在于这出戏剧情比较简单，人物也只有村姑和放牛的小牧童两个人。村姑向牧童问路，牧童能言善道。

然而，如果从武功的角度看，这出戏就不能算是“小戏”了。为渲染热闹的气氛，却又只有两个演员，于是就需要两个演员在舞台上飞舞，因此也就需要演员具有坚实的武功基础。就这出戏而言，如果没有一定的武功基础，文戏部分也演不好。换句话说，虽然是“小戏”，如果是没有好武功的演员，一般也不敢演。

南铁生说过，他最爱看荀慧生的《小放牛》。荀慧生进京后的第一场演出，也演《小放牛》，可见这出戏对于他来说，是得心应手的，也从侧面反映出他的武功基础是如何的好了。的确，荀慧生于

⊙ 荀慧生《小放牛》剧照。

北京正式登台之前，演出《小放牛》这出戏，已经有两年时间了，而开始师从庞启发学唱这出戏，是三年前了。因此，它算得上是他最早学的梆子戏之一。常与他合作这出戏的，是庞三秃。两个武功都很好的孩子，在舞台上满场飞，很受欢迎。

唱了两年多“野台子戏”的荀慧生，《小放牛》当然不是他唯一的拿手戏。那么，他为何在北京初次登台，就以《小放牛》打泡[①]呢？这涉及到他的师傅的师傅，也就是他的太老师、赫赫有名的梆子花旦前辈侯俊山。《小放牛》不仅是荀慧生的拿手戏，也是侯俊山的代表剧目之一。荀慧生之所以敢以《小放牛》在京城打泡，除了他对《小放牛》早已了熟于胸，又有无数次的演出实践经验外，更在于他到京城后，受到过太老师侯俊山的亲自指点。

荀慧生能够进入北京城，是因为师傅庞启发。无论庞启发对弟子如何刻薄，如何剥皮，他到底是侯俊山的徒弟，到底有“戏包袱”的美誉，在艺术方面，还是有他的长处的。因此，在梆子圈内，他也是有一定地位的。在庞启发领着荀慧生在河北、山东一带到处演出时，接到北京不少梆子科班的邀请，请他去教戏。他接受邀请的原因有好几个：

一、天津与北京相比，北京可以说是戏曲中心，无论京剧、昆曲、梆子都很兴盛。就庞启发所知，仅梆子班，就有宝胜和、瑞胜和、双盛和、义顺和、洪顺和、双庆和、鸣盛和等；出名的梆子演员，有金刚钻、达子戏、盖天红、小元元红、田际云、万盏灯、一盏灯、十盏灯等。这个时候，正是梆子的鼎盛时期，足以与京剧比肩抗衡，“皮黄、梆子两下锅”的演出方式很普遍，也很受欢迎。那儿科班多、戏班多，这就意味着教戏机会多，搭班演出的机会也多，赚钱当然就更容易些。

二、尽管庞启发平时对荀慧生非打即骂，很粗暴，很恶劣，但在他的心中，他很清楚在所有的弟子当中，慧生最有潜质，甚至超过他的三个儿子。慧生是他买来的，是他的私有物，他当然希望慧生能够成名、走红，做他的“摇钱树”。北京，才是慧生施展的舞台。

① 打泡戏：又称“打炮戏”。即演员新到一个演出地点，最初三天所演出的剧目。打泡戏的成功与否，直接影响到这个演员日后在当地的演出成绩。所以，一般演员都很重视打泡戏。

⊙ 荀慧生《小放牛》剧照。

经过两年多时间的唱野台子戏，慧生已经有了一定的基础，庞启发认为，是将他“亮”出去的时候了。

三、庞启发的老师侯俊山正在北京，仍然活跃在舞台上。捧红荀慧生，借助侯俊山的声望，当是捷径之一。

于是，庞启发几乎没有犹豫，就决定前往北京。荀慧生呢，作为庞启发的手把徒弟，以随身弟子的身份，就这样进入了北京城。那时，是 1911 年。

当听说能够进京，荀慧生非常兴奋，因为他说，北京是他“向往已久”的。在他这么一个只有十来岁的孩子眼里，北京是皇帝住的地方，有金碧辉煌的宫殿，有他只有在戏里才见过的太监、宫女，自然是令人向往的；除此之外，他知道，那里的人爱听戏，所以戏园林立。如果到了那里，将会有更多的演出机会。作为以唱戏为生的艺人来说，这当然是向往的理由。还有一个向往原因，就是他也知道，那里是京剧的故乡，在那里，他将会看到更多、更好看的京剧。

可以揣测，荀慧生对北京的这些认识，来源于李洪春、李洪福兄弟。他们由北京而来，他们曾经在北京进过科班，搭过戏班，更在北京的茶园、戏园演出。他们一定和荀慧生讲过关于北京的传奇，关于在北京演戏的故事。

抵达北京的第一件事，荀慧生由师傅庞启发领着，去拜见太老师侯俊山（艺名“老十三旦”）。

老十三旦到底是哪一年进京的？有人语焉不详地说：“是在壮岁”；也有人说：“是在同治九年（即 1870 年，他 24 岁的时候）”。可以确定的是，他是由张家口入京的（民国后，他重返张家口，并定居于此）。入京后，他先后搭班顺和、胜和等梆子班，唱梆子戏。巧的是，他在北京的最初登台，也在打磨厂福寿堂饭庄。初次演出，他就因为扮相好、嗓音清脆明亮、唱腔韵味悠扬，一下子就打动了京城戏迷。

之后，老十三旦先后五次赴上海演出，名声大噪。清代申左梦畹生《粉墨丛谈》中，有这样一句话："癸酉（1873年）、甲戌（1874年）间，十三旦以艳名噪燕台。"在北京，他不但深得宫中太后、皇帝的恩宠，民间也有"状元三年一个，（老）十三旦盖世无双"的美誉。就连鲁迅，也曾在老十三旦去世前的1934年，在发表于《中华日报》的一篇文章中，这样写道："老十三旦七十岁了，一登台，满座还是喝彩。"

有两个地方，细心的戏迷一下子就能发现荀慧生出自侯门，是侯氏再传弟子。

一、《小放牛》这出戏，最早就是由侯俊山传入北京的，之后广为流传。虽然另外也有人演《小放牛》，但因为没有得到过侯氏真传，演来总少了一点"侯味儿"。荀慧生则不同，他初学《小放牛》，师从侯氏弟子庞启发；之后，他又得侯氏亲传。所以，他的《小放牛》，侯氏韵味十足。

二、侯俊山最擅长的，是武功，特别是跷功。荀慧生的跷功了得，非一般旦角演员所能比。他的跷功，甚至超过了梅兰芳。不过，当荀慧生亲眼见识了太老师侯俊山的跷功后，才知道庞师傅为什么会下那么大的功夫让他练跷功。

庞启发作为弟子，到京城后，首先备上礼物，去拜见师傅侯俊山，是在情理之中的。然而，他的心里另有"小九九"，他想顺便请师傅提携提携、指点指点他的徒弟"白牡丹"。所以，他去见师傅，也带上了荀慧生。临出门前，师娘特地为荀慧生梳洗、换衣。她一边做，一边以她一贯的气哼哼的口吻对他说：

"你小子真有福气，要没你师傅，你能见老十三旦？怕是连门都进不去呢。你知道老十三旦是谁？他可是给西太后老佛爷、给皇上唱过戏哩。你可知道，你这是沾了你师傅的光啊。你可得记住了，记住师傅的好。”

师娘这次说的没错。在光绪十八年的时候，老十三旦就入宫唱戏，时间长达十年之久，颇得慈禧赞赏。为此，慈禧赠其黄马褂、戏装，赐六品顶戴。

每次师娘骂什么，说什么，荀慧生总是不吱声。这回他也照常默默地听着，默默地任由师娘将他拽过来、扭过去地为他洗脸、洗手，然后扒下脏衣裤，换上新衣裤。一切收拾停当，师娘从头到脚，将慧生细细打量了一番，确定没有瑕疵后，便伸手在他的脸蛋上捏了一把，恶狠狠地说：

⊙ 侯俊山（1853－1935）是清末民初活跃在京城的河北梆子耆宿。

“小迷糊，这可是去见你的师爷啊，可不能犯迷糊了。进了门，见了师爷，赶紧跪下磕头，唤上一句师爷爷，别让师爷说你师傅教的徒弟没规矩。”

荀慧生还是不吱声。师娘突然吼了一句：

“你又迷糊了？听见我说的没有？”

荀慧生这才蚊子哼一般，“嗯”了一声，又觉不礼貌，便应了一声：“是。”

师徒俩一前一后，走在后面的荀慧生拎着送给师爷的大包礼物，出了门。

进了侯俊山的家，刚刚听见庞师傅以极其恭敬的口吻唤了一声“师傅”，荀慧生便赶紧跪了下来，额头着地，死命磕了一个响头，紧赶着清脆地叫了一声：“师爷爷！”这个时候，他连师爷爷是什么模样都还没有看清呢——他哪敢抬头？满脑袋瓜都是师娘“下跪、磕头、唤一声‘师爷爷’”的嘱咐。

侯俊山、庞启发师徒彼此寒暄问候的时候，荀慧生怯生生地站在庞师傅身后，不敢言语，也不敢抬头正眼直视师爷爷。时间久了，他的好奇心使他忍不住偶尔偷眼瞥一下师爷爷。在他这个小孩子的眼里，师爷爷不愧是“爷爷”：鹤发鸡皮、垂垂老矣。不过，他的声音仍然有磁性，有韵味。

拉过家常后，话题自然转到了荀慧生的身上。庞启发将荀慧生从身后拽出来，让他立于侯俊山的面前，意思是让师傅好好审视一下自己的得意门徒。侯俊山照例问了荀慧生几个问题：“多大了？”“本名叫什么？艺名叫什么？”“哪里人啊？”“家里还有些什么人啊？”“什么时候开始学的戏？”“学戏几年了？”“都唱过哪几出戏啊？”“功夫怎么样？会踩跷吗？”

荀慧生一一作答。他的声音虽然低沉，但奶味十足；他的模样清秀，皮肤细白。侯俊山细细地打量过他，又听了他的回答，微微颔首，然后笑对庞启发说：

“艳云（庞启发的艺名）啊，你还挺会挑人。这孩子，很敦厚，是个好孩子。”

听师傅这么夸赞，庞启发笑得嘴角翘得高高的，连忙“谦虚”道：“您老甭夸他，他笨着呢。”然后，他挑明来意，说：“我带他来，就是想让师傅瞧瞧，他是不是块料。如果可以造就，还请师傅您给他重新下个卦，好好收拾收拾。”

侯俊山听出来了，庞启发很看重“白牡丹”，有心有意栽培他、捧红他。弟子既然求上门来，不能不给面子。再说，从外表上看，“白牡丹”也符合唱戏的条件。但是，侯俊山没有立即应承，只说了句：“看看他的戏再说吧。”

是呵，仅凭模样，不知道唱的怎么样，当然无法确知他是不是唱戏的料，庞启发深以为是，连忙让荀慧生唱一段。“就来段《忠孝牌》吧。”他说。

这《忠孝牌》，庞启发可不是乱点的。他有他的考虑：荀慧生“忘词”的那次演出，唱的就是《忠孝牌》。忘词，给了他太大的打击。从此，他对这出戏异常敏感，不但勤学苦练，更恨不得将每句戏词都刻在脑子里。

之后，他第一次以“白牡丹”的艺名在天津“下天仙”登台，唱的也是这出戏。可以说，他对《忠孝牌》，流利到烂熟。关于这点，庞启发很清楚。同时，庞启发也知道荀慧生胆子小，容易紧张，如果在这个非常时候，选戏不当，岂不要砸锅？所以，他抢先为慧生点了出在他看来最保险的《忠孝牌》。

唱完一段《忠孝牌》，侯俊山微笑着频频点头。庞启发心中一喜：有戏。果然，侯俊山说：“我看这孩子有些灵气儿，可造，可造。就让他先看看我的戏。有空了，我再给他说说戏。”他这么说，也就意味着他同意指点、提携慧生了。

慧生反应相当快，不等庞师傅发话，他立即跪倒在地，额头着地，一边磕着响头，一边连声说：“谢谢师爷爷，谢谢师爷爷。”看他激动的样子，侯俊山和庞启发都忍不住笑出声来。

当时梨园界有一句话，叫“百练不如一看”。几乎所有学戏的孩子在学艺阶段，都十分注重看戏。梅兰芳有一个时期，除了学习，将剩余时间全部用来观摩戏界前辈的精彩演出，从中找出自己的不足。为此他曾经说：“我在艺术上的进步与深入，很得力于看戏。”

荀慧生进京后的最初一段日子，也就是他在7月15日正式登台之前，他的主要生活就是看戏。当然，他看得最多的，是侯俊山的戏。不看不知道，师爷爷的戏，让他大开眼界，又有茅塞顿开之感。

侯俊山擅长跷功，在《梵王宫》中踩跷疾跑，脚下生风，步伐却纹丝不乱。他武功底子深厚，如在《红梅阁》“抢背”[①]和“乌龙绞柱”中，武得又冲又脆。他演《伐子都》中“金殿饮酒”一场戏，极显他的武功。只见他“穿蟒袍，挂玉带，蹬厚底靴，戴翎子，从桌子里面一个吊毛蹿出去，身上不乱，动作敏捷，翻到桌子前面，瞬间变成‘灰脸’，足见技艺超群。”

“变成灰脸”的原因，在于事先在酒杯里装着色粉，需要变灰脸时，演员用吹气的方法，将酒杯里的色粉吹到脸上。这就需要一定的“吹功”，使色粉均匀地扑撒在脸上，而不能变成东一块西一块的大“花脸”。每次看到这个地方，荀慧生都紧张得不敢喘气。接着，他大喘一口气，和身边的戏迷们一起用力鼓掌。

除了《伐子都》，侯俊山还有一出拿手武戏《八大锤》。这出戏原本是小生戏，经过“武生泰斗”杨小楼的改编，变成了武生戏的代表作。侯俊山虽然是梆子花旦，却也反串这出武生戏，而且演来很有自己的味道。他饰演的陆文龙年少气盛，在与四个锤将开打时，每打败一个锤将，都要耍一遍翎子，以显其洋洋得意。每耍一遍翎子，他都能博得观众的喝彩。

给荀慧生留下深刻印象的，还有《大劈棺》这出戏。在谈到侯俊山如何处理这出戏时，荀慧生这样回忆：侯俊山饰演的田氏“劈棺时站在灵桌之上，斧子刚一举起，庄子从棺材中推开棺盖站了起来。他为表现田氏的惊恐，从灵桌上猛蹿起一个‘屁股座子’，蹿到桌子旁边的斜椅上，一腿盘曲，一腿前伸，浑身颤抖。神态和形态合一，真是一绝。”

被称为“皮黄、梆子两下锅”典范的一出戏，就是侯俊山和京剧“伶界大王”谭鑫培合作的《断臂说书》。在当时年纪还小的荀慧生看来，两位大师级的前辈演的这出戏，各自风采绝伦，却又配合默契，丝丝入扣，精彩至极。

以前，荀慧生就听别人议论侯俊山，说他的武功虽然不能和

“武生泰斗”杨小楼相比，但以他这样一个旦角的身份，踩跷、穿厚底靴，能演《八大锤》、《伐子都》这样的大武戏，在旦角中，是没有第二人的。眼下，他亲眼所见，才真正理解了这句话，不禁直叹：“名不虚传啊。”

细心的荀慧生还发现，师爷爷不但武功好，他的做功也很细致，如在《花田错》中的搓麻线，《采花赶府》中的采花等，都细腻别致。这是因为侯俊山虽然武功好，但毕竟不是武生出身，所以，他的武戏，缓慢、斯文，于柔弱中自有一种刚强。

荀派戏，无论是唱腔，还是表演，有一个很显著的特点，那就是外柔内刚、柔中带刚。或许可以说，荀慧生的表演特点，带有侯俊山的风格。也可以这么说，他对“柔”、“刚”的协调处置，最早便是受到他师爷爷的影响。

看过侯俊山的戏，再听侯俊山说戏，荀慧生对戏，对表演，对唱，也就更容易理解了。因为对侯俊山五体投地地佩服，对他的艺术真心实意地喜爱，所以，荀慧生学习得格外用心，一字一腔、一板一眼、一招一式、一颦一嗔，无论多么细微，他都不放过。

教了基本功之后，侯俊山开始说戏。他向慧生传授了《辛安驿》、《花田错》、《大英杰烈》等梆子名剧，还有就是《小放牛》。对于这段时期的学习，荀慧生这样总结道：“使我明白了许多演戏的道理，悟出了不少演戏的诀窍，使我受益终生。”

其实，师从侯俊山，对于年仅11岁的荀慧生来说，最大的收获，不仅仅在于艺术本身，也在于他从此对自己的演艺未来，开始有了信心。如果他之前学戏、唱戏，有无可奈何的成分，是别无选择的“选择”，是只以其作为谋生的手段，那么，这之后，他对唱戏，多了一份发自内心深处的喜爱。这份喜爱，使他产生了这样的决心：“别人能成为好角，我福才就不行吗？”

---

①抢背：京剧俗语，即以肩着地的翻滚动作。

移植梆子为京剧

在1927年《顺天时报》举办的“五大名伶新剧夺魁投票活动”中，荀慧生的五部候选剧目是《元宵谜》、《丹青引》、《红梨记》、《绣襦记》和《香罗带》。说是“新剧”，其实，其中有两部，《元宵谜》和《香罗带》，并非真正意义上的新剧。虽然它们的确是荀慧生新创作的，但却是由梆子移植而来。

长期以来，对于荀慧生由梆子移植而来改编成京剧的，有“六大移植剧”之说，除了《元宵谜》和《香罗带》之外，还有《花田错》、《辛安驿》、《赵五娘》、《庚娘》。这样的划分，并不确切。

比如，《庚娘》这出戏，它是由王瑶卿传授给荀慧生的。早年，王瑶卿常常演出该戏。所以，它不可能是荀慧生由梆子移植而来。荀慧生首演《庚娘》，是在1929年10月，于北平东安市场。就在这年，从1924年开始辅佐荀慧生并参与编剧的陈墨香在给朋友的一封信中，谈到《庚娘》这出戏时，这样写道：

> 近留香（荀慧生）与古月（王瑶卿）甚亲密。古月为排《庚娘》一剧，上座甚满。此剧二十年前，当宣统初元十月古月演之东安市场，天极寒，座极盛。今留香亦于十月在东安市场演唱，人无隙地，弟竟至登台观戏。何前后之相合如是耶！是日之冷，亦与前二十年无异，尤可怪。

实际上，王瑶卿也不是最早演出《庚娘》的人。准确地说，《庚娘》是京剧老生演员贾洪林（1874—1917）的个人本戏。他科班出身，曾拜谭鑫培为师。出科后，他曾入小鸿奎班参加演出，是该戏班的台柱子。之后，他搭入陈德霖、余玉琴的福寿班多年。福寿班解散之后，他自组了鸿奎班，邀来王愣仙、王凤卿、时慧宝、余玉琴等名角儿。

《中国京剧史》"贾洪林"一节中，有这样一句话："贾洪林还能编排新戏。在与余玉琴合作时，曾编过《金生色》（聊斋故事）。与王瑶卿合作时，又编了《忠义奇闻》、《十五贯》、《庚娘传》等戏。"这里的《庚娘传》应该就是《庚娘》。其实，贾洪林并不是与王瑶卿、而恰恰是与余玉琴编了《庚娘》。

余玉琴（1868—1939）是花旦兼武旦演员。贾洪林与余玉琴在"鸿奎班"合作期间，编排了《庚娘》。但是，不知道为什么，有人说余玉琴与《庚娘》"不大对工"。所以，余玉琴不太愿意演这出戏，也就很少演这出戏。

有意思的是，尽管贾洪林自编了不少新戏，但都不太受欢迎，因此得以流传的，也就少之又少。鸿奎班解散以后，留下来的唯一一出戏，正是《庚娘》。1909 年，贾洪林与王瑶卿合作时，又唱《庚娘》。王瑶卿创新意识极强，经过他的不断修改，《庚娘》逐渐成为他的个人本戏。之后，他又传给了荀慧生。

从《庚娘》的历史沿革来看，说它是荀慧生由梆子改编而来，显然不确。当然，荀慧生对这出戏进行了修改，甚至重新创作，使之更符合自己的演唱、表演风格，这倒是有可能的。

除了《庚娘》，将《赵五娘》划归为"六大"之一，也很勉强。与《庚娘》不同，《赵五娘》原先的确是梆子。荀慧生初到北京时的学艺阶段，也就是还在唱梆子的时候，常常演出这出戏。1925 年，他将《赵五娘》移植为京剧，并首演。这时，陈墨香已经开始参与为他编剧，之后，他俩合作的新编剧大量献演，《赵五娘》这出戏，也日渐被搁置，很少演了。论及荀派名剧，《赵五娘》并不能位列其中，它只是荀慧生演艺生涯中的一个"过客"，也就谈不上"大"。连荀派弟子，也很少有人演它。

《元宵谜》和《香罗带》能够入选“新剧夺魁投票活动”的候选剧目，也就意味着它们的艺术价值，非《赵五娘》能比。

关于《元宵谜》的作者，大多数人都说是陈墨香，实际上，应该是舒舍予和张冥飞合作编写的。这出戏的意义，在于某些方面很能体现荀慧生的戏剧观。

一、荀慧生始终认为，为演戏而演戏是不对的。演戏，是为了表现人物的思想感情，并由此对观众产生教育作用。因此，演员在舞台上，无论唱、念、做、打，都必须从人物的需要出发，都必须为表现剧中人的思想、性格服务。

那么，在《元宵谜》中，荀慧生是如何体现他的戏剧观的呢？

以“别母”一场为例：荀慧生饰演的吕昭华与女扮男装的表妹在花园饮酒、玩乐，酒醉后同宿于书房。吕父将表妹误认为吕昭华的未婚夫郭廷章，以为女儿与郭有不轨之举，一怒之下，命昭华或用绳或用刀自尽。幸好这时，舅爷赵班侯来探亲，得闻其详，授计于昭华母女，让昭华暂且离家躲避，随他同往大同。于是便有了“别母”这场戏。

很明显，此时别母，吕昭华有太多的不情不愿，但又万般无奈。此时，她的内心很复杂，充满矛盾，既为不得不离开母亲难过，也怨恨父亲的狠心，又担心自己的清白被玷污，自己的冤屈不得伸雪。

吕昭华最后下场时有乘车离去的动作。按照一般的程式，人物上车以后向前走两步，然后转身，背朝观众下场。但是，荀慧生觉得，如果此时的吕昭华仍然按照既定程式表演，很难表现出她此时此刻的悲痛心情。

于是，他在表演时，增加了许多额外动作：当吕昭华看见车子时，急速转身、回头，看着老泪纵横的母亲，眼泪夺眶而出，为不让母亲更难过，她迅急收回眼泪，强装笑颜。上车时，她动作缓慢，又不时回转头去。接着，她眼睛看着母亲，半侧着身体，向下场门的方面慢慢后退。就在身体即将完全转过去时，她的脚步停顿片刻，再回头，朝母亲、朝观众投去哀怨的一瞥，然后离去。

这一系列动作，看似繁琐，实则是必不可少的。随着荀慧生步步深入的表演，观众的情绪完全被带入剧情之中，不由自主地对吕昭华抱以深切的同情。

二、荀派剧目，非常讲究"三化"，即生活化、趣味化、性格化。其中的生活化，是荀派的最显著的特点，也是荀派区别于其他流派的标志。如果用一句话概括他的表演动作，那就是：从生活中来，经过提炼和加工，使它符合剧中人物的需要。

不仅是表演动作，他对戏词，也有生活化的要求。为此他说：

> "唱词不要艰深古奥，因为曲高则和寡，观众不容易听明白。所以说：'文大用不上，文小也不行。'编剧不能卖弄文字，唱词太过文雅不见得就好。过去有些老学究编剧，忽然安排了一段古诗古词，引了几个典故，这是文不对题，卖弄他博学，其实观众并不欢迎。唱词要让观众听得懂。"[①]

当然，荀慧生并非完全排斥有文化韵味的戏词。在他看来，有文有白、文白相间，既文雅又通俗的戏词，就是好的。《元宵谜》中的一段唱词，就很能体现他的这个思想。"那一日风波平地起，死里逃生最惨凄，舅父前来出主意，我与母亲两分离，母女隔断三千里……"显然，这段唱词的前两句，很文，第三句则是大白话，荀慧生却认为这句大白话，用得恰到好处。

《香罗带》这出戏，是由梆子戏《三疑记》改编而来。《三疑记》是荀慧生唱梆子时常演的一出折子戏。虽然剧情并不复杂，但别具情趣，荀慧生增加了首尾，将它改编成了京剧。移植这出戏，体现

① 荀慧生：《编剧琐谈》，《荀慧生演剧散论》，上海文艺出版社 1980 年 8 月版，第 241 页。

了荀慧生的编剧思想。

尽管在长达数十年的时间里,荀派剧目多有专职剧作家参与编剧，荀慧生身边的剧作家，有陈墨香、樊樊山、寿石工、胡冷庵、陈水钟等，但是，对于每出戏的编排，荀慧生在其中起的作用也是相当大的，而并非尽由剧作家编写剧本，他只顾演出来而已。事实上，关于编剧，特别是移植别的剧种加以重新编剧，荀慧生自有一套理论认识，其中很重要的一点，就是：不能死拉硬套，而要经过仔细琢磨，合理改编。

梆子《三疑记》的故事大意是：明代，浙江守备唐通奉命往杭州校阅军马，与妻子林慧娘、儿子唐芝暂时分离。一段时间以后，唐通返家，因为一只缠足睡鞋，而误以为妻子与家庭教师陆世科有染，大怒。

京剧《香罗带》有两处改动：

其一，荀慧生将那只引起误会的缠足睡鞋改成罗带。他认为，缠足睡鞋是旧时女子所用之物，后已弃用，如果照搬，一来不雅观，二来不符合生活实际。于是，他改睡鞋为罗带，故改戏名为《香罗带》。

其二，《三疑记》里的陆世科是拄着拐棍直喘的白发老翁，由老生扮演，而唐通夫妇正值壮年。荀慧生觉得，唐通怀疑妻子与年迈的陆世科有奸情，显然不合情理。他将陆世科这个人物改由小生扮演后，戏剧冲突也就自然合理多了。

从《香罗带》的剧情来看，其中的旦角应该不是花旦，而是青衣。荀慧生虽然专工花旦，但他也演过不少青衣戏。他对青衣行的林慧娘，着重于眼神的把握。

林慧娘遇见生人，很拘谨，眼神是躲闪的，不敢直视对方，更多的时候是往下看；被迫梳妆时，眼神中充满恨意，却又无可奈何；被刽子手架走时，眼神是空洞的；即将赴死时，看见了儿子，眼神又是惊恐的、悲惨的；重获新生时，眼神中有委屈，也有惊喜，等等。

总之，荀慧生恪守一个原则，那就是：遵循程式，又不固守程式，一切从剧情出发，从人物出发，从生活出发。

《元宵谜》初演于1926年4月。《香罗带》初演于1927年8月12日，于北京“开明戏院”，由荀慧生饰演林慧娘，张春彦饰演唐通，小生金仲仁饰演陆世科；茹富蕙饰演丑角唐通的表弟杜之秩。这个时候，荀慧生编排新剧，主要与著名剧作家陈墨香合作。《香罗带》这出戏，就出自陈墨香笔下。

由梆子移植成京剧的，还有《花田错》和《辛安驿》。据荀慧生自己回忆，当初，师爷爷侯俊山给他说的几出戏中，就有这两出，另外还有《英杰烈》。

一、《花田错》：

这出戏是部喜剧，是荀慧生由唱梆子改唱京剧后的首部荀派新剧，初演于1918年9月。梆子《花田错》，由侯俊山所授；京剧《花田错》则由京剧前辈田桂凤、路三宝帮助加工改编。

《花田错》的故事大意是：雁门关下桃花村的员外刘德明，有一个女儿叫玉燕，正值婚配年龄，一直没有许配人家。为找个如意郎君，玉燕和丫环春兰去参加“花田盛会”，遇到卖字画的卞玑。春兰欲为小姐和卞玑牵红线，回家禀告刘员外和夫人。刘员外让家仆刘永次日去请卞玑到府上相亲。与此同时，卞玑由住店老板所托，被邀去为一大户人家画围屏。他的画摊由小霸王周通临时看管。刘永来请卞玑，错认周通为卞玑，将其请回刘府。误会生故事，在丫环春兰的周旋下，最终成就了卞玑和玉燕的美满姻缘。故谓“花田盛会，一错再错；千古姻缘，好事多磨”。

从技术上来看，《花田错》很能体现荀慧生的手指功夫。这是因为这出戏里有春兰钉钉子、搓麻绳、纳鞋底的表演，这都需要有

⊙ 《花田错》荀慧生饰春兰。

一双灵巧的手。一般来说，旦角的指法，以兰花指为主。但荀慧生始终认为，因人物性格和其他条件的不同，指法也要有大小、快慢、远近、高低的不同。春兰是个小丫环，她的指法，应是细腻而麻利的。

荀慧生的一生，演过不少丫环，大多是花旦行当。但他所饰演的丫环，又各有不同。比如《红娘》里的丫环红娘，《荷珠配》里的丫环荷珠，与《花田错》里的丫环春兰就有不同。这是因为，荀慧生在表演上有自己的理论认识，那就是同样的身份，但性格不同、环境不同、故事不同，应该有不同的表演。

比如，《红娘》里的红娘，性格爽朗天真，有正义感；《荷珠配》里的荷珠是个投机取巧、一心想冒充小姐、贪图荣华富贵的丫环；《花田错》里的春兰，对人处处逢迎，讨人喜欢，又粗枝大叶，办事极易出错，还爱占点小便宜。如，她为小姐玉燕买字画时，说："我身上有几个钱，先给您垫上，您可还我……这是我平日给您买点心赚下来的。"就这几句话，小丫环吝啬小气却不乏可爱的形象又生动既鲜明。

剧作家曹禺第一次看荀慧生的戏，就是在北平的吉祥戏院观看《花田错》。在他的眼里，荀慧生饰演的丫环春兰，"娇柔妩媚、洒脱自然”。他说：“这出喜剧玲珑剔透、妙趣横生，给我留下了极为深刻的印象。”

二、《辛安驿》：

梆子时代的荀慧生，最常演的戏，除了《花田错》，便是《辛安驿》。他喜欢这出戏，用他自己的话说，是因为“它有风趣的情节和动人的表演”。这出戏对荀慧生的重要性，莫过于他由此产生这样的想法：一出戏，故事情节的完整，相当重要。

梆子《辛安驿》只有“落店”、“洞房”两折，从女主人公周凤英开店，到洞房中看破赵美蓉女扮男装为止，没有头尾。当时，无论是梆子，还是京剧，大多是没有头尾的折子戏。荀慧生在演了无数遍《辛安驿》后，总觉得只演其中两折，从自身来说，不过瘾，不能淋漓尽致地揭示人物的内心；从观众来说，不知故事的来龙去脉，也就不易理解人物的感情。荀派剧目中，有不少都是经过增益头尾后，形成新的情节完备的大戏，《玉堂春》是其中的典型，移植剧《香罗带》、《辛安驿》也是如此。

1926年3月，在编剧陈墨香的辅佐下，荀慧生将梆子《辛安驿》改编成京剧《辛安驿》，在原来两折的基础上，增加了“头”，即交代了赵氏一家如何被奸臣陷害、周凤英母女如何在辛安驿开店等；也增加了“尾”，即在“洞房”一折后，添上了“同到卢山聚义”、“周凤英与赵景龙结亲的二次洞房”。这样一来，情节完整，使观众很清楚地了解故事的始末。

花旦行，所扮演的人物以年轻的女子为主，既有未出闺阁的姑娘，也有初婚的少妇，因此免不了需要表现男女之间的柔情蜜意、眷恋缠绵。花旦演出这类戏，“不瘟不火”是关键，瘟了，使人乏味；火了，很容易导致肉麻。也就是说，既要有情爱，又不能下流。于是，花旦戏中，有不少都涉及到“思春”。

传统“思春”表演，多偏向爱情本身，而多方面反映女子内心

⊙《花田错》中，荀慧生饰周凤英，马富禄饰周母。

矛盾的很少。这是“男演女”的特殊环境造成的。加之，早年的戏曲，纯粹娱乐的成分更重一些，甚至还有为了迎合观众的变态审美，有意将“思春”庸俗化的倾向。

荀慧生这一代的戏曲演员，因时代的进步和自身修养的提高，更多地将心思用于挖掘人物的内心世界。在“思春”的表演方式上，也着眼于根据不同的人物、不同的性格、不同的内心，加以不同的表现，目的还是为了表现人物。以荀派戏为例，它的“思春”戏，没有情欲的肉麻，没有感官刺激的低俗，而更加艺术化。

《辛安驿》这出戏，也有“思春”。荀慧生认为，这里的“思春”，属于“暗思春”（另一种则是“明思春”），即主要以哑巴身段、场面上配以乐器伴奏，以边唱边做、互相结合的方式来表现思春。

荀慧生将《辛安驿》归为“暗思春”的原因是，他认为，周凤英只是个情窦初开的十八九岁的女孩儿，对世情没有透彻的了解，只从平日所见所闻中感到女子大了总要择配才郎。所以，她思春。而思春的内容，也仅限于向往鼓乐喧天、花轿迎娶等。但是，她的思春中，又含有许多“杂质”，比如，她想着她和母亲过的是开店杀人的生活，名声传出去，怎么嫁得出去？这时候，荀慧生为凤英设计的动作，既有娇羞，又有忧思。于是，她的思春，不是单纯的，而更为衬托内心复杂的情感。

从周凤英母女“开店杀人”便可知，这出戏的主题思想与解放后的政治环境不相符合。因此，解放以后，荀慧生不再演出《辛安驿》。后来，在“戏改”的大背景下，在他的学生李玉茹等人改编的基础上，数次“手术”，重新增、删，更多地赋予忠奸斗争的因素，将周氏母女开黑店改为她们在被奸臣陷害之后，开店为除强扶弱、替父诛仇，使整出戏更含一定的积极意义。

三、《大英杰烈》：

在所谓“荀派六大移植剧”中，并没有《大英杰烈》，它被划

⊙ 荀慧生演出《英杰烈》戏单。

归为“荀派六大武剧”。显然，这是一出突显武功的剧目。同时，它也是一出情节曲折、故事性极强的喜剧，可它也并没有划归到“荀派六大喜剧”之中。

在荀慧生学演梆子戏时，“老十三旦”侯俊山亲自传授给他一出《英杰烈》。以故事情节来看，《英杰烈》和《大英杰烈》内容大体一致。故事大意是：

太原总镇石须龙之子石文，到处胡作非为。一日去“豪杰居”茶馆饮茶，见陈秀英貌美顿起歹意。当陈氏母女不允婚事时，石文命奴仆抢亲。陈氏母女均会家传武艺，将抢亲者打得狼狈而逃。有一个叫匡忠的人，对陈家母女深表同情，而又精于武艺，秀英与他比武订婚。石文返家向父亲哭诉，石须龙施计将匡家父子发配充边。匡忠、秀英夫妻无奈分离。陈氏母女正欲改扮男装出逃，石文又来抢亲，被陈氏母女所杀。后来，男装的陈秀英被女寨主关秋兰误认为是未婚夫王富刚而留在山寨。最后，陈秀英出马下山，与王富刚大战，巧遇匡忠。陈、匡和关、王两对夫妻团聚。

总的来说，这出戏反映了官府仗势欺人无端作恶的暴行，以及被害者的不屈反抗精神。

和《辛安驿》相似，《大英杰烈》也是首尾齐全、故事完备的大戏。在《大英杰烈》之前，舞台上只有《豪杰居》（又名《铁弓缘》、《英杰烈》）一折。侯俊山传授给荀慧生的《英杰烈》，只是一出折子戏。

从侯俊山是梆子花旦、荀慧生当时正在学梆子来看，这出《英杰烈》似乎也应该是梆子戏。从这个角度说，《大英杰烈》也能称得上是“荀派移植剧”之一。但是，就目前现存资料而言，在谈及《英杰烈》或《大英杰烈》时，

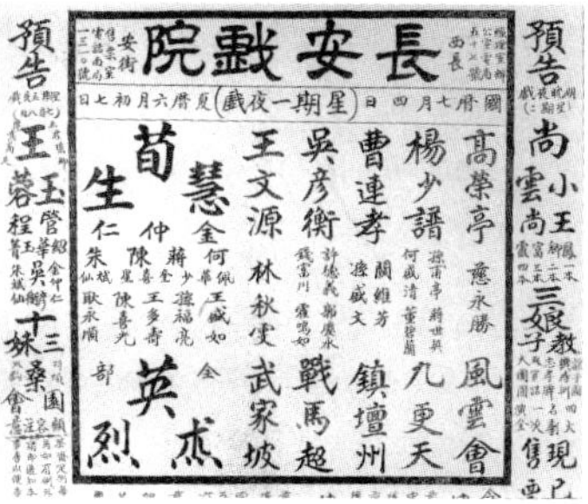

普遍说法是“传统喜剧”。这个“传统”，是京剧传统，而非梆子传统。也就是说，荀慧生的《大英杰烈》是由传统京剧改编而成，而不是从梆子移植而来。

那么，是否有这种可能：侯俊山在向荀慧生传授梆子戏的同时，也亲授了几出京剧，《英杰烈》便是其中之一。从侯俊山虽然是梆子演员但也演《八大锤》这样的京剧来看，他为荀慧生传授京剧剧目，并非不可能。

有人说，荀慧生日后下决心改唱京剧，固然有很多原因，与侯俊山的鼓动和支持也有关系。此说可能不确，因为侯俊山于民国后，就重返张家口定居了。但是，对于像侯俊山这样一个勇于创新、乐于接受新生事物的戏界前辈来说，希望弟子兼演梆子、京剧，或者顺应时代潮流而改演京剧的可能性，也不是没有。如果这种说法能够成立，荀慧生最早学唱的京剧，剧目就是《英杰烈》。

荀慧生将折子戏《英杰烈》增加首尾而成《大英杰烈》，并且首演，是在1925年5月，于北京新明戏院。与传统的《英杰烈》相比，改编后的《大英杰烈》删除了不少庸俗的台词和噱头，增加了一些有利于表现人物心理及性格、增强戏剧效果的表演及武打。其中的武打，为这出戏最初入选“六大武剧”，奠定了基础。

初演《大英杰烈》，荀慧生自饰陈秀英，“国剧宗师”杨小楼饰演王甫刚，出身富连成科班的名丑马富禄饰演陈母，名小生金仲仁饰演匡忠，名净侯喜瑞饰演石须龙。看得出来，演出阵容十分强大。武生杨小楼的参与，使得这出戏充满“武”气。加上剧中的陈秀英本身精通武功，后又女扮男装，冲锋陷阵，将此戏列入“六大武剧”之一，也算是名副其实。

当然，就荀慧生坚实的武功底子，饰演巾帼英雄陈秀英，基本没有问题。但是，当陈秀英女扮男装后，便需要花旦反串小生，还要求演员有一定的“靠把”功夫，特别是“扎靠起霸”的动作，有

⊙《大英杰烈》中荀慧生饰陈秀英。

相当的难度。荀慧生的“扎靠起霸”①动作，由杨小楼亲授，加之他有武功基础，学起来、演起来都不太费力。

从20年代初演《大英杰烈》起，直到解放后，在三十多年的时间里，荀慧生对这出戏不断地修改。直到1963年，当他在南京看到苏州市京剧团根据上海京剧院改编的改编本演出的这出戏后，受到启发，又改：删场子、减人物，丰富了某些情节和表演，使戏的发展线索更集中、更明了。然后，他在成都的锦江剧场，首演了他的最新改编本，这也是他最后一次演出这出戏。

《大英杰烈》并非由梆子移植而来，但是，其中融入了梆子唱腔、梆子表演动作。这是荀慧生创编新剧的“模式”，或者说，是他一贯的创作作风。这种创作方法，在当时，并不为大多数人接受。

荀慧生除了直接移植梆子为京剧外，也在京剧剧目创作中，为了适合戏情戏理，为了更细致地描写人物感情，常常将昆腔里的曲牌子、梆子里的某些腔，“借来”为他所用，这在京剧与梆子壁垒森严的时代，在京剧自视“老大”而瞧不起梆子的情况下，自然极易招致非议。有人说他的这些行为是“外造添魔”、“不守规矩”。甚至有的时候，他的鼓师、琴师对此也不以为然，嚷着说：“过不去！”“弓子反着哪！”等等。

每到这个时候，创作热情正高、创新意识正强的自认为“爱跟人抬杠”的荀慧生，会毫不客气地斥一句：“是你听我的，还是我听你的？”等气稍平，他会耐下性子解释他借鉴梆子的原因。渐渐地，鼓师、琴师也都接受了他的意见。

尽管“荀派六大移植剧”之说不甚准确，但是，荀慧生在由梆子改唱京剧后的京剧戏目的创作中，借鉴梆子、移植梆子，是确实的。这是他与其他三大名旦的最明显的区别所在，也是他创建具有个人风格的旦角艺术流派的标志之一。

1960年2月7日，他在接受河北梆子剧种史编写组采访关于梆子、皮黄的关系时说："梆子旦角功夫深，讲究表演技巧，而且梆子是写实的，二黄比起梆子来显得浮。我讲喜剧花旦，观众承认了，说我丰富了花旦表演。其实那是由梆子来的，这就是因为我有一些梆子底子。"从中可以看出，他受梆子影响之深。

有人说，梅兰芳是融昆腔于京剧的第一人。那么，我们说荀慧生是将梆子融入京剧的第一人，也并不为过。

认识王钟声，加入春阳社

宽泛地说，荀慧生的学艺生活，是在天津被卖给庞启发开始的。严格地说，他的学艺生活，真正开始于到北京拜见侯俊山之后。对于在天津的学艺经历，留给荀慧生的，恐怕只有一个"苦"字：练功苦，"小黑奴"的生活更苦。到北京后，特别是师从师爷爷学艺，荀慧生才真正感觉到：我正在学艺。

尽管初到北京，他仍然难脱庞启发家小家奴的身份，仍然早起晚睡地伺候师傅、师娘的起居饮食，仍然不得不作为"摇钱树"而服从师命，去做"小执事"。但是，相比于过去，他有了更多的学习机会。他如饥似渴地看戏，虔诚专注地听师爷爷说戏，后又搭班演出。特别是第一次在北京的舞台上正式亮相后，他的演出活动多了许多，他的学艺生活，也因此一下子变得繁忙起来。

荀慧生搭哪个班唱戏，取决于师傅庞启发。也就是说，庞启发在哪个班任教职，荀慧生就搭哪一个班；庞启发频繁地换班教，荀慧生也就频繁地换班搭。从入京到出科的五年时间里，据不完全统计，荀慧生曾经搭过庆寿和、义顺和、长春班、承平班、福寿班、鸣胜和、天庆班、小吉祥、益群班、三乐班（后改为正乐班）等十几个班。有的搭班时间长一些，有的时间很短。除了师傅的原因外，荀慧生当时叫白牡丹，被各戏班、各科班

①起霸：京剧俗语，是由一系列表演动作和技艺组合而成的一套连续舞蹈动作。

争相邀请去搭班，也是他频繁换班的原因。这说明，那时的他已经有了些名声。

庆寿和科班，是荀慧生到北京后搭的第一个班。该班由宦官祥王老爷孙弼臣创办。班里有李多奎、王多奎、贾多才等众多名角儿。在义顺和搭班时，班里更有梆子名旦“老元元红”郭宝臣（该班班主），以及“一千红”、“十二红”、“十三红”、“水上漂”、崔灵芝、张黑、盖三省等，可谓名宿荟萃。能够与他们同台演出，在荀慧生看来，机会相当难得。对于庞启发来说，荀慧生搭班唱戏，是为了替他挣钱；对于荀慧生来说，演出，实际上是另外一种方式的学习。因此，在台上，他细心体会；在台下，他诚恳请教。

曾经与荀慧生同在河北保定洞阳宫茶园演出的著名老生演员李洪春回忆说：“荀先生当年的特点是敏而好学，勤而好问，内行叫‘服诌’（虚心）。他成天低头学艺，不言不语，大家都喊他‘小丫头’！他的许多好功夫，都是在这个时期勤学苦练出来的。”[①]

当时，荀慧生只是个11岁的孩子，众多梆子名角儿愿意与他同台演戏，不外乎存在着主客观两方面的原因。从他自身来说，到北京之前，他有“神童”美誉。这顶“帽子”实际上成为他在京城戏界的敲门砖。也就是说，他给京城戏迷的第一印象，并非初出茅庐演技稚嫩的庞启发的小徒弟。所以，在他首次演出亮相后，戏迷们并没有太多意外的惊喜，而只是认可了他“神童”的身份。他以他的能力，印证了，或者说，巩固了他的“神童”地位。既然是“神童”，有谁不愿意与他合作呢?

也正因为如此，师爷爷“老十三旦”对荀慧生更加器重。他暗自思忖：艳云果然没有选错人。这个时候，荀慧生在他的眼里，绝对是可造之材。于是，他更加细心地教他，给他说更多的戏。他还亲自带他去看戏，让他演自己的戏。以他在梆子界的影响，身为“老十三旦”的徒孙，得“老十三旦”亲授，荀慧生一下子成为焦点而被关注是自然的了。

从主观上说，荀慧生不以“神童”美誉自傲，不以“老十三旦徒孙”身份飘飘然。在外人的眼里，他老实、诚恳，生活上吃苦耐劳，艺术上虚心求教，态度上积极努力。这使得菊坛中人，包括名角儿，都很喜欢他，愿意帮助他、提携他。

于是，从正式登台那天起，荀慧生就再也没有机会休息了，排得满满的演出日程，将他压得几乎不能喘气。眼见自己的“投资”，开始有回报了，师傅庞启发精神十足亢奋。他在侯俊山指导荀慧生的同时，自己也频繁地教荀慧生新戏，一出接一出，往往等不及消化，就教下一出。他很精明，他知道，趁荀慧生正受欢迎、受追捧的势头，让他尽可能地多演戏，这样才能多挣钱。“多演戏”，并不只是演出次数多，还必须有更多的新戏可演。没有新戏码，即便有机会多演出，也不足以吸引观众，不能叫座。

在师傅的安排下，荀慧生在那段时期的演出，像疯了一样，不仅演出次数多，演出的新戏也多。常常地，他连续演出一个月不间断，而这一个月里的戏码，不翻头（即不重复），几乎每天都演新戏。那时，他演出过的戏，有《焚王宫》、《喜荣归》、《大劈棺》、《锔大缸》、《翠屏山》、《赵五娘》、《戏叔别家》、《双摇会》、《红桃山》、《秦淮河》、《金水桥》、《丑表功》、《扇坟》、《双射雕》、《闯山》、《游龙戏凤》、《打皂》、《七星庙》、《芭蕉扇》、《溪皇庄》、《双锁山》、《反长安》、《烧骨记》、《秦雪梅吊孝》、《大登殿》、《送灰面》、《金水桥》、《孟姜女》，以及《小放牛》、《花田错》、《辛安驿》等，数量惊人。

尽管这样高强度的演出使荀慧生疲于奔命、体力透支严重，但是，客观地说，并非完全没有益处。首先，如此频繁的演出，给了荀慧生更多的实践机会。一个演员，即便功练得好，戏唱得好，不上舞台，一切都是虚的、空的。反过来说，功练得好不好，戏唱得好不好，不通过实践，就无法得到检验。艺术，很大程度上需要在

①张伟君:《荀慧生传略》,《京剧谈往录》,北京出版社1985年2月版，第299页。

实践中发展。事实上，这段时期的演出实践，使荀慧生的艺术有了很大提高，至少在技巧上，更加娴熟。

其次，一天一部新戏的演出方式，逼着荀慧生强闻博记。他没有读过书，肚子里缺少墨水，但他渴望学知识、学文化。可身为师傅的“摇钱树”，他知道是不可能有机会学文化的。学戏，一方面是为了演戏，一方面也是在学文化。戏里的念白、唱词，都是他的教科书。同时，为了应付每天一部新戏又不能在演出中忘词，他必须时时刻刻地背词，从而也锻炼了记忆。

再者，演的戏多，接触的故事也多，更有机会塑造不同类型的人物，体会不同人物的生活、心理、性格。荀慧生从中可以学习如何编故事，如何说故事，如何揣摩人物，如何表现人物，等等。这一切，都为他日后自己创编新戏奠定了基础。在四大名旦中，他创编、改编的新戏最多。可以说，这段时期的频繁演出，是一种积累，是一种贮藏。

庞启发比较精明，还表现在他很注意市场的变化、观众审美的改变。荀慧生 1911 年 7 月 15 日首次在北京登台三个月后，辛亥革命爆发。社会的巨大变革，势必影响到生活的方方面面，包括戏剧。开始于1908年的京剧改良运动，在辛亥革命后步入巅峰，大量时装京剧纷纷涌现，使京剧前所未有地得以迅猛发展。这在一定程度上抑制了梆子戏。

如果说，在这之前，梆子、京剧并驾齐驱的话，那么，在这之后，京剧便日益兴盛，而梆子逐渐衰微。这就造成梆子的观众群渐渐流失，也就意味着，以唱梆子为生的梆子演员，如庞启发师徒，日子开始难过起来。当然，这种变化起初是细微的，不易察觉的。有的科班，仍然同时教授京剧、梆子；有的班社，仍然“皮黄、梆子两下锅”。

庞启发却很敏感，他在感觉到观众欣赏口味的变化后，在意识到梆子即将没落后，他要找寻新的出路。他发现，无论是梆子折子戏，还是梆子大戏，对于观众来说，都已不再新鲜 。唯一对他们还有吸引力的，是可以一连演上好几个晚上的连台本戏。这种演出方式其实并不鲜见，“四大徽班”之一的三庆班，以演连台本戏闻名；清宫演戏，也常演连台本戏；民间比较出名的一出连台本戏，是《目连僧救母》，需要十多个晚上才能全部演完。

在那个时候，荀慧生演出的连台本戏，主要是武戏。这既符合市场需求、迎合观众口味，也与他自身条件有关。从市场上来说，伴随着武侠小说的兴起，武打戏曲作品颇受观众欢迎。偏重武打的连台本戏，类似章回小说，一环扣一环，每演一本，都会留下悬念，引得观众欲罢不能。因此，这类戏上座极佳。

从荀慧生自身来说，随着年龄的增长，他变声了（行话叫“倒嗓”）。倒嗓期间，嗓子重在调养、休息。因此，唱功戏，对他来说，就不太适合了。但是，一心要挣钱的庞启发哪能容忍弟子白吃饭不干活？既然不能唱文戏，不如就唱武戏。打打杀杀、动刀动枪、舞棒弄棍的武戏，不费嗓子。何况，荀慧生有武功底子，武戏也算对他的路子。

早年，有一个时期，北京舞台上盲目追求“真实”。比如，一个戏班演出《牛郎织女》，居然将一头真牛牵到了舞台上。对于武戏，便讲究真刀真枪。有一个戏班在北京天桥燕舞台演出《铁公鸡》，一位武生演员一时大意走了神，被对方的真枪一枪刺死了。

荀慧生算是幸运的，在他演出武戏连台本戏前，官府已经禁止舞台上使用真刀真枪了。他演过的连台本戏，有《七侠五义》（包括《三探冲霄楼》、《盗三宝》）、《小五义》（包括《镖打师妹》、《气死恩师》、《三探藏珍楼》）等，还和沈华轩、侯喜瑞、孙甫亭等名角儿合作过新编武戏《宋景诗》。这些戏里用的“武器”是按照真刀真枪的式样，用木头仿制的，外面包了一层薄铁皮，涂上银粉，看上去和真的差不多，观众就当真的看，也不觉得不过瘾。

不过，对于年幼的荀慧生来说，拿着这样的武器上台开打，还是心发虚发慌的。特别是动作一快，那假刀假枪上的银粉真的像寒光一闪，让老实胆小的他心惊胆战。于是，动作便走了样、变了形，一顿毒打是免不了的。

这期间，他频频挨打，还有一个原因，是连台本戏大多没有现成的剧本，甚至没有固定的戏词、念白和唱腔，演员们事先不排练、不对戏，只是在演出之前，围坐在一起，说说故事大概，然后就上台自由发挥了。此时，荀慧生没有太多的演出经验，尚欠随机应变的能力，对这样的演出方式，一时很不适应。

在师傅的逼迫甚至是棍棒之下，他即便不适应，甚至很痛苦，也只得硬着头皮上台“自由发挥”。在台上，他一方面按照既定的程式，既舞且武，一方面绞尽脑汁，现编台词，即兴创作，还得和对手演员互相配合，不能你演你的，我唱我的。起初，他常常出错，台词编得驴头不对马嘴，唱腔编得乱七八糟。自然地，下了台，他就得挨顿打。可是几场戏演下来，他也慢慢摸到了路子，找到了规律，词，编得像样了，唱，也符合剧情了。

正如疯狂地演戏，客观上是在积聚能量一样，现编现演连台本戏的演出方式，实际上也为荀慧生日后成为创作型演员，自编新戏，积累了不少经验。

在这段期间演出的所有戏中，给荀慧生留下难以磨灭印象的，不是传统的梆子戏，也不是自由发挥的连台本戏，而是他之前从未接触过的、全新形式的文明戏。之所以如此，也不仅是文明戏与梆子戏、连台本戏有着很明显的区别，更在于他因为演文明戏，入了监狱坐了牢。而当时，他只有 11 岁。

荀慧生的这段经历，与中国话剧创始人之一的王钟声有关。

王钟声原名王熙普，浙江人，有人说他的家乡是上虞，也有人说他与“鉴湖女侠”秋瑾是同乡，都是绍兴人。他出生于1881年，17岁时留学国外。关于他留学哪个国家，也有两种说法，一说是德国，专攻法律，获法学学士学位；一说是日本，正因为留学日本的经历，使他接触到同盟会会员，并在日后加入同盟会。留学七年归国后，曾在湖南、广西等地任中学教师，并逐渐投身革命，致力于抨击清政府，以及革命思想的宣传工作。起初，王钟声主张以办报作为革命的武器。之后，他多了一个武器，那就是戏剧。

王钟声崇尚“戏剧救国”，是受了春柳社的影响。20世纪初，一批爱好戏剧的先进知识分子提出向外国戏剧学习的主张。1903年，一位署名“佚名”的人在《观戏记》一文中提倡“追绘日本维新初年情事”的日本壮士剧（即新派剧）。早年留学日本的陈独秀也在《论戏曲》一文中提倡以“戏中夹些演说，大可长人识见”的戏剧为榜样改革戏剧。

与此同时，留学日本的原上海学生演剧的积极分子李叔同、徐半梅、曾孝谷等人亲眼目睹日本新派戏后，觉得这种“处处描写吾人的现实生活，而且还有我们未见过的布景、灯光衬托着的”戏剧很适合于自己要求宣扬资产阶级民主主义思想的愿望和情绪，于是，在李叔同、曾孝谷的发动组织下，留日学生中的戏剧爱好者在日本新派剧著名演员藤泽浅的指导下，于1906年在日本成立了春柳社。春柳社设有诗文、绘画、音乐、演艺等部门，以戏剧为其主要活动。

中国早期话剧由此诞生。

第二年，即1907年，王钟声来到上海。与此同时，春柳社在日本东京大戏院本乡座上演了由曾孝谷根据美国作家斯托夫人的小说《汤姆叔叔的小屋》改编的《黑奴吁天录》。该剧描写了美国白人农奴主欺压黑奴并贩卖黑奴的黑暗现实。这部戏是春柳社成立后的首部大戏，之所以首选此剧，在于他们认为此剧极富号召力。他们欲借此剧，召唤被压迫民族人民觉醒并起来反抗，隐喻资产阶级民主革命要求民族独立和平等的政治主张。

春柳社以及《黑奴吁天录》，给初到上海的王钟声极大的鼓舞。受此影响，他认为："中国要富强，必须革命。革命要宣传，而宣传的办法，一是办报，二是改良戏剧。"他说服爱国绅士马相伯、沈仲礼等人出资组织了春阳社，开展戏剧活动。如果说春柳社是中国第一个综合性文艺团体的话，那么，春阳社便是中国第一个真正意义的话剧团体。

春阳社成立后的第一部大戏，也是《黑奴吁天录》。演出时间在1907年8月，也就是在春柳社演出《黑奴吁天录》之后两个月；演出地点在上海南市方斜路永锡堂。之后，春阳社又移师兰心大剧院继续演出。这部戏，虽然不可避免地刻有中国传统戏剧程式的烙印，但这并不妨碍它成为中国国内首次公演的早期话剧。

可惜的是，春阳社只存在了不足一年，便因经费不足而不得不宣布解散。王钟声为追求理想自上海北上北京。在北京期间，他又创下了一个"第一"，即创办了一所专门培养演新剧的演员的专业戏剧学校——通鉴学校。他的目的有二，一是继续他"戏剧救国"的理想；一是改变"师傅带徒弟"、"学戏即打戏"的传统培养戏曲演员的模式。与普通科班不同，通鉴学校不仅开设戏曲课，也开设了音乐、舞蹈课，还特别聘请了教授文化的文化教员，更向学生宣传革命思想。以这所学校的"新"，处于封建社会晚期的社会环境下，注定它不能长久生存。不久，学校即被查封。

王钟声和他的春阳社后来得以复苏，得益于原来的梆子花旦演员、后来的京剧旦角演员田际云（1865—1925）。田际云这个人，最大的特点是思想维新。清末时，他在梨园界有很高的威信，曾任梨园自治组织“精忠庙”庙首。“梆子、皮黄两下锅”的演出形式，开创者就是田际云。

1898年，田际云参与了康有为、梁启超的维新变法，借助进宫唱戏的机会，担当起为宫内宫外维新派互通消息的秘任。变法失败后，康、梁流亡海外，谭嗣同等六君子被杀害，田际云的处境也十分危险，幸得同在宫中唱戏的孙菊仙出手相救，方幸免于难。

孙菊仙也是一个唱戏的，本来并没有那么大的能量，他求助的是大太监李莲英。张次溪在《燕都名伶传》中这样记载此事：“戊戌政变，伶人有田际云者，亦参与其事。祸作，君（即孙菊仙）颇怜之。尝与侪辈曰：‘此吾党光，死诚可惜。’商之内监李莲英。莲英闻言，亦为色变，低声曰：‘幸与吾言，勿为外人道也，今上方震怒，勿多言。’以是，际云卒赖其言而得释。”

然而，脱离险境后的田际云，并没有从此谨言慎行。1909年初，他邀请王钟声重组春阳社，与他的玉成班合作演出。接受邀请后，王钟声一连排演了多部新戏，如《禽海石》、《爱国血》、《血手印》、《秋瑾》、《徐锡麟》、《官场现形记》等，这些戏以鼓吹革命、宣传革命党人、揭露清政府腐败统治为主要内容，而且与传统戏曲相比，形式新颖，令北京观众大开眼界。他们第一次看到这种不唱、不敲锣鼓，也没有行头，而只是说的新戏，将之称为“改良灯戏”、“新剧”。这就是后来的话剧。

两年后，也就是1911年，荀慧生开始在北京登台后，田际云再次邀请王钟声合作。这次，王钟声偕同同盟会会员刘艺舟同率春阳社成员，在田际云主持的位于前门外鲜鱼口的天乐园戏院连续演出了《爱国血》、《孽海花》、《青梅》、《黑奴吁天录》、《迦茵小传》等新剧。天乐园是杨小楼、尚和玉、龚云甫等京剧名角儿经常演出的戏院，王钟声、刘艺舟的新剧能在这里连续演大轴，而且上座甚佳，可见新剧在当时的确深受欢迎。

在四大名旦中，有两个人曾受到过王钟声、田际云新剧的影响。一是梅兰芳，一是荀慧生。王钟声第一次演新剧时，15岁的梅兰芳正搭班喜连成（即后来的富连成），演出之余，他大量看戏，既看传统戏，更看新剧。这些新剧在他的心底，埋下了改良旧剧的种子。几年之后，从1913年起，他积极创新，排演了一批时装新戏，可以说，都与这时期的新剧观摩有关。他编排新戏，从构想到剧本的选择到舞台实践，受到包括同业人士、外界朋友、媒介舆论以及观众的广泛支持，特别是田际云，不但言传身教，更为他提供新剧本。可惜的是，王钟声没能看到梅兰芳的时装新戏，就被杀害了。

荀慧生意外地与春阳社、与王钟声发生关系，是因为春阳社准备排演又一出新剧《黑奴恨》，需要一个扮演小姑娘的演员。荀慧生日后回忆自己幼年在师傅庞启发家学徒时的经历，戏言自己当时是“小黑奴”，便来源于《黑奴恨》里的那个小女奴露西。他当时扮演的就是这个角色。

王钟声为什么会选中荀慧生呢？首先，虽然当时已渐有坤班，但女人演戏毕竟还不成气候，也没有小姑娘演小姑娘的，男旦依然是舞台的主角。其次，就男旦而言，上世纪20年代末，北京《顺天时报》发起选举观众喜爱的京剧旦角演员，梅兰芳、尚小云、程砚秋（当时叫程艳秋）、荀慧生、徐碧云、朱琴心当选。也就是说，能够与荀慧生竞争“小黑奴”这个角色的，也只有另外五人。

梅兰芳此时已经17岁了，自然不适合演小姑娘；程砚秋只有7岁，刚刚开始学戏；6岁的徐碧云，更不可能；朱琴心是后来下海的，早年只是个票友。这样一来，只剩下尚小云。尚小云与荀慧生同龄，这个时候正在三乐班学戏。虽然他此时也已开始登台，但相比荀慧生，他唱戏的机会少很多。荀慧生则不同，他是被当作“摇钱树”的，曾经日日有戏演，甚至一个月的戏码“不翻头”。相比而言，荀慧生比尚小云更为观众熟识，更有人缘。

再次，荀慧生与尚小云的性格不同，尚小云开朗、阳光；荀慧生内向，甚至有些忧郁。《黑奴恨》里的小黑奴露西生活于水深火热之中，悲惨、凄苦是她的生活状况，内向、忧郁是她的性格特征。演这样的人物，自然荀慧生更适合。

时隔数十年，荀慧生仍然清晰地记得他被王钟声邀请时的情景。

那天，他刚刚演完《小放牛》，就有人对他说有个王先生找他。他不知道，这个王先生，就是王钟声。他在生人面前，总是怯生生的。他来到王先生面前，看着他，一双大眼睛里满是疑问。王钟声笑眯眯地先开了口：

“你就是白牡丹吧？你的戏，我看了好几出，很不错，特别是你扮演的小姑娘，生动得很。刚才那出《小放牛》，演得也很好，很好看。”

荀慧生还是没有说话。类似这样的夸赞，他听得多了，不觉稀奇，也就没有惊喜。其实他知道，这位王先生并非只是为了来夸赞他，一定还有别的目的。他还是静静地看着王先生，等着他话入正题。

王钟声先介绍了自己，又介绍了春阳社，然后问：“你看过文明戏吗？”

荀慧生摇了摇头，他连“文明戏”这个名词都没有听过。

王钟声说：“我们排演了好几出文明戏，现在正着手排演一出新戏，叫《黑奴恨》，里面有个角色，叫露西，是个小女奴，我们想请你来演。”

荀慧生回答得很快：“我没有看过文明戏，不会演文明戏；我也没有学过演文明戏，不会演。我只学过梆子戏，我只能演梆子戏。”

王钟声说："别担心，依你的表演才能，很快就能学会演的。文明戏，不难演，看看、学学，就行了。"然后他笑了起来："可能比梆子戏还好学呢。"

荀慧生没有立即点头答应，当然并不是他对文明戏这个新剧种的排斥，而是不敢自作主张，他得回去问问师傅，他不是自由身，他可是师傅的人哪。其实，他对文明戏，是很好奇的，正如他当初看京剧时，对京剧也很好奇一样。他对梆子以外的戏种，都充满了好奇。可见他对新鲜事物，是乐意接受的。这也许就是他日后大量创排新戏的思想基础。

回到家，荀慧生将王钟声邀请他去演文明戏的事告诉了师傅。说到最后，他补充了一句："王先生说了，每演一场，给一块银洋。"他将"一块银洋"说得很大声，很清楚。这其实透露出了他的内心，从他本意来说，他是想去演文明戏的。但是，就他对师傅的了解，他知道师傅是不会答应的。在像庞启发这样的传统艺人的眼里，文明戏称不上是"戏"，它所演的内容，更是大逆不道。然而，他又知道师傅是见钱眼开的。无论如何痛恨文明戏，师傅是绝对不会痛恨钱的，很有可能因 "一场一块银洋" 而动心。

但事情出乎荀慧生的意料，他很强调"一场一块银洋"，庞启发却像没有听见一样，很坚决地说："不准去！"然后，他又补充说："文明戏根本不是戏，没有唱腔，没有音乐，没有锣鼓伴奏，这能叫戏？这算哪门子戏?！"

师傅的态度，让荀慧生很失望，但也不能说什么。他以为"演文明戏"的事就这样夭折了，不想却因为师娘而又有了转机。

当师娘得知此事后，气得大骂庞启发："演一场就是一块银洋，你是昏了头了，还是老糊涂了，居然眼睁睁地让大洋白白从手指缝里溜走？"

庞启发小心分辩着，理由还是那一套，什么"文明戏不是戏"、

“我不能让我的徒弟去演那种不是戏的戏”、“我不能因此丢了祖师爷的脸”等等。

师娘根本听不进去，此时，她的眼里，只有那“一场一块银洋”。她继续骂：“养徒弟干什么？只为祖师爷争脸吗？不为挣钱餬口，徒弟是白养的吗？再说，让白牡丹这么闲呆着，这不是烧的吗？”

庞启发还想申辩，被师娘抢过话头，斩钉截铁地说：“要我说，管他什么文明不文明的，只要是戏，只要有人请白牡丹，有戏份（即工资）拿，就去演，就去唱。学了戏，不唱，学它干什么？”

老婆真动了怒，庞启发也没辙，他不吱声，妥协了。

刚刚无奈地回绝了王钟声的荀慧生，此时又兴冲冲地跑去找王钟声，对他说：“我师傅同意我唱了。”他很高兴，王钟声也很高兴。之后，他就成为春阳社的一员，开始了一种全新的戏剧生活——演文明戏。

演“文明戏”被捕入狱

《黑奴恨》这出戏主要说的是小露西一家的悲惨遭遇，揭露了种族歧视。这是荀慧生演的第一个文明戏。演出地点，在天乐园戏院。

对于排演《黑奴恨》，有几个方面，给荀慧生印象深刻。

一、的确如师傅所说，文明戏没有唱腔、没有音乐、没有行头，只有“说”。所以在排练时，他不需要练习唱腔，演出时不需要穿繁琐的戏服，不需要贴片子、包大头、扎大靠。文明戏的内容，少有帝王将相、才子佳人，多的是对现实的反映、对黑暗的揭露。至于主人公，除了中国人外，也有金发碧眼的外国人，更有黑人。这种戏，对于荀慧生来说，是陌生的、新奇的。

对荀慧生日后的京剧创作深有启发的，是文明戏对布景和舞台美术的运用。一般人认为，京剧的表演动作，是由生活提炼出来的艺术形态，舞台上有门帘、台帐、一桌、两椅就行了，完全不需要布景。在演文明戏之前，荀慧生所见过的舞台，都是这样的。当时，他也没有觉得有什么不好。当他演文明戏接触到布景后，完全被新颖的舞台装置吸引了。他这样回忆道：

“在文明戏的舞台上，有一片彩绘的背幕，代替了门帘台帐；舞台的台柱，悬挂着成串的彩色小电灯……因为舞台上不挂帘帐，而是悬挂电灯，这样，一下轰动了九城。为看布景而来的观众，每天都拥满着。这是我在舞台生活中第一次接触布景。”[①]

二、在排戏方式上，也与以往不同。以前，他学戏，都是师傅唱一句，他唱一句，师傅念一句戏词，他念一句戏词。至于整出戏的主要内容、思想含义，师傅不会说，他也不会问。在春阳社，王钟声并不要求他立即背词、排练，而是先让他听。他听王钟声讲解这出戏说的是什么故事，有哪些人物，这些人物都是干什么的，在戏里所起的作用等。更让他惊异的是，王钟声还告诉他排演这出戏的目的，以及所要达到的艺术效果等。具体到小露西这个人物，王钟声除了讲述她的故事以外，更帮他分析她的性格，以及性格形成的原因，使他充分体会她的内心情感，从而感受她、理解她。

荀慧生在幼年学艺的时候，师傅、前辈总是告诫他演戏要“情通理顺”。当时，他并不十分理解何为“情通理顺”，更不知道情何以通，理何以顺。师傅、前辈在教他戏时，也常常说：“演戏要抓住观众。”可是，怎样才能“抓”住观众呢？他的意识是模糊的。在长期实践之后，他逐渐明白了演戏的真谛，那就是：演戏，演的不是戏，演的是人。也就是说，演戏，是为了表现人物的思想感情。抓住了这点，一出戏，自然情通理顺，自然抓住了观众。

有人概括荀派艺术特点，就是善于从人物的内在思想感情出发，表现特定环境中的特定人物。曹禺也说，荀派艺术，长于刻画人物。“演戏，就是演人物”，这成为荀慧生的主要戏剧观。对此，他有多篇专文予以论述，如《演人别演“行”》(“行”即“行当”)、《演戏——演人物》、《要努力塑造人物》、《台步、眼神与人物性格》等。而这个戏剧观的萌芽，可以说，就是王钟声在为他排演“小黑奴”时给予他的启发。因此，在荀慧生的演艺生涯中，与王钟声的接触时间虽然短暂，但王钟声对于他戏剧观形成所给予的潜移默化的影响，却是很大的。

了解了小露西的遭遇，感知了她的性格，体会了她的感情，荀慧生演起来，格外顺手，尽管他没有演过文明戏，但戏理是相通的，都是为了表现人物。除了他主观上努力“靠近”人物外，客观上戏中小露西的某些遭遇，比如，她的家人为了还债不得不将她卖给人贩子的情节，与荀慧生“卖身”的经历有些相似，这就很容易引起他的共鸣。

当他演的小露西被戴上脚镣，痛别母亲时，泪水不住地涌出。他此时的表演，已经不像是表演，而是在展示自己的不幸。因此，他滚滚而落的眼泪，不是挤出来的，不是装出来的，而是内心真实情感的自然流露。如此真挚的感情，打动了无数的观众。每次演到这个地方，台下的观众都会纷纷掏出手绢，或以袖拭泪。就连台侧的春阳社其他演员，包括王钟声，也都常常情不自禁地受到感染，落下泪来。王钟声更是猛夸荀慧生演得实在太好。

三、在春阳社，荀慧生视王钟声为师傅。同为师傅，王钟声师傅与庞启发师傅有很大的不同。对于荀慧生来说，这种不同，有天壤之别，使他感慨万分。庞师傅教戏，又骂又打，而且是毒打，是虐待；王师傅教戏，非但从来不骂不打，而且态度和蔼可亲、耐心细致。在生活上，庞师傅将他视为家奴，王师傅对他嘘寒问暖。在庞师傅面前，他自视为“小黑奴”；在王师傅面前，他觉得自己是个人，他对于平等的认识，对于温暖的感知，即缘于王钟声。所以他说：“王钟声先生给我留下了非常美好的印象，使我至今仍然深

① 荀慧生：《京剧艺术与布景》，《荀慧生演剧散论》，上海文艺出版社1980年8月版，第259页。

深地怀念着他。”

在《黑奴恨》之后，荀慧生又连续演出了《秋瑾》、《热泪》、《官场现形记》、《一元钱》、《革命家庭》等针砭时弊、宣扬革命的文明戏。因为这些戏，最终导致天乐园园主田际云被捕、王钟声被遣回原籍、春阳社被取缔、荀慧生不得不离开春阳社，离开王钟声，结束了唱文明戏的历史。

思想维新的田际云，支持王钟声的春阳社演出文明戏，只是他致力于推动社会进步的一个方面。他对落后的、封建的社会丑恶现象一向很反感，对久已存在的梨园界私设“私寓”[①]，更是深恶痛绝。就在春阳社大演文明戏的时候，田际云上书，呼吁禁止私寓。他的这个大胆举动，得罪了与“私寓”有利益关系的许多人。为了报复，有人将他告发。“罪名”就是联合春阳社演出文明戏。于是，田际云、王钟声同被清御史扣上“勾通革命党，时编新戏，辱骂官府”的帽子，被捕的被捕，遣返的遣返。

刚被遣返的王钟声随即秘密潜回上海。这次，他没有重组春阳社，而是直接参与了上海光复的武装斗争，在陈其美部下担任参谋。不久，他又到天津，与京津一带同盟会会员暗中筹谋起义。不幸的是，计划外泄。就在武昌起义后第三天，王钟声被逮捕，不久被宣布执行死刑。刑场设在天津李七庄的疙瘩洼。起初，执行死刑的方式是砍头。王钟声义正辞严地以“砍头是野蛮的”为由，要求枪决。据说，他中弹后，身体始终没有倒下去，直到被打了十三枪，才气绝身亡。就义前，他高呼“驱逐鞑虏，光复大汉”等口号。

王钟声被捕后，曾经与他关系密切的人，特别是春阳社的进步演员不可避免地受到牵连。客观地说，他们受“王案”牵连，是可

①私寓：又称“相姑堂子”，即男妓馆。据侯希三著《北京老戏园子》（中国城市出版社1999年12月版）中介绍：“清廷禁止官吏狎女妓，士大夫阶层以狎女妓为辱没身份，转而以狎男妓为荣。而男妓半数为优伶。有些戏曲班主为谋私利而养相姑，白天演戏，夜晚待客，以色相媚人。”

⊙ 荀慧生演出《革命家庭》剧照。

以理解的，毕竟他们都是有完全行为能力的成年人，也确实参与过进步活动。不可思议的是，只有11岁的荀慧生却也因此被抓了起来，关进了监狱。不但如此，警方荷枪实弹，冲到鸾庆胡同——庞启发、荀慧生师徒的住所，四处搜查了一番，希望找到荀慧生“私通革命党”的罪证。一无所获后，他们开始了审讯。

也许连他们自己也不大相信眼前这个毛头小孩子，会与“革命党”有瓜葛，于是就将重点放在让他交代王钟声的“通匪”罪行。荀慧生虽然比较胆小，但是，他是苦出身，早就受尽身体虐待和精神折磨，也早就看惯了凶神恶煞的嘴脸，此时，面对气势汹汹的威胁加恐吓，虽有些紧张，却也并没有被吓得语无伦次、精神恍惚。再说，他对王钟声所从事的反清进步活动，确实不了解。他只是一个唱戏挣钱的孩子，哪懂那么多。在他看来，王钟声是一个真心地爱护他、关心他，从来不打不骂他，帮他分析角色，指导他表演，还常常和他讲道理的好人。于是他抱着一个思想：我不能讲好人的坏话。

有了这样的心理，他变得异常坦然。他平时话很少，但他知道，如果这个时候不说话，特别是不回答对方的提问，后果会很严重。所以，在审问开始前，他就做好了“一定要说话”的准备。于是，对方每问一句，他总是话很多地回答出来一串。不过，他的回答，翻过来倒过去，只有那么几句话。一时间，双方的一问一答，逐渐有了“交锋”的意味。但是，这种“交锋”，并不是你来我挡、唇枪舌剑，而是一方咄咄逼人，一方“装呆卖傻”。比如：

对方问：“在春阳社时，王钟声有哪些反清言论、哪些反清行为？”

荀慧生答：“我不知道。他来找我去唱戏，我一开始没有答应，因为我不知道师傅同不同意。我回家后，告诉师傅。师傅不同意。后来，师娘又同意了。我就去演戏了。”

对方问："那么，你在春阳社，都唱了些什么？都是王钟声教你的？"

荀慧生答："我也不知道唱了什么，反正都是扮成小姑娘。是师傅、师娘让我去唱的，唱一场，有一块银洋。我师傅、师娘都很喜欢钱。我去唱戏，就是为了一场挣一块银洋。"

对方问："听说你原来是唱梆子的，《小放牛》是你最拿手的吧。王钟声教你的戏，和梆子戏不同吧。你说说，都有哪些不同呢？"

荀慧生答："我来唱戏，就是为了唱一场给一块银洋。一唱完，这一块银洋就被师傅拿跑了。下次再唱，一唱完，一块银洋又被师傅拿跑了。"

对方问："你在春阳社，演过《黑奴恨》，也演过《革命家庭》，还演过《秋瑾》、《热泪》、《官场现形记》。王钟声告诉过你，为什么要演这些戏吗？"

荀慧生答："师傅、师娘让我唱戏，因为每唱一场有一块银洋。他们都爱钱，老是让我唱戏为他们挣钱。我唱完一场，拿到一块银洋，回家就交给师傅了。如果不交出这一块银洋，师傅就会打我。所以，每次一拿到钱，就交给师傅。师傅拿到钱，就不打我了。"

对于一个只有11岁的孩子而言，这样的回答，可能不能用"随机应变"、"机智巧妙"来形容。或许，那都是他的心里话，是他的真实意思表示，而并不是刻意地顾左右而言他。他没有受过这方面的训练，此时他甚至没有什么文化。然而，他却以这样的方式让对方几乎要发疯。在他们看来，这孩子说的像是实话，却都是鸡毛蒜皮的毫无用处的实话。他们也看不出他是在耍滑头、玩诡计，因为他只是一个11岁的孩子，他的回答符合一个孩子的身份，符合一个受尽师傅驱使的孩子的身份。

审问了多次，荀慧生的回答总是"师傅师娘、一块银洋"。他不急不躁，并没有因为那几句话翻来覆去说过无数遍，就表现出厌烦。他睁着一双无辜的大眼睛，未脱稚气地一字一句近乎于苦口婆心地诉说着他的“一块银洋”的故事，终于让对方败下阵来。从这个角度说，又不能不说他相当聪明，相当机智。

由师傅庞启发出面作保，荀慧生被释放了。回到家，他做的第一件事情，就是将一张保存的照片更加珍藏好。这张照片是他演出《革命家庭》后，和剧组成员共七人的合影。可惜的是，他只记得其中两个人的名字，一个是王钟声，一个是陈游游。照片上，他穿着一身粗布衣裳，憨厚质朴的神情，活脱脱一个农村小姑娘的模样。他在这部戏里，演的就是农村小姑娘。

当荀慧生得知王钟声被枪杀后，心里难过了好长时间。这张照片便成为他与王钟声、与春阳社有过关系的唯一见证，它不仅仅留下了他们的影像，更记录了一段历史，因此他视如宝物，无论是悲苦屈辱的抗战时期，还是白色恐怖的解放战争时期，他天南海北四处闯荡，但始终珍藏着。解放以后，这张照片终见天日。它已经发黄发脆，他为它配了一个精致的镜框，然后小心翼翼地将照片镶进镜框。他的客厅南墙的最显眼处，挂的不是他的标准像，不是他的戏装像，也不是他的全家福，而是这张极具历史意义和价值的照片。

从上世纪50年代到“文革”前，这张照片一直是荀慧生的最爱。他还常常和朋友、学生、家人讲述他在春阳社演文明戏的往事，讲王钟声的为人，讲他因此受到的启发。讲述这些往事，荀慧生自己用了一个词，叫“乐此不疲”。有一年，他意外获知陈游游也在北京，就住在故宫博物院宿舍，便兴冲冲地偕妻子张伟君前往拜访。老友重见，分外亲热，忆及往事故旧，又不免唏嘘感叹。这次见面，荀慧生有了个意外收获。在陈游游的帮助下，他一一记起了照片上另外四人的名字。为了不再忘却，他将他们的名字写在照片背面。只可惜，世事纷繁、时代变迁，他们已经无法找到除王钟声以外的其他人了。

在“文革”的暴风骤雨下，荀慧生这个人，都未能幸免，更何况是一张照片。荀家被抄了，这张珍贵的照片随之丢失，从此下落不明。不久，陈游游死了，荀慧生也死了。人和物是可以消失的，但是，历史却是永存的。

“正 乐 三 杰”

从入京城到出师的几年时间里，荀慧生搭过十几个班，待的时间最长的，就是三乐班。他初入三乐班时，清政府刚刚覆灭，民国刚刚建立。对于一般的十来岁的孩子来说，不可能对朝代更迭、时代变迁有太清晰的认识。但是，荀慧生则不同。他参加春阳社演文明戏的经历、他与王钟声短暂却深厚的友谊以及王钟声给予他的深刻影响、他被革命党牵连后的被捕入狱，都使他以特殊方式亲身经历了改朝换代。

王钟声死了，牢也坐过了，荀慧生的生活重新回到既定的轨道上，按部就班地学艺、搭班演出。师傅庞启发应聘到三乐班执教，荀慧生随之进入三乐班。这个科班，与一般的科班有所不同。一般的科班，只教授皮黄，三乐班则既教皮黄，也授梆子。这样做的目的，当然是为了顺应京城舞台上时兴皮黄和梆子间杂演唱的演出潮流，迎合钟情于“梆子、皮黄两下锅”的观众口味。正因为如此，科班在招收学皮黄的学生时，也兼招学梆子的演员，同时，既需要教授皮黄的老师，也不可缺少梆子教员。所以庞启发能够进入三乐班执教，荀慧生能够进入三乐班学艺及演出。

三乐班的创办人之一，名叫李际良。提及李际良，就不能不说到慈禧身边的大太监李莲英。李莲英净身入宫，自然不可能有子嗣。他在宫中得宠，飞黄腾达后提议他的四个兄弟，每人送一个儿子过继给他。他在五兄弟中排行第二，原名叫李英泰。为使兄弟各家不绝长门，他要求兄弟们将自己的次子过继给他。于是，除了老三过继的是三儿子外，其他三人，每人都将次子过继给了他。其中他的最小的弟弟李世泰过继的次子，就是原名李福德的李际良。因此，严格说来，李际良是李莲英的侄子，后来成了李莲英的继子。

李际良得以留名，原因有二：一是他对佛学颇有研究，在当时北京的佛教界相当出名，号“一清居士”；二是他酷爱戏曲，办科班培养了不少戏曲人才。三乐班是他出资和梆子名角孙佩亭(艺名十三红)、薛固久（艺名十二红）合办的。因为是三人合办，所以取名“三乐”。三乐班在多如牛毛的科班中能够占有一席之地，很大程度上是因为在四大名旦中，有两位都是从三乐班走出来的。他们就是尚小云和荀慧生。

荀慧生曾经回忆说，尚小云入三乐班比他稍晚一些。他还说，在尚小云入科后不久，尚小云最早的师傅李春福的两个儿子李洪春、李洪福因长春班解散而同时转入三乐班。他又说，他在三乐班时，曾经与李洪春合作演出过梆子《三疑记》。事实上，尚小云比荀慧生早五年进入三乐班。在尚小云入三乐班的那一年，即1907年，长春班解散，李洪春、李洪福兄弟俩并没有正式加入三乐班，主要在家由其父亲李春福教授继续学戏，只是偶尔参加三乐班一些剧目的演出。不过，当时，李氏兄弟的家离庞启发、荀慧生师徒租住的地方很近，荀慧生又曾与李洪福义结金兰，因此他们来往较多，而且合作演出，确是大有可能。

从目前现存的一份戏单中也可以看出来，尚小云并非晚于荀慧生进入三乐班。在荀慧生于1912年进入三乐班时，尚小云已经是该科班的学员了。这份戏单记载着1912年9月24日三乐班在广和楼的演出剧目：常少亭的《双包案》，小金香的《回龙阁》，王三黑、刘凤奎、方洪寿、沈三玉的《摇钱树》，赵凤鸣的《举鼎观画》，嘎嘣翠的《慈虐异报》，孙佩亭、郭宝臣、盖陕西的《龙凤剑》，还有就

⊙ 荀慧生与尚小云合影。

是尚小云的《别宫》，白牡丹的《七星庙》。

尚小云和荀慧生在三乐班的身份是不一样的。尚小云是入科学习，与三乐班签有“关书”。这种“关书”与荀慧生和师傅之间签订的“字据”性质基本相同，都近似于“卖身契”。也就是说，尚小云是“卖”给科班的，属于科班的人。荀慧生是庞启发的手把徒弟，是“卖”给庞启发的，是庞启发的人。所以，荀慧生加入三乐班，是带艺学戏。

在三乐班，荀慧生和尚小云的关系最亲密，相遇不久即成为好朋友。之所以如此，很大程度上缘于两人是同乡，都是河北人。特别是，他们同年同月出生，生日只相差两天。这样的巧合，使他俩感觉颇有缘分。相比而言，尚小云成熟稳重得多，荀慧生还像个孩子，更单纯一些。但是，依年龄而论，尚小云还得恭敬地称呼荀慧生一声“荀二哥”。

不过，两人相处久了，熟了，在一起时玩笑不断。尚小云就常开玩笑让荀慧生称他为“大哥”。他俩本就只相差两天，与双胞胎也差不了多少。尚小云比荀慧生高大粗壮一些，荀慧生秀气文弱得多。在外人看来，尚小云似比荀慧生年长。尚小云本就是个好打抱不平又常仗义执言的人，与荀慧生站在一起，的确更像大哥。渐渐地，尚小云不再叫荀慧生“荀二哥”，而荀慧生真的叫尚小云“大哥”了。有人为此不解，就问荀慧生。荀慧生笑说：“既然他喜欢攀大辈儿，我在家里又本来是行二，那我就叫他大哥吧！”

⊙ 尚小云为荀慧生题字。

习皮黄的尚小云与习梆子的荀慧生，彼此影响都很大。尚小云从荀慧生那里学梆子，荀慧生从尚小云那里学皮黄。最终，两个人在一出戏里，都能做到“皮黄、梆子两下锅”。而三乐班里还有一位擅长“两下锅”的，他就是赵桐珊（艺名芙蓉草）。赵桐珊比尚小云、荀慧生小一岁，也是河北人，他 8 岁时由家乡河北武清县赴京学艺，初学梆子，后习青衣。在荀慧生入三乐班后一年，即 1913 年，赵桐珊也入了三乐班。祖籍都是河北、年龄又相仿的三个孩子，很快就玩到了一起。

准确地说，赵桐珊加入的是正乐班，而非三乐班。因为在这年年初，三乐班进行了改组：当初参与创办该科班的孙佩亭、薛固久退出了三乐班。从此之后到 1916 年该科班解散，负责人就只剩下李际良一个人。“三乐”之名，缘自于该科班是三人合作创办的，如今，走了两人，“三乐”也就名不副实了。于是，李际良乘改组之机，将三乐班更名为正乐班。同时，他将原先位于宣武门外大石桥赶驴市染房内的班址，迁到崇文门外五老胡同的一个大院。

赵桐珊扮相俊俏、嗓音清亮，又聪明好学，10 岁时就与梆子名角崔灵芝、丁灵芝、李灵芝、任灵芝、还阳草被列为“梆子六草”。他是“芙蓉草”，长得又比较黑；荀慧生此时的艺名叫“白牡丹”，长得白，外界对他的评价是“扮相秀丽，做工细腻，一颦一笑，风致天然”。因此，人们戏称他俩在台上，是“花草争艳”；在台下，是“黑白襄助”。加上一个才艺出众的尚小云，三个人很快成为三乐班的台柱子。三人都是旦角演员，常常同台竞技而不分伯仲，所以最初被人称为“正乐三艳”。后来，有人认为，以“艳”字形容三个男孩子，不太雅，便改为“正乐三杰”。

⊙ 正乐三杰之一赵桐珊《四郎探母》萧太后剧照。

那么，“正乐三杰”之称到底是在什么时候叫响的呢？荀慧生是1912年加入三乐班的。赵桐珊是1913年加入正乐班的。1914年8月，京剧老生“后三鼎甲”①之一的孙菊仙为赈灾义演，需要一位旦角与他合作。有人推荐了尚小云，孙菊仙认可了。于是，73岁高龄的孙老前辈与年仅14岁尚未出科的菊坛新人尚小云，在北京庆乐园合作了一出《三娘教子》。

那场演出，观众云集、盛况空前。按照荀慧生的话说，“在当时的北京剧坛，是非常引人注目的事情”；按照戏剧家马少波的话说，尚小云因为这次演出，“成为京剧爱好者津津乐道的人物”。可以这么说，这场演出是尚小云成名的标志之一。荀慧生、赵桐珊都参加了那天的演出。荀慧生演的还是压轴戏，戏码是《铁弓缘》。由此可以推测，“正乐三杰”之称起始于1914年。

如果说“正乐三杰”的美誉也可以作为成名的标志的话，那么，可以说荀慧生成名于1914年。除此之外，在这年，还有一件事，也可以作为荀慧生成名的标志。那就是在“菊选”中，他和尚小云一起，当选为“童伶博士”。

之前，报刊对于白牡丹的赞美比比皆是。有一位山东戏迷，在报刊上评介“京伶十二钗”，位列“十二钗”首席的，就是白牡丹。也有人将他与京剧界名重一时、炙手可热的“兰蕙齐芳”（即梅兰芳、王蕙芳）相提并论，还为他撰写了一首绝句：

①在京剧老生行，有“前三鼎甲”、“后三鼎甲”之称。“前三”指的是余三胜、程长庚、张二奎，“后三”指的是谭鑫培、汪桂芬、孙菊仙。

色艺丛中独擅场，
佳名不愧傲花王。
任教兰蕙饶风趣，
到此低头亦拜降。

有这些作为铺垫，荀慧生最终当选为“童伶博士”，也就在情理之中了。

当年秋天，《国华报》主编穆辰公、富华峰决定效仿当时京城媒体常见的做法，举办菊选。《国华报》的菊选与以往不同，它侧重于童伶，也就是说是童伶菊选。另一个不同之处在于，它将授予被选出的童伶以“博士”、“学士”的名义，并赠金菊徽章。这次童伶菊选，分为男、女、社团三个部分，额定男伶博士两名、学士五名；女伶博士两名、学士四名；社团部博士两名、学士一名。

所谓“社团部”，指该演员并不隶属于某一个具体的科班，他在某科班只是带艺学戏。比如，“白牡丹”荀慧生，他虽然与尚小云同在正乐班，但他并非正乐班的入科学生，所以，他属于社团部。

年底，菊选结束。次年元月，经戏迷投票，菊选结果公布：

男伶部：博士，正乐班青衣尚小云、富连成青衣李连贞。

学士，富连成老生刘荣升、小生程连喜、武生赵连升；正乐班武生“小小八岁红”、武生王三黑。

女伶部：博士，维德班老生李桂芬、庆和班旦角张小仙。

学士，维德班老生双兰英、老生王玉如、老旦尚俊卿、蓉仙班旦角富竹友。

社团部：博士，维德班旦角杜云红、正乐班花衫白牡丹（即荀慧生）。

学士，富连成花衫筱翠花（即于连泉）。

⊙ 正乐三杰之一尚小云《四郎探母》铁镜公主剧照。
⊙ 正乐三杰之一白牡丹（荀慧生）《四郎探母》铁镜公主剧照。

此时，说荀慧生、筱翠花是“花衫”，并不准确。准确地说，他们是“花旦”。“花衫”的定义，应该是在正旦（青衣）、花旦、刀马旦、武旦、老旦之后的新的旦角专行，它融青衣、花旦、刀马旦于一体，既有青衣的端庄沉静，又有花旦的活泼俏丽，也有刀马旦的飒爽英姿。这个时候的荀慧生，尚处于唱梆子花旦的阶段，也就是说，还只是在继承传统、打基本功当中。

荀慧生与尚小云，同为“正乐三杰”，同为“童伶博士”，这为他俩日后同时升任“四大名旦”，奠定了基础。反过来说，也许“四大名旦”的称谓，的确是白党为捧荀慧生而创造的，但是，荀慧生并非没有荣任名旦的实力，这从他少时曾一度与尚小云并驾齐驱，便可见一斑。

“逃”出师

荀慧生曾经这样回忆“三杰”之间的关系：“我们虽然是同行，却能通力合作，彼此关照，有着很深的感情，甚至在关键的时候，还都能雪中送炭。一直到我们中年、老年都能真诚相待，友好往来。”如他所说，他与赵桐珊，是多年的合作伙伴。赵桐珊有一个时期是荀慧生自组的班社留香社里的“四大金刚”之一，他与尚小云，更有兄弟情谊。在荀慧生出师遇到麻烦，应该出师却不能出师时，靠的正是尚小云两肋插刀般的侠义救助。

一般而言，科班学艺期限为七年；做手把徒弟的期限也是七年，这个“七年”，常常被称为“七年大狱”。熬过这七年，科班的学生，就能出科了；手把徒弟，就能出师了。也就是说，出头了，自由了。荀慧生从被卖给庞启发的那天起，就日夜盼着出师的那一天。当然，他也知道，要想唱戏唱出名堂，要想有个好前途，忍耐这七年，是必须的。掰着手指数日子、熬日子，是他每天除了练功、喊嗓、做杂役之外的必修课。特别是在他被毒打、被虐待的时候，他对出师，尤为期盼；对出师的期盼，尤为热切。

当1915年来临的时候，荀慧生意识到他就要脱离师傅，回到父母身边了，再也不用挨打受骂，再也不用看师傅师娘的眼色过日子，就要彻底自由了。每当想到这些，他的心都要飞起来了。常常地，他悄悄地和尚小云、赵桐珊分享他的喜悦。每次说到这事，他的眼睛就会发光，激动得浑身发抖。尚小云、赵桐珊都为他高兴，和他一起憧憬着自由的未来。

但是，意外出现了。当荀慧生鼓足勇气怯生生地和师傅庞启发提及“出师”时，庞启发不但没有应允，反而给了他一句狠话：“你要敢走，我就把你的腿砸折了，让你这辈子也别想再唱戏。”如雷轰顶！荀慧生不知所措。他不明白，“卖身契”上明明写着“学艺期限为七年”，掐指算来，从1907年到1915年，确确实实已经过去了七年，为什么师傅却是这种态度呢？他也不明白，师傅凭什么不让他出师，而且还是这样的理直气壮？

面对权益被侵犯，柔弱的荀慧生突然变得强硬起来，尽管声音控制不住地有些颤抖，但他还是以一种质问的口气，质问庞启发："家父将我写给师傅时，说好期限是七年的，现在已经过了七年了，为什么师傅不让我走？"

他以这样的态度对待师傅，七年来还是头一遭。不过，此时，他也顾不得那么多了，他也做好了挨打受骂的准备。庞启发并没有如想象的恼羞成怒。他不急不忙地掏出一张纸，展开来，亮在荀慧生的眼皮子底下。这就是那份"卖身契"。他抖动着那张纸，抖得哗哗响，透出满满的得意。他说：

"是啊，你说的没错，期限是七年，我也没说不是七年。但是，你瞧瞧，这上面哪儿写着期限是从1907年开始算起的，没有吧？"

的确，"卖身契"上只写着"七年期满"，却没有写明从什么时候算起。

在荀慧生提出出师要求前，庞启发也早就想到了关于"出师"的问题。算算时间，他知道荀慧生应该出师了，要走了。为此，他有一阵子，心情很郁闷，并不是他舍不得慧生这个孩子，而是舍不得银子。这个时候，"正乐三杰"是金字招牌，"童伶博士"是票房的保证，此时的白牡丹在庞启发的眼里，是赚钱工具，是摇钱树，甚至就是银子。放走慧生，实际上就是眼睁睁地看着白花花的银子从手指间流走，他不甘心。但是，他又是知道梨园规矩的，期限已满，也不能不让慧生走。

庞启发很无奈地将那份契约找出来，看了又看，指望着能看出点什么破绽，以阻止慧生如期出师。看着看着，却真的让他看出了问题，找到了漏洞。他发现：这份契约根本没有写明荀慧生何时开始学艺，甚至连具体的订约日期也没有。换句话说，慧生是从哪一年开始学艺的，说不清楚。也就是说，契约到期没有，慧生满师没有，可以任由他庞启发信口开河。这个意外发现，自然地让庞启发有一种发现了惊天大秘密后的欣喜和激动。多日来的担心、郁闷、不甘，顷刻间荡然无存，他一下子轻松了不少，几乎飘起来。

可以肯定的是，这份有着重大缺陷的契约，并非庞启发有意为之。有人推测，可能是执笔的先生一时大意所致，而荀慧生的父亲荀凤鸣当时急于卖儿换钱还债，也没有顾及其他。或者说，他对签订契约毫无经验，哪里能够看得出其中隐藏的危机，也就糊里糊涂地签了字画了押。

望着这样一份契约，又有师傅“砸折腿”的威胁，荀慧生再也说不出一句话。这时，他只想到一个词：“老奸巨猾”。在气势汹汹又胸有成竹的师傅面前，他听见自己心碎的声音。但是，正如庞启发想到弟子就要出师自由时很不甘心一样，此时的荀慧生也很不甘心。他自知他不能就此放弃，如果听之任之，结果只能是被师傅捏死，不知道何时是出头之日。他要抗争。抗争的办法，他没有思量很久，很快就想到了，那就是：逃。

逃，对于荀慧生来说，并不陌生，尽管他从来没有实践过。这个时候，他一下子理解了哥哥荀慧荣先后两次的逃，他也因此真切地体会到“逃”这个字的含义。他觉得，逃，真的能够成为走投无路时的救命稻草。但是，对于生性柔弱的他来说，逃，只能在他的脑海里如流星般划过。太多的顾虑，又在瞬间占了上风。事后他这样剖析他当时的心理状况：“我想逃跑，又怕师傅抓回来把我打得半死，因为在那个社会，师傅打徒弟，打死也不犯法。”[①]

庞启发虽然很了解荀慧生，知道他胆子小，老实又乖巧，不至于做出什么诸如逃跑之类出格的事来，但是，他也知道，老实的人心思重，更加倔强执拗。他知道这七年来他对这孩子的虐待，也就知道这孩子早就盼望着自由的那一天。如今的局面，摧毁了希望，这孩子一定有绝望之情。在这种情况下，谁能预测到会发生些什么。因此，他暗想：不得不防啊。于是，他加紧了对慧生的看管，严防他出逃。庞启发亦步亦趋地跟进跟出，让荀慧生烦不胜烦，也更加苦恼。好在他每天还要去唱戏，一到了戏院后台，他就有了片刻的自由。

这时，赵桐珊去保定演戏去了。荀慧生唯一能依靠的只有尚小云了。在好朋友的面前，他哭得很伤心，也很无奈。一向仗义的尚小云，听了荀慧生的遭遇，气得面红脖子粗，跳脚大骂庞启发“太阴险”“太狠毒”。气过，骂过，无心练功、无心演戏的尚小云开始为荀慧生想办法。他认为，不能就这么屈服于庞师傅的威胁，更不能让他的诡计得逞。其实尚小云此时也不过15岁，却有着与他的实际年龄不相符的成熟和冷静。

与荀慧生柔弱温和的性格相比，尚小云天生的脾气急躁性格刚烈，因而有着很强烈的反抗斗争性。苦思冥想之后，他觉得，既然契约白纸黑字无法辩驳，那么，只能自我救赎了，也就是一个字：逃。他知道这个办法并非上策，于是便去找李洪春，与他商量。李洪春在了解了事情原委后，很支持尚小云，他对荀慧生说：“事已至此，只能如此。”

虽然荀慧生之前也想过出逃，但从尚小云、李洪春嘴里明确听到“逃”这个字时，他还是被吓了一大跳，还是有些不敢，担心一旦被师傅抓回来，肯定被打个半死。然而，不逃，不被打个半死，又能怎么样，继续做牛做马，继续为师傅卖命？这样下去，永远没有出头之日。既然如此，何不搏一搏，拼一拼，大不了重新回到起点。其实，荀慧生本就有逃跑之心，被尚小云、李洪春一鼓动，也就容易下定决心。在尚小云、李洪春坚定眼神的鼓励下，他很用力地点了点头。

具体逃跑计划主要是由尚小云策划安排的。因为荀慧生被庞启发看管得严实，尚小云只能在正乐班学戏时，在戏院后台扮戏时，将计划一一交代给慧生。尚小云甚至之前已经到慧生的住处进行过实地考察，他发现在慧生住的屋子后面，有一扇窗子，窗下有一堆

① 和宝堂整理：《戏苑宗师荀慧生》，辽宁美术出版社1999年12月版，第36页。

煤，煤堆旁有堵墙。他的计划是：慧生于夜半时分、庞启发入睡后，跳出窗子，爬上煤堆，然后翻过那堵墙，由尚小云、李洪春接应，将他带到事先准备好的临时住处。

一切按计划行事，过程毫无故事性，顺利得使人感到意外。荀慧生就这样逃了出去。

荀慧生“出师事件”最终得以解决，也许不能说是直接用逃跑方式解决的，却又不能不说与逃跑有很大关系。他这一逃，实际上是将事情推到了绝境，逼使庞启发在太阳光底下解决问题，而不是任由他于阴暗处以威胁恐吓的方式说什么是什么。当然，在尚小云、李洪春、荀慧生三个孩子商量逃跑计划时，并没有想那么多，他们只是出于一种自我保护、自我反抗的本能。

事情的解决，有赖于三个方面的力量，即正乐班班主李际良和“清逸居士”爱新觉罗·溥绪的调和，白社成员给予庞启发的压力，法院的最终裁定。

一、庞启发在发现荀慧生跑了之后，气急败坏，逼问正乐班的孩子，包括尚小云、李洪春。其他孩子根本不知情，知道内情的尚小云、李洪春，死活不开口。庞启发四处打听、寻找，无功而返。起初，他还能耐得住性子，心想：你躲得了一时，还能躲得了一世？可是，几天过去了，荀慧生还是没有踪影，蒸发了一样，没有任何消息。他这才感到不妙，人都没有了，手里握着那份契约又有什么用？

⊙ 尚小云画赠荀慧生。

于是他放出口风，说只要荀慧生回来，双方可以协商。又过了几天，还是没有动静，庞启发不得不又做让步，再放出口风，说只要荀慧生回来，他可以将契约还给他，至于出师的具体时间，他可以与他当面商量。

荀慧生不敢露面，就他对庞启发的了解，他觉得师傅的“服软”，更像是一个套，他不能就此落入陷阱，否则前功尽弃。毕竟师傅手里有那份契约，从契约本身来说，事情的确是有利于庞师傅，而不利于他。

一方频频抛出诱饵，一方不加理睬，双方就这么僵持着。这样的状态，固然对庞启发不利，其实对荀慧生，更不利。如果庞启发铁了心不松口，难道荀慧生一辈子躲着不出来？这不现实，也不可能。在这种情况下，只有中间人出面进行调和，给双方台阶下，才能打破僵局。于是，李际良出面了。

有这样一种说法，说李际良之所以愿意出面调停，是接受了爱新觉罗·溥绪的转托。溥绪是皇室子嗣，袭封庄亲王。他的老祖，即第一代庄亲王允禄，是乾隆年间的戏曲音乐家兼戏曲剧作家。恐怕是遗传，溥绪极爱戏曲，擅编戏本。前清时，皇室曾多次下令禁止旗人养戏班和出入戏园，更不允许皇室成员与“戏子”往来，这当然包括为他们编剧。因此，溥绪自封“清逸居士”，以此名为梨园中人编戏。早年，他为杨小楼编戏，后来是尚小云的专职编剧。

在荀慧生出师这件事上，尚小云帮了不少忙，出了不少力，甚至直接导致荀慧生出逃。就尚小云与清逸居士的良好关系，是否可以推测，清逸居士可能是受尚小云的请求，而转托李际良出面和庞启发洽商的？

李际良对庞启发师徒的关系，是了解的。客观地说，他并不能肯定孰是孰非，他只是从直觉上去判断，感觉慧生所言非虚。但是，他也知道，慧生没有直接证据证明他的说法。然而，他也不因此断定慧生毫无取胜把握，毕竟那份契约存在瑕疵。既然如此，也就意味着矛盾是可以调和的，事情是可以解决的。

一方面，李际良亲自作为荀慧生的代理人，将这起纠纷诉诸法院，诉讼请求法院对荀慧生出师的年限给一个公道的评判。显然李际良颇具现代法律意识，在他看来，民间调解总不如法院裁决，事情一旦上升到法律程序，对双方来说，无论结果如何，都具有了强制效力。

一方面，李际良并不放弃与庞启发面谈。他的头脑很清醒，他认为，不说客观事实如何，如果只论法律事实，庞启发凭着那份没有订约日期的契约，似乎更有胜诉的可能。法院可以采取调查取证的办法，设法证实订约日期，或者以人证证实荀慧生已经学艺几年，但如果无法证实这一切，荀慧生败诉的可能就很大了。这个时候，还是得依靠庞启发的良心。

李际良好言相劝庞启发："你我都清楚，徒弟学艺都是有期限的，七年也好，八年、九年也罢，总是有个头的，难道你想扣着白牡丹一辈子？也不可能，对不对？我们大家都知道，白牡丹是你一手调教出来的，都暗地里夸你有本事。白牡丹自个儿，也知道没有你这个师傅，就没有他白牡丹的今天，他应当感激你一辈子。你看你现在这么一闹，伤了孩子的心，难道你成心要毁了师徒情分？再说了，白牡丹身后还有个'白社'，把事情闹大了，对你，还有个好？何必认死理呢？鸟儿翅膀硬了，总要飞出去的，你不如趁早放手，还显得你这个做师傅的，明事理，又宽宏大量。又说了，法院下工夫去查，去找荀凤鸣，去找代笔的老先生，去找你的三个儿子，特别是与白牡丹最要好的三秃，他们谁不能证明白牡丹学艺了七年？说个不好听的话，你那张没有日期的契约本身就不具有契约的效力，因此说它是废纸一张，也不是不可以，对不对？"

这一番话，对庞启发，还是有所触动的。首先，他知道，清逸居士和李际良都是有钱有势的人物，社会地位不容忽视，自己这么一个普通唱戏的，得罪不起，何况他正受聘正乐班执教，如果他不给李际良面子，硬抗到底，得罪了在梨园界颇有威望的李际良，不但可能因此失了正乐班的教职，而且在京城梨园界恐怕都难以立足了，因小失大，不值得。其次，他觉得，事情已经闹到了法院，如果真的如李际良所说，法院找来一堆证人，那份契约也就真的成为一张废纸了。从这个角度说，李际良所说，并非没有道理。再次，李际良所说的“白社”，确实是有一定影响的组织，也不能得罪。

尽管如此，庞启发还是难以立刻妥协。他太舍不得放走白牡丹了，如果这个时候放手，他的损失太大了。但是，不放手，他又自知难以抗拒巨大压力。他有些骑虎难下。就在这时，“白社”也找上门来了。

二、“四大名旦”的称谓，是白党为捧荀慧生而提出来的。这里的白党，指的应该是在上海的一帮白社成员。也就是说，除了北京有一个白社外，上海也有一个白社。上海的白社成立于20年代，即荀慧生在沪逗留演出期间。自然地，北京白社成立的时间早于上海白社，大约是在1913年，也就是荀慧生自津入京后的第三年，入正乐班后的第二年。

所谓白社，是一个以白牡丹之名命名的戏迷团体，主要成员以大学生为主，发起人是朱佩弦、秋吟籁、刘戣伯、张梦词，之后著名画家胡佩衡、于非闇等社会名流加入其中。白社大本营位于西单皮库胡同，名为“白社公寓”。像其他捧某角儿的某社一样，白社捧荀的方式，不外乎到剧场看荀慧生的演出，为他捧场；在各报刊撰文揄扬赞誉。

论及他们为什么会为荀慧生成立白社，其中原因并不玄妙。正如有人喜欢尚小云，为他成立云社，有人喜欢筱翠花，为他成立翠花堂一样，这些大学生喜欢白牡丹，便为他成立了白社，很简单。

⊙ 荀慧生与上海白社朋友。前排左起桂泽承、余空我、刘冰语，中排左起荀慧生、舒舍予，末排鄂吕弓。

那么，他们又为什么喜欢白牡丹呢？除了喜欢他的扮相、表演外，很大程度上是缘于对他身世、遭遇的同情。有人曾经撰文：白牡丹“师事庞姓，庞性极蛇蝎，常不使之有片刻欢”。青年学子们多怀有拯世救人之心，自然对身处苦海的白牡丹以更多的关注和爱护。在他们看来，白牡丹只有出人头地，才能彻底脱离苦难。他们能够给予的帮助，便是为他成立白社，捧他。

如果说白社与其他的社在捧角儿上有什么不同的话，那就是，白党们除了竭尽所能宣传白牡丹和他的戏以外，更常将白牡丹约到“白社公寓”，教他认字读书、写字画画，还为他阅读剧本，帮他讲解剧情、分析人物。这样的帮助，对于没有进过学堂，没有读过书，缺少文化的荀慧生来说，意义重大。两年前，荀慧生与春阳社，与王钟声合作演出文明戏，让他改变了对唱戏、对表演的认识。他恍然，唱戏、表演，并非照葫芦画瓢，而应该有所体会并赋予思想。如今，白党让他不但接触到文化、学习到文化，更延续了他对唱戏、对表演的新认识。

可以说，白社对荀慧生的“捧”，包括方方面面。当然，在荀慧生遭遇“出师”问题时，也就不可能袖手旁观。他们一起上门，与庞启发郑重面谈。他们是受了高等教育的人，能言善辩，句句夹枪带棒：

“那份没有注明学艺起始，也没有订约日期的契约，可以任由你说。反过来说，也可以任由白牡丹说。你可以说还没有满七年，白牡丹可以说已经满了七年。你说白牡丹没有证据，但白牡丹也可以说你没有证据，不是吗？这份契约是残缺的，既然如此，谁都可以站在自己的角度，说对自己有利的话。如果说要找出人证，你能找到对你有利的人证吗？有人可以为你作证，说白牡丹还没有学满七年吗？排除就契约论契约，你对白牡丹的管教——注意，我们用的是‘管教’，其背后意思，想你也清楚——大家是有目共睹的。现在早已是民国了，徒弟不是师傅的私有财产，他有独立的人格，不能任由你打骂、差遣、扣押。如果事情闹得更大，新闻界介入，你想舆论会站在哪一方？”

到了这个时候，庞启发基本上已经败下阵来了。之前，他信誓旦旦地发狠说：“我永远也不会让白牡丹出师。如果他一定要走，我就和他拼了！”如今他不再说这样的话了。在李际良的劝说下，在白社的义正词严下，他越来越有孤立之感，越来越觉得小小的白牡丹身后，有一股强大的力量。

三、法院的介入，其实并没有让荀慧生大获全胜。它最终的裁决，采取了折中的办法，虽然支持了原告方的诉讼请求，即断定荀慧生的确已满七年学艺期限，但是，却又裁定：延长两年，作为学徒报效期。也就是说，一方面，认定荀慧生确实应该出师了，但出于维护师傅利益考虑，又让他延长两年出师。这两年，算是徒弟为师傅的服务期，演出的一切酬金，要分给师傅一半。换句话说，荀慧生出师，附带了继续服务两年的条件。

事后荀慧生曾经这样说：“这一判决毫无道理。”事实上，这样的判决还是有一定依据的。在徒弟学艺期限的问题上，通常确实以七年为限，但是，在实践中，往往又规定：开始的一年不算在内，满师后，还要帮师傅一年。所以，实际的学艺期限达到九年。也许正是如此，法院才会在认定荀慧生已学艺七年的基础上，又让他延长两年。

因为那份有瑕疵的契约，因为逃跑事件的发生，因为由此而引得大家的关注与说情，因为法院的介入，所以，荀慧生的出师，与一般意义上的出师有所不同，多了一些波折。虽然多了两年的服务期，但严格说来，他也算得上是出师了。这也意味着，他获得了部分的自由。总的说来，在这次出师风波中，荀慧生和庞启发，都不是输家。

白社成员随即将这个好消息公布于众，喜欢白牡丹的都为他高兴，为他欢呼。那一阵子，荀慧生收到不少来自各界的贺诗贺词贺信。这一切，让他心花怒放。十几年来，特别是学艺七年多来，他第一次真正意义上地感受到明媚，体验到温暖。

家庭风波

“出师事件”的成功解决，对荀慧生的心理也有很大影响。从此，他开朗了一些，活泼了一些，减了一份懦弱，增了一份坚强。换句话说，文弱、内向只是他的表象，他性格中并非没有刚烈，而这种刚烈，随着年龄的增长，所经历磨难的增多，逐渐被激发了出来。

有一段时期，荀慧生在某戏院演出，与他同台的有一个叫金钟的演员。正如荀慧生身后有白社一样，金钟的身后也有一个金社，而且势力强大。那个时候，一个演员在一台戏中的戏码排列是很讲究的，一般地，戏码越靠后，意味着他越有地位，所以压轴戏、大轴戏都由名角儿担当。在荀慧生与金钟同台演出之初，金钟的戏码一直排在荀慧生之后。其实按道理，论名声，“白牡丹”的名声高于金钟。但是，荀慧生对这样的戏码安排，并没有异议。在他看来，不管怎么说，他确实还算不上角儿，在这个时候争戏码，不好。

突然有一天，荀慧生、金钟都发现，他俩的戏码位置颠了个儿：荀慧生的戏码排在了金钟之后。荀慧生很高兴，这是对他演艺和声名的肯定，他当然高兴。反过来，金钟十分郁闷。金党们就更不乐意了。一般人都能接受向上，哪怕是原地不动也行，却不能容忍倒退。金党十分不满这样的安排，却并不去质问做这种安排的戏院有关负责人，而是迁怒于荀慧生，将气撒在荀慧生身上。

在荀慧生上台演唱后，他们在台下施尽各种手段加以捣乱，不是喝倒彩，就是发出怪声。受此干扰，那场戏，荀慧生唱得结结巴巴，大失水准。在台上时，他已经是怒不可遏了。下了台，又见金党们围拢着金钟开怀不已，而且指桑骂槐，肆无忌惮地嘲弄他的演唱，他更加怒火中烧，难以自控，便摔了行头，反唇相讥。金党们本就是在挑衅，荀慧生的暴怒正中他们下怀，他们立刻跳起来，指着荀慧生大骂。荀慧生以及白党们不甘示弱，两拨人马吵成一团。

越吵越凶，最终导致大打出手。白社成员以大学生为主，荀慧生尽管比过去多了血性多了刚气，但终究还是文弱。他们哪里是憋着一肚子火气势汹汹正找地方发泄的五大三粗的金党们的对手，吃了不少亏。临了，金党恶狠狠地警告说："不准再在这儿唱了，否则，不但让你唱不成，而且还要打断你的腿。"

事后一个月，荀慧生都没有在这家戏院登台。不是胆小，更不是懦弱，而是觉得没有必要与对手正面冲突。冷静下来后，荀慧生不免有些后悔自己的冲动。大家都是为吃饭而唱戏，都是在为生活而挣扎，都不容易。被称为"戏子"的戏曲演员，在社会上的地位本就不高，何苦又窝里斗，自相打击？

有人说，这次冲突的发生，究其原因，缘自于荀慧生的暴烈之性。"暴烈"一词用在一向柔弱的荀慧生身上，有些牵强，因此引发争议。或许，荀慧生的行为的确够不上暴烈。虽然谈不上暴烈，但不能不说有刚烈的成分。通过这件事，他性格中的另一面，已经显现。

"出师事件"两年后，也就是荀慧生完成了"两年服务期"后，他真正出师了，真正彻底自由了。他离开了庞启发师傅，回到了家，回到了父母身边。回家，依偎在父母怀中，享受父母之爱、兄弟之情，是他多年以来的憧憬和向往。从7岁离家学艺，到17岁出师返家，这许多年来，他备尝艰辛，受尽折磨，他忍耐这一切，就是因为心中藏有“家”的希望。

然而，他不知道，离家时间太长，他与父母、哥哥之间，已经积存了太多的生分。在父亲荀凤鸣、母亲及氏的眼里，两个儿子慧荣、慧生相比，慧生更有出息，他学成出师了，在戏坛上站稳了脚跟，甚至还有了不小的名声。他能挣钱了，不但能养活自己，甚至全家人的生活都指望他了。但是，论感情，他们更偏爱长子慧荣，尽管慧荣无甚长处，终日无所事事游手好闲，也不求进取。

外界对荀慧生哥哥荀慧荣的评价是：“貌似蠢夯，而工心计。”他对弟弟慧生，谈不上“工心计”，更多的是嫉妒，也有强烈的危机感、不安全感。弟弟不在家时，他是父母身边的唯一，父母将全部的爱都给予了他，顺他、宠他，喝酒、抽大烟、赌博成为他生活的全部。尽管如此，父母从来没有怨言。

然而，弟弟回来后，他突然自惭形秽起来。他发现，弟弟太出色了，有一技之长，能挣钱，而且还很红。想当年，他与弟弟同时卖身学戏，却两次脱逃，以至于现在身无长技。这样的比较，使他担心起来，担心父母会将爱逐渐转移到“好孩子”弟弟身上，那样的话，本来就一无所有的自己，岂不更惨？

荀慧生是荀家的经济支柱，一家数口赖其生存。但是，他在家中的地位，却最低。他唱戏挣的钱，必须如数上缴给父母，不得截留一分一毫。稍有懈怠，父母兄长恶言恶语，奚落辱骂。经常地，他身无分文，甚至在散戏后无法乘车回家。那时，他虽然离开了师傅庞启发，却从来不忘师恩，常常去看望师傅。庞启发了解了他的窘状后，瞒着师娘，偷偷塞给他一些零钱，让他乘车。从前，他很痛恨师傅对他的打骂，如今，他却从这个对他非打即骂的师傅身上，而不是从父母身上，体会到关怀，甚至体会到爱，这让他百感交集。

他每天都要练功、喊嗓，他挣来的钱，分分毫毫都沾满着艰辛。有的时候，他练功后回到家，或者是辛苦唱了一晚上的戏后回到家，却吃不上一口热饭喝不上一口热汤。那个时候，到好朋友李洪春家去蹭饭，是经常的。但是，父母很少体谅他。他们近乎掠夺般地从他手里“抢”钱，除了部分留作家用外，剩余的悉数给长子慧荣，任其挥霍。荀慧荣不但不知感激，反而时不时地在父亲面前进谗言。久而久之，父亲更加恶视慧生。

有人说，荀慧生在与家人的关系问题上，也有责任。责任在于他太内向，与父母交流太少。可以想知，就他的性格而言，他不可能三番五次向父母哭诉他在学艺时的遭遇，比如，他练功的惨状，以至折了腰；他练跷功时，如何因太苦太疼而想到过死；他如何被师傅责打，如何被师娘虐待；他唱文明戏还坐过牢，等等。他所受的苦，他从来不说，父母不知道，自然也就无法体谅他。此说虽然不无道理，但是，父母对子女的爱，难道可以有前提吗？

都说父母对子女的爱，是无私的，是没有道理可言的，爱就爱，不爱就不爱。爱与不爱，并非取决于子女的“好”或“坏”。荀慧生吃的苦比哥哥多得多，如今，他又是家里的经济支柱。他温和善良，从不计较；荀慧荣好吃懒做，又重心计。这样的两个儿子，父母却就是偏爱长子，刻薄次子。说到底，只是因为父母与慧生分离了太久。时间磨损了他与父母之间的感情，冲淡了亲情。

从荀家父母的角度来说，当初，他们将慧生卖给庞启发学戏，很指望他学成唱红，不说振兴门楣、光宗耀祖，至少可以改变贫穷的生活状况。在他们的思想观念中，他们给予孩子生命，孩子有责任有义务报答他们。所以，即使他们很清楚慧生曾经吃的苦受的罪，他们依然不会改变对他的态度。他们可能会认为，那些苦与罪，并不能抵消孩子所欠父母的。也就是说，慧生给予父母的，给予家庭的，都是他应该做的，是他的本分。

起初，荀慧生也抱此想。他并没有因为父母曾经将他卖了而怨恨父母，他甚至一度感激父母，因为他因此有了生存的能力。所以，他出师回家后，一心一意地唱戏挣钱，诚心诚意地将所有的钱交给父母。但是，此时，他只有17岁，严格说来，还是个孩子，怎么可能对父母的偏爱没有感觉没有伤悲？事实上，他能忍受这种偏向。然而，他对父母对哥哥好吃懒做的纵容，对哥哥不学无术、却任意挥霍的生活态度不能容忍。他暗忖，自己有为家庭尽责的义务，但他的付出不能因此成为哥哥无尽索取的理由。

然而，他的善意提醒却激怒了哥哥，也引起父母的不快。他一下子成了众矢之的而被亲人围攻。绝望之余，他痛下决心，强硬地宣布：从此以后，不再将演出所得全数上交。他的抗争招来更大的暴风雨。父亲荀凤鸣一怒之下，抢过荀慧生的演出行头，又撕又扯又用刀斩，甚至准备用火烧。同时，他冲着儿子叫嚷着："行啊，你不给我钱，我也让你唱不成戏。你干脆也别唱了，我们一家人一起饿死算了！"荀慧生惨叫着，欲扑上去抢下行头，却被哥哥拦腰抱住，动弹不得，只能眼睁睁地看着父亲大施暴行。

事情闹到这个地步，荀慧生的唯一出路，又只能逃了。当初，他逃出师傅的"魔爪"，如今，他却不得不从家中、从亲人身边逃离。有了前次逃的经验，这次，他逃得果断、决绝，没有瞻前顾后，没有犹豫不决。他另觅他处，安顿下来，以为就此与家人斩断情缘，老死不相往来，却不想，风波再起。

荀凤鸣虽然口口声声说不让慧生再唱戏，其实，这不是他的本意。他怎么可能舍弃这棵"摇钱树"？但是，他也发现，慧生不再是以前那个胆小怯懦的慧生了。他的离家出走，便可以让家人感知到他的刚烈。毕竟"知子莫若父"，荀凤鸣对慧生还是了解的，他知道慧生虽然比以往刚烈，但是他的弱点还是显而易见的，那就是好面子、重名誉。

此时的荀慧生已经不再是个默默无闻的小演员，“正乐三杰”、“童伶博士”的光环早已使他成为熠熠闪光的戏坛新星。他自己，当然也有成为名角儿的愿望。在往名角儿方向努力的时候，他知道，面子、名誉很重要。他始终认为，票房、人格不能背道而驰。

荀慧生没有想到，他对面子、名誉的重视，恰恰成为父母兄长要挟他的手段。那一日，荀父风鸣、荀母及氏，夫妻二人双双披头散发，赤着大脚，在街头席地而坐，一边号哭，一边大骂白牡丹“狼心狗肺、忤逆不孝”，引来观者如云。

“白牡丹是谁？”

“不就是那个唱《小放牛》的梆子花旦嘛。老十三旦的再传弟子，红着呢。”

“他改唱皮黄了，扮相美，唱得也好，有角儿的样儿。”

“早些年，咱还给他投了票，选为‘童伶博士’呢。”

父母的“豁出去”，让荀慧生羞愧难当；围观者对“白牡丹”的种种议论，更让他感到脸被丢尽了。不得已，他只有妥协。

被迫返家后的荀慧生，被父亲、哥哥持棒痛打了一顿，直打得他血流满面、体无完肤。在棍棒之下，他无奈与父兄达成协议：演出所得，双方各得一半。遍体鳞伤的他，不得休养，父兄逼着他尽快登台挣银子。此时，他的双脚充血肿胀，不能落地。但是，亲人视而不见。想当年，他被师傅打骂，被师傅当作“摇钱树”；如今，他被父母羞辱，被父兄殴打，也被家人当作“摇钱树”，他不禁哀叹命苦。

许多年以后，每当他与友人谈及此事，都不免自抚伤疤，凄然落泪，甚而泣不成声。“家庭风波”对他造成的伤害是难以磨灭的，或许，之后他迷恋上抽大烟，与此有一定关系。而后，他赴沪演出，没有立即返京，从此滞留上海长达数年，除了其他因素外，与家人的间隙，恐怕也是原因之一。

迷上抽大烟

在“出师事件”发生之前，荀慧生与师傅庞启发之间，矛盾已经很深。矛盾的产生，并非在于一个打骂，一个被打骂，也并非在于一个将另一个作为“摇钱树”，狠命地盘剥。这一切，都不成为荀慧生怨恨师傅的理由。他从心底深处生发出对师傅的不满，在于他越来越喜好京剧，越来越有改唱京剧的念头，而师傅却对他在这方面的控制，愈加严格。

梆子、京剧是两种不同的戏曲形式，彼此看不起。虽然随着时代的进步、观众审美情趣的变化，“皮黄、梆子两下锅”成为主要演出方式，但是，即便如此，双方仍然视对方为旁类为低级。京剧演员直言梆子是“侉梆子”，而梆子演员又自认为梆子剧种历史悠久，相比京剧，是大剧种。受传统思想的影响，庞启发不允许荀慧生看京剧、学京剧，也在情理之中。

作为荀慧生来说，如果说他最初爱上京剧，只是出于一个小孩子对新生事物的好奇本能的话，那么，当他日渐年长后，他的所见所闻，是观众对京剧的热情超过了梆子。也就是说，京剧日盛，而梆子渐衰。这是客观存在的，是梆子演员不得不面对、不得不接受的残酷现实。事实上，荀慧生在进京后不久，也就是民国建立后，他就已经感受到了天平两头——京剧和梆子的高低变化。这种变化加剧了他对京剧的关注。既然他以唱戏作为生存的手段，他想，当然应该唱观众愿意听的、喜欢听的戏，梆子唱得再好，没有人听，岂不白搭。于是，此时他对京剧，由纯粹的喜好，转化为自觉的热情。

所以说，荀慧生是比较聪明的。他敏锐地体察到世事变迁，很及时地为顺应时代的需要而做着改变的准备。但是，庞启发却不允许他有“非分”之想。他一旦发现荀慧生偷着去看京剧，偷着去学京剧，抓住后便是一顿毒打。然而，毒打、辱骂仍然难以抵挡京剧对荀慧生的诱惑。幸好他有庞三秃这个好朋友。经常性地，他是在三秃的掩护下，如饥似渴地看京剧、学京剧。有时，他正看得来劲，突然三秃在拉他的衣角。他知道，师傅来了。他赶紧收回放出去的心，假装和三秃戏闹，逃过师傅锐利的眼睛。

这样说来，荀慧生与庞启发的矛盾，主要体现在思想观念上。

事实上，庞启发能做的，只能是在思想上控制慧生，在行为上，他是很难拴得住慧生的。原因很简单，那个时候的舞台，流行着皮黄、梆子两下锅。慧生虽然唱梆子，但是在他的戏码之前，或者之后，有京剧演出。他在演出之前，演出之后，都有机会看京剧演员的演出。当他搭班义顺和时，亲见唱梆子的、有梆子“叫天儿”之称的“老元元红”郭宝臣，向京剧“伶界大王”谭鑫培学习京剧《空城计》；而艺名“小叫天”的谭鑫培则向郭宝臣学习梆子戏《连营寨》。两位戏界老前辈的行为，更给予荀慧生学习京剧的勇气。

在改学京剧前后的一段时期里，荀慧生非常热衷参加堂会戏的演出。原因是能够举办堂会的多是富商士绅，而他们举办堂会，在一定程度上是为了显富摆阔，因此邀请的往往都是京城名角儿。堂会戏也是营业性演出，演员不但有报酬，而且相比在戏院里演出营业戏，报酬更多。名角儿齐聚、名剧齐唱的盛大景象，多出现在堂会戏上。对于戏迷来说，看角儿、看名剧，堂会戏是很好的选择；对于像荀慧生这样的有些名声，但名声又不是很大、够不上名角儿的，唱堂会，是自我表现引起关注的方式之一，也是很好的选择。

然而，荀慧生热衷堂会戏，还在于他因此能够大量观看京剧名角儿演出的京剧名剧。这对他来说，更有意义。

荀慧生记得很清楚，他在北京第一次唱堂会，是在1915年4月

29日，演出地点在崇文门外三里河的织云公所。堂会戏的名目，是为一位老夫人做六十大寿。那里的戏台很老旧，但还算宽敞，台下的座位不少，可以容纳千人。和旧时的戏台一样，它坐北朝南，前、左、右三面都有席位。

那天的戏码，按演出顺序是：恽兰荪的《长生殿·禅词》、详庆甫和汪君的《斩黄袍》、汪君的《游六殿》、何雅苓的《借靴》、陈万里的《鱼藏剑》、张晓山的《玉堂春》、言菊朋的《卖马》、顾赞臣和诸如香的《翠屏山》。倒数第五出戏，便是荀慧生和庞三秃的《小放牛》；倒数第四出戏，是梅兰芳的《宇宙锋》；倒数第三出戏，是王君直的《托兆碰碑》；压轴戏是汪笑侬的《桃花扇》；大轴戏是春阳友会票友世哲生的《铁笼山》。

从这份戏码目录可知，当天的戏，对于荀慧生来说，有三个方面值得回味：

一、因为是唱堂会，师傅庞启发对他少了限制，他一口气看了多出京剧。特别是对《玉堂春》这样的传统旦角老戏，尤为关注。

二、作为旦角演员，他尤其感兴趣的，当然是梅兰芳和他演出的《宇宙锋》。此时的梅兰芳已经声名鹊起，正在大胆创新，热衷于时装新戏的排演。作为旦角的领军人物，梅兰芳成为所有旦角演员的奋斗目标。也许，这天的演出，是荀慧生第一次与梅兰芳同台献艺。只不过，他俩都不曾想到，十多年之后，他俩同时荣列“四大名旦”。

三、在荀慧生自挑大梁，自组班社后，他约请的小生是票友出身的金仲仁。金仲仁因此成为荀慧生班社中的“四大金刚”之一。荀慧生对金仲仁的重视，实际上透出他对票友的重视。他对票友的重视，缘自于这天的堂会戏中与演大轴的演员世哲生认识，也因此与春阳友会认识。

春阳友会其实是一间票房。所谓票房，是业余戏曲演员自娱自乐性的组织。清末以来，北京城内的票房日渐增多，到民国建立之初，大小票房遍及各地。春阳友会是其中最著名的票房，也是后来被认为是对京剧事业贡献较大的票房之一。该票房的票友，多是京城名票，如老生莫敬一、陈远亭、郭仲衡、恩禹之、樊润田等，武生有孙庆堂等，旦角有林钧甫，小生有铁林甫，老旦松介眉、赵静尘等。除了票友，一些名演员，如陈德霖、王瑶卿、姚玉芙、姜妙香、刘砚芳等也常参加活动。梅兰芳、姜妙香、姚玉芙更是被聘为名誉会员。

世哲生与金仲仁一样，都是清室后裔，人称“金公爷”。与金仲仁唱小生不同，世哲生是春阳友会的武生演员。荀慧生发现，世哲生虽然是票友，但功夫、唱功并不见得比正式下海的演员差。他自悟：真正爱戏的，才是票友；以戏为生的，不一定真正爱戏。票友真爱戏，就会真正地努力学戏，所以也有真功夫。因此，他对票友很尊敬，还曾真心向票友讨教。

这次堂会戏之后，在正式改学京剧之前，荀慧生又唱过不少皮黄、梆子同台的堂会戏。堂会戏，实际上为他提供了看京剧、学京剧的机会。

在“出师事件”发生之后，庞启发对荀慧生的态度有了转变，不仅少了打骂，对他看京剧、学京剧，也放松了看管。他自知，虽然依法院的裁决，慧生必须继续帮师两年，但事实上，慧生已经出师了，他也就少了管教他的责任，更少了限制他的权利。虽然如此，他对慧生也并不是撒手放任。在外界看来，他还是慧生的师傅，慧生还是他的徒弟。为维护梆子剧种的尊严，也为维护为师的尊严，他还是要约束心猿意马的荀慧生。

荀慧生真正能够弃梆子而改学京剧，是因为他在16岁时遭遇倒嗓，更是因为白社的大力襄助。因此可以说，倒嗓，使他因祸得福。白社对他的“捧”，不仅在于为他宣传，为他扬名，为他据理力争，使他成功摆脱“出师问题”的困扰，更为他规划了新的戏曲之路。在梆子面临穷途末路，在梆子演员几无立锥之地时，他们为他打开了另外一扇门。

所谓“倒嗓”，又称为“倒仓”、“变嗓”、“变声”，是演员在青春发育期，嗓音由童声变为成人声的必经过程。有人说，艺人倒嗓，无异于倒命。当然，这个“命”并非自然生命，而是艺术生命。对于艺人来说，嗓子是本钱，是饭碗，是命，一旦倒不过来，本钱没有了，饭碗没有了，“命”也就没有了。科班学生最怕三句话：“倒仓（嗓）了，平糟了，逢高不起冒嚎了。”所以，倒嗓，对于任何一个演员来说，都是一个关口。旧时梨园行里，因为倒嗓的不顺利而从此惜别舞台的艺人，不在少数。在倒嗓期，安心休息，细心保养，合理用嗓，是安然度过危险期的重要保障。

然而，处于倒嗓期的荀慧生无法得到休息，师傅不允许。休息，意味着不唱戏；不唱戏，就没有收入。对于庞启发来说，他摇“白牡丹”这棵“摇钱树”，只剩下短短一年时间，他怎么甘心在这个时候让荀慧生休息不唱戏？

倒嗓后，荀慧生的心情一落千丈。其中原因，除了他在师傅的逼迫下，不得不继续登台唱戏外，更重要的是，他为自己的艺术前途担忧。如果嗓子不能在倒嗓期得到充分休息和保养，一旦倒不过来，就完了。唱戏，是他的立身之本，不能唱戏，他将何以生存？之前学艺阶段所受的苦和罪，岂不白受？一切努力，岂不白费？这是他担忧的一个方面。

其次，从嗓音条件来说，他的嗓子其实并不适合唱梆子，高亢豪放不足，低沉缠绵有余。梆子，对嗓子的要求，恰恰是粗犷激越。因此可以说，他先天就不应该是唱梆子的。在倒嗓前，清亮甜脆的童音掩盖了不足。但是，倒嗓后，他该怎么办呢？那个时候，他嗓子的缺陷就会充分暴露。他还能唱梆子吗?

再者，很明显，梆子、京剧的地位正在发生着变化。这就意味着，唱梆子，很难说会有多大的前途。何况，相比而言，唱京剧比唱梆子，对嗓子在高昂激扬方面，也没有那么高的要求。以他的嗓音条件，似乎比较适合唱京剧。但是，他对师傅能够同意他改学京剧，从来不敢抱有丝毫希望。师傅曾经当着他的面，说放弃唱梆子而改学京剧，是大逆不道、欺师灭祖的行为。

一方面，他的嗓子不适合唱梆子，现实又是京剧逐渐占据着大部分戏曲演出市场，而他那么热爱京剧；另一方面，在师傅的淫威之下，他不能也不敢改学京剧。这让他十分苦恼。看不到前途的苦恼，是一种绝望。与父母兄长的矛盾，又使他十分悲伤。失却亲情的温暖，又是一种绝望，以至于他对生活、对生命，都没有了信心。在这种情况下，他抽起大烟来了。

抽烟、喝酒、赌博，在那个时候的梨园界，是普遍现象。甚至于友人之间礼尚往来、弟子拜师等，都以烟土作为礼物。比如，李少春拜余叔岩为师时，在拜师礼上，呈给师傅的礼物有：四季衣料、一件水獭皮大衣、一顶水獭皮帽，以及给师娘、师姐妹们每人一份礼品。他的父亲“小达子”李桂春还特别奉上50两上等烟土。因为沾染上抽大烟的恶习，而落个身败名裂家破人亡下场的，并不鲜见。“四大名旦”之一的程砚秋的三哥程丽秋也是唱戏的，有一次去奉天唱堂会，张作霖赏了每人50两关东大烟土。他当宝贝似的捧回家，从此吸食上瘾，不得不退出舞台。

程砚秋自己，曾一度受人唆使，迷恋赌博，险些赔光家财。程砚秋妻子的舅舅、著名老生演员余叔岩幼年即暴得大名，红透半边天，颇有“神童”风采。原本有大好前途的他，却也染上了抽鸦片。起初，他抽了烟，感觉精神大振，上台唱戏，嗓子也亮极了。他以为鸦片能助嗓子，越发离不了。谁知道，越陷越深，烟抽得越来越多，嗓子却愈加衰败，以至于再上台唱，几乎声嘶力竭、鬼哭狼嚎，令人惨不忍闻，最后不得不暂别舞台，出了演员之列，而与票友为伍了。

社会环境的恶劣，是演员们染上此类恶习的因素之一；自身意志力欠缺，或者是缺少知识，轻信鸦片能提神治嗓的传闻，或者是经不住一时的诱惑，也都是原因。也有的人，不幸落入一些不怀好意的人事先设下的陷阱。在谈及程砚秋何以迷上赌博时，他的夫人果素瑛曾经这样说："旧社会梨园行不少好角儿，往往刚刚唱出点名气，就有人打你的主意，有的是为了赚你的血汗钱，有的是存心想毁了你，共同的手段是投其所好，画好了圈，变着法子让你往里跳，你爱吸烟嘛，就送你埃及香烟和古巴雪茄；你喜欢打牌嘛，就白日黑夜陪你打八圈。"还有一个原因，也不可忽视，那就是心情苦闷之下，用抽烟、赌博来逃避现实、麻痹自己，以寻求暂时的解脱。荀慧生迷上抽大烟，主要原因便在于此。

改学京剧

白社的人很同情荀慧生，很痛恨庞启发的残忍。他们再次出面，为荀慧生请命，要求庞启发为荀慧生艺术生命着想，让他停下休息，更不得逼他登台继续高强度地演出。"否则，白牡丹就将被毁了，唱戏的没有嗓子，怎么吃这碗饭？这样下去，他永远不能再唱戏，也是大有可能的。"他们这样说。

在前一年的"出师事件"中，庞启发已经领教过白社的厉害。他即便万分不情愿，也不得不在白社的压力下，做些让步。不过，他答应得并不干脆，支支吾吾的。几位大学生何等聪明，立即就知道他的本意。于是，他们说：

"庞师傅请放心，在经济上，我们会给您一些补偿的。再说了，白牡丹养好了嗓子，能够重新登台，挣钱的机会还多着呢。他是个知恩图报的好孩子，到什么时候，他都不会忘了您，也决不会亏了您。"

说到做到。白社成员们尽管自己并不富裕，但为了荀慧生，还是纷纷慷慨解囊，又东拼西借，凑了一些钱，给了庞启发。庞启发收了钱，自然无话可说。荀慧生终于可以安心休养了。

让荀慧生暂停演出、休息养嗓，是白社为荀慧生筹划的一系列计划中的第一步。接着，白社发起人朱佩弦、秋吟籁、刘彀伯、张梦词又一次登门，与庞启发协商。这次，他们请求庞启发同意荀慧生弃梆子而改学京剧。尽管庞启发早就知道荀慧生喜欢京剧、想学京剧，一直想着法子看京剧，但当白社代表荀慧生真的提出这个要求时，他还是吃了一惊，本能地想反对。

1927年1月，京华印书局出版了一本专门介绍荀慧生的书，名为《白牡丹》。其中在谈到荀慧生改学京剧的时代背景时，有这样一句话："时秦声日靡，不为士夫所喜。"事实上的确如此，在辛亥革命以后，梆子逐渐衰微，京剧日盛，并且开始向全国流传。喜听梆子的戏迷人数在萎缩，反之，爱看京剧的戏迷人数，却在逐渐壮大。

这样的情势，庞启发并非不知晓。朱、秋、刘、张四个白社成员说服庞启发的理由，也是如此。他们认为，白牡丹虽然不能说是戏曲天才，但确也是块唱旦角的好材料，他扮相俊美、嗓音甜润，又有扎实的武功、跷功基础，如果改学京剧，必将有一番作为。同时，他们也提到了荀慧生的嗓子问题，说：

"白牡丹的嗓子，已经使他在梆子这条路上走到了末路。拯救他的唯一办法，就是重觅良方。我们认为，重振之方，唯有易皮黄之辙。"

见庞启发犹豫着不答话，白社成员又说："您放心，为白牡丹请师授皮黄，所有费用都由我们负责，不劳您费心。当然，如果白牡丹日后学成了、唱红了，还是有您庞师傅的一份功劳的。毕竟，是您为他打的戏曲基础嘛。关于这一点，我们和白牡丹，都不会忘记的。”

庞启发听了这话，思想活动开来：眼看着梆子是不行了，皮黄正红火，唱梆子，当然不如唱皮黄。荀慧生的嗓子，的确不适合唱梆子花旦。之前，不就是因为觉得如此，而让他转学武旦，还为他请了“菜墩子”师傅。荀慧生早就对皮黄一往情深了，偷着看，偷着学，谁都知道。眼下，有白社为他撑腰，愿意为他出力出资，对他来说，是好事。再说了，不过还有一年，白牡丹就是真正的白牡丹了，而不再是我庞启发的徒弟了，何苦在这个时候卡着他、捏着他，而落个不义之名。“唉，随他去吧。”他这么想。

就这样，荀慧生重新选择了戏曲之路：改学京剧。不能说他之前学唱梆子的经历是走了弯路。这段经历，恰恰成为他学京剧的基础，更成为他融梆子于京剧，创造出独树一帜的荀派的基础。

在弃梆子学京剧这件事上，白社起了相当大的作用。1919 年，有戏曲评论者撰文，称：“荀不遇朱、秋、刘、张诸公，则词儿之为词儿，未可知矣。”荀慧生夫人张伟君曾经这样说：“慧生所以能成为后来的‘四大名旦’之一，和白社众多的‘伯乐’是分不开的。”[①]

荀慧生自己也曾这么说：“他们的真诚爱护和热情，无私的帮助，对我后来艺术上的成长是至为重要的。所以我永远也忘不了白社的朋友。”[②]从这个角度说，荀慧生是个幸运的人。在他的艺术人生中，始终得贵人相助，白社是众贵人之一，也是他最早的贵人。

促成荀慧生“弃秦学徽”的，毫无疑问，是白社，其中极力鼓动荀慧生改行，最起劲儿的，是白社成员、剧评家宋乐之。宋乐之凭其慧眼，断定白牡丹的前途在皮黄。也许可以说，白社是在认可了宋乐之的思想、接受了他的提议之后，才达成了一致，然后出面劝说庞启发，让荀慧生改学京剧的。

在得到庞启发的应允之后，白社出资，着手为荀慧生聘请皮黄老师。第一个被请来的老师，是京剧花旦演员陈桐云。请陈桐云，是宋乐之听从了京剧老生演员李鑫甫的建议。宋乐之与李鑫甫交谊深厚，他认为，梆子花旦出身的荀慧生，改学京剧，理应专工花旦，便央求李鑫甫介绍一位京剧花旦演员，为荀慧生开蒙。李鑫甫出面，请来了陈桐云。陈桐云就是荀慧生的第一个皮黄老师。荀慧生随陈桐云学习的第一出京剧戏目，是《胭脂虎》。这出戏对他来说，很重要，之后他正式登台唱京剧，唱的就是这出戏。

《胭脂虎》这出戏，陈桐云教过，荀慧生也随郭际香（艺名“水仙花”，小名“五十儿”）学过。郭际香是富连成科班出身，曾隶属小荣椿班。小荣椿班是梅兰芳的外祖父杨隆寿创办的，曾经培养出了著名武生杨小楼、著名小生程继先、富连成科班的创始人叶春善等。白社之所以为荀慧生聘请郭际香，很大程度上是因为郭际香初入戏坛时，唱的也是梆子花旦。荀慧生曾经擅长的《小放牛》，演得最好的是荀慧生的师爷爷“老十三旦”和另外一位梆子演员刘子云，其次便是郭际香。可见郭际香在梆子界的地位，还是相当高的。后来，他改习皮黄。因此，对于弃梆子改学京剧，他比较有经验。

郭际香的艺术，曾被人评价为：“艺可媲美梆子班侯俊山，惟声势较侯稍弱。”他能戏很多，有头二本《虹霓关》、《贵妃醉酒》、《翠屏山》、《胭脂虎》等。其中的《胭脂虎》，谭鑫培一直最愿意与他合作，非常倚重他。荀慧生在向陈桐云学习《胭脂虎》的基础上，又向郭际香学习《胭脂虎》，深得精髓，难怪他放弃梆子后，初演京剧，便以这出戏打泡。

学戏之外，还有一个方面，荀慧生受郭际香影响颇深，那就是抽大烟。郭际香嗜烟如命，但自知抽大烟的弊处，便下狠心戒除。不幸的是，他戒烟成功后，神经却失常了。这给了一直有意识戒烟

①张伟君：《荀慧生传略》，《京剧谈往录》，北京出版社1985年2月版，第304页。
②和宝堂整理：《戏苑宗师荀慧生》，辽宁美术出版社1999年12月版，第38页。

⊙ 《胭脂虎》剧照：荀慧生扮演石中玉。

的荀慧生很大打击。关于戒烟，他反复数次，直到中年以后，方才根除。

旦角老师，除了陈桐云外，还有张彩林、路三宝、田桂凤、陆杏林、吴菱仙、孙逸云等。其中张彩林、路三宝、田桂凤也曾教授过尚小云，而路三宝，也是梅兰芳的老师。梅兰芳的刀马旦戏，就是拜师路三宝所学，他随路老师学的最重要的一出戏，就是《贵妃醉酒》。这出戏后来成为梅派名剧。

同样的，路三宝也将这出戏传授给了荀慧生。1938年，北平的戏曲刊物《立言画刊》上刊登了一篇专门谈《贵妃醉酒》的文章，其中有这样一句话："然今日谈及此剧，莫不推重梅（兰芳）、荀（慧生）二伶。"可知在那个时候，荀慧生的《贵妃醉酒》，并不在梅兰芳之下。

《贵妃醉酒》这出戏，荀慧生最早是师从陆杏林所学，只是连皮毛都没有学到。陆杏林贪食贪饮，别人给他起了个绰号，叫"老饕"。请他教戏，必先备好酒席。没有酒席，特别是不见有酒，他便会勃然大怒，甩手而去。准备的酒，不能多，也不能少。多了，他喝酒不加控制，很容易喝醉，醉了，还怎么教戏？醉酒之后，他就将教戏置于脑后，摇摇晃晃地回家去了。但是，备的酒，也不能少，少了，他就生气，认为弟子小气，不够诚意，一气之下，他也会拂袖而去。可是，何为多？何为少？很难掌握。

荀慧生小心翼翼地伺候着，却总难把握那个度，备的酒，不是多了，就是少了。也就是说，陆老师不是喝醉了，走了，就是嫌酒少，生气了，也走了。一晃十天半月过去，荀慧生没有学到《贵妃醉酒》的一个腔、一个调。一个多月过去了，一段“海岛冰轮”的四平调，他都没有学完全。

他不由暗自叫苦。学不到东西，也就算了，却平白花费了不少酒钱。按照他自己的话说：“余艺无一得，然为先生设馔，已不支矣。”他是没有钱的，请老师的费用，都由白社筹集。白社成员大多是大学生、穷画家，经济上也很拮据。从投入产出比的角度出发，他们也会希望以比较少的投入，产生比较多的收益。像这样的投入，日子长了，他们也负担不起。不过，他们并没有表示不满，反而是荀慧生自己不时地感叹，如果不是有白社资助，他是根本学不起的。因此，他对花了酒钱却没有学到东西，又愧又急。

荀慧生曾经说：“至于说到投师学艺，那就更难了。老艺人的绝技，不肯轻易传授，就凭着苦熬硬闯，才算有了一点根基，学得一些‘绝’。就是这一点点凤毛麟角的东西，实在不是容易得来的。”[①]

他很想就此与陆老师做个了结，可他却开不了口。哪有学生将老师赶走的？就在他进退两难时，有人出面为他打抱不平。他就是李鑫甫的兄长、绰号“李七”、“大个李七”、“大李七”的名净李寿山(1866—1932)。因为李寿山身材高大、修长，所以被人称作“大个”。

最早的时候，李寿山学的是旦角，与名旦陈德霖、名老生谭鑫培、名净钱金福是三庆班的师兄弟，都是“老生前三鼎甲”之一的程长庚的弟子。弃旦后，他改学架子花脸，文武皆能，昆乱不挡。庚子年间，也就是他在34岁时，被选入升平署[②]，进宫承差，艺名“李七儿”。因为聪明，爱逗乐，他很得慈禧的喜爱。后来，他的女儿李淑卿嫁给了尚小云，他成了尚小云的岳父。

可以想知，李寿山是因为李鑫甫的关系，才认识荀慧生的。也

①荀慧生：《谈学习、练功和旦角的表演》，《荀慧生演剧散论》，上海文艺出版社1980年8月版，第275页。
②升平署：清代掌管宫廷演剧的机构，始设于康熙年间，当时称“南府”。道光七年，即1827年，改称“升平署”，直至清末。宫廷演出，都由升平署所属演员担当。属升平署的演员，有宫内太监，也有宫外职业演员。早年的名角儿，如谭鑫培、杨小楼、孙逸云、田桂凤等，都曾是升平署的演员。

⊙ 荀慧生在《贵妃醉酒》中饰杨玉环。

有一种说法，说是尚小云在得知荀慧生的苦恼后，向李寿山求助，希望他帮帮荀慧生。侠胆义肠的李寿山，得知这一切，很痛恨陆杏林的行为，也为荀慧生鸣不平，便主动提出，“愿不取束修[①]为说此戏”。荀慧生当然求之不得。这样一来，实际上是砸了陆杏林的饭碗。从此，荀慧生不再随陆杏林，而是随李寿山学习《贵妃醉酒》，而且学得很快。不过，这出戏毕竟不是李寿山的专长。之后，荀慧生边演出，边由擅长此剧的路三宝不断加以修饰指点，“始得精诣”[②]。

荀慧生既然属意以工花旦为主，不能不拜有“古今第一花旦”之称的田桂凤(1867–1931)为师。田桂凤，字桐秋，北京人，却在天津学艺，返京后曾与谭鑫培同演于同春班。虽然在花旦行，他的声望极盛，但能戏很少，只有31出，而且只演花旦戏，并不涉猎其他。他的代表剧目有《战宛城》、《翠屏山》、《送灰面》、《小上坟》之类，《关王庙》是他最得意的一出戏。

一直以来，关于荀慧生的戏，有六个“六大”之说，除了“六大移植剧”外，还有“六大跌扑剧”。在这“六大跌扑剧”中，有《战宛城》和《翠屏山》。既然这两出戏都是田桂凤所擅长，那么，虽然荀慧生没有明说，但可想而知，他最早学习这两出戏，由田桂凤所授的可能性极大。

对于初习京剧时的投师学戏，荀慧生说他当时是抱着全盘接受的态度，从不挑肥拣瘦，一招一式都中规中矩。他除了跟花旦老师学花旦戏外，又师从乔蕙兰、李寿山、曹心泉学习昆曲，师从吴菱仙、孙怡云、陈德霖、王瑶卿学习青衣。

早年，皮黄演员学戏，都是从昆曲入

⊙ 教荀慧生花旦戏的老师田桂凤先生。

手的。昆曲历史悠久，早在皮黄创制之前就存在于世，有相当的群众基础。尽管皮黄发展迅速，但在梨园行，昆曲始终占有一席之地。即便皮黄达到鼎盛时期，仍然有不少忠实的昆曲观众。更重要的是，昆曲的身段、表情、曲调非常讲究，是学好皮黄的基础。皮黄里的许多精华，都是从昆曲里吸收过来的。因此，学好了昆曲，再学皮黄，便容易得多。

荀慧生学习昆曲的直接动因，用他自己的话说，就是“感于皮黄与昆曲之脉息相通”[③]。不仅是他，其他名角儿，没有不学昆曲的。在旦行，特别是在行当界限逐渐被打破、“花衫”行当日益受宠后，对旦角演员的要求，是兼收并蓄。因此，学昆曲，更成为一种必然。

李寿山是名净，也是昆曲高手。梅兰芳拿手的昆曲剧目《金山寺·断桥》、《风筝误》、《昭君出塞》，都是随李寿山所学。李寿山更将《昭君出塞》传授给了女婿尚小云。经过尚小云无数次地精心修改，它最终成为尚派名剧。1935年，尚小云扩展《昭君出塞》为《汉明妃》。20世纪60年代，他又将《昭君出塞》拍摄成戏曲艺术电影，流传至今。荀慧生随李寿山学习《贵妃醉酒》之余，还学了昆曲《白蛇传》里的一折《水斗》。

荀慧生的昆曲老师中，最值得一说的，是曹心泉。他既工昆曲，也工皮黄，又擅长音韵乐谱，称得上是昆曲名家及音律专家，更被誉为戏曲艺术“宗匠”。他名沄，字心泉，原籍安徽，长居北京。幼年时，他专习小生，后因嗓子的原因，改工戏曲音乐，尤其精通昆

①束修：修，干肉之意。十条干肉为束修。古代诸侯大夫相馈赠礼物。后指学生入学时向老师赠送的礼物。

②摘自于荀慧生的《艺事日记》，转引自张伟君的《荀慧生传略》。

③荀慧生：《半生艺事》，《戏剧报》1985年11期，第21页。

⊙ 教荀慧生昆曲的老师李寿山先生。
⊙ 教荀慧生昆曲的曹心泉（1864–1938）先生。

笛。袁世凯任大总统时，曾力聘他筹备国乐事宜，谱制祀天、祀地、祀礼诸乐章。晚年，他致力于戏曲音乐的教学和学术研究工作，分别担任中华戏曲音乐院南京分院下设的中华戏曲专科学校的教师、戏曲研究所的研究员、北京“国剧学会”昆曲研究会顾问等。

梅兰芳、荀慧生都曾受过曹心泉的昆曲教导。梅兰芳的《太真外传》里的“翠盘艳舞”，凝聚了曹心泉的心血；荀慧生日后创作的《钗头凤》，其中的“陆放翁钗头凤词谱”，也为曹心泉所著。荀慧生最早随曹心泉学的一出戏，是昆曲《盘丝洞》。后来，这出戏经过荀慧生的重新编排，被后人视为“荀派六大武剧”之一。

除此之外，荀慧生还向乔蕙兰学了昆曲《琴挑》、《游园惊梦》、《痴梦》、《思凡》、《闹学》等，基本上掌握了主要昆曲剧目。

1927年出版的《白牡丹》一书，在论及荀慧生师承时，有这样一段：

路玉珊(即路三宝)擅声誉，从学花衫焉。顾慧生性温柔，貌娴雅。花衫下乘，非顾曲所重，以是身价虽起，体质未庄，乃更投王瑶卿兼习青衣，遂为青衣正工。

其实，荀慧生最初的青衣老师，并非王瑶卿，而是吴菱仙、孙

⊙ 教荀慧生青衣戏的老师吴菱仙先生。

怡云、陈德霖。

吴菱仙是梅兰芳的京剧启蒙老师，是“同光十三绝”之一的时小福的弟子，本名吴永明，“菱仙”是他的艺名。梅兰芳8岁时开始学戏，吴菱仙已经50岁出头了。他不顾年老体弱，尽心尽力为梅兰芳开蒙。与大多数师傅在教戏时以“打”为主要教学手段不同，吴菱仙很慈祥，很有耐心，也深谙儿童心理，知道小孩子坐不住，便常变换教学方法。在他之前，曾经有老师并不看好有些木讷的梅兰芳，甚至嘲笑他：“祖师爷没给你饭吃。”梅兰芳却在吴菱仙的教导下，进步神速。

可以揣测，白社邀请吴菱仙为荀慧生教授青衣戏，看中的正是他在青衣开蒙这方面，有丰富的经验。

孙怡云（1875–1944）出身梨园世家，其父孙心兰专工青衣，后自营“乐安堂”。孙怡云就出生在位于北京城宣南的韩家潭（后来的韩家胡同）乐安堂寓所，自幼习皮黄青衣。因其扮相秀丽端庄、表演细腻传神，善于刻画人物，在20岁时被选入升平署，入宫唱戏，技艺深得慈禧的赏识，常被赏银十五至三十两不等。之后，他常与老生“后三鼎甲”谭鑫培、孙菊仙、汪桂芬及早年的名旦陈德霖、王瑶卿，以及著名净行演员黄润甫、金少山等合作演出，声名显赫。孙怡云曾经指导过尚小云，据说，“小云”之名，就是孙怡云取的。

在旦行这个领域，陈德霖（1862–1930）的地位举足轻重，他被称为“青衣泰斗”。如果从京剧形成初期开始，将旦行领军人物做一个排序的话，第一位是胡喜禄，其次是梅巧玲（梅兰芳的祖父）、时小福、余紫云，接着便是陈德霖。在

⊙ 教荀慧生青衣戏的老师孙怡云先生。
⊙ 为提携荀慧生，与之同台演出的陈德霖先生。

演唱技巧上，陈德霖既继承了时小福的刚劲昂扬，又兼有余紫云的委婉流畅。而他自己的嗓音以清朗、高亢、娇脆、中气充沛为特色，所以他最擅长唱以唱工为主的《祭江》、《祭塔》、《落花园》、《彩楼配》等传统青衣戏。

从嗓子的先天条件来说，孙怡云、陈德霖更适合教授尚小云，因为都是高亢、激越、昂扬。事实上，尚小云在唱法上，与孙怡云很相似，更接近于陈德霖。嗓音相近，是原因之一。另外，尚小云以青衣为专行，孙怡云、陈德霖都是正宗青衣，因此，尚小云师承孙、陈，是理所当然。

荀慧生略微低沉的嗓子，以及他花旦的身份，表面上看，似乎并无拜孙怡云、陈德霖为师的必要。事实不然。青衣讲究唱功，因

为多饰演稳重的中青年妇女，所以面部或毫无表情或冷若冰霜；花旦则是活泼开朗、动作敏捷、聪明伶俐的年轻姑娘的代名词。在京剧形成初期，旦行中青衣、花旦的界限划分得相当严格，演青衣的演员不能演花旦，反之亦然。

随着时代的进步、观众审美情趣的变化，舞台妇女形象日趋多元化，已经很难界限分明地划分为青衣或花旦。于是，便出现了“花衫”。梅巧玲最先打破了界限分明的成规，大胆地将青衣、花旦糅为一体，只是没有明确“花衫”之名。最先将这种表演方式命名为“花衫”的，是王瑶卿；将“花衫”发扬光大的，是梅兰芳。也就是说，旦行发展到梅兰芳、荀慧生这一代时，对旦角演员的要求，不再满足于工青衣，唱青衣，

工花旦，唱花旦，而是工青衣的，能唱“花衫”，工花旦的，也能唱“花衫”了。

于是，花旦演员荀慧生也就必须学习青衣戏。特别是，正如花旦注重表演一样，青衣注重唱工。一个花衫演员，既要会表演，更要有唱工，两者缺一不可。因此，荀慧生在学习花旦戏的同时，也没有放弃学习青衣戏。

既然有意成为多专多能的“花衫”演员，不能不拜有“通天教主”之称的王瑶卿为师。可以说，没有哪一个旦角演员，没有接受过王瑶卿的教诲，包括四大名旦。梅、程、尚、荀师承名师，各有不同，却有一个共同的老师，就是王瑶卿。所以，王瑶卿的身份，除了表演艺术家外，更是戏曲教育家。他在戏曲教育方面，最擅长的，便是因材施教。他认为，一个演员要学某名演员，首先要考虑自己是否具备条件，如果不具备一定条件，最好不要硬学。

以四大名旦为例，梅兰芳在听从王瑶卿的建议后，表演风格有了很大变化，从单一的以唱为主的表演方式，转向唱做并重的“花衫”。在弟子程砚秋后来居上、一度有超越梅兰芳之势时，梅兰芳又请王瑶卿为他排演了全部《太真外传》，及时巩固了自己的地位，稳居旦行“老大”。

程砚秋一心想学梅兰芳，王瑶卿对他说：“你的嗓子不适合学梅派，梅的嗓音洪亮，你的嗓音发闷，不会成为梅派的。”他根据程砚秋的嗓音条件，为他创造了“鬼音”、“勒音”。程砚秋专注于唱，程派以唱工见长，这与王瑶卿的教诲大有关系。

尚小云的嗓音高而亮，王瑶卿便为他创出一种“刚音”，还为他排演了《汉明妃》、《乾坤福寿镜》、《双阳公主》等，促成了尚派的建立。

与尚小云相反，因为荀慧生的嗓音以“柔”为主，王瑶卿为他设计了“柔音”。日后，荀慧生在排演《红娘》、《元宵谜》、《红楼二尤》时，都曾得到过王瑶卿的指点。最终，自成风格的荀派产生。

王瑶卿本工青衣，但花旦、闺门旦、刀马旦等无一不通，因此戏路极宽，这对荀慧生的影响很深，启发很大。荀慧生自认："对于表演方面，也不愿意太受角色分工的限制。"比如，他演《玉堂春》的苏三，隶青衣行；演《战宛城》的邹氏，隶花旦；演《十三妹》的何玉凤，隶刀马旦；演《元宵谜》的吕昭华，隶闺门旦。更多的是，在一出戏里的某个人物，角色行当也并非一成不变。比如，他在《金玉奴》中饰演的金玉奴，结婚前是个未出闺门的少女，所以用闺门旦和花旦路子表演；结婚后，特别是当剧情进入悲剧阶段，她的感情起了变化，此时的表演，就又是青衣的路子了。

有人说，在四大名旦中，荀慧生的戏路最宽，青衣、花旦、刀马旦、花衫后来的成功，什么都能演。这个时期的广泛求教，不限行当地普遍求学，为他后来的成功打下了基础。

第二章

南下，转战上海

当了一回票友

荀慧生在1916年正式改学京剧之后，到1927年荣任四大名旦之一，其间经过了十一年的时间，更历经了不能参加正式演出、被嘲笑、在京不见容于同业而不得不黯然留沪发展，又徜徉于杭、嘉、甬等地的种种艰辛。

由梆子演员改行成为京剧演员，起初，荀慧生是不能登台的。按照梨园行的行规，只有入了行会，注了册、登了记，被承认而符合了京剧演员的身份之后，才能作为京剧演员登台唱京剧。这里的“行会”，指是的“正乐育化会”。

用一句话概括，正乐育化会是北京戏曲艺人的自治性行业组织。它成立于1912年，发起人是京剧演员余玉琴、田际云。它成立的时代背景，是辛亥革命之后全国各界走向维新道路之时。它成立的目的，是想通过自己的团体向同行们传播新思想、灌输新知识，以提高他们的文化修养，更好地在舞台上塑造人物，更好地发挥戏曲的教育功能，实践戏曲的社会责任。

尽管正乐育化会只是一个行业性社会团体，并不具有政府职能性质，但是，它的权威性，是无可置疑的。一个演员能否在北京的舞台上登台唱戏，事先必须征得行会的审查、登记、批准。其中包括初次由外地到北京想要登台的演员，包括北京当地初入戏门的演员，当然也包括由梆子改行的演员。

所谓审查，即审查该演员是否具备登台唱戏的资格。也就是说，他的学艺经历、他的师承、他的技艺水平等。“梆子、皮黄两下锅”的演出方式，使得在正乐育化会登记注册的演员，既有京剧演员，也有梆子演员。应该说，之前，荀慧生以“白牡丹”的艺名，以梆子演员的身份，是正乐育化会的在籍演员。但是，当他转行为京剧演员时，原来的身份自然丧失。他必须重新得到正乐育化会的认可，重新注册、登记，以取得正式演出的资格。

对于正乐育化会是否给予荀慧生资格，白社成员比较谨慎，并不盲目乐观。他们认为，就“白牡丹”以往的声名，对外宣布改行，并且立即向正乐育化会申请获准登台，也许并非难事。但是，毕竟是改行这样的大事，如果事先没有铺垫，一下子将他以京剧演员的身份推出，不但外界一时难以接受，恐怕正乐育化会也会出于各种考虑，并不轻易放行。一旦事情陷入僵局，若想挽救，或许就晚了。于是，他们决定，还是事先做些铺垫。

铺垫的办法，是剧评家宋乐之想出来的。他说：“不如让白牡丹先以票友的身份，参加一些客串演出。至于改行的事，大家都不要提。”这是个不错的主意。票友客串戏，无论是梆子戏，还是皮黄戏，都不用向正乐育化会报批。票友唱戏，唱好唱坏，也不那么重要。唱坏了，反正是票友嘛，大家并不苛责；唱好了，就可以乘势宣布改行。那个时候，得到正乐育化会的认可，也就大有可能，甚至是顺理成章的事。再说，荀慧生此时还处于倒嗓期，其实并不适合正式登台参加正式演出。以票友的身份，客串一些戏，也可以用来抻抻嗓子，磨练磨练，好让嗓子尽快适应皮黄腔。

事情就这么决定了。

荀慧生以票友的身份第一次公开唱京剧，是在1916年，他弃梆子改学京剧的那一年，也是他倒嗓的那一年。演出地点在位于宣武门南边的湖南会馆票房。演出剧目是他师从陈桐云、郭际香学的第一出京剧《胭脂虎》。

之前，关于选择唱哪出戏，白社成员费了不少心思。是青衣戏？花旦戏？刀马旦戏？还是风行的花衫戏？青衣戏，最能彰显旦角功底，特别是唱功。一个京剧演员，无论是生还是旦，唱功是基本功。因此，有人提议：唱青衣戏。但是，这个提议很快被否决。正处于倒嗓期的荀慧生，嗓子还没有倒过来，不适合唱有大段唱腔的青衣戏。何况，荀慧生先天的嗓音条件，也不适合清亮明媚又唱功繁复的青衣戏。唱，本来就不是他最强的方面。

刀马旦戏，非一般旦角演员所能胜任，因为它需要扎实的武功底子，特别是跷功。这恰恰是荀慧生的强项。因此，有人提议：唱刀马旦戏。但是，这个提议也很快被否决。踩跷演出，已日渐退出舞台，甚至被人视为落后腐朽。在这个时候踩跷表演，岂不有"封建"之嫌而授人把柄的危险？从剧目本身来说，荀慧生也还没有刀马旦戏的专长。毕竟，他学京剧的时间还不长。

至于花衫戏，尽管它是舞台的主角，但对于初学京剧的荀慧生来说，却不能充分展示他的所长。那么，他的所长是什么呢？是花旦戏。他是梆子花旦出身。梆子、京剧有不同，但在表演方式上，异曲同工，都讲究表演细腻、做工精致、表情丰富传神等。经过一段时间的京剧学习，他逐渐改掉了梆子的夸张，代之以内敛，更注重在表演的基础上探寻人物内心。

这个时候，荀慧生所学的京剧剧目并不多。《胭脂虎》是他学的第一出戏，又得到陈桐云、郭际香的指点。因为是初学京剧，他的好奇心，他的接受程度和用功用心程度，都是最强的。因此，《胭脂虎》学得也最好。比较权衡再三，白社终于为荀慧生选定以《胭脂虎》作为京剧生涯的开场。

对于那天的演出，事隔许多年，荀慧生仍然记忆犹新。他回忆说："许多内行外行都前往观看，都对我大加赞赏，说我必将以皮黄享名天下。"①

正因为如此，正乐育化会认可了荀慧生，同意他"入籍"。其实，正乐育化会的会长是田际云，而他与荀慧生的经历相仿，都曾经是梆子演员出身，后改习皮黄。从这个角度上说，田际云并不会刻意阻挠荀慧生入会。当然，只有这么一次演出，还不足以让田际

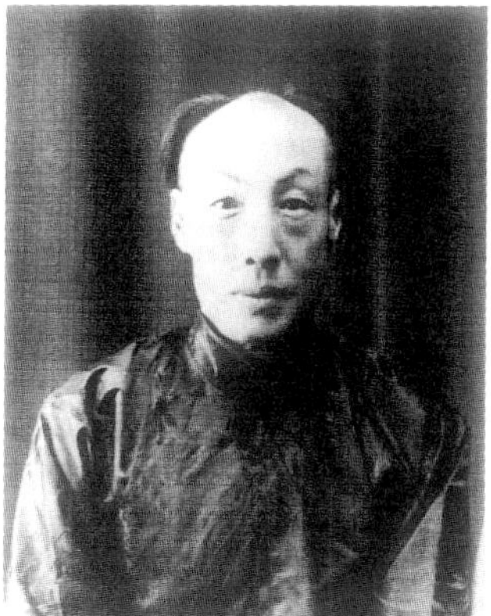

⊙ 荀慧生的导师杨小楼宗师（1878－1938）。

云立即点头。

据说，田际云正式承认梆子演员白牡丹为京剧演员，允诺他加入正乐育化会，是在1918年，即荀慧生改习皮黄两年以后。与此同时，白社正式对外宣布：白牡丹就此改行。不过，之前，他实际上已经以京剧演员的身份，正式参加京剧演出了。可以这么说，荀慧生以票友的身份，敲开了以“老大”自居的京剧大门。从此，戏曲界少了一个梆子花旦，多了一个京剧花旦。

紧接着，还是在这一年，荀慧生幸运地有了一次与有“国剧宗师”之称的武生杨小楼，以及余叔岩、龚云甫、梅兰芳、王蕙芳、王凤卿、朱桂芳等赫赫有名的京城名角儿同台演出的机会。

那天的演出地点，据荀慧生自己回忆，在位于前门外香厂路的新明大戏院，他还说，这家戏院是由军阀张勋出资筹建的。依当时的眼光看，它非常现代化，可以说是京城设施最好的戏院之一。有人这样描述该戏院：“建筑非常别致，外形酷似官署，戏院里的设备，无论是台下的座椅，还是台上‘出将’‘入相’口，乃至台板，舞台的装饰物都非常豪华。这个戏院专接京昆名角，其他剧种和一般演员是很难进去的。”[2]

事实上，荀慧生记忆有误。也就是说，那天的演出，应该不是在新明大戏院。关于新明大戏院，它之所以取“新明”两字，在于

①和宝堂整理：《戏苑宗师荀慧生》，辽宁美术出版社1999年12月版，第40页。

②谭志湘：《荀慧生传》，河北教育出版社1996年12月版，第91页。

该戏院有三个地方“新”：

一、首设观众餐厅，这被视为“演出场所的一大进步”；

二、最早的时候，北京的戏院，称“茶楼”、“茶园”，后来则称为“戏园”、“舞台”。比如，广和楼、文明茶园、吉祥戏园、第一舞台等。“戏院”之名，始自于“新明大戏院”；

三、之前，京城戏院也曾有过卖票制，但因为不堪压力而不得不取消了。新明大戏院开张后，重拾卖票制，而且还在报纸上刊登声明，态度坚决地说：“购票请早，临时概不加凳。”对票入座，杜绝了蹭戏，也使得戏院的观戏环境井然有序，更加文明。

就目前现存的资料所言，新明大戏院的确位于北京前门外香厂路，却并非由张勋，而是由四川富绅蒲殿俊出资兴建。蒲殿俊与名旦姚佩兰交往甚密，大兴土木建戏院，就是为了姚佩兰。所以，该院首任经理为姚佩兰。这是断定荀慧生回忆有误的一个方面。其次，荀慧生第一次与众京剧名角儿同台献艺，是在1916年，而新明大戏院于1919年1月4日才竣工开幕。这也就说明荀慧生的那天演出，并不在新明大戏院。

那么，荀慧生为何对新明大戏院印象深刻，以至于混淆了记忆呢？

首先，该戏院开幕那天，日场戏，由一个梆子坤班担当；夜场戏，演的是京剧，主要演员有梅兰芳、王凤卿、高庆奎、姜妙香、程继先等，还有就是荀慧生。这个时候，他改演京剧不到三年，却有机会与众角儿合作，很难得，因此很珍惜。更重要的是，杨小楼、梅兰芳于20世纪20年代初合组的崇林社一度在此演出。后来，杨小楼自组的永胜社长期在这里演出。荀慧生自1925年从上海回到北京后，搭班杨小楼、余叔岩合组的双胜社，主要就在新明大戏院演出。最为关键的是，就在这年的10月份，他在新明大戏院与余叔岩合作《打渔杀家》，正式改“白牡丹”的艺名为“荀慧生”。

其实，那天的演出是否在新明大戏院已经不重要。对于荀慧生而言，重要的是，这可能是他在改演京剧后，第一次正式以京剧演员的身份参加京剧演出，也是第一次以后辈的身份与前辈同台演出。这既给了他学习的机会，也给了他展示自己的舞台。也就是在这次演出中，他结识了杨小楼。或者说，他使杨小楼认识了他。作为继谭鑫培之后的生行领军人物，杨小楼在梨园界的地位举足轻重。在杨小楼的面前，荀慧生是后起之秀。杨小楼对荀慧生这个花旦行的新角儿，很好奇，也很欣赏，便有了提携之心。

如果说，之前，没有白社的慧眼，就没有“童伶博士”白牡丹的话，那么，之后，没有杨小楼的慧眼，也就没有“四大名旦”的荀慧生。可以说，杨小楼在荀慧生的艺术生涯中，是个至关重要的人物。

和梅兰芳的合作

改演京剧后的荀慧生，艺途并非一帆风顺，非但不顺，而且称得上坎坷。很重要的原因，便是他曾经是唱梆子的。他因此被嘲笑，甚至被歧视。

荀慧生原本1915年就应该出师的，因为多了两年“服务期”，出师时间被延后了两年。1917年，他正式出师了，离开了师傅家，回到了父母身边。尽管他盼望出师，盼得憔悴，然而真正到了离开的那天，他竟然十分不舍。他毕竟是在师傅师娘身边长大，他不自觉地已经视他们为亲人。最让他难舍难分的，是庞三秃。就是这个其貌不扬，又被外人认为是“蠢如鹿豕”的三秃，曾经让生活在困苦屈辱中的荀慧生，感受到人情温暖。

走的那天，庞三秃哭成泪人，他拉着荀慧生的衣角，迟迟不肯松手，也不管爹娘如何斥责他“没出息”。荀慧生也哽咽着，不知该说些什么，只是一个劲儿地冲着师傅师娘鞠躬，又数次伸手为三秃擦拭眼泪。其实他知道，三秃的眼泪，不完全是为他而流，也为他自己。在出师前，他俩曾经在闲聊中，谈过关于梆子，关于京剧。从荀慧生本意来说，改学京剧后，他更爱京剧。这并非说他丢弃梆子，丢得彻底和无情，而只是说他更识时务。

当时，荀慧生曾经劝三秃："不如你也改行吧，咱俩还在一块儿唱。"在学艺唱梆子阶段，他俩合作最多，一出《小放牛》，配合最默契，演得最出彩，成为那个时候他俩的经典。一个十几岁的孩子，心思本就活络，三秃对唱京剧不是没有向往，何况慧生已经在白社的帮助下迈出了这一步，他何尝不想跟随慧生？但是，相比慧生，他有更多的顾虑。慧生只是庞启发的徒弟，七年也好，九年也好，总有出师出头的那一天；他三秃是庞启发的儿子，庞家是吃梆子饭的，怎么可以改行？想到这些，他重重地叹口气，很无奈地对慧生说：

"不行啊，我爹我娘是绝对不会答应我改行的。你只是一时的不是自由身，而我，是终生的不是自由身啊。不作他想，也不能想，不敢想啊。"

既然如此，两人就不再可能有合作的机会了，这次的分别，将是永远的，所以，都很伤感。三秃将慧生送了一程又一程，他为慧生终于脱离苦海而高兴，也为慧生重回父母怀抱而高兴，更为慧生得偿所愿，开辟了一条新的艺术之路而高兴。高兴的同时，也为自己不能选择而沮丧。不得不分手了，两个从小一块儿长大的孩子，像大人似的，互道珍重，然后挥泪而别。

后来，在荀慧生与父母、兄长矛盾日趋激化的时候，庞三秃曾经看望过慧生。但是，他没有做出安慰的姿态，甚至没有扯上这个令人不快的话题。慧生也什么都没有说。似乎一切都在不言中，彼此心灵相通。

出师以后，荀慧生第一次登台唱京剧，参加的是一次义演，义演名目是为山东水灾筹款。当时，义演、义务戏的种类繁多，其中不乏混水摸鱼者。对于真正意义上的义演，大多数演员都是愿意参加的。既然是义演，演出收入自然比营业戏少，甚至根本没有收入，但义演往往邀请的都是名角儿。像荀慧生这样刚刚起步的普通演员，参加义演，得以与名角儿同台，从而获得展示自己、宣传自己、扩大影响的机会，既帮了别人，又使自己受益，当然都很积极。

这是荀慧生第一次参加义演。演出的剧目，还是《胭脂虎》。这次与他同台的京剧前辈，一是老生刘鸿声，一是架子花脸侯喜瑞。刘鸿声是荀慧生结识的第二位票友出身的京剧演员。他对他的艺术，由衷佩服。

刘鸿声虽然是票友出身，但他演的"三斩一碰"、"三斩一探"——《斩黄袍》、《斩马谡》、《辕门斩子》、《碰碑》、《四郎探母》——红极一时，特别是《斩黄袍》中的一句"孤王酒醉桃花宫"，以及《辕门斩子》中的一句"见老娘施一礼躬身下拜"，风靡北京城的大街小巷，几乎人人会唱。刘鸿声这个人也因此成为人们茶余饭后常挂在嘴边的人物，有人说他是"磨剪子抢菜刀"出身，还有人称他为"小刀刘"。或许正是因为如此，所以他的嗓子出奇的好。在荀慧生听来，刘的"调门高，气力足，又善于用暗气口，能以字缓气，以腔偷气，听着好像是一口气唱到底"。

于是，与刘鸿声的合作，给了荀慧生两个启发：一是巩固了对票友的认识。他觉得，不能小看了票友，票友中卧虎藏龙，不乏才子能人。从票友身上，他得出这样的结论，只要肯钻研，票友也能变好角儿，否则，你坐科出身也没用，只能变成"两边站"的"零碎"；二是学会了如何用气。他的嗓子不属于"调门高，气力足"的，因此，善于用气，显得尤为重要。

⊙ 教荀慧生花旦、刀马旦和小生戏的老师程继先先生。

架子花脸侯喜瑞有“活曹操”之称，他的拿手戏是《战宛城》。巧的是，荀慧生的《战宛城》被视为“荀派六大跌扑剧”之一。是不是可以推测，荀慧生的《战宛城》，曾经受过侯喜瑞《战宛城》的影响呢？当然，侯喜瑞饰演的是曹操，而荀慧生饰演的是其中的旦角邹氏。

尽管角色不同，但塑造人物的表演方式，应该是相通的。侯喜瑞的表演理论是：“装龙像龙”、“发于内而形于外”。他常说的一句话是：“扮戏不是我，上台我是谁。”这一切，都给了初学京剧的荀慧生很深的影响和启发。看得出来，此时，荀慧生在投师学艺的同时，更在实践中向前辈学习，既学习具体的表演技艺，也琢磨领会表演理论。

之后，荀慧生又有了一个与梅兰芳、与著名小生演员程继先（又名“程继仙”）合作的机会。在此以前，他也曾经与梅兰芳同台演出过，但那时，只是同台，而此次，是合作，也就是同演一出戏。这对荀慧生来说，机会难得，也相当有意义。此时，梅兰芳已经名声大震，是公认的继谭鑫培之后的“伶界大王”[1]，更位列旦行首席。与梅兰芳合作，是许多旦角演员的向往，荀慧生也不例外。

程继先年长荀慧生二十二岁，相比梅兰芳，更称得上是荀慧生的前辈了。他是“老生前三鼎甲”之一的程长庚的孙子、梅兰芳外祖父杨隆寿的弟子。他初学老生，后改唱小生，与小生王愣仙、徐蝶仙并称为“小生三仙”。他有两个方面与荀慧生很相似，一是武功造诣很深，他的武戏，由杨隆寿亲授。他的拿手戏之一，是与余叔岩合作的《镇潭州》；二是他的嗓子先天条件并不十分好，所以避唱唱工戏。因为如此，他很重视念白，讲究音韵、四声阴阳。荀慧生的念白，在四大名旦中，仅次于梅兰芳。

荀慧生与梅兰芳、程继先合作的戏目是头、二本《虹霓关》。梅兰芳饰演东方氏，刀马旦；程继先饰演王伯党，小生；荀慧生饰演丫环，青衣。这样的搭配，很有意思。专工青衣的梅兰芳，演的却是刀马旦东方氏；擅长武功、又专工花旦的荀慧生，演的却是青衣丫环。据荀慧生自己回忆，在不长的时期内，三人连续两次合作这出戏，一次是在三庆园，演的是营业戏；一次是在中国银行总裁冯耿光举办的堂会上。

关于堂会，在荀慧生于1917年出师后，到1919年离京赴沪的这两年时间里，参加过多次堂会戏的演出。比如1918年的冯宅堂会。冯宅堂会之后的1919年，他又参加了为庆祝达仁堂药栈开幕的堂会。据说，这个堂会与冯宅堂会一样显贵。当天的大轴戏是与《八蜡庙》有异曲同工之妙的《溪皇庄》，也是大批名角儿合作，有余叔岩、杨小楼、梅兰芳、王蕙芳、贾璧云、朱幼芬、朱桂芳、尚小云、荀慧生等。相比冯宅堂会，这个堂会的戏码更多，由日升唱到日落，极一时之盛。

荀慧生何以如此热衷唱堂会呢？究其原因，他自述：“因为堂会戏都是名角云集，戏份给的又多，所以我对演出堂会戏特别有兴趣。每次演堂会戏，我都是很早就去后台，早早就扮好戏，在台帘后边‘偷戏’，可以学到许多名角的好戏。”[②] 也就是说，他将演堂会戏，作为学戏的一种途径。

① 在荀慧生与梅兰芳此次合作前不久，谭鑫培刚刚去世。
② 和宝堂整理：《戏苑宗师荀慧生》，辽宁美术出版社1999年12月版，第40页。

关于冯耿光家的堂会。就目前现存资料来看，日期应该是在1918年5月26日，也就是距荀慧生与梅兰芳、程继先在三庆园合作《虹霓关》之后四天。那天的堂会戏码，主要的有这么几出：

一、杨小楼、余叔岩、俞振飞、朱桂芳、王凤卿、王长林、李连仲、张文武、梅兰芳、程砚秋、尚小云合作的大轴戏《八蜡庙》；

二、王蕙芳、朱幼芬、贾璧云、赵桐珊、王丽卿、梅兰芳、程砚秋、尚小云、荀慧生合作的《满床笏》（这出戏，可能是“四大名旦”最早合作的一出戏），据说共有十七个旦角参与了演出；

三、梅兰芳除了客串《八蜡庙》和《满床笏》外，为酬谢知己，又特别加演了两出：《麻姑献寿》、《跪池三怕》。一人一夜连演四出戏，是极为少见的。对于梅兰芳来说，这恐怕也是唯一一次。

四、刘鸿声的《上天台》；

五、杨小楼的《长坂坡》；

六、贾璧云的《打花鼓》；

七、田桂凤的《拾玉镯》；

八、尚小云、荀慧生合作的《虹霓关》。

也就是说，在这次堂会上，荀慧生是与尚小云，而不是与梅兰芳、程继先合作《虹霓关》的。

台湾剧评家丁秉鐩其所著《青衣·花脸·小丑》一文中则认为，四大名旦初次同台，是在1918年10月24日，地点在北京的第一舞台，参加的是义务戏的演出。这天的具体戏码，按照出场顺序，丁文列举的是：

开场：侯益隆的《棋盘会》；

第二：韩世昌、白玉田的《刺梁·藏舟》；

以上两出戏，都是昆曲。

第三：尚小云、白牡丹的《虹霓关》；

第四：余叔岩的《阳平关》；

第五：陈德霖（饰萧太后）、龚云甫（饰佘太君）、王瑶卿（饰青莲公主）、贾璧云（饰碧莲公主）、王蕙芳（饰孟金榜）、程砚秋（饰蔡秀英）合作的《雁门关》；

第六：刘鸿声、吴彩霞的《朱砂痣》；

第七：绰号“老乡亲”的孙菊仙的《失街亭》；

第八：梅兰芳、王凤卿合作的压轴戏《武家坡》；

第九：杨小楼的大轴戏《水帘洞》。

也就是说，在这个时期里，荀慧生演得比较多的戏之一，是《虹霓关》，与梅兰芳、尚小云都有过合作。这出戏对他的意义，还不止于此。

遭遇冷嘲热讽、排挤打击

1918年，荀慧生18岁，改学京剧，不过才两年。这个时候的京剧市场，新编戏大为盛行。创编新戏的京剧界先驱，是梅兰芳。他早在1913年首次赴沪演出时，就发现上海不仅仅是舞台，包括灯光、布景、舞美等都比北京现代化得多，上海更有大量传统京剧以外的新戏，既有纯对白的话剧，更有改良的京剧。这些改良了的京剧突破了传统表现模式，吸收了话剧写实的布景和灯光，服装和造型方面也多来源于生活的真实。

梅兰芳感悟到时代的发展伴随着人们思想的进步，传统京剧舞台上的老旧故事已经不能满足人们的需要，而社会变革引发的混乱，让许多人愤懑迷惘，有通过演员的表演宣泄自己情绪的需要。因此，这些新戏颇受欢迎。

事实上，北京梨园界在辛亥革命以后，也在悄然发生着变化。比如，之前，女观众是不能进戏院看戏的；之后，可以了。大批女观众得以走进戏院，颠覆了生行演员统治舞台的旧传统。因为她们要“看”戏，而不是像以往的男性观众那样“听”戏。既然是“看”戏，就要看漂亮的人演的漂亮的戏。

这里的“漂亮”，指的是漂亮的人，漂亮的化装，漂亮的服装。相比于生行演员，旦角演员更容易成为漂亮的人。因此，旦角的地位日渐超越生角，成为舞台的主角。这其实也是“四大名旦”崛起的社会因素。与此同时，为了适应观众的审美变化，创造新的造型，编排新戏，就成为了一种潮流，一种趋势。

新戏的流行，还有两个原因不可忽视：

一、社会的文明开放，使外国的艺术形式渗入到传统戏曲中，特别是话剧，对京剧的影响尤其明显，不仅体现在表演形式上，在内容上也更赋予教育开化以及反映现实、宣扬真善美、鞭挞假恶丑的文明功能。

二、一批有志之士，特别是新文化运动中的知识分子，对于戏曲封建落后的批评，一定程度上唤醒了梨园人士的民主思想意识，引起他们的反省，不同程度影响了他们的戏剧观，于是逐渐改变过去唱戏是供人玩乐的旧思想，开始注重戏曲的社会功能和作用。

有这样的时代背景，有这样的市场要求，梅兰芳从上海回到北京后，即着手创编新戏。到了1918年，他创作的新戏，有时装新戏《孽海波澜》、《宦海潮》、《邓霞姑》、《一缕麻》、《童女斩蛇》；有古装新戏《嫦娥奔月》、《黛玉葬花》、《千金一笑》、《春秋配》、《木兰从军》、《天女散花》、《麻姑献寿》、《红线盗盒》；还有一出老戏服装的新戏《牢狱鸳鸯》。

在他的带动下，在他的新戏广受关注、好评如潮的示范效应下，其他演员纷纷效仿，争相编排新戏。仅就旦行而言，继梅兰芳之后，就在1918年3、4月间，尚小云与杨小楼合作，创排了一出《楚汉争》（梅派名剧《霸王别姬》的前身）。尽管这出戏并非尚小云的个人本戏，更不是尚派名剧，但是，它毕竟是尚小云参与创编的第一出新戏。

梅兰芳、尚小云编演新戏的举动，对荀慧生影响很大。他意识到，这不仅是演出市场造就的，也是京剧发展趋势。继承传统固然重要，发展创新更加重要。发展创新，又应当建立在传统基础上。也就是说，没有传统，就谈不上发展创新。此时，荀慧生学、演京剧，不过才两年，却也有了编演新剧的强烈意识。不过，他也自知，他还不能做到像梅、尚那样完全重新创作，毕竟他对于传统戏的掌握还不够扎实牢靠。那么，如何才能既不抛弃传统，又能紧跟时代要求、市场要求，满足观众对“新”的追求，也满足自己创编新戏的愿望呢？

改编旧戏，是个好法子。它不会像完全新创一个剧目那样，从故事内容到唱腔设计、安插身段等，一切从零开始，而是在传统的、现成的剧目基础上，融入新的创作思想和内容，使它由旧翻新，成为“新”戏。因此从广义上讲，它也算得上是一种新创作。新创作出来的剧目，也就算得上是一出新编戏。

从这个角度说，荀慧生最早创编新戏，就是在1918年。梅兰芳初排新戏，在1914年，20岁时；程砚秋、尚小云和荀慧生初排新戏时，都只有18岁。在1918年，荀慧生新创作了两个剧目，一个是由梆子改编成京剧的《花田错》，另一个就是由京剧传统剧目《虹霓关》改编而成的《东方夫人》。

《虹霓关》的剧情是：秦琼攻打虹霓关，守将辛文礼应战，不幸被王伯党杀死。辛文礼的妻子东方氏惊闻丈夫被杀，气愤难当，为了替夫报仇，主动请战，率兵上阵，誓言要亲手杀死王伯党。一场混战后，王伯党被俘虏。东方氏见王伯党相貌英俊，不由暗生情愫，不但不杀他，相反让丫环去对方阵营做说客，最终降顺瓦岗，并改嫁王伯党。洞房中，王伯党痛斥东方氏，然后将她杀死。

这出传统戏，很多旦角演员都演过，一般地，只演头、二本，不演“洞房”一折。丫环一角，演得最好的，是“老生前三鼎甲”之一的余三胜的儿子、著名老生演员余叔岩的父亲、著名青衣、花旦演员余紫云。因为他唱得太好，演得太好，在他之后的很长时间里，没有人敢演这个角色，即使是学会了，也不敢演，以至于能演的人越来越少，直到王瑶卿出现。

说到王瑶卿是如何学演丫环一角的，其中还有一个小故事：当时他搭班陈丹仙的鸿奎班。有一次，陈丹仙从南方邀请来一位演员，叫李紫珊，艺名“万盏灯”，他擅长刀马旦和花旦戏，《虹霓关》便是其中的拿手戏之一。到京后，他要演这出戏，演东方氏。可是，谁来配演丫环呢?戏班里的青衣演员，只有王瑶卿和陈丹仙的儿子陈七十。两人都不会演，陈七十是少老板，不会演，就不演，王瑶卿不得不演。于是，他现学现卖，不但唱起来了，而且唱红了。

王瑶卿之后，能演《虹霓关》的，是梅兰芳。梅兰芳就是在看了王瑶卿的演出后，萌发学演此戏的念头。他的伯父梅雨田也认为这出戏很适合他，便出面请来王瑶卿，让他拜王为师。王瑶卿以他与兰芳是平辈为由，不肯师徒相称，而只愿互为兄弟。梅兰芳随王瑶卿，学的是二本《虹霓关》中的青衣角色丫环。王瑶卿在教会梅兰芳后，自己不再演出此戏，显示了“让戏”风范。

梅兰芳在《虹霓关》中有个创新，那就是：一人分饰不同行当的两个角色。在他之前，头、二本《虹霓关》的东方氏和丫环，分别都是由一个人从头唱到底的。从梅兰芳开始，他在头本中，饰演东方氏；在二本中，饰演丫环。最初，他学演的是青衣行当的丫环，在他有了刀马旦戏的经验后，便想学习扮演头本《虹霓关》中的东方氏，以便头、二本《虹霓关》连在一起演。教他演东方氏的，是他的表兄王蕙芳。他之所以有此创新，是因为他认为他的个性不适合演二本里的东方氏，“演了也准不会是那样的”，他这么说。

荀慧生选择改编《虹霓关》为《东方夫人》，有几个方面的原因：

一、梅兰芳对《虹霓关》的创新，影响了他，使他觉悟到，对于传统戏，可以加以不断改善以赋予其新的内容或形式。

二、他将梆子戏《花田错》改编成京剧《花田错》，在其中饰演的是丫环春兰，花旦行当。他的武功底子，使他也擅长刀马旦，而《虹霓关》中的东方氏，正是刀马旦。演这样的角色，很能突显其刀马功夫，展现其特长。

三、在他随庞启发学艺时，曾经一度演出过连台本戏。那个时候，他发现，有头有尾、故事完整、情节曲折的大戏，很受欢迎。宽泛地说，《东方夫人》就是头、二、三本《虹霓关》。也就是说，他将以往一般旦角演员都不演的“洞房”一折，加演进去，使得全剧情节完整。

荀慧生最初改编的两出新戏，《花田错》被后人列为“荀派六大移植剧”之一，《东方夫人》则被列为“荀派六大跌扑剧”之一。

不论其他，仅就荀慧生参与创编新戏的积极态度，就可以肯定地说，他在改演京剧后，主观上一心求好相当努力，而且广泛投师，谦虚好学，并且顺应时代需要，有改革旧剧的强烈意识；客观上他的演出上座率逐渐提高，在戏迷中也有了不错的口碑。尽管如此，他还是遭受了冷嘲热讽、排挤打击。

那个时候的戏曲演员，处境艰难，受到来自社会外部和梨园内部的双重挤压。在社会上，他们被视为“戏子”，属于下九流，地位甚至不及娼妓。这种情况下，同病相怜的梨园艺人本应该团结一致共同抵制外界的歧视，但事实上，并非如此。

在梨园界，宗派行帮积习很盛，各立门户，相互倾轧。同为京剧艺人，彼此勾心斗角；京剧和京剧以外的其他剧种，互相看不起，甚至互相踩压。当时的宗派势力，有所谓京朝派、外江派、海派等，界限分明。京朝派自认“老大”，对外江派、海派，侧目而视。

荀慧生被打压的原因，来自于两个方面。首先，他是梆子出身。有人认为他由梆子改唱京剧，是大逆不道，是越等僭分。在他们看来，京剧是高雅的艺术，梆子是粗野的民间俗玩艺儿。一个唱民间俗玩艺儿的，怎么能够贴近高雅艺术，这岂不是亵渎高雅艺术吗？其次，他虽然是梆子出身，但在改习京剧后，特别是大胆改旧剧为新剧而受到戏迷认可后，触动了有些人妒忌的神经。想一想，他们在京剧界混了许多年，不过尔尔难出头，而一个唱梆子的，刚刚唱京剧不过两年，就崭露头角，大有超越之势，怎能让人服气，又怎么能够容忍？

梅兰芳的编剧齐如山就此对著名旦角演员颇有微词。在老旦行，龚云甫卓有成就，他创造的“龚腔”，深受老旦行演员的追捧。四大名旦的程砚秋、尚小云都曾有意向他学习。但是，他对同行的态度，却遭人诟病。齐如山就说龚云甫在“有些地方，总不够地道，且时出规矩”。所谓“出规矩”，是指他在唱时，声音忽粗忽细，有时声音低得让人无法听得见，让与他合作的演员无所适从，常常因此下不来台。据说，青衣演员陈德霖一向不喜欢与龚云甫合作，总是说他“胡来”。[①]

尚小云初出道时，曾经想与龚云甫合作演出《母女会》。当他向龚的管事崔禄春提出请求时，却遭到崔的讥讽：“你想与龚先生合作？呸！你也配？一边练去吧，练好了再唱。”使尚小云深受打击。虽然打击他的不是龚云甫，但有人断定，崔禄春之所以会如此不近人情，就是因为长期辅佐龚云甫而受到的影响。

龚云甫对于唱梆子出身的荀慧生，曾无所顾忌地加以讥笑。当然，如此对待荀慧生的，不仅仅是龚云甫，据荀慧生自己说，还有刘景然、李顺亭等。他们不但在荀慧生于台上演唱时，在后台大声嘲笑："一个唱梆子的。"甚至怂恿其他人在后台引吭高歌梆子腔。于是，就出现了这样的奇怪景象：台上，荀慧生唱一句正宗京剧腔，紧接着，后台便传出一句同样唱词的梆子腔，而且是变了味的梆子腔。然后，又一句京剧腔，又一句变了味的梆子腔。

荀慧生边唱，边气、边委屈、边伤心，心乱如麻，险些唱走了调。他很清楚他们的目的，一是说明他唱的皮黄腔是梆子味，二是让观众知道他原来是唱梆子的，三是让他在皮黄和梆子的唱腔中找不到准谱。这第三个目的，是最主要的。他们就是要让他在他们的"引导"下，唱着唱着，不自觉地就唱到梆子腔上去，以此羞辱他，让他下不来台，甚至让他出大丑，从此再也不敢登台唱京剧。

也正是因为他看穿了他们的目的，所以他咬牙挺着，以坚强的意志力控制着局面，尽量让自己保持冷静，并且排除杂念，也屏蔽自己的耳朵，阻隔他们那些变了味的梆子腔，只管唱自己的。一出戏，就这样，他艰难地唱了下来。

想象中，下了台，他应该动怒、发火，其实他没有那么做。尽管他愤懑难平，但他未言未语。他知道，那样做，无济于事。那是客观存在的现实，凭他个人的力量，无法改变。他能做的，只有忍。

解放以后，荀慧生曾在一次给青年演员演讲时，这样说："那种顽固闭塞、排挤倾轧的作风，不是今天的青年人所能想象的。"当时，他的忍耐并没有让他的处境好转起来，反对势力越来越紧密的包围，让他渐有无法喘息之感，更有无地容身之感。在这样的恶劣环境下，他想在京剧之路上，走得更远，走得更好，似乎很不容易。就在他勉强支撑，眼看支撑不住时，他又遇到了"贵人"，那就是杨小楼。

① 参见齐如山《谈四角》，《京剧谈往录三编》，北京出版社1990年9月版，第188—189页。

阴差阳错的婚姻

也是在1918年，荀慧生18岁时，结婚了。他的结婚，有两层含义。

其一，就自然属性而言，男大当婚，女大当嫁，18岁，应该成家了。有人说，他的结婚介绍人，是杨小楼、李寿山和著名武旦朱桂芳的父亲、清末著名武旦朱文英。在他们的好心撮合下，他就结婚了。其实，介绍人另有其人。

其二，就社会属性而言，荀慧生的长子荀令香说过这样一段话："彼时，一个青年演员，要想立足于北京的舞台上，确实很难，除了本身要有不平凡的艺术之外，还要有亲近的社会关系，才能左右逢源，得到有力的帮助，否则本事再好，也休想在梨园界中站稳。先父当时是个由梆子改演京剧的青年演员，人生地疏，举目无亲，处境相当困难。"①

从这个角度说，荀慧生的结婚，也有因此建立"亲近社会关系"的作用。这里的"社会关系"，限于梨园内部。因为戏曲演员的社会地位极其低下，外界人士谁也不愿意与"戏子"搭上关系，更不可能谈婚论嫁，所以长期以来，艺人之间彼此通婚，成为自然。

荀慧生的新婚妻子，也是他的第一任妻子，名叫吴春生，是著名昆曲家吴巧福的幼女、著名青衣演员吴彩霞的六妹、著名武生演员吴彦衡（小名福元）的六姑。目前大多数资料都说荀慧生第一次婚姻的介绍人是杨小楼、李寿山、朱文英，实际上，准确地说，他们是上门提亲人，真正的介绍人，是吴彦衡。但是，吴彦衡最初给荀慧生介绍的，并不是姑姑吴春生，而是自己的姐姐。

那个时候，除了陈桐云等花旦、青衣、昆曲老师外，吴彦衡也算是荀慧生的老师之一。初学京剧的荀慧生天天跟着吴彦衡到陶然

⊙ 荀慧生、吴春生夫妇合影。

亭一带练功、喊嗓。天长日久，吴彦衡对荀慧生渐生好感，觉得他能吃苦，很勤奋，话不多，但有头脑，很有自己的思想。当他慢慢了解到荀慧生的经历后，对他又多了一份同情，也就更疼爱他了。再说，他从荀慧生在唱梆子时即获声名，又是“正乐三杰”，又是“童伶博士”的辉煌经历断定，改习京剧后的荀慧生，有白社的辅佐，有众角儿为他开蒙，有他自己对戏曲的悟性和努力，前途不可小视。于是，他就想着将自己的姐姐介绍给荀慧生，嫁他为妻。

然而，吴彦衡的想法，却遭到家人的一致反对，甚至斥责他有病、疯子、异想天开。原因之一，是碍于梆子、皮黄相互对立的门户之见，尽管他们知道荀慧生已经改习京剧，但他们还是对荀慧生唱梆子的出身有陈见。原因之二是，他们并不像吴彦衡那样相信荀慧生定有大好艺术前途。他们看到的只是一个没有名声、没有后台背景、经济拮据的穷困小子。反对尤为激烈的，是吴彦衡的爸爸吴彩霞，他视女儿为掌上明珠，担心女儿嫁荀，日后受穷受苦。

①荀令香：《艺林留香（一）》。

在家人那里碰了壁的吴彦衡，很沮丧，倒也不完全是为了未能如愿将姐姐嫁给荀慧生，而是为了未能兑现诺言而自觉失了面子。原来，他在征询家人意见之前，就已经将做媒的事，当作喜事告诉了荀慧生。他甚至让荀慧生“只等好消息吧”。可是如今，事情没有办成，他该怎么向慧生交代呢？这让他颇费踌躇。想来想去，他实在有些不甘心，便再与父亲吴彩霞商量。

与此同时，这件事惊动了杨小楼、李寿山、朱文英，他们觉得吴彦衡的这个媒，做得好，很支持，也就一个劲儿地鼓动吴彩霞同意这门婚事。

吴彩霞开始为难了，一方面，他实在不愿意将女儿嫁给荀慧生，另一方面，他既不能让儿子福元就此背上一个失信的不义之名，也不能不给杨、李、朱三位先生面子，所以，也很苦恼。此时，儿子吴彦衡出了个两全其美的办法，他对吴彩霞说：“不如就将六姑顶替姐姐，嫁过去吧，反正她也老大不小，该嫁人了。”吴彩霞一听，觉得这不失为一个好法子。自己的这个六妹，只比女儿大两岁，一直待字闺中，父母正发愁呢，不如趁此机会将她嫁出去得了。

可是，该怎么和六妹吴春生开口呢？吴春生能不能同意嫁给荀慧生呢？吴彩霞使了一个小花招，他说请妹妹看戏，将吴春生带到了戏院。那天，有荀慧生的演出。看完戏，吴彩霞问吴春生戏怎么样，吴春生说很好看。吴彩霞又问唱戏的人怎么样，吴春生说唱得很好。显然，吴春生对荀慧生印象很不错。吴彩霞放了心，便向妹妹开了口。吴春生红了脸，没有表示反对。

既然之前吴彦衡已经将做媒的事告诉了荀慧生，那么，荀慧生事先应该知道他将要娶的是吴彩霞的女儿、吴彦衡的姐姐。可结果却是，女儿换成了妹妹，姐姐换成了姑姑，这让荀慧生一头雾水。吴家当然不能将其中的周折和盘告诉荀慧生。聪明的荀慧生并不细问，在他看来，吴家不论是嫁女儿，还是嫁妹妹，都是看得起他，都是一种给予。所以，吴家做的任何安排，他都乐意接受。

吴彩霞自认自己“偷梁换柱”的招数，对女儿，对妹妹，对慧生，都好，可谓皆大欢喜，却未料到，他这么做，最终害了女儿。当然从他本意来说，他是想让女儿嫁个好人家，过上衣食无忧的生活，这本没有大错。也许正是因为他挑挑拣拣过了分，致使女儿始终没有嫁出去。眼看日子一天天过去，荀慧生和吴春生的婚姻生活和和美美，儿女成双，吴家小姐却难以挽回地成了老姑娘。上世纪40年代，吴彩霞去世。之前，他是否为当初的选择而后悔呢，无人得知。但是，可以确定的是，他是有遗憾的，遗憾他没有看到女儿出嫁。

荀慧生与吴姑娘，就这样阴差阳错失掉了姻缘，也算是缘分不够。虽然他俩并没有正式婚约，但毕竟有过那么一段渊源。特别的是，他们总归是亲戚，论辈分，吴春生是吴姑娘的六姑，吴姑娘还得称荀慧生为六姑父呢。荀慧生这个六姑父，一直很照顾老姑娘侄女，在吴彩霞夫妇去世后，时常去看望她、接济她。看到她孤苦无依、晚景凄凉，他的心里也不好过。解放后，在他和张伟君结合后，曾经借到太原演出之机，一同去看望过吴姑娘。1961年，吴姑娘孤寂而终。为表心意，他们夫妇寄了钱去。

对于荀、吴婚事，虽说吴彩霞点了头，吴春生也答应了，但按照旧俗，还得有人上门提亲。为荀慧生上吴家门提亲的，就是杨小楼、李寿山、朱文英。然后，经过一系列的既定程序，这门婚事，就算是说定了。

那天的婚礼，很有趣。天公不作美，一早起来，天就阴沉沉的。接新娘的轿子刚要出门，天空居然飘起了雨，大家的心情不免有些郁闷。可是，当大花轿子刚刚抬到位于前门外西河沿五斗斋的荀家门口，新娘子正要出轿时，雨，突然停了，天空奇迹般地放晴了。大家的精神一下子都很振奋，不由欢呼起来。有人说这是新娘子带来的好运，预示着她有旺夫运。也有人说这是个好兆头，预示着荀慧生家庭美满，事业和顺。荀慧生笑得很腼腆，但笑得由衷喜悦。轿帘掀开，晴朗天空映照下的美娇娘，灿烂如花、美艳生香。

小小的院子里，充盈着鼓掌声、叫好声、喝彩声，不明就里的人，以为这里有一场京剧演出。后来，荀慧生回忆，闹洞房，闹得很厉害，而闹得最起劲儿的，是朱文英和赵砚奎（尚小云的琴师，后是尚小云自组班社的社长，在尚小云出任梨园总会会长时，他任副会长）。总之，他的婚礼，办得热热闹闹。

尚小云也参加了荀慧生的婚礼。不但如此，筹办婚礼的花费，其中有一部分，还是荀慧生向尚小云借的呢。也在这一年，尚小云也结婚了，新娘是李寿山的女儿李淑卿。据说，为他俩牵红线的，就是荀慧生。

结了婚的荀慧生，很自然地多了一些京剧界的“亲近社会关系”。比如：

吴彩霞：荀慧生的大舅子，青衣演员，搭过许多大班。他的名字最早出现于光绪年间刊刻的《新刊菊台集秀录》。当时，他还只是个后起之秀。庚子之后，他因为给名老生刘鸿声配戏，声名鹊起。他以扮演《四郎探母》中的萧太后而负盛名。在荀慧生自组班社后，他是该班社中的一员，跟随演出多年。

吴彩云：吴彩霞的胞弟，荀慧生另一个大舅子，小生演员，颇负盛誉。晚年时，他以课徒为生，生活清贫。1945 年病逝，身后极为萧条，丧仪主要由侄儿吴彦衡料理，荀慧生也出了大力，帮了大忙。

吴坤芳：吴彩霞的另一个弟弟，荀慧生又一个大舅子，老生演员。在荀慧生自组班社后，他是班社的管事，辅佐荀慧生多年。

徐宝芳：荀慧生妻子的大姐夫，荀慧生的连襟之一，小生演员。他是著名琴师徐兰沅和著名旦角演员徐碧云的父亲，徐碧云曾被列为“五大名旦”之一。徐兰沅是徐宝芳的长子，自幼痴迷胡琴，1911

年正式登台为吴彩霞操琴,后又先后为何桂山、谭鑫培等名角操琴。特别的是，他为梅兰芳操琴长达二十八年，深为梅兰芳所倚重。他也是梅兰芳的姨父。

时德宝：荀慧生妻子的二姐夫，荀慧生的连襟之二。他是清朝同治、光绪年间青衣名家时小福的长子。时小福在旦行，鼎鼎大名。他有四个儿子，均业京剧。最出名的，要属四子时慧宝，也就是时德宝的四弟。时慧宝工老生，是孙（菊仙）派名家，曾经是荀慧生的班社庆生社的成员之一。其女嫁给著名青衣陈德霖为继室。

朱桂芳：荀慧生妻子的四姐夫，荀慧生的连襟之三，著名武旦演员。他的父亲就是荀慧生婚姻的提亲人，也算是介绍人之一的朱文英。

钮玉庚：荀慧生妻子的五姐夫，也是梨园中人。其子之一钮荣亮后来是尚小云创办的荣春社的学员，以后又是尚小云剧团的成员。

除此之外，还有吴彦衡（也是荀慧生班社中一员)、吴士衡（丑角演员)、吴俊衡（老生演员)、吴庆衡（丑角演员）等，称得上真正的梨园世家。荀慧生娶了一个梨园女儿，实际上也走入了一个梨园家族。正如其子荀令香所说：“先父出身农民家庭，从入科班学艺直到与梨园世家结亲，逐渐在北京京剧界有了很多亲友。因此几十年来我家与梨园界有着千丝万缕的社会关系。”这对荀慧生在京剧界的发展，大有帮助。

搭班喜群社

结婚以后的荀慧生，演出日渐增多，不但频繁地与诸如梅兰芳、余叔岩等名角儿同台，他的戏码排列也越来越靠后，甚至排到了压轴。比如，1918年10月17日，在吉祥戏院有一场夜戏，戏码排列：倒第三出，是余叔岩的《盗宗卷》；压轴戏，是荀慧生、程继先、裘桂仙、李连仲的《穆柯寨》；大轴戏，是梅兰芳和著名老生演员、王瑶卿的弟弟王凤卿的《四郎探母》。

自从出师后，荀慧生曾经搭过几个班，如义顺和等。应该说，这些班社都算不上名声显赫的大班，这是自然的。那时他刚刚由梆子改习京剧不久，从资格上、声名上，都不可能搭上大班。在他的自身艺术有了显著提高后，特别是有机会常常与梅兰芳、余叔岩等同台演出而被认可和赏识后，1919年初，他终于搭上了一个大班，那就是梅兰芳的喜群社。

实际上，喜群社并不是梅兰芳自组创办的，而是由他的内兄王毓楼和名旦姚佩兰合组的。当然，他们组建这个班社，是为了梅兰芳。梅兰芳是这个班社的头牌演员，也是班主。在喜群社建立之前，梅兰芳搭班另一个旦角演员朱幼芬组建的翊群社，也是挂头牌，任班主。这个班社，其实也是特别为梅兰芳组建的。因为梅兰芳的小名叫"群子"，所以，两个班社的社名中，都有一个"群"字。甚至有人说，喜群社其实是由翊群社改组而成的。

不管怎么说，喜群社里有梅兰芳、余叔岩、王凤卿、陈德霖等大牌，那是肯定的。所以该社被称为"阵容之坚强为京师之冠"。荀慧生能够搭上这样的大班，着实幸运，也是对他艺术的肯定。不过，在喜群社，荀慧生并没有机会直接与梅兰芳、余叔岩、陈德霖等合作。更多的时候，他在完成自己的演出任务的同时，大量观摩学习。因为社里有梅兰芳、余叔岩，而他俩多次合作，合作的戏码有《三击掌》、《三娘教子》、《南天门》等，特别是两人加工重排的《打渔杀家》，震惊梨园，风靡京城，更令荀慧生大开眼界。

喜群社于1919年元月组建，当月便在新明大戏院开幕。荀慧生就是在这个时候搭入喜群社的。4月份，梅兰芳率喜群社部分人员，如小生姜妙香、花旦赵桐珊等往日本演出。于是，便有了这样一个疑问：同是由梆子转习京剧，同是花旦演员，同曾是“正乐三杰”，梅兰芳在组织赴日演出阵容时，为什么没有选择荀慧生，而选择了赵桐珊？难道此时的荀慧生，在艺术上，在声名上，都落后于赵桐珊？

从由梆子转习京剧这方面来说，赵桐珊早于荀慧生一年改行。他是1915年在杭州演出时转学京剧的。因此，相比荀慧生，他对唱京剧，更熟练些。另外，他比荀慧生也更多些出外跑码头的经验。在出访日本前，他跑过的码头，有保定、杭州、宁波、上海、南京、汉口、福州、张家口等地。而荀慧生，自从1910年从天津进入北京后，从来没有离开过京城。

除此之外，还有一个很重要的原因：赵桐珊的艺术造诣很深，能戏多、戏路广，精于青衣、花旦、刀马旦，也通其他各行，曾以“多才多艺、生旦净丑无一不能”而闻名。也许正因为如此，在艺术实践中，他很少自己挑班唱头牌，更多的时候，他为别人“挎刀”，甘当绿叶。尽管他自身的演艺出众，但与主角配戏时，从不喧宾夺主，又能添彩，所以无论哪一个班社的头牌，都争相邀其配戏。有人一言以蔽之：“他是个好演员，更是个好配角。”

或许，梅兰芳看中赵桐珊的，正是他的“杂”。事实上，到日本后，按照赵桐珊自己的话说，他的确成为“小能派”（或称“杂角”）。也就是说，缺什么，他演什么。比如，他演过《金山寺》里的小和尚；《游园惊梦》里的老旦；《天女散花》中前饰仙女，后饰罗汉；《贵妃醉酒》中的宫女；《空城计》中的老军；二本《虹霓关》中的家将，进城时还有翻筋斗的动作，等等。

荀慧生没有成为“杂家”的意愿，客观上也没有往“杂家”去努力。虽然他专工花旦，也擅长刀马旦、青衣，但基本上不脱旦角行当，对生、净、丑行，更不曾有过尝试。也许在梅兰芳的眼里，荀慧生日后是要挂头牌挑大梁，而不是为他人配戏的。所以，他带走了赵桐珊，留下了荀慧生。

梅兰芳这次到日本演出，是他第一次出国，也是民国后，中国京剧演员第一次出国演出，因此被外界视为“我国伶界空前之创举”而备受关注。出发之前，伶人自治组织正乐育化会在同兴堂饭庄设宴公饯，应邀参加的梨园人士多达二百多人，其中包括陈德霖、杨小楼、王瑶卿、俞振庭、王蕙芳、盖叫天等，另外还有尚小云、谭小培和荀慧生。

荀慧生搭班喜群社，时间不算长，也不算短，大约有半年多。梅兰芳出国后，他继续随喜群社参加演出；梅兰芳回国后，他还是搭班喜群社。这个时候，尽管他时时被同业排挤，但客观上，他还是有了一定的名声，甚至也跻身名伶行列。也就是说，在普通戏迷眼里，白牡丹并非只是一个“唱梆子的”。有一个事例，可以加以说明：

上世纪20年代之前，京津一带专谈京剧的报刊并不多。报纸类有北京的《日知小报》、《戏剧新报》等；定期刊物更少，较有名气的是票友李涛痕（号“春柳旧主”）于1918年12月创办、总社设在天津法租界的《春柳》（一共出过8期，1921年停刊）。因为社址在天津，所以北京的业务由《戏剧新报》代办。由于它是少有的专论京剧的专门刊物，内容不错，口碑也不错，销路很好。

《春柳》设有“旧剧谈话”、“名伶小史”、“名伶世家”、“剧场杂评”、“杂事轶闻”等栏目。齐如山曾经在《春柳》上发表过《论旧剧之烘托法》、《论观戏须注重戏情》等论述文章，极有戏剧理论价值。同时，刊物每期所刊登的内容，也极具史料性。最特别的是，在每期的最后几页，都有一份“北京名伶演戏月表”，非常有价值。这份“月表”，每表7人，每期3表，共计21位“名伶”。换句话说，能够入选月表的艺人，都能称得上“名伶”。

创办之初，月表上的21位名伶，由杂志社的编辑选择、确定。这难免掺杂个人好恶，不够全面也不够公平。因此，每期一出，总有人对月表上的“名伶”提出质疑。有人指出，其中某个名伶不够资格，不应入选；有人建议，某名伶够资格，理应入选，等等。抗议者众，质疑声多，令编辑部烦不胜烦。不久，《春柳》刊登启事：从今往后，每期月表上的21位名伶，由读者公开投票选举产生，按得票多少,取前21名，分列第一、二、三表。另外确定10名作为出京或辍演名伶的候补。这样的“选举”前所未有，别开生面，很受欢迎，因此轰动京津一带。之后出版的《春柳》，销售量大幅攀升。

1919年9月的《春柳》，刊登了8月1日、2日的“名伶演戏月表”：

第一表：梅兰芳《天河配》、《天河配》；杨小楼《八蜡庙》、《阳平关》；
余叔岩《天雷报》、《黄金台》；王瑶卿《天河配》、《天河配》；
王凤卿《鱼肠剑》、《战樊城》；九阵风《天河配》、《天河配》；
朱桂芳《天河配》、《刺巴杰》和《取金陵》；

第二表：姚玉芙《天河配》、《天河配》；时慧宝《法场换子》、《雍凉关》；
王蕙芳《天河配》、《天河配》；高庆奎《天河配》、《天河配》；
王又宸《雪杯圆》、《朱砂痣》；郭仲衡《取帅印》、《辕门斩子》；
程继先《鸿鸾禧》、《雅观楼》；

第三表：姜妙香《天河配》、《天河配》；俞振庭《金钱豹》、《水帘洞》；
白牡丹《天河配》和《鸿鸾禧》、《得意缘》和《探亲家》；
芙蓉草《天河配》、《天河配》；龚云甫《游六殿》、《滑油山》；
王长林《天雷报》、《黄金台》和《阳平关》。
张文斌《天河配》、《天河配》。

从这份月表中，可以看出来：

一、8月1日、2日，是农历七月初六、初七，照规矩，艺人要演应节戏。《天河配》是“七夕”最主要的应节戏，所以，包括荀慧生在内的名伶，虽然各在不同的戏院演出，却都不约而同地唱了一出《天河配》。事实上，每年“七夕”，艺人们必唱《天河配》，荀慧生也不例外。有记载的，除了月表上的这一次，他在1924年8月7日，即七月初七，于北京吉祥园戏院，搭班杨小楼的松庆社，唱了一次《天河配》；1932年8月8日，即七月初七，他自组的春生社在北平哈尔飞戏院，与芙蓉草、张春彦、马富禄、金仲全、蒋少奎、王盛意等合作了一次《天河配》。

二、这份月表中，不见尚小云、程砚秋。有人事后估猜说：“大约当时均未在北京也。”所以说，这并非说明此时只有四大名旦的梅兰芳、荀慧生是名伶，而尚小云、程砚秋不是名伶。

三、除了朱桂芳、王长林，曾在一天的演出中连唱两出，大多数人都是一天唱一出，荀慧生却是个例外，他每天都唱两出，两天共唱了四出戏。可见他在这个时期的演出剧目相当丰富，也就说明他会戏多、能戏也多。

既然荀慧生此时已经称得上是名伶，那么，之后他被杨小楼看中，也就是自然的了。也就在这次演出后不久，他迎来了艺术事业的重大转机，那就是离京赴沪演出。这是他第一次出外跑码头，也是他第一次到上海演出。这次演出，被称为“三小一白下江南”，轰动一时。

“三小一白”下江南

北京，对于京剧来说，是发源地，是根系所在地；上海，对于京剧来说，是除北京以外的最大演出市场。这个远东大都市的包容和繁华、商业的高度发达，强烈吸引着京城京角儿。在中国京剧史上，北京是个重要的城市，上海同样是个不容忽视的城市，它对京剧的贡献，并不逊于北京。甚至“京剧”这个名称，都是由上海观众定名的。早年，北京观众称京剧为“二黄”、“皮黄”、“乱弹”。自京剧流入上海后，对京剧的不同名称，统一为“京剧”。

1867年，这是可考的京剧进入上海的最早时间。当年，有个叫罗逸卿的英籍华人在上海建了一座仿京式戏园，取名“满庭芳”。为庆祝该戏园开业，罗逸卿特地派人到天津邀角儿，同时置办锦绣行头。接着，另一位巨商刘维忠效仿罗逸卿，也建了一座戏园，取名“丹桂”。也是为了庆祝开业，刘维忠派人到京邀角儿。从此，京剧进入上海。起初，上海人称其为“京班戏”，对这种从未见过的艺术形式备感好奇，趋之若鹜。无论是“满庭芳”，还是“丹桂”，都赚了个盆盈钵满。在这种示范效应下，戏园如雨后春笋，争相开张，客观上需要大量京剧演员到此演剧。于是，京津一带的京剧演员纷纷南下。

随着上海日渐成为远东大都市，也自然而然成为南方京剧艺术中心。吸引京角儿赴沪的原因，无非名和利，其中“利”的成分更重一些。这也是客观因素造成的。在北京戏院唱戏，一天的演出收入（行话叫“戏份儿”），按照齐如山的话说，“好角儿仅仅够吃饭，次等角儿连生活都不够”。

所以，京角儿热衷唱堂会额外挣包银。当京剧在上海盛行后，京角儿视上海为“外府”，即“新的淘金之窟”。特别到了20世纪20年代末期，国民政府定都南京后，北京的娱乐业更是一落千丈，堂会也大为减少。这个时候，名伶更要外出跑码头了。据说，去一次天津，能吃半年，去一次上海，能吃一年。

在梨园行，曾经一度流行着这样一句话：“北京成名，上海赚钱。”然而，角儿毕竟有限，那些崭露头角的后起之秀，往往也是上海戏院的邀聘对象。对于这些人而言，到上海，不仅仅是为了赚钱，更为了成名走红。于是，在梨园行，又有这样一句话：“在上海唱红了，才算真红。”一旦在上海唱红了，返回京城后，身价也就不一样了。这样一来，京城出名的、未出名的，都想到上海演戏。

四大名旦之梅、程、尚、荀，都曾与上海结缘。第一次到上海演出，对他们来说，都不同程度地具有特别意义，是他们艺术生涯的关键。而对于荀慧生来说，更是艺术事业的重大转折。

1913年，梅兰芳受上海丹桂第一台老板许少卿的邀请，首次赴沪演出。当时，他只是挂二牌，挂头牌的是著名老生演员王凤卿。许少卿开给王凤卿的包银是每月三千二，而只给梅兰芳一千八。也就是说，当时，梅兰芳是跟着王凤卿到上海的。因为上海观众对他还不了解，以至于在正式演出前，有人邀请他俩去唱堂会，许少卿死活不答应，怕梅兰芳在堂会上唱砸了，影响日后的营业戏收入。幸好梅兰芳不但唱好了堂会戏，正式演出的三天打泡戏也相当成功，这才消除了许少卿的担忧。

之后，王凤卿出于提携之意，将一个“压台”①的机会让给了梅兰芳。梅兰芳独辟蹊径，大胆地现排现演刀马旦戏《穆柯寨》，给了上海观众一个大惊喜，一下子就唱红了上海滩。仅仅一年之后，他再次受邀赴上海，更加轰动。从此，他的声名威震京沪。

也就是在首次赴沪演出时，梅兰芳感受到上海戏曲舞台的变化，受到很大影响和启发，回京后，他着手改革，大量创排了新京剧。从他个人来说，由此一飞冲天；从京剧发展来说，京剧从此有了新气象。

继梅兰芳之后成名的尚小云，继梅兰芳之后，第二个赴上海演出。不过，从年龄上来说，他第一次赴沪时，只有17岁，在四人当中是最小的。当时，距他自正乐班出科，仅仅过去四个月。他的“第一次”，与梅兰芳的“第一次”，有两个方面相同。首先，邀请者都是许少卿，只不过，梅兰芳被邀请时，许少卿是丹桂第一台的老板，而邀请尚小云时，他是天蟾舞台的老板；其次，尚小云初次赴沪，挂的也是二牌，头牌也是老生演员，即荀慧生连襟时德宝的四弟时慧宝。

与梅兰芳不同的是，尚小云这次赴沪，演出剧目多达40余出，演出时间更长达138天。足见他在上海的叫座能力是如何强了。之后，到1919年，尚小云又有两次赴沪经历。也就是说，在“三小一白下江南”时，尚小云已经是第四次到上海演出了（他是“三小”之一）。

在四大名旦中，程砚秋的年龄最小，所以也是最后一个赴沪演出的，那时，是1922年。初到上海，他不但带去了传统名戏，更公演了他的新编剧《梨花记》和《龙马姻缘》，也一炮而红。返京后，他跻身一线旦角行列。

梅、尚、程的第一次赴沪，有一个共同点。这个共同点，也就是与荀慧生第一次赴沪的一个显著区别点。那就是，他们三人在第一次赴沪前，在北京戏曲舞台上已经有了相当的名声。比如，梅、尚赴上海时，虽然都是二牌身份，但是这并不意味着他们之前只是默默无闻的无名之辈。事实上，梅兰芳的叫座能力已经充分显现，以至于不得不四处赶场，几次因为来不及赶到戏院而险些引起戏迷骚乱，也因此引起戏界前辈如谭鑫培、杨小楼的极大关注。甚至有一次，戏迷因为要看梅兰芳，而竟然冷落了“伶界大王”谭鑫培，让谭鑫培深感失落，也使他切身体会到何谓“后浪推前浪”，何谓“青胜于蓝”。

至于尚小云，他早在1914年14岁时，就以“第一童伶”的美誉走红成名了。之后，他与梅兰芳、杨小楼、王瑶卿等名角儿合作，大量演出。当他被邀请赴沪时，上海方面给予他的头衔是“最优等南北欢迎娟秀正工青衣”。

有人说，程砚秋在首次赴沪前，在京城，游走于二线旦角行列。其实，他当时虽然只有18岁，但在恩师罗瘿公的提携下，也名声渐显。正因为如此，他自组了班社和声社，邀请了王瑶卿、李洪春、老

① 压台：在上海，一场演出的最后一出戏，被称为“压台”，而在北京，这被称为“大轴”。

生张春彦、花脸郝寿臣和侯喜瑞、小生金仲仁、昆曲名家曹心泉之子曹二庚等著名好角儿加入其中，使和声社成为那个时候颇有名望的班社。他能够自组班社、自挑头牌，又能邀来如此多的角儿，按照李洪春的说法，都显示其“够份儿”。也就是说，他此时的声名已经被认可。

与他们三人相比，荀慧生在赴上海前，在京城的名气较弱。不仅如此，他因为唱梆子出身，而深受歧视和排挤。除此之外，还有一点，也是他稍逊于他们三人的原因之一，那就是，无人提携、帮持。

梅兰芳出身梨园世家，祖父梅巧玲为“同光十三绝”之一，声名显赫；伯父梅雨田“戏曲音乐家”的身份，使他在梨园界的地位少有人能敌。很自然的，祖父、伯父的恩泽惠及梅兰芳，加上遗传因素，使他的戏曲之路走得通顺畅达。尚小云属于少年成名、少年得志，除了李际良（他曾拜李际良为义父），他与清室后裔，如爱新觉罗·溥绪、爱新觉罗·载洵（人称洵贝勒）等人的良好关系，也使他少走了不少弯路。程砚秋不是梨园世家出身，与清室后裔也没有往来，但他遇到了伯乐、恩人。“从政坛上退下来的”名士罗瘿公慧眼识珠，救他于水火，为他“赎身”，又倾尽心力培养他、打造他，为他铺路，为他编新戏，为他宣传扬名，使他一步步成名、走红。

荀慧生呢，不是梨园世家出身，与清室后裔没有什么关系，也没有遇到如罗瘿公这样的伯乐。虽然他的身后有白社，但白社的组成，以大学生为主。作为戏外之人，他们能够给予荀慧生的，只能是文字揄扬、口头赞誉。他们说服庞启发让他弃梆子改学京剧，他们为他筹资聘请皮黄教师，已经是他的幸运，也已经是他们力所能及的极限。因为，他们毕竟是戏外人，在梨园界的影响力很有限。当他被同业歧视排挤时，白社其实也无能为力，他们无法改变现实，更无法抗拒传统。

这个时候，一个戏界伯乐的提携，一个没有歧视而包容的环境，

⊙ 杨小楼演出《甘宁百骑劫魏营》。

一个可以让他尽情展示才艺的机会，就显得相当重要。荀慧生的第一次赴沪，正好使他得到了这样的条件。于是，他在上海一炮而红，从此翻身。

所谓“三小一白”下江南的“三小”，指的是杨小楼、尚小云、谭小培，“一白”指的就是白牡丹，荀慧生。

此次，出面邀请的还是天蟾舞台老板许少卿。不过，他邀请的并不是“三小一白”，而只是杨小楼。自两年前谭鑫培去世后，承继生行头把交椅的，便是杨小楼。此时，他41岁，正处于艺术巅峰期，头衔是“武生泰斗”。杨小楼之名，实则票房保证的代名词。这是许少卿邀聘杨小楼的初衷。之前，许少卿邀角儿，只邀一人或两人，比如，1913年，他邀请王凤卿和梅兰芳；1917年，他邀请尚小云。至于为他们配演的其他配角，则由天蟾舞台的基本演员担当。此次邀请杨小楼，许少卿却改变了做法。他对杨小楼说：

“杨老板，您知道，上海观众好个新鲜。我想，配角总是天蟾的那些角儿，观众早厌了。不如由您在京物色几个主要配角，随您同往。您看怎么样？”

杨小楼明白了，他说：“您是说，让我在京自行组成一个临时小班社？”

许少卿笑了：“就是这个意思。不过，您的这个临时班社，除

⊙ 谭小培演出《碰碑》。
⊙ 尚小云演出《桑园会》。

了杨老板您自个儿，不用说，其他角儿，还得让我事先过过目。”

杨小楼也明白许少卿的意思。他挑明道：“我知道，您是不放心配角儿的能量，怕他们误了您的上座儿，是不是？”

许少卿嘿嘿干笑了几声，算是承认了。他的想法：邀请的京角儿，不是非常出名的、有真正实力和名声的，就是有新鲜感、能够引起观众好奇的。否则，何以吸引观众走进戏院？他对京城的角儿是有一定了解的，所以，他虽然“放权”，让杨小楼自己挑选配角，但“民主”之后，还是要由他来“集中”的。

消息传开后，出名的、未出名的，都认为机会难得，都想挤进这个临时班社。能够“傍”上杨小楼到上海演出，吸引力是显而易见的。于是，到杨小楼那儿毛遂自荐的、为别人举荐说情的，纷至沓来。杨小楼很冷静，他排除一切干扰，在精挑细选后，确

定他的这个临时班社，取名永胜社，主要演员除了他自己，还有老生谭小培、青衣尚小云、花旦荀慧生。这份名单一经公布，众人哗然。上海的天蟾舞台也很惊讶。这一切，缘于名单中的荀慧生。

谭小培是谭鑫培之子，尽管他的技艺远不如乃

父（之后，他的名声也不如其子谭富英），但他这样的出身，还是给他带来了很多便利。特别是谭鑫培刚刚去世不久，众谭迷还很渴望谭戏，而谭小培顺势扛起谭字大旗，以飨谭派戏迷，因此在当时的老生行，他还是很有号召力的。他被杨小楼选入永胜社，并无太多异议。

尚小云是继梅兰芳之后的著名青衣，这是毋庸置疑的。这个时候，虽然他还很年轻，甚至还被归于“童伶”行列，但他已经成名走红，又三次赴沪演出，均有不俗成绩的经历。另外，杨小楼演出的《长坂坡》里，有个糜夫人的角色。能够胜任这个角色的，除了梅兰芳，就是尚小云。梅兰芳此时已是头牌名角儿，除非是义务戏、堂会戏，一般营业戏，他是不会为别人“挎刀”的。尚小云则不同，此时他有一定的名声，但毕竟还没有到不为别人“挎刀”的地步。更重要的是，还有一出戏，让杨小楼不能没有尚小云，那就是《楚汉争》。这是他俩共同的代表作。《楚汉争》是新戏，还从来没有在上海公演过。显然，杨小楼选定尚小云，很大程度上是为了演出《楚汉争》。

因此，对于谭小培、尚小云入选永胜社，众人心服口服。唯有“一白”中的白牡丹荀慧生，很多人都不服气，既不理解也很不满。在他们看来，荀慧生只是一个唱梆子的，即使改唱了京剧，但也还是“由梆子转行的”、非正宗的、血统纯正的京剧花旦。退一步说，即使他完全抛弃了梆子，真心实意专工京剧花旦，那又怎么样？京城正宗的京剧花旦，抑或是出名的京剧花旦，数数有不少，无论如何也排不到他白牡丹啊。不但如此，他甚至连“后起之秀”都谈不上。可是，为什么杨小楼会看重并且选中他了呢？

那段时间，杨小楼被骚扰得烦不胜烦。大家纷纷向他进言。有的说：一个唱梆子的，怎么能和杨老板您相偕而行、同去上海，他哪有这个资格？您这样做，岂不是自降身价，掉份儿？有的说：上海人多精明，眼光多高，他们能认白牡丹？倘若他给唱砸了，这黑锅可得杨老板您来背啊，这不把您毁了吗？等等。对这一切，杨小楼笑而不言，样子看上去，既满不在乎，又成竹在胸。

那么，杨小楼到底是怎么想的呢？他对女婿刘砚芳说的一段话，可以作为他对所有质疑的回答："我知道这次去上海演出必须带有分量、有声望的旦角去，尽管有人说白牡丹根本不够份儿，可我看慧生很有前途，他学过梆子，基础扎实、武功底子厚，扮相也好，嗓子差不到哪儿去。最要紧的，是他的戏不刻模子，他懂戏情戏理，他也改戏，可他不胡乱来，给他机会，他将来会不亚于梅兰芳。"

他的这段话，对于深陷嘲弄、歧视漩涡中的荀慧生来说，是甘露，是清泉，是极高的评价，是莫大的鼓励。虽然之前，他与荀慧生同过台，但从未合作过一出戏，顶多算是点头之交。他能够如此中肯、客观地做出这样的评价，显然，他对荀慧生的戏，是观看过、是研究过的，是欣赏的。他不但欣赏，而且愿意提携，一旦有了机会，他就将提携之意愿化为实践。同时，他对自己的眼光也是自信的，因此才能够做到置一片闲言碎语、不解质疑于不顾，而我行我素。

外界的质疑，杨小楼可以他在梨园界的声望地位而不理不睬，但他却不能不管不顾上海天蟾舞台许少卿派来的代表的反对。按照他与许少卿事先的约定，他选定的角儿，还得征得天蟾的认可。起初，天蟾的代表也不能接受永胜社名单中的白牡丹，甚至直言不讳："这个唱花旦的，不行，得换。"

为了说服这个代表，杨小楼请他看荀慧生的戏。戏后，杨小楼又请吃饭。事先，他对荀慧生说："跟我一块儿吃饭去，去和天蟾的人见见面，让他认识认识你。"看戏、吃饭，实际上是杨小楼在用手段宣传荀慧生。最终，这位代表虽然有些勉强，但出于对杨小楼的信任，也就认可了荀慧生，答应让他随杨小楼同往上海。于是，"三小一白”，以及迟月亭、范宝亭、李连仲、吴彩霞、刘砚芳、傅小山、鲍吉祥等共同组成了永胜社。

同业的不友好，甚至是出言不逊，让一直身处歧视环境下的荀慧生更加沮丧。不过，杨小楼对他的赏识，特别是不顾质疑的那份坚持，使他备感温暖，也稍稍消解了他的沮丧。这是他对杨小楼的感激之一。这个时候，他在北京的处境十分艰难，强大的传统力量使他很难容于同业，也使他的大半精神消耗在不利舆论之中。杨小楼及时伸手，将他带离是非漩涡中心，让他暂避锋芒。这种知遇之恩，更让他感激不尽。之后，当千载难逢的机会来临，荀慧生自然激动又兴奋；杨小楼的器重，又让他产生凝重的责任感和使命感；杨小楼力排众议，为他争取来的机会，也让他因为倍加珍惜而产生紧张和惶恐。

带着这样一份沉甸甸的心，1919 年 9 月初，荀慧生随“三小”下了江南。

走红上海滩

相比历史厚重的北京，上海是个新兴的城市。因为如此，它比北京更少受传统的影响和束缚。它在被殖民统治的同时，也不可避免地受到西方文化的浸染。所以，上海的戏曲舞台，无论在内容上，还是在形式上，都更先进、更文明，一定程度上影响着京剧的艺术面貌和艺术性质。这样的社会和戏曲环境，使得上海的观众眼界更加开阔，思想更新，更容易接受新鲜的剧和人。他们少有论资排辈、等级尊卑的旧观念，他们只看他们认为是美的、新的、好看的戏，只喜欢他们认为值得喜欢的演员，而不论这个演员的出身、经历、资历等等。

另外一个方面，京剧是在北京发展起来的戏曲剧种，它对于上海来说，是个新兴的艺术门类，在上海从事京剧演艺的人，相对较少。舞台上大多数演主角的演员，多是戏院老板从京津一带邀聘而来，上海本地的京剧演员多半只能演二路角色。也就是说，京角儿到上海演出，往往很容易挂头牌、挑大梁，容易引起关注。而在群雄聚集、名角儿荟萃的北京，年轻演员若想挂头牌、挑大梁，是难以想象的。

梅兰芳说过这样一段话，可以用以佐证："在当时，北京老角儿好的这样多，刚出科的学生，就算艺术学得地道，在科班里演唱，也是很好，等搭到大班里面，不定让他配一个什么零碎角，那真惨了。"[①]这也就是未出名的北京演员一心向往到上海演出的又一个原因。

早年的北京京剧舞台，一直由生行演员把持着，旦角作为陪衬，始终被生行的光辉遮挡着，名声终不及生行演员。有人将此怪罪于慈禧，说就是因为她是女人，偏好老生戏，才使得老生演员大为受宠，也才使得观众追看老生戏。在那样一个封建社会中，"老佛爷"的好恶，肯定会左右普通受众的心理。产生这样的结果，不足为奇。

慈禧死后，特别是民国后，旦角的地位逐渐上升，从与生行并行，转而超越生行。对于上海的观众来说，他们似乎比北京观众更偏爱看旦角戏。沪上报纸常现诸如"沪上花旦一门，最能卖座"、"沪上尤重视旦角"、"盖以其于金鼓声外，别寓优柔之味，英雄气中，兼写儿女之情"之类的句子。虽然上海也有自己的名旦，比如，冯子和、毛韵珂等，但他们对从北京来的旦角，仍然抱有极大的好奇和热情。

这一切，既是梅兰芳、尚小云、程砚秋走红沪上，也是荀慧生在沪一炮而红的社会因素。就荀慧生而言，他在上海的演出成功，不仅涉及到他的戏、他的表演风格还涉及到几个人。也就是说，他成功的原因，是多方面的。

"三小一白"正式在上海天蟾舞台登台，是在9月9日，一直到次年1月4日的告别演出，粗粗算来，他们演了将近四个月。一般来说，京角儿到上海，以三十天为一个演出周期，另外义务演三天，算是对戏院和配戏演员的酬谢。也就是说，一期最多三十三天。将近四个月的时间，除去其中的休息日，也有一百多天，相当于他们一连演了三个周期还多。从演出时间上看得出来，他们当时的演出，是极受观众欢迎的。

荀慧生的演出剧目，接近40出。对于初次在上海登台的他来说，这个数字是惊人的，使人不由联想到他随师学艺时，在初次登台后，曾经在一个月的时间里，频繁演出，而且戏码不翻头的经历。那时的戏码不翻头（即不重复），现时的戏目众多，都说明他有足够应付长时间演出的戏的积累。

在他演出的戏目中，老戏有：《贵妃醉酒》、《游龙戏凤》、《棒打情郎》、《马上缘》、《浣花溪》、《樊江关》、《双挂印》、《降龙木》、《穆天王》、《会稽城》、《探亲相骂》、《破洪州》、《大登殿》、《反长安》、《双金莲》、《妓女擒寇》、《鸿鸾禧》、《得意缘》、《牡丹亭》、《春香闹学》、《天门阵》、《嫦娥奔月》、《千斤一笑》、《无情郎》等；初次公演的戏有：《宝蟾送酒》、《荀灌娘》。

除此之外，还有与尚小云合作的《花田错》、《虹霓关》、《瓦岗寨》；与谭小培合作的《青石山》；与杨小楼合作的《割发代首》、《穆柯寨》、《回荆州》、《安天会》；与众角儿合作的群戏《红鬃烈马》；与上海的京剧名角儿合作的《薛家将》、《白牡丹》、《双翠屏》、《杨乃武》等；与杨小楼、吴彩霞和上海演员王鸿寿、林树森新排的《奇侠阁》。

关于荀慧生此次在沪演出戏目及总数，尚有另外一种说法。即，演出总数为60多出；戏目还有《上元夫人》、《思凡》、《玉堂春》、《汾河湾》、《小放牛》等。②其他戏目不论，就《小放牛》而言，荀慧生

①梅兰芳：《梅兰芳舞台生活四十年》，河北教育出版社，2001年5月版，第67页。

②这种说法，见和宝堂整理：《戏苑宗师荀慧生》，辽宁美术出版社1999年12月版，第50页。还可见谭志湘：《荀慧生传》，河北教育出版社1996年12月版，第115页。张伟君在《荀慧生传略》一文中，明确说是68出，有夸张之嫌。

⊙ 荀慧生在上海的演出海报。

在上海演出这出戏的可能性极小。它是一出梆子戏，改演京剧的荀慧生怎么可能在唱大量京剧的同时，夹杂着唱一出梆子戏？

或许有人对此表示异议，认为一个唱过梆子的演员，虽然唱京剧，但并不妨碍他也唱梆子。对于一般人而言，的确有这样的可能。但是，对于荀慧生来说，可能性小得多。他的梆子出身，已经让他深受歧视而难以容于北京同业。可以推测，他此时的心理，应当是急于让自己归入京剧正行，尽快让观众接受他京剧演员的身份。在这种情况下，他还能唱梆子吗？

这众多戏目中，有几出戏，特别是其中的两出新戏，对荀慧生来说，很重要。

一、《花田错》和尚小云

在众人质疑荀慧生入选永胜社的鼓噪声中，支持荀慧生的人凤毛麟角，而尚小云是其中最积极的。同为“正乐三杰”，此时的尚小云比荀慧生出名得多，但他并不因此自鸣得意，对荀慧生也从来没有丝毫的轻视。相反，他四处拍胸脯，说荀慧生早在“正乐三杰”时期，就是“三杰”中的佼佼者，又说他的艺术如何如何的好，甚至说正因为他的梆子出身，才更有丰富京剧表演的可能。总之，他为宣传荀慧生，不遗余力。

当荀慧生最终被确定作为永胜社成员同去上海后，尚小云雀跃不已。他

知道荀慧生此时的心情紧张胜于兴奋，便半正经半开玩笑地对荀慧生说：“别怕，凡事包在我这个大哥身上，你就放胆唱。”他明明是“弟弟”，却一口一个“大哥”。当然，荀慧生还是很感激这位“大哥”的。

因为是头一次到上海，又不太了解上海观众的欣赏口味，更不知道他们能不能接受自己的表演风格，心中没底，荀慧生的紧张心情是可以想象的。他整天提心吊胆，根本无暇顾及观光，领略大都市的繁华。他平息自己心情的做法，就是忘我地练功调嗓。之前，北京白社的朋友三番几次给他去信，鼓励他，给他打气，教他如何扬长避短，也帮他分析上海的京剧状况；杨小楼也时不时地以轻松的口吻对他说：“放开了唱，我信得过你。”

终于到了出台的日子。9月9日到11日的三天打泡戏，杨小楼的戏是《长坂坡》、《盗御马》、《连环套》，尚小云的戏是《汾河湾》、《苏三起解》、《玉堂春》，荀慧生的戏是《花田错》、《贵妃醉酒》、《游龙戏凤》。

他之所以选择以《花田错》打泡，就是因为他对这出戏太熟了。况且他学这出戏，师从的都是名师。梆子《花田错》，是由“老十三旦”侯俊山亲授；京剧《花田错》，则由路三宝、田桂凤亲授。所以，他唱这出戏，最不容易出错。正因为这出戏是由梆子改编而来，正好适合求新求变的上海观众的口味。从技术上来说，这出戏也最能展现他眼神灵动、身段多姿、表情丰富的表演风格。

口口声声“凡事包在我这个大哥身上”的尚小云，为提携荀慧生，在《花田错》中配演小姐刘玉燕。荀慧生自然演主角丫环春兰。刘小姐这个角色的戏份本来是很少的，一般都是由二路青衣扮演。尚小云主动请缨，由头牌青衣的身份扮演这个角色，就是为了兑现他“包在我身上”的诺言。

荀慧生这样回忆那天的演出：“尚小云为捧我，第二场一上场就加了八句慢板，演得非常认真。”尚小云加的八句慢板，通过叙事抒情，交代了故事的来龙去脉，又抒发了人物内心情感。他唱得不只是认真，更是细腻，所以博了个满堂彩。这为之后“丫环”荀慧生出场渲染了气氛，做足了铺垫，总之，开了个好头。

相比尚小云，荀慧生认为自己“还不大会用内心感情”，所以他将外形动作幅度稍稍加大一些，使戏看上去比较活泼，也让“丫环”给人一种可爱的印象。他一出场，就按照田桂凤教的那样：“用全神贯注的目光往观众席上一扫，拢住观众的眼睛，再用少女天真的神态念白，念到最后一个字时，俏皮地往观众席上一看。”这样的眼神，顿时引来喝彩。接着，他充分发挥他的跷功基本功，又将念白、手势、表情、跷步有机结合，充分调动了观众的情绪。

有尚小云“刘玉燕小姐”的端庄秀丽，更显出荀慧生“丫环春兰”的机灵聪明和顽皮。有“绿叶”尚小云的衬托，荀慧生实实在在成了“红花”，开放得绚烂。尚小云之外，为荀慧生配演的还有上海的名小生李桂芳（电影明星李丽华的父亲）。虽然是第一次合作，但彼此配合得也很默契。可以说，第一天的打泡戏，不仅顺利，而且极为出彩，真正的“一炮而红”。

《花田错》因此成为荀慧生在上海唱得最多的戏目之一，大约唱了十来次。除了与尚小云合作，荀慧生也与上海的名旦赵君玉合作过这出戏。

二、《宝蟾送酒》和欧阳予倩

梅兰芳排演新戏，可以分为两个阶段。第一个阶段是从1913年到1921年，第二个阶段是从1923年到1928年。他在这两个阶段中，分别排演了三部故事均来源于《红楼梦》的“红楼戏”。他在《舞台生活四十年》第二集中，在谈及红楼戏时这样说：“我一共只排了三出——《黛玉葬花》、《千斤一笑》、《俊袭人》。还有一出是根据六十三回‘寿怡红群芳开夜宴’，编好了始终没有上演。”他所说的三部戏，前两部编排于第一阶段，后一部编排于第二阶段。

在他编排《黛玉葬花》时，有一次，无意中听说，在上海也有一位排红楼戏的，而且也在排《黛玉葬花》。打听后，他知道那人是欧阳予倩。欧阳予倩原先是演话剧的，后来转演京剧，非科班出身，而是靠自学，最终成为南派青衣兼花旦的一流京剧演员，一度与梅兰芳齐名，有“南欧北梅”之誉。

当时，一南一北，两大名旦，对排红楼戏，十分有趣，旁人看了，还以为他们在比赛呢。不过，与梅兰芳只排演了三部红楼戏不同，欧阳予倩则排演了九出之多，除了《黛玉葬花》，还有《晴雯补裘》、《鸳鸯剪发》、《馒头庵》、《黛玉焚稿》、《摔玉请罪》、《鸳鸯剑》、《王熙凤大闹宁国府》、《宝蟾送酒》。

在这九出红楼戏中，有三出对荀慧生的影响很大，一出是《鸳鸯剑》，讲的是尤三姐的故事；一出是《王熙凤大闹宁国府》，讲的是尤二姐的故事。荀慧生后来将尤三姐、尤二姐的故事融合在一起，编演了《红楼二尤》。当然，他的“二尤”，与欧阳予倩的“二尤”，剧本内容各有不同。另外一出，就是《宝蟾送酒》。它成为荀慧生在上海演出的第一出新戏。

荀慧生是继梅兰芳、尚小云之后到上海演出的（程砚秋直到1922年才首赴上海）。梅、尚初到上海时，还没有排演新戏，所以他俩在沪演出剧目，均为老戏，无一新戏。荀慧生此番在上海演出，除了老戏之外，也有新戏，这是他与他俩的不同所在，也是一个进步。

欧阳予倩早年经常演出的红楼戏，有《馒头庵》和《宝蟾送酒》。《馒头庵》初演于1916年；《宝蟾送酒》初演于1917年，在上海笑舞台。当时，欧阳予倩饰演宝蟾，周信芳饰演薛蝌。由于他长期在上海、武汉等南方城市演出，因此，这两出戏在南方流传很广，北方则很少有人注意。

⊙ 在《宝蟾送酒》中，荀慧生反串小生饰薛蝌。

对于欧阳予倩来说，《宝蟾送酒》是旧戏；对于荀慧生来说，《宝蟾送酒》则是新戏。特别是，在他于上海初识欧阳予倩后，欧阳予倩只将这出戏的剧本给了他，让他演，但如何演，却没有更多的交代。因此，这出戏，“从化装到唱腔，从表演到技巧的设计，都是我自己琢磨的”。荀慧生这样说。

荀慧生的第一出新戏，应该是《花田错》。但是，那出戏主要是由田桂凤、路三宝帮助他改编创排的，虽然他也参与了创作，毕竟不是独创。《宝蟾送酒》这出戏，除了剧本内容外，在表演方式等其他方面，则由他独创。从某种程度上说，他真正意义的创排新戏，起始于《宝蟾送酒》。

那么，他又是如何能做得到呢？按照他自己的话说，“是逼出来的”。“逼”他的，是他曾经的师傅庞启发。在他学徒的时候，庞启发什么都让他看，让他学，让他干。久而久之，他养成了这样的习惯：一出戏，不仅要熟练掌握自己饰演的角色，其他角色的戏，也都得装在肚子里，甚至连龙套该怎么站，都得了解，都得熟悉。他永远记着师傅常常对他说的一句话，“只有把全戏每个角色的戏都学会了，连场面上的活都学会了，那才叫会一出戏。”有了这样的基础，独立设计化装、唱腔、表演、技巧等等，也就不是难事。难怪他常常真心感激师傅的教导和培养呢。

10 月 11 日，荀慧生在天蟾舞台公演了他的新戏《宝蟾送酒》。他饰演宝蟾，花旦应工。上海观众是熟悉这出戏的，但他们熟悉的是内容，是欧阳予倩的表演方式。荀慧生极具个人风格的表演，让他们眼前一亮。就连欧阳予倩也说，荀慧生演得比他好，不仅完美地展现了故事内容，也恰如其分地表达了他想表达的思想。简单的一句话，就是“让他唱出来了”。这出戏成为荀慧生在上海演出时最受欢迎的一出戏，多次被上海各戏院要求“特烦重贴”，演的次数很多，甚至超过了《花田错》，大约有十二三次之多。

之后，他逗留上海长达四年，仍然反复演出这出戏。粗略统计，从他初演此戏，到他于1924年年底离沪返京，共演了86场，其中李桂芳为他配演薛蝌一角，演了34场；他的花旦老师陈桐云配演薛蝌，演了50场；另外两场，他大胆反串薛蝌，由上海演员林树森反串花旦宝蟾，让人耳目一新。

尽管如此，在荀派名剧中，并没有《宝蟾送酒》这出戏。至于原因，恐怕与该戏有一些露骨的色情表演不无关系。这出戏来源于《红楼梦》后四十回中第九十、九十一回“夏金桂遣宝蟾送酒诱薛蝌事”。一个“酒”，一个“诱”，意味着它很容易与“色情”沾边。所以一直以来，它被称为“粉戏”。

也许正因为如此，在欧阳予倩的红楼戏中，它和《馒头庵》流行范围最广、流行时间最长，而《宝蟾送酒》又更广、更长于《馒头庵》。20世纪20年代以后，《馒头庵》逐渐绝迹。之后，限于部分内容的不太健康，《宝蟾送酒》也淡出舞台。事实上，自沪返京后的荀慧生，在北京，也不再演出这出戏。

《宝蟾送酒》给荀慧生的影响，不仅仅在于为他成功登陆上海、捕获上海观众的心增添了砝码，使他迅速扩大了知名度，提高了声名，更在于为他日后创排红楼戏奠定了基础。

关于京剧红楼戏，著名学者吴小如将其分为两类，一类是“不知其渊源所自”。比如，有《风月宝鉴》、《归省大观园》、《太虚幻境》、《栊翠庵》、《藕官化纸》、《醉眠芍药裀》、《宝玉出家》等。说不知它们的渊源，是因为它们只是出现在学者的学术论著中，却因无人看过剧本、看过演出而被怀疑是否真的以京剧形式出现过；另一类是“有案可查的”。在这部分中，最著名的演红楼戏的演员，或者说，演红楼戏卓有成效的，是欧阳予倩、梅兰芳、荀慧生。

荀慧生说：“《宝蟾送酒》是我一生中排演的众多的红楼戏中的第一出。”的确如此，之后，他创排的红楼戏，还有《贾元春省亲》、《平儿》、《红楼二尤》、《香菱》、《晴雯》。其中的《红楼二尤》、《晴雯》是荀派剧目的重要组成部分。

三、《荀灌娘》和王瑶卿

后人在总结荀派剧目时，人为地将其划分为六个“六大”。《荀灌娘》则被列为“六大武剧”之一。关于这出戏的创作时间，荀慧生曾说：“为我1927年的创作，系根据历史故事编写而成。”[①]他所说的“创作”，指的应该是“重新改编创作”，而且是在剧作家陈墨香的帮助下，由陈墨香执笔。实际上，他第一次演出这出戏，是在1919年，就在首赴上海演出期间。这个时候，他演出的《荀灌娘》本子，原称《奇女传》，来源于王瑶卿。

过去梨园界有一种说法：“宁舍十亩地，不让一出戏。”所以，才有“秘本”之说。所谓“秘本”，也就是一个演员独有的本子，绝不外传。在新戏流行后，又有了“单头”之说。何为“单头”？新戏剧本完成后，为防泄密，配角演员只能拿到自己饰演角色的那部分剧本台词，这就是“单头”。背熟后，和主要演员一起对对词，就成了一部“戏”。这样的结果是，即使有人有心想“偷”戏，光靠偷单头，完全没有用。除了属于主角的剧本内容无法获知外，剧本之外还有细致的唱腔、身段等，就更无从得悉了。

王瑶卿这个人，思想非常开明，从来没有藏戏之心，即使他有“秘本”，一旦遇到他认为可以提携的年轻演员，总是慷慨相赠。他又是个十分乐意提携后辈的人，什么人向他请教，他都慷慨授教，

①荀慧生：《荀慧生演出剧本选》，上海文艺出版社1982年2月版，第247页。

⊙ 荀慧生与王瑶卿老师于20世纪50年代初的合影。

毫无保留。所以，那个时候，凡是唱旦角的，几乎都向他求教过，都可以称得上是他的学生。这也是四大名旦都曾拜他为师的缘故。早年，他教会了梅兰芳唱二本《虹霓关》，自己就不唱了。这就意味着，他将这出戏，完全让给了梅兰芳。

荀慧生离京赴沪前，前往宣外大马神庙28号的王宅，向王瑶卿辞行。王瑶卿知道他即将随杨小楼到上海演出，他也知道荀慧生当时被歧视被排挤的艰难处境，便关心地问："你要去上海闯码头，有什么困难没有，需不需要我帮忙？"荀慧生很难开口。的确，他是来辞行的，但也有让王瑶卿帮忙的想法。这个时候，最好的帮忙，就是能够提供新鲜奇特的、能够镇得住上海观众的、足以让他在上海立足的新戏。可是，这样的要求，他自知未免太异想天开了。他腼腆着，开不了口。王瑶卿倒也爽快，直接挑明了说：

"你第一次闯上海，上海观众眼界都高。你若没有一出叫得响的新戏，怕是不行。我给你个本子，我看，挺适合你演的。"

说着，他就从书柜里取出一个本子，递给荀慧生。荀慧生双手接过，一边连声感激着，一边用眼角扫了一眼本子的戏名：《奇女传》，即《荀灌娘》。王瑶卿不但交出戏本，而且还将他的表演心得，以及新的表演设想，一一说给荀慧生听。以急快的速度读罢戏本，荀慧生直叹："王大爷真是想到我心里去了。"他认为，这出戏"既对我的戏路子，又对我当时的心气"。这是为什么呢？

这出戏的故事大意是：晋时，襄阳太守荀崧之女荀灌娘，自幼聪颖，深通谋略，娴熟弓马。杜曾以十万重兵进犯襄阳，荀崧兵微将寡，不堪御敌。时荀灌娘年仅13岁，却自告奋勇突围搬兵，并以诱敌计，引住杜曾人马，乘夜突围前往宛城搬兵。宛城石览出兵不敌，荀灌娘又改男装至荆州求救，终于取得外援，大败杜曾，终解襄阳之困。荆州都督周访之子周抚，与荀灌娘并肩破敌。当时，荀灌娘女扮男装，周抚不知其女儿身，欲与其结为金兰，被婉拒。荀

⊙ "突围求援"荀慧生饰荀灌娘。

灌娘对周抚实已心生爱意。襄阳解围后，周抚方知荀灌娘是个女子，两人结为夫妇。

剧中的荀灌娘机智、英武，深谙武艺，自然很对荀慧生擅武功的戏路子。荀灌娘女扮男装，不忧不惧，艰难环境下不退缩、面对失败不妥协的坚持不懈精神，也很对荀慧生当时的心气。他是在一个特殊背景下从北京到上海，他的心里始终憋着一股气、一股劲更有不屈不挠、顽强抗争的意识和精神。有这样的心理，他将荀灌娘演得惟妙惟肖；反过来，荀灌娘的经历和性格对他也有影响，使他在感受到人物情感的同时，对未来的现实生活，更增添了一份信心。

从艺术上来说，这出戏有两个方面对荀慧生是挑战，一是女扮男装，这是他的第一次；一是反串娃娃生[①]，这也是他的第一次。因为荀灌娘只有 13 岁，女扮男装后，只能是娃娃生。王瑶卿在演出这出戏时，根据自己的擅长，多偏重于念白。荀慧生没有照搬，而是重新进行了加工整理，特别增加了娃娃调的唱腔。于是，他在这出戏里，既有花旦应工，也有刀马旦应工，还有娃娃生应工；既文且武，既唱且做，十分丰富。

荀慧生在上海首演这出戏，杨小楼帮了不少忙。为了这出戏，杨小楼特地请上海的服装设计师根据剧情需要，定做了荀灌娘穿的

①娃娃生：生行的一种，专门扮演儿童。一般地，都由童伶扮演，头戴孩子发，身穿茶衣，运用本嗓演唱。

黑色镶金泡的改良软靠，非常漂亮，凸现人物的英姿。更重要的是，有一个方面，荀慧生受杨小楼的影响很深，那就是武戏文唱的表演模式。为此，他十分注重刻画人物之间的相互关系和人物的感情变化。

所谓武戏文唱，就是以文戏的舞台节奏表演武戏。反之，则是文戏武唱，即以武戏的舞台节奏表演文戏。无论是武戏文唱，还是文戏武唱，追求的其实就是一个“中”字。太武了，用文来中和；太文了，用武来平衡。如此，既能尽可能地发挥演员所长，又能协调舞台审美。

10月13日，也就是在首演《宝蟾送酒》之后两天，荀慧生再接再厉，推出了新戏《荀灌娘》。除了由他饰演荀灌娘外，上海的演员洒金红为他配演荀父荀崧，何金寿配演丑角荀常，刘松亭配演杜曾。演出相当成功。接连两出新戏的演出之后，上海观众对这个北京来的白牡丹，印象已很深刻。

从此，《荀灌娘》成为荀慧生常演不衰的一出戏。1927年，他在陈墨香的帮助下，重新进行了改编。1959年，他又一次加工整理，并将此戏作为建国十周年的献礼戏。可见这出戏对于他，有何等重要的意义，而他对这出戏，又何等地看重。

四、《白牡丹》、《杨乃武》、《奇侠阁》和“三麻子”

《宝蟾送酒》和《荀灌娘》的相继成功，不仅增加了荀慧生在上海演出的自信心，也使他摸清了上海观众的欣赏口味，他们似乎更偏爱新、奇、特的戏。于是，在接下来不到一个月的时间里，他又排新戏。这次为他编戏的，是上海有“红生泰斗”之称、艺名“三麻子”的红生演员王鸿寿。画家徐悲鸿曾经说他最爱看三麻子的《单刀会》，因为演得太好，唱得太好。

三麻子此次为荀慧生编写的新戏，改编自老戏《吕纯阳三戏白牡丹》。不知道是有意为之，还是无意为之，戏名中恰好有一个“白牡丹”。正式公演时，他们干脆将此戏定名为《白牡丹》。11月8日，白牡丹演出新戏《白牡丹》。这样的噱头，果然有奇效，一下子就抓住了观众的心。他们认为，这是“名义巧合的好戏”。除了戏名之外，在这出戏里，还增加了一些灯光和特别活动布景，极具神话色彩，十分符合“新奇特”的要求。

最初，为荀慧生在《白牡丹》中配演吕纯阳的演员，是天蟾舞台的基本演员老生林树森，三麻子、李桂芳等也都参与演出。后来，荀慧生在上海逗留期间，与盖叫天也合作过这出戏。

又一个月过去了，12月10日、11日，连续两天，荀慧生再次演出新戏：头、二本《杨乃武》。这出戏也是由三麻子编写，他是根据他的演出本进行了重新整理，说的是杨乃武的姐姐代弟告状和官场内部斗争的故事。荀慧生在戏里，饰演的并不是小白菜，而是杨乃武的姐姐杨菊贞。

然后，在《杨乃武》首演后的第三天，新戏《奇侠阁》公演。这出戏，被上海观众称为“新排警世侠义文武连台新戏”，由荀慧生和杨小楼主演。首演时的演出阵容，还有三麻子、林树森、吴彩霞等。

荀慧生首赴上海演出，是极其成功的，这从三个方面可以看出来：

一、他的戏码排列越来越靠后。初演时，他唱的是开锣戏，戏码排在最前面。随着他的声名渐渐扩大，他的戏码排到了倒第三出。然后，他唱了压轴。最后，他和杨小楼合作唱大轴。

二、天蟾舞台代表在北京接洽赴沪演出时，谈定了支付给每一个演员的包银数目，荀慧生的是700大洋。到演出快要结束时，他的包银上涨到了1400元，整整翻了一倍。

三、上海观众迷“白”程度，到了如痴如狂的地步，非白不看，非白不听，大有超越杨小楼之势。

论其成功原因，首先在于他艳如桃李的扮相和生动活泼的表演。说到他的扮相，上海观众这样描绘：既秀丽又妩媚，使人莫辨雌雄。这样的扮相，很明显，具有强大的诱惑力。其次，他本身艺术相当全面。他本工花旦，也能唱青衣，更拿手刀马旦，独擅跷工，精通武艺。比如，他"走的乌龙柱让人眼花缭乱，身子能竖起来，真似盘龙绕柱子"，这是许多旦角演员不能比的。所以，他在上海的演出剧目，不限于花旦戏，涉猎广泛。

不过，最初，他在准备演出传统青衣戏之前，还被人怀疑过这方面的能力。有一天，戏院贴出海报，说白牡丹即将演出青衣老戏《御碑亭》。演出之前，白天，画家吴昌硕宴请，地点在袁世凯公子、著名票友袁寒云的寓所，在座的除了吴昌硕、荀慧生、袁寒云外，还有陈飞公、余大雄翁婿，以及步林屋（别号林屋山人）等。席间，大家谈论起当晚白牡丹将要演出的《御碑亭》时，袁寒云表现出相当的担心。他认为，这是出老戏，也是青衣经典戏，唱做繁重，又特别注重唱工。"白牡丹演这出戏，好像不大对工啊。太冒险了！"他这么说。

大家七嘴八舌，有的赞同，有的反对。在他们的印象里，白牡丹就是一个花旦演员，适合生动活泼又俏丽可爱的花旦角色，而难以想象他端着架子、捧着肚子、神情凝重地咿咿呀呀一唱半天。荀慧生虽然也知道他们并非轻视他、看不起他，而只是对他真正的艺术还不了解，但是，他还是有些发急，急不可耐地冲着袁寒云和他的支持者们立下誓言：

"你们等着看好了，我不但能唱下这出《御碑亭》，而且还能唱好、唱红。"

袁寒云还是不太相信，反问他："你能保证成功？"

荀慧生继续他的誓言："如若不成功，我愿设一席谢罪。"

为荀慧生的决心，众人鼓起掌来。步林屋对袁寒云说："看样子，白牡丹是铁了心要演一场好戏让你瞧一瞧了。那么，如果白牡丹真的成功了，你当如何？”

有人插嘴道：“是啊，不如你们就赌上一局，看看到底谁能赢。”

袁寒云笑道：“那好！不过，赌什么好呢？白牡丹，您说吧。”

荀慧生很自信，也就不客气地要求道：“若您输了，就送我一幅红梅图吧。”

“好啊！好啊！”大家兴奋极了。原来，袁寒云是个才子，精通诗、书、曲和绘画。但是，他有个怪癖，画的画从不轻易示人，更不轻易送人。就连和他关系特别亲近的友人，若想求得他的一幅画，也很难。所以，荀慧生故意这么说。袁寒云对自己的眼光，就像荀慧生对自己的艺术一样，也相当自信，他当即应允：“好，就照您说的，我愿意奉陪，赌上一幅红梅图！”

当晚，袁寒云等人早早地进了戏院。别人看戏为娱乐，袁寒云看戏为打赌。所以，他的心情很复杂，一方面希望白牡丹真能唱出来，毕竟他一直很看好他；一方面又担心自己会输，却也不是吝啬红梅图。终于，《御碑亭》开演了。舞台上的白牡丹，几乎让熟悉他的观众认不出来。他一改平日的或活泼、或俏皮、或妩媚的花旦举止，他饰演的孟月华娴静优雅、沉稳端庄，活脱脱一个真正的青衣。袁寒云赞叹不已，直叹：“服了，服了。”也就是说，他的赌，打输了。之后，他信守诺言，真的为荀慧生画了一幅红梅图。

认为荀慧生适合花旦，嗓子欠缺而不宜唱青衣的人，不只是袁寒云，还大有人在，甚至在他于上海唱了好几年之后，仍然有人对此抱有偏见。比如，1925年，刚刚成立的上海高亭唱片公司决定为荀慧生录制唱片，在选择录制剧目时，公司老板徐小麟和荀慧生发生了争执。当时，徐小麟让荀慧生自己挑选两出剧目，荀慧生毫不犹豫地说：“我要灌《玉堂春》。”

其实，早在三年前，上海百代唱片公司就已经为他灌录过这出

⊙《玉堂春》荀慧生饰苏三。

戏的唱片，此时，他之所以要求再录《玉堂春》，是因为在前一年，他在陈墨香的帮助下，已经对这出戏进行了比较大的修改，只是还没有正式搬上舞台。

对此，徐小麟表示反对。他反对，是因为他为此征询了军师的意见，而他的军师，正是“梅花馆主”郑子褒。郑子褒认为，《玉堂春》是正工青衣戏，唱工特别繁重，荀慧生唱这出戏，不大合适。另外，从商业的角度，人们习惯听荀慧生的花旦戏，对他唱青衣唱工戏，可能也不大能接受，因此，恐怕唱片销路会受影响。于是，郑子褒出面，向荀慧生作了一番解释，劝他另选他戏。

荀慧生很固执，仍然坚持他的意见。他对郑子褒说：“徐老板、郑老板你们都让我另选他戏，就是说我白牡丹不配唱《玉堂春》，是不是？我就是要灌一张给你们看看。如果徐老板坚持不答应，那么就算了，不灌了。”

徐小麟、郑子褒都没有想到，外表看上去很温和很好说话的白牡丹，居然这么有主见，态度这样坚决。想一想，总不能真的像荀慧生所说的，干脆不灌了。在这样的情况下，唯有他们妥协了。10月，高亭公司灌录的荀慧生三张半新唱片问世。这三张半唱片，分别是荀慧生与金仲仁、马富禄合作的《审头刺汤》和《穆天王》、荀慧生的《玉堂春》，还有只录了一面的荀慧生的《鸿鸾禧》。

令徐小麟、郑子褒颇感意

外的是，其中最受欢迎的，恰恰是《玉堂春》。听众反映，这虽然是出老戏，但白牡丹的“唱腔委婉动听，颇有异于常人处”。因此，唱片大卖，以至于成为高亭公司出品的唱片中销量最多的一张。徐小麟笑得合不拢嘴，心甘情愿地自贬“太不识货了”。

荀派研究者在经过考证后，认为：荀慧生一生灌录过43张唱片。数了一下，他的43张唱片，其中有5张，录的都是《玉堂春》，它因此成为灌录最多的唱片。除了“百代”、“高亭”两家公司灌录过以外，“蓓开”于1929年、“大中华”于1930年、“长城”于1932年，都曾灌录了《玉堂春》。可以看得出来，他在传统重唱工的青衣戏方面的成就，并不亚于他的花旦戏。

⊙《荀慧生老唱片全集》CD。

艺术之外，他的改革和创造思想，使他不拘传统，大胆编排演出新戏。这个原因，更加重要。在不到四个月的演出周期中，他新戏频出，又不限于内容新、表演新，也注重装扮新、舞台装置新，从而不断给观众惊喜，让观众始终有期待。荀慧生终于成功了。

花香蝶自来，包括天蟾舞台在内的上海数家戏院，纷纷找上门来，希望他能够就此留在上海。一时间，荀慧生不知该做何选择。

留在了上海

当初，由“三小一白”为主要阵容的永胜社浩浩荡荡开赴上海时，随行的，还有荀慧生的家人，包括父亲荀凤鸣、母亲及氏、哥哥荀慧荣、夫人吴春生，还有长女荀爱喜。爱喜出生于1919年，离京赴沪时，她还不满一周岁。荀慧生和元配吴春生共生育了两子两女四个孩子，爱喜长在上海，另外两个孩子，长子荀爱龢(即荀令香）、次女荀爱顺都出生在上海。令香生于1921年，爱顺生于1924年。他的次子荀令文，是他自沪返京后，于1928年出生于北平。他的四个孩子中有三个都与上海有关，由此可见他与上海的渊源。

抵达上海后，荀慧生一家人入住仁昌里。在爱喜周岁时，荀慧生已经在上海大获成功，并且应邀留在了上海，继续演出。周围的朋友极力怂恿他按照上海风俗，设汤饼筵席。荀慧生自觉不能拂逆众意，便循例款客，以贺爱女生辰。这个时候，他的生活、演艺事业都步入坦途，颇有一帆风顺之势。

那么，他缘何会同意留在上海呢？首先不排除经济因素。他在上海初次登台，全部心思都集中在演出上，因为他知道这次机会难得，必须牢牢把握，甚至是只能成功，不能失败，否则，他返回北京后的日子，将更加艰难。所以，他对金钱，不在意更不关注。为他掌管经济事宜、控制着他的经济大权的，是他的父亲。

每次，戏院管事的叫一声："分份儿了！"其他演员都是自己去领，唯独荀慧生，由他的父亲代领。京角儿在沪演出，吃的、住的、薪水都比在北京时有很大改善，这让荀父荀母十分满足，对慧生的态度也好了不少。家里难得一见的祥和宁静和温暖，使荀慧生陡然感受到金钱的重要。

合约快满时，天蟾舞台代表来谈续约，为了挽留荀慧生，允诺将包银数目由1400块大洋涨到2000块大洋。其他如亦舞台等戏院也来邀约，都许诺：包银绝不低于2000块大洋。这样的条件，对于荀慧生家人来说，极具诱惑，他们都愿意留在上海，也鼓动他抓住这样的机会。荀慧生也感到，这个机会与杨小楼选中他加入永胜社赴沪演出的机会一样，十分难得，似乎没有拒绝的理由。

除了经济因素外，荀慧生还有一个留下的理由，那就是，他无法忘却他在北京时的被歧视被排挤。当初，他离开北京时，怀揣着的，是一颗愤懑不平的心，也有一种另觅他途的决心。许多年以后，他在回忆离京赴沪的心情时，用了这样一个词："愤走沪上"。这个"愤"字，表明他对北京梨园的失望和伤悲，以及不得不离乡背井的无可奈何。北京给他的是不容，上海给他的却是尊重。很自然地，他也就没有返回北京的理由。

但是，这一切，都没有让他兴高采烈地立即应允留沪，他有另外的顾虑。这个顾虑，便是"义"。他是个重情义的人。他的心理活动是这样的："当初我来上海，人家杨老板很讲义气，给我带出来了，今天我应该报答他才对，回北京时，我没有经过他的允许，却私自与大家分道扬镳，就太不像话了。"①

在没有得到杨小楼同意的情况下，他不顾家人的反对，拒绝了各家戏院的好意。他的理由是："我是永胜社的人，一起来，一起走，我不能为了钱，抛弃杨老板对我的恩情。"也就是说，留不留下，不是钱的问题，他不能图利弃义。

荀慧生如果真的置情义不顾，就此脱离杨小楼，脱离永胜社，独自留在上海，杨小楼即便不快不满，事实上是无可奈何的，也只能感叹一句"人心不古"而已。当他风闻各大戏院欲留慧生时，就已经做好了这样的准备。他明白"翅膀硬了要飞"的道理，不过，他的心里是有些难过的。毕竟慧生是他提携起来的，说是由他捧红的，都不为过。可是，他很快了解了慧生的真实心理。他为慧生的重情重义深感安慰，自忖：果然没有看错人啊。

荀慧生越是如此，杨小楼也就越开明。他对荀慧生说："老二（荀慧生排行第二，人们习惯上称他为'老二'。早年，尚小云称他为'二哥'），你的事，我都听说了，不要顾虑太多了，能留下，干吗非要拒绝呢？" 他不给荀慧生开口的机会，又说，"你看你在上海这几个月，人缘这么好，不容易啊，机会也难得，既然这里的人都买你

①和宝堂整理：《戏苑宗师荀慧生》，辽宁美术出版社1999年12月版，第54页。

的账，都爱看你的戏，为艺术前途想，留下的好，自个儿挑个班，自个儿闯闯，保不准就能闯出个名堂来了呢。”他似乎知道荀慧生会说些什么，还是不让荀慧生开口，接着说，“不要想旁的，更不用顾我，你能唱出来，唱红了，就没有负我，我也就高兴了，算我没有看错人。”

杨小楼的诚恳，使荀慧生相信他的这番话是出自真心的。他对杨小楼的知遇之恩，唯有由衷感激。许多年以后，他曾经对夫人张伟君这样回忆说：“杨小楼，那才叫大家风范呢。我那时还太年轻，对他的襟怀气度琢磨不透，只觉得老先生人好，戏德好，只知道要把戏演好，才对得起老先生一片爱惜之情。”得到杨小楼的允许和支持，荀慧生放宽了心，终于作出留在上海的决定。

这个时候，永胜社在上海的演出也已接近尾声。1920 年 1 月 4 日，是永胜社在天蟾舞台的告别演出。江南名士樊樊山专程从杭州赶到上海，就是为了一睹传闻已久轰动一时的“三小一白”的演出。可惜的是，这个时候，谭小培已经提前结束了演出，返回了北京。

当时的上海报纸，对“三小一白”各自的艺术均有评价，认为他们当中，谭小培的实力最弱。其中有这样一篇评论，最具代表性：“天蟾舞台，最为整齐，就中以杨小楼之靠把，尚小云之幽娴，白牡丹之丽绮，最为世所器重。沪上各舞台中，固属首屈一指。然小培之艺，虽能恪守绳墨，不染外江习气，而根底稍显浅薄，戏也不甚多，叫座之力实少，故其去留，于营业上殊无何等关系。”

虽然樊樊山只看到“两小一白”，但也深为永胜社整齐的阵容和精诚的合作大加赞美。他尤其欣赏“一白”白牡丹，甚至直呼其为“天下奇才”。为表心意，他特别写了一副对联，送给荀慧生。这副对联这样写道：

用百倍功身成名立

退一步想心平气和

早年，荀慧生将他演文明戏时与新派演员王钟声等人的合影视为珍贵之物，精心收藏；如今，他将樊樊山的这副对联，小心存放。许多年来，南来北往，他的书房里，始终悬挂着这张合影和这副对联。合影，记录了他艺术人生中的一段历史；对联，记录了历史中的一段辉煌。

令他没有想到的是，这两件完全不同的东西，却有着相似的命运。“文革”抄家中，它们被抢掠而去。那副对联甚至被作为荀慧生追求“三名三高”逐利追名的罪证之一。不同的是，在“文革”结束后，那张合影不知所踪；那副对联重见天日，却永远也回不到主人的手上了。因为荀慧生早在十多年前，就已经惨别人间。

在1920年的新年即将到来时，永胜社凯旋而归。荀慧生虽然已经答应留在上海，继续演出于天蟾舞台，但他还是随杨小楼、尚小云一同返回了北京。他对天蟾管事所说的理由是：处理一些琐事，同时料理好家事。的确，他当初离京赴沪，并没有打算长住上海。如今，他安家上海，自然牵涉到方方面面，不能不事先安顿好一切。

天蟾虽然对此表示理解，却并不放心。他们担心荀慧生返回北京后，不再回来了。荀慧生再三保证，他绝对不会食言。对此，天蟾放了心，却又生出另一种担心，担心荀老板回京处理事务，既有鞍马劳顿之累，又有琐事牵绊之苦，而伤了贵体。这个时候，他们已经完全将荀慧生视为不可或缺的台柱子了。

为了这个台柱子，以精明著称的天蟾经理许少卿，向荀慧生提出，为防变故，在他返京前，双方签下合约，谁违约，谁承担责任。

荀慧生不禁苦笑，答应了。许少卿还嫌不够，又提出派一个人一路陪伴荀慧生，美其名曰："照顾荀老板的生活起居，帮忙处理杂事。"荀慧生知道，陪伴是假，监督是真。这种监督，当然是一种负担，但对于此时的荀慧生来说，却是一种甜蜜的负担。

和海派演员的合作

梅、程、尚、荀四大名旦，第一次赴沪演出，虽然都不同程度地取得了成功，却唯有荀慧生，因此被挽留在了上海，这是什么原因？这正是他与他们三人的不同所在。不同在哪里？他们三人，都本工青衣；荀慧生呢，梆子出身，专工花旦，又擅长刀马旦，也能唱青衣，可谓全才。

第一次在上海演出，他们三人，以唱传统老戏为主。特别是梅、尚二人，更是如此。程砚秋虽然唱了两出新戏，但这个"新"限于内容，未脱京派京剧风格。荀慧生在唱传统京剧的同时，也唱新戏，他的这个"新"与程砚秋的"新"有所不同，无论在内容上，还是在形式上，追求的都是一种新鲜、奇特。这恰恰符合上海观众的审美取向，迎合了他们的欣赏口味。

所谓京派京剧，对艺术范式要求很严谨，讲究一招一式、一腔一调、一板一眼，都要合乎规范，不得逾矩。程式化、规范性，是它的特点、长处。然而，正因为如此，它的缺陷也显而易见，那就是过于拘泥于传统，创新意识薄弱，创新步伐迟缓。海派京剧，与京派京剧恰好相反，虽然它在艺术上有时不免粗糙，但在思想观念上，明显优于京派，表现在勇于创新、大胆突破。在内容上，注重反映时代；在形式上，追求多样。在观众欣赏习惯上，两者也有不同，京派观众更喜欢循规蹈矩闭目凝神地"听"戏，海派观众则热衷于热热闹闹激情澎湃地"看"戏。

荀慧生学艺在天津，在北京接受京派京剧的严格训练，因此在严谨和规范方面，他的表演极具京派风格。然而，他的非正宗京剧演员的出身，一方面可能影响到京剧表演的程式化，一方面却使他比正宗京剧演员更少一些禁忌和顾虑，因此更容易接受新鲜事物，胆子相对也比较大。在上海演出时，海派表演模式很快就影响了他。特别是他积极与上海的演员，如三麻子、林树森等合作，并且请他们为他编戏，编上海观众爱看的戏。于是，他的表演在保留京派风格的同时，也渐渐有了海派风格的影子。

虽然是京派演员，却也有海派表演风格。这是他被挽留在上海的重要原因。

从1920年年初荀慧生决定留在上海之后，到1924年年底、1925年年初返回北京，他在上海，足足待了五年。在这五年中，他继续拜师学戏，还拜了昆曲名旦蒋砚香为师。他随蒋师新学了《天女散花》、《上寿》、《上元夫人》等剧，在沪公演后，大受欢迎。除此之外，他延续了京派兼海派的表演风格，或者说，受环境影响，他自觉不自觉地越来越靠向海派。

他大量编排新戏、改编旧戏、扩大折子戏，据他自己说，有144出之多。这些戏多多少少带有海派表演风格的痕迹。同时，他和大量的颇有造诣的海派演员合作演出，其中有三麻子、盖叫天、何月山、林树森、孟鸿茂、王芸芳、李桂芳、何金寿、杨瑞亭、李永利、张德俊、苗胜春、露兰春、白玉昆等。这是他在艺术上突飞猛进的重要时期，也是他日后能够“衣锦返京”的积累时期。

在四大名旦中，荀慧生是创编新戏最多的一个。如果将他创编新戏，也像梅兰芳一样，分为两个阶段的话，第一个阶段就是在上海演出期间，第二个阶段是在1926年与陈墨香合作之后。第一个阶段的新戏，按照首演时间排列，主要有《献西施》、《神仙世界》、《贾元春省亲》、《拾玉镯》、《七擒孟获》、《西湖主》、《诸葛亮招亲》、《盘丝洞》、《陶三春》、《蝴蝶梦》、《九曲桥》等。

一、《献西施》(又名《夫差采莲》、《吴王采莲》)。

这出戏是荀慧生留在上海在天蟾舞台续演的第一出新戏，也是他独自挑班后演出的第一出新戏。演出时间是在1920年3月1日。所谓“独自挑班”，意即他自组班社，并且在班社中挂头牌、挑大梁。

“伶界大王”谭鑫培的孙子、谭小培的儿子、著名老生谭富英曾经说过这样一段话：“干我们这一行的，谁不想自己挑班儿、挂头牌当老板啊！”然而，不是谁都有能力挑班儿、挂头牌的。按照谭富英所说，必须符合几个条件：“第一得台上的玩艺儿能站得住了，谈不上多么好，可也别砸锅；第二得要台下的人缘儿好，培养住了一批基本观众，不论刮风下雨，你一唱他就来听。假如挑了班儿啦，上座不好，赔钱还是小事，多丢人哪！再给人挎刀来不及啦。”[①]

荀慧生之所以接受邀请留在上海，能够独自挑班，也是其中原因。说明这个时候，他已经达到了谭富英所说的那几个条件。他自组的第一个班社，取名春生社，来源于妻子的名字吴春生。

《献西施》的演员阵容：荀慧生演西施，时慧宝演越王勾践，“八岁红”演夫差。如果说这出戏有什么特色的话，那就是荀慧生大胆运用了特别电光彩灯，使得舞台光彩绚丽，很得上海观众青睐。

二、《神仙世界》(即《宝莲灯》)。

3月2日，荀慧生公演了第二出新戏《神仙世界》。增益首尾，使一出折子戏成为情节完整的大戏，是荀慧生的专长。这出戏也是如此，从三圣母杨真仙与刘彦昌相爱，一直演到沉香劈山救母为止。前面一部分以传统戏《二堂舍子》为主，增加了三圣母打跑蟒蛇，

⊙ 《神仙世界》据《宝莲灯》的故事情节改编，荀慧生在剧中扮演三圣母。

救出刘彦昌等情节；后面一部分以《劈山救母》为主。荀慧生饰演三圣母杨真仙，海派名武生盖叫天饰演沉香。《劈山救母》是盖叫天的新编剧。这是荀慧生与盖叫天的第一次合作。

盖叫天对荀慧生的影响，在于京派、海派的融合。盖叫天幼年也是在天津学的艺，科班出身，1898年他10岁的时候，以“金豆子”的艺名登台。庚子年后，他来到上海，又辗转武汉、杭州、苏州等南方城市。辛亥年后，他一度北上北京，与京角儿合作。1914年后，扎根在上海。最初，他在上海站不住脚，原因就是表演太拘泥于规范和程式，招招式式照老路子，用老本子，唱老段子，很不讨上海观众的喜爱。有人提醒他，上海人好新奇，看戏也爱个新鲜，若要在上海滩混戏饭吃，得动脑筋，有新鲜玩艺儿。细心琢磨之后，他将激烈流畅的身段舞姿与优美又富于生活气息的武打技巧巧妙结合，伴以玄妙的音乐、华丽的舞台美术等，终于打开了局面，赢得了观众。

在《神仙世界》里，荀慧生有多方面的创新。除了继续运用五色灯光、异样灯彩外，还增加了奇幻的活动布景。这是他第一次在戏里使用布景，而他最早接触舞台灯光和布景，是他在春阳社演文明戏的时候。

另外，在化装方面，他也吸收了上海演员的创新手法。实际上，早在1914年，梅兰芳第二次赴沪演出的时候，就已经认识到

① 丁秉鐩《菊坛旧闻录》，中国戏剧出版社1995年10月版，第416—417页。

京派、海派除了在表演方式上有不同外，在化装方面也有不同。海派演员更追求好看，以美观为首要。以旦角为例，主要表现在画眼圈和贴片子上。京派演员从不将眼圈画得很黑，而是淡淡地画上几笔，而海派演员却将眼圈画得很黑，使眼睛显得更大更有神。

荀慧生和梅兰芳一样，没有一味地“拿来”照搬海派化装方法，只是吸取其精华，并不将眼圈画得很黑很浓，而是根据眼睛的大小因眼而宜。眼睛太大，在画黑眼圈时尽可能使眼睛看上去小一些，柔和一些，反之，眼睛太小，就用黑眼圈“放大”眼睛。这样处理以后，无论是大眼睛的演员，还是小眼睛的演员，化装后，眼睛看上去都很有神很好看。

在贴片子方面，京派演员往往喜欢将片子贴得又高又宽，将脸形“做”成了方形，显得比较落后。海派演员则根据脸形贴片子，脸形大的往前贴，脸形小的往后贴，脸形短的高贴，脸形长的低贴。简单地说，他们将贴片子作为改善脸形的方式，使每张脸都显得生动自然，最重要的是，好看。

《神仙世界》的又一大亮点，是特别请人设计的一段被称为“蟒舞”的舞蹈动作。关于这段舞蹈，盖叫天在他的回忆录《燕南寄庐杂谭》中这样回忆：“这条大蟒头上安了两个大灯泡，代表目光；身子共十三节，每一节里藏着一个演员，大家走着矮步出场，这时，全台灯光熄灭，两只蟒眼顿时闪闪发光，活灵活现……身子一起一伏，蜿蜒而行。蟒头昂然而起，挺威风咧！……画家是画龙点睛，咱们是舞台蟒亮睛。”有意思的是，盖叫天在《劈山救母》一节中扮演沉香，但在“蟒舞”舞蹈中，参与扮演大蟒，藏在蟒身中的第四节里。

对于荀慧生在这出戏里的表演，观众给予的评价是：“白牡丹貌艳如花，技艺出众，当场歌舞，百媚俱生。”

三、《贾元春省亲》（又名《庆元宵》）。

3月5日，是正月十五，元宵节，各戏班照例要演一些应节戏。荀慧生选择的应节戏，就是这出《贾元春省亲》。为配合元宵节的气氛，他干脆更名为《庆元宵》。这是他继《宝蟾送酒》后的第二出红楼戏，也是他在不到一个星期时间内，新排并演出的第三出新戏。

四、全本《拾玉镯》。

这又是一出给折子戏加上头尾、使情节完整的大戏。荀慧生在传统折子戏《拾玉镯》、《朱砂井》、《法门寺》的基础上，扩展情节，连缀而成全本《拾玉镯》，故事曲折、妙趣横生，于3月10日首演。这出戏的演出阵容，也是深受观众追捧的原因，除了荀慧生饰演女主角孙玉姣外，其他演员还有时慧宝、董俊峰、艺名“小达子”的李桂春等。

荀慧生自己说，这出戏演起来很热闹，他很喜欢。正因为喜欢，所以他在1928年的时候，请编剧陈墨香重新整理改编，新创了一出《双姣缘》，他一人分饰两角，在前半部饰花旦孙玉娇，后半后饰青衣宋巧姣，从而成为他经常演出的代表剧目之一。

之后，还是在3月份，荀慧生又与林树森、八岁红、罗筱宝、董俊峰、李桂芳等上海演员合作了新改编戏《金枪传》（即《佘赛花》），与时慧宝等合作了《献西施》的续集《卧薪尝胆》，与盖叫天等合作了新改编戏头、二本《樊梨花》等。也就是说，他在一个月内，连续创编、改编了七出新戏。

五、《七擒孟获》。

这年初冬，尚小云第五次到上海演出。荀慧生有了与尚小云再度合作的机会。这次，他俩和“四大须生”之一的高庆奎、老生时

⊙ 根据《聊斋》故事改编的《西湖主》，荀慧生饰西湖主。

慧宝、花旦筱翠花（本名于连泉）等京角儿，以及李桂芳、冯子和等沪角儿，合作演出了一出大戏《七擒孟获》。荀慧生、尚小云、筱翠花、冯子和等旦角演员，分饰公主；盖叫天饰孟获；时慧宝饰诸葛亮；刘汉臣饰赵云；常春恒饰马岱；李桂芳饰魏延；李百岁饰山神。这出戏的阵容可谓名角儿汇聚，极一时之盛。

六、《西湖主》。

可以说，在荀慧生所有新编戏中，这出戏占有相当重要的地位。尽管它并未入选荀慧生六个“六大”剧目之列，但不可否认，它对他的艺术实践和戏剧观的形成，很有影响，甚至有人因此说：

荀慧生真正意义的新编戏，就是《西湖主》。之所以这么说，在于它是由南方白社为荀慧生编创的第一出新戏，也是荀慧生与知识分子相结合而共同创作的第一出新戏，更是荀慧生第一出唱念做打均富个人艺术风格的独创剧目。

“四大名旦”的称谓，是白社——准确地说，是南方白社——为了荀慧生而创造出来的，目的就是为了力捧荀慧生，让他与梅、程、尚齐名。南白社成立的准确日子，目前很难考证。从《西湖主》首演于1921年4月3日，而荀慧生初抵上海，是在1919年9月，可以推知，它应该成立于

1920年。

北方的白社人员组成，以大学生为主，另外还有画家胡佩衡等；南方的白社成员，以文化人为主，其中不乏文化名流，有国画大师吴昌硕、《新闻报》副刊《快活林》主编严独鹤、剧评家舒舍予和杨尘因，另外还有《天风报》社长沙大风（沙游天）、袁寒云等，以及大学生、律师、图书馆馆长等人。

其中舒舍予是上海众多戏剧刊物的主要撰稿人，主编过《戏世界》等刊物；杨尘因曾经与欧阳予倩合作创作了红楼戏《黛玉葬花》。更重要的人物。是严独鹤。他于1924年起担任《新闻报》副总编，另外还主编过《红杂志》、《红玫瑰》等刊物。他是许多名人的老师，张学良、张恨水、秦瘦鸥、蒋经国等都曾拜在他的门下。因为与张恨水、秦瘦鸥的密切关系，他被鲁迅归为“鸳鸯蝴蝶一派”。

当时的严公馆，不仅是社会名流的沙龙，也是各行各派艺人的聚集地。许多自北南下的艺人，到了上海，必先到严宅拜访严独鹤。严独鹤的外孙朱啸风曾经回忆说：“我小时候，梅兰芳、马连良都来过我家，四大名旦之一的荀慧生说，没有严独鹤就没有我荀慧生。”朱啸风甚至说白社的社长就是严独鹤，而副社长是张大千、吴昌硕，可能还有刘海粟（此说乃其一家之言，未有定论）。总之，白社常在严宅聚会。据说，严独鹤为捧荀慧生，常用报纸的整版，有时甚至对折两版刊登荀慧生的剧照和介绍荀慧生的文字，一连数日。

显然，南白社是效仿北白社而成立的，主要活动就是为了宣传荀慧生，为他撰写戏评、著书立说、评介艺术，也为他扩大交际圈，建立各种社会关系。同时，他们为他编写剧本，帮助他从文化的角度分析剧本、解析人物、理解作品中所反映的思想。

他们对荀慧生的关照，由艺术扩展到生活。他们向他解说上海的风土人情，当他时常北上北京，又南下重回上海时，他们为他迎来送往，安排交通工具，更将新建的洋房慷慨相借。当他病时，他们跑医院、找医生，还时时陪伴在病床边，排解他的寂寞。演艺之余，他们教他读书、认字、写字、绘画。一句话，他们为了提高他的文化水平，扩大他的声名，尽心倾力，直到1928年，为他，创造性地提出了“四大名旦”这个新名词。

白社成员被称为白党。四大名旦，各有其“党”：梅党、尚党和程党。从人员组成来看，他们有所不同，梅、尚、程“党”既有前清遗老遗少，也有民国达官显贵，还有从政坛上退下来的原政界人物等，而白党大多是一介书生、无权无势的知识分子。于是，某评论家说：“荀慧生不是靠当时外在的某种势力和人们的支撑或提拔而成名的。”

《西湖主》是南白社为荀慧生创编的一出新戏，执笔者是舒舍予和杨尘因。这出戏主要取材于小说《聊斋志异》卷八《西湖主》，也参考了黄燮清《降绡记》传奇。故事大意是：陈明允在一次意外中，救过猪婆龙。后来，陈乘舟遇险，漂流至海岛，巧遇西湖主游园。陈拾得绣巾一条，题诗其上，被岛中侍卫擒获，欲问罪。偏巧岛主就是猪婆龙，为报陈的救命之恩，将西湖主许配给了他。

因为这出戏改编自小说，而且是著名小说，所以戏里吸取了小说的养料，比如，注重人物心理的刻画、人物情感的描摹，以及细节、对话的生活化和人物的性格化。都说生活化、性格化是荀派的主要特色，也许最早体现这“两化”的剧目，就是这出《西湖主》。所以有人评价说，它是“第一个展现荀派新风格的创作剧目”。

在公演后，《最新戏考》的编辑胡憨珠撰文这样总结：荀慧生的表演“慧心巧思，揣摩表情，掺杂身段，载歌载舞”，从而使该剧“顿成名剧”。他甚至更认为，荀慧生成大名，也得益于此剧。也有人说，荀慧生到上海以后，“嗓音大好，乃兼青衣，旁及古装，并请上海名人编排《西湖主》等新剧，牡丹之名乃更大噪”。这一切，都从另一个侧面证实，《西湖主》对于荀慧生在艺术上的发展，具有很重要的意义。

1922年，百代唱片公司为荀慧生录制了三张唱片，一张是《贵妃醉酒》，一张是《玉堂春》，一张是《樊江关》和《西湖主》合集。这是他最早开始录制唱片。从这些早期唱片中可以听得出来，他的唱法虽然不乏传统，但也有不少改变，特别是摒弃了“老式唱法不利于抒情和让人听不清字音的局面，降低了调门，不再用尖利的假声，在小嗓发声中增加了宽度和底音，向着‘以情带声’的方向迈进”[①]。这也说明，他知道他的嗓音天生不够高亢亮丽，所以很善于扬长避短。重要的是，他在注重唱的技巧之外，更融入了情。

七、《诸葛亮招亲》。

从1920年下半年起，荀慧生又被亦舞台重金邀聘，续聘合同长达四年，包银也涨到了每月五千。于是他开始在天蟾舞台和亦舞台穿插演出。《诸葛亮招亲》首演于亦舞台。

这出戏最能体现荀慧生表演风格的变化，那就是在京派严谨和规范的基础上，融入了海派对新奇特的追求。1921年5月30日，荀慧生首次公演头本《诸葛亮招亲》，半年后的11月22日，又演出了二本《诸葛亮招亲》。故事从黄玉英父母不满奸佞蒙君欺主，商议辞朝开始，包括诸葛亮踏雪访管辂、初识黄玉英等情节，到诸葛亮允亲为止。头、二本连在一起演，能演五个多小时。

与荀慧生合作这出戏的是谭派老生、谭鑫培的女婿王又宸。王又宸的身份，意味着他是典型的京派演员，因为在表演、唱腔等方面得谭鑫培真传，所以相当规范。但是，他并不排斥海派，甚至也积极吸取海派长处。比如，在唱腔上，他吸收了江南的五音联弹、七音联弹，因此创造了一种新唱腔，丰富了唱腔种类。既然是“吸收”，也就是说他并不是照搬，而是将“五音”、“七音”和他原来的唱腔相融合。于是，这样的唱腔，与“五音”、“七音”是有区别的。

① 王家熙：《老唱片赏鉴》。

所以在上海观众听来，别有新意。

荀慧生和王又宸在合作《诸葛亮招亲》时，更多运用了这种新唱腔。在表演上，他们也下了不少功夫，突出武、舞，看上去很热闹。武打时，又运用了新式刀枪；打法上，也与以前不同，特别设计了不少新奇动作。同时，在舞台美术上，他们也动足了脑筋，别开生面地运用了云景、山景、雪景等布景。一张特别设计的桌子，特别惹眼。它装置有特别机关，能够自行显现五行八卦，又可自转呈现五色电光。之所以如此精心安排，荀慧生说，就是为了“适应上海人的口味”。

这样的演出效果果然不错，连演连满场，票房相当可观。虽然制作成本高昂，但很快就收回了成本，而且还有盈余。之后，在这出戏的带动下，上海各戏班掀起了“招亲热”，纷纷效仿排演“招亲”戏。一时间，遍地“招亲”，遍地五光十色，遍地机关重重，热闹非凡。这股“招亲热”一直持续了很长时间。两年以后的11月，荀慧生又推出《诸葛亮招亲》的续集《三搜卧龙岗》，与《诸葛亮招亲》有异曲同工之妙，也颇受欢迎。

八、《盘丝洞》。

1923年，荀慧生此时在上海已经唱了三年，不仅完全站稳了脚跟，名声也扩大到无人不知无人不晓的地步。他算是真正地走红了，甚至能够提携后辈（前一年，他提携了马连良），也有资格收徒了。就在这一年，他收了生平第一个弟子，上海著名票友叶寿梅。

《盘丝洞》是荀慧生在这一年当中的重要剧目。这出戏原

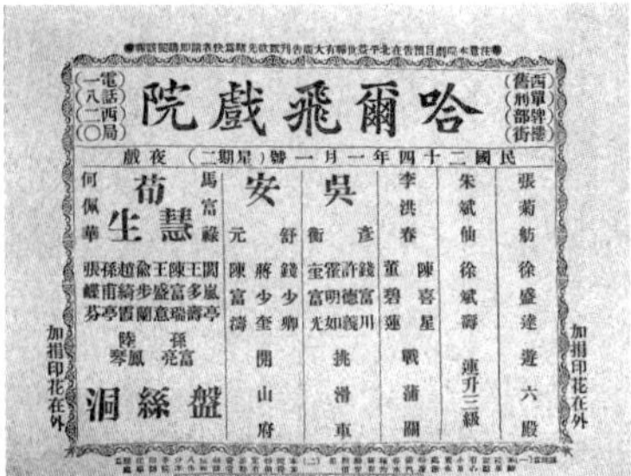

⊙ 《盘丝洞》演出戏单。

⊙《盘丝洞》荀慧生饰月霞仙子。

来是梅兰芳祖父梅巧玲的拿手戏，唱的是昆曲。之后，擅演此戏的是花旦父子杨朵仙和杨小朵。他们还为这出戏特别设计自制了彩景切末[①]，这在当时，被视为奇观。清光绪十二年，即1886年的《菊台集秀录》中就有关于杨朵仙的介绍："杨桂云，字朵仙，顺天人，前掌四喜班，唱花旦。" 杨小朵(1881—1923)子承父业，也唱花旦，曾入选升平署，常入宫承差。1916年，他与程砚秋的师傅荣蝶仙演出《樊江关》，在"比剑"一场时，不慎失手，将头面网子挑落，羞愧难当，加上嗓子本来已经衰败，从此不再演出。这也意味着，《盘丝洞》这出戏，从此无人能演。

《盘丝洞》取材于《西游记》，说的是唐僧取经路上经过盘丝洞，被洞主蜘蛛精掳去强迫成亲的故事。因为这出戏香艳滑稽、文武皆备，唱念做打极其繁重，还有沐浴的种种身段，所以被认为非有美质全材，不堪胜任。

荀慧生初学这出戏，师从昆曲名家曹心泉；于1923年9月25

① 切末：京剧俗语，即道具。

日在上海亦舞台初演这出戏，唱的也是昆曲。他饰演妖冶的蜘蛛精月霞仙子，所以特别设计了一套肉色紧身衣，外系大红绣花肚兜，尽展狐媚诱人之态。这样的装扮，他料到上海观众是会欢迎的，又深知此装扮在北京肯定是行不通的。所以，他从来没有以这样的装扮，在北京的舞台上演过这出戏。

1927年，荀慧生在陈墨香的帮助下，对《盘丝洞》进行了修改，特别修改了服饰，同时将昆曲改成脍炙人口的皮黄唱腔，还请人制作了彩景。在表演上，他虽然延续了亦文亦武，但又有创新。比如，"沐浴"一节的身段，他自创了新动作，与流传的表演方式毫无雷同，令人惊喜。这一年，他第六次到上海演出，首演了改编后的这出戏。在得到上海观众认可后，他才在北京公演。仅从这出戏来说，就可以看出，上海的演出实践对他艺术风格的形成，有着非常重要的影响。

后来，荀慧生将这出戏传授给了中华戏曲专科学校的学生，并亲自教授。由邓德芹演前半部，花旦应工；"四小名旦"之一的宋德珠演后半部，武旦应工。宋德珠还曾一个人演过全本。荀慧生的长子荀令香、梅兰芳的爱徒李世芳等，都曾演过。所以这出戏流传甚广。

《盘丝洞》之后，荀慧生又接连演出了《陶三春》、《蝴蝶梦》、《九曲桥》等。其中《盘丝洞》和《陶三春》被列为"六大武剧"之一、二，《蝴蝶梦》和《九曲桥》被列为"六大跌扑剧"之一、二。

对于荀慧生风靡上海的这段历史，于1927年1月由京华印书局出版的《白牡丹》一书，这样介绍道："著名青衣花旦白牡丹，自民国八年秋间偕小楼南下，献艺申江，即大受沪人之欢迎……计前后在沪历时四年之久，而沪上人士欢迎之盛与日俱增。此次牡丹在亦舞台已有半年之久。牡丹再三辞约欲归，园主强留，恐明年尚须蝉联，京城剧界人士想望其风采者，恐有秋水伊人之叹也。"在北京受歧视受排挤的荀慧生，终于在上海打开了新天地。

⊙ 马连良
1922年和1924年，荀慧生与马连良两度在上海合作演出，达208场戏。1924年2月25日，荀、马首次合演《甘露寺》，荀演孙尚香，马演乔玄。正是这次演出，马连良创作的“劝千岁”唱段首次演唱，风靡上海滩，并由物克多公司灌成唱片。

和马连良的合作

有“四大须生”之一之称的马连良很幸运，在他的艺术生涯中，曾经被四大名旦的尚小云、荀慧生分别提携过。可以说，他日后成大名而荣任“四大须生”之一，与他自身的艺术有关，与尚、荀的提携也有很大关系。

台湾剧评家丁秉鐩曾经说，几乎每个名角儿头上都有个美妙的头衔，但只有两位演员的头衔，最恰如其分，一个是杨小楼的“国剧宗师”，一个是马连良的“独树一帜”。马连良的天赋条件并不很好，又不是出身梨园世家，从他的祖父辈起，家里就是开茶馆的，但他因受玩票的父亲的影响，爱上唱戏并入科学戏后，非常勤奋，吊嗓子、练白口，无一日懈怠。他宗谭（鑫培）派，又学余（叔岩）派，还兼取名老生贾洪林所长，然后为我所用、融会贯通，最终形成马派。

四大名旦，公认的是梅、程、尚、荀；四大须生，却有前、后变化。与老生有“前三鼎甲”“后三鼎甲”相仿，“四大须生”似乎也可分为“前四大”“后四大”。“前四大须生”，形成于上世纪30年代，指的是余叔岩、高庆奎、马连良、言菊朋；40年代，由于余叔岩、高庆奎、言菊朋先后退出了舞台并去世，高、言去世于1942年，次年，余叔岩去世，所以

“后四大须生”改为马连良、谭富英、杨宝森、奚啸伯。无论如何变化，马连良始终是“四大须生”之一，可见他在须生行有着何等重要的地位。

马连良只比荀慧生、尚小云小一岁，出生于1901年，8岁时入喜连成科班，先随茹莱卿学武生，后师从蔡荣贵、萧长华改行学老生，一年后即登台演出。11岁时，在学老生的同时，也学老旦、丑行和小生戏。所以，他的戏路极广，多才多艺。17岁时，他出科，随即应邀赴福州演出，一年后返回北京，接着与尚小云同赴上海。那时是1919年年初，荀慧生南下上海之前。

得尚小云大力推荐，马连良在回富连成继续深造达三年之后，正式搭班谭小培的玉华社，与尚小云合作演出《宝莲灯》以及尚派名剧《乾坤福寿镜》等。可以说，他在老生行声名鹊起，就是在这个时候。

关于与马连良的初识情形，荀慧生在1959年11月9日的《艺事日记》中这样记道：“我还记得我在上海唱戏的时候，恰巧赶上马连良同志从福建初到上海，我约他到亦舞台合作演出。”他所说的这个时候，是1922年年初。

这里有几个记忆之误。此时，马连良并非“从福建”来。他早已由福建返回了北京，并重新入富连成又学习了三年。他也不是“初到上海”，他早已于1919年就到过上海。起初，他在亦舞台登台，也并非荀慧生“约”的。这次，他之所以离京赴沪，是听从久居上海的三叔马昆山的建议。之前，马昆山和亦舞台已经谈妥，邀马连良到此唱戏，由亦舞台负责接、送、吃、住。马昆山还特地为马连良设计了一个头衔：“著名谭派须生”。

马连良初到上海，遇到不少困难。首先，他因为无甚名气，又是京朝派，不免被欺生。那时，他手头拮据，经济困难，行头也备得不齐整。有一天要唱《珠帘寨》，没有相应行头，他四处求借。唱小花脸的孟鸿茂（名老生孟小冬的叔父）很热情地表示可以代他去借，令马连良感激不已。可是，孟鸿茂不知是出于什么心理，竟将自己唱《盗魂灵》时猪八戒穿的靴子借给了马连良。

这双靴子是为猪八戒特制的，猪头形状，每只靴子上都有两个猪耳朵，呼扇呼扇的，十分逗人。这双猪头靴子不仅不适合马连良唱《珠帘寨》，对他这个回民来说，更不啻一种侮辱。众人都看不下去，荀慧生也认为这玩笑开得太过分了，很为他抱不平。大家都以为马连良会翻脸。如果他就此翻脸，他们也能理解。但是，马连良非常有涵养，没有介意，更没有动怒。这件事就这样过去了。

由此，荀慧生对“君子坦荡荡”这句话，有了更深层的理解，也得出这样的结论：“一个有心胸的人对小事情是不放在心上的。”在马连良大红大紫而跃身为“四大须生”之一时，荀慧生认为这与他在艺术上勤学苦练有关系，与他为人的宽宏大量，也不无关系。

这次，马连良是在亦舞台登台。这个时候，荀慧生恰好也在亦舞台演出。他刚刚演出的《西湖主》、《诸葛亮招亲》等新戏，反响热烈，他也因此风头正健。相对而言，马连良只能算是“新人”。不仅如此，起初，当亦舞台的老板沈少安从火车站接到从北京来的马连良时，心里顿时凉了半截。

他发现，所谓的“谭派须生”马连良，不过是个二十出头的毛头小伙子。他很怀疑马连良的艺术，是否能够配得上“谭派正宗传人”这样的美誉，更担心亦舞台因为他而少了上座、短了票房。但是，合约在手，他也不能反悔。

于是，他小施一计，利用马连良依俗到各大票房拜客时，暗自怂恿手下人混迹其中，并撺掇马连良亮一嗓子，以此试试他的功底。马连良不知情，笑眯眯地答应了，唱了谭派名剧《黄金台》中的一段。一曲唱罢，有人向沈少安通了风报了信，说唱得很像那么一回事，也很有谭味。沈少安放了心，马连良在亦舞台第一天的打泡戏，就是这出《黄金台》。

然而，亦舞台的后台管事对马连良不甚满意，嫌他调门低。也是，这个时候，他刚刚经历倒嗓，嗓子还没有完全倒过来，唱的调门确实比较低。管事就向沈少安抱怨，说上海观众都爱听高调门，喜欢演员用大嗓唱。所以，他对马连良很不放心，怕叫不响，耽误了生意。事实上，沈少安听了几天戏，也有同感。有一天，他在荀慧生面前，无意中流露出他担心的情绪。

同在亦舞台演出，荀慧生看过马连良的戏，对他的艺术很欣赏。他发现，马连良的调门虽然低，但他很聪明，懂得藏拙露巧，专挑一些念白多的戏唱，又善于做工，而且时不时地创造出一些俏丽的唱腔。所以，他很看好马连良。关键是，他对马连良被欺负又不被信任的境遇，感同身受，因此很同情。

他知道在这种情况下，马连良需要的是机会，是支持，正如当初杨小楼给了他机会，给了他支持一样。于是，他从艺术的角度向沈少安分析、肯定马连良的艺术功底，然后劝说道："慢慢来嘛，给他机会，让他多唱。唱多了，前台观众认可了，不就行了吗，保准儿不会误了您的场子，可能的话，还能大赚呢。"

这个时候，荀慧生在上海正走红，"白牡丹"的招牌，已经成了票房的保证。可想而知他已经有了相当的影响力，即便亦舞台老板沈少安，也不能不给他面子。在沈少安听来，荀慧生实际上是在为马连良作保呢，也就不再说什么了。不仅如此，他果然遵从荀慧生的意见，"让马连良多唱"。马连良也果然如荀慧生所预料的，越唱越红。在1922年的3月到6月，马连良在亦舞台唱得热火朝天。也就在这几个月内，荀慧生与马连良好好合作了一次。

荀慧生与马连良在上海亦舞台合作了两期。第一期是1922年的春天，第二期是1924年的春天。两人合作的第一出戏，是《贩马记》

⊙《贩马记》(又名《奇双会》)，荀慧生饰李桂枝。

(又名《奇双会》)。在此之前，他俩同台演出过一次，那天的大轴，由荀慧生担当；压轴戏，是马连良演出的《琼林宴》中的两出折子戏《问樵闹府》和《打棍出箱》。这天的同台演出，实际上是为他俩日后合作演出做着准备。

《奇双会》由《哭监》、《写状》、《三拉》三出折子戏组成，也是《贩马记》的重要组成部分。《奇双会》唱的都是吹腔。荀慧生在和马连良合作《贩马记》时，保留了吹腔唱法，但同时加头增尾，而且这一头一尾，他都改成唱二黄。据说，他很早就想演出这出戏，但一直苦于没有找到合适的老生为他配演戏中的李奇。因为李奇的戏份很重，没有一定的实力，是很难胜任的。马连良配演的李奇，非常出彩，脸上和身上都带有感情，演活了悲苦可怜的李奇。他步履蹒跚、弯腰曲背、颤颤巍巍，特别是他的唱腔，能把人唱哭了。演完后，一位上海朋友对荀慧生说："马连良的李奇给你这出《贩马记》生色增光不少。"

荀慧生饰演的李桂枝也相当精彩，无论是在闺房里与丈夫眉目传情，还是惊闻老犯人就是父亲李奇时的伤心欲绝等等，人物情感拿捏得很有分寸。以至于南白社成员在看了戏后，直夸："换个人未必能臻此佳境。"

也许正因为如此，第一期合作演出结束时，6月30日，在马连良告别上海的最后一场演出时，单演了《盗宗卷》之后，又与荀慧生合作了大轴戏，戏码就是这出《贩马记》。曲终人不散，荀慧生、马连良不得不谢幕多次。那天的情景，荀慧生始终难以忘怀。

《贩马记》之后，荀慧生与马连良又演出了《审头刺汤》、《武家坡》、《汾河湾》、《梅龙镇》、《南天门》、《珠帘寨》、《打渔杀家》、《八蜡庙》、《四进士》、《乌龙院》、《会稽城》、《御碑亭》、头二本《韩湘子九度文公》等青衣老生合作戏。外加盖叫天，三人还合作了《宝莲灯》、《孝义家庭》等。

关于《打渔杀家》这出戏里马连良演的萧恩穿的一双鞋，引出了一段故事。这个故事被荀慧生认为是"马连良受了不少窝囊气"。原来，当时的上海剧评界有两大剧评人，一为冯小隐，一为苏少卿。冯小隐的笔名是"佞谭"，可以看出来，他研究谭鑫培很有一套，同时，他对杨小楼等也颇有研究；苏少卿曾经师从著名谭派票友陈彦衡，专门学过谭腔，因此，他对谭派戏也了熟于胸。所以说上海研究谭派的权威人士，非冯、苏二人莫属。

谭鑫培曾在《打渔杀家》中演过萧恩。马连良宗谭派，号称“著名谭派须生”，那么，他演《打渔杀家》，必定走的是谭鑫培的路子。那么，谭鑫培演的萧恩，穿的是什么鞋子呢？冯小隐和苏少卿为此打起了笔仗：一说是“鱼鳞洒鞋”，一说是“黑薄底靴子”。因为谭鑫培学的是“老生前三鼎甲”之一的程长庚，程长庚演《打渔杀家》，穿的到底是鱼鳞洒鞋，还是黑薄底靴子，就成了争论的焦点。

其实，他们是否亲眼见过谭鑫培演出《打渔杀家》，都很难说，更不可能见过程长庚演出《打渔杀家》。但是，他们还是就此吵了个天翻地覆。当谁也说服不了谁的时候，他们听说北京来的马连良即将与白牡丹合作这出戏，便想亲眼瞧一瞧马连良穿的是什么鞋，以此作为评判标准。

有意思的是，这出戏，除了鞋子的问题外，还有不少地方存在争议。比如，有这样一句唱词：“海水滔滔白浪发，父女们打渔在江下。”念白中还有这样一句：“河下生意不作也罢”。有人不免犯疑惑：怎么又是“海”，又是“江”，还是“河”，到底是什么？父女两人，为什么多了一个“们”字，哪有“父女们”这样的说法？下海（江）（河）打的是鱼，为什么是打“渔”？等等，有人将此归结为过去的戏曲艺人多没有文化。

马连良听说了此事，很为难；荀慧生也为马连良担心。为难、担心的原因只有一个：无论穿什么鞋，都会得罪人——穿鱼鳞洒鞋，得罪“黑薄底靴子”一方；穿黑薄底靴子，得罪“鱼鳞洒鞋”一方。他们都是上海剧评界举足轻重的人物，得罪任何一方，对马连良在上海的名声扩展，都不是好事。

荀慧生给马连良出了一个主意，不如赶紧给北京的王瑶卿写信，向他咨询，“萧恩”到底穿的是什么鞋。因为王瑶卿曾经和谭鑫培合作过这出戏，他一定知道。马连良一听，直说是个好主意，喜不自禁，立即写信回北京。不久，王瑶卿的回信来了。看到这封回信，荀慧生和马连良都愣了。原来，谭鑫培有时穿鱼鳞洒鞋，有时穿黑薄底靴子，不过，穿鱼鳞洒鞋的时候居多。而且，穿什么鞋，没有规律可循。也就是说，谭老板什么时候穿什么鞋，没准儿。

这可怎么办？荀慧生一时也没了主意。王瑶卿在信里也给马连良提了建议：不演为好，免得惹麻烦。可是，不演，就真的没有麻烦了吗？戏报都贴出去了，大家都在拭目以待，难不成真的应了某些人的阴暗心理：怕了，逃了？

马连良叹了口大气，自嘲了一句："嘿，我可找准扮相了。"

荀慧生以为他真的想到了办法，问他："怎么扮？"

马连良说："我一只脚穿鱼鳞洒鞋，一只脚穿靴子，准保谁都得说我对，两不得罪，这能行了吧。"

荀慧生听出来了，那是气话。不过，就是这句气话，马连良自己倒也被提醒了。他有主意了。听了他的主意，荀慧生嘿嘿嘿地笑了起来。马连良的机智，让荀慧生很欣慰，因为证明他当初没有看错他。

1922年3月8日，荀慧生和马连良首演《打渔杀家》。一声"开船呀——"，马连良扮演的萧恩，神定气闲地摇着桨出场了。所有观众的目光，都集中在了他的脚上。场中气氛，莫名其妙变得很紧张。"是鞋！是鱼鳞洒鞋！""鱼鞋"派欢呼起来，语气中充满欣慰和激动，以至鼓起掌来。自然地，"黑靴"派不乐意了，直呼："错了！错了！"气极之下，他们甚至准备集体退场，以示抗议。

当第二场开始，萧恩再一次出场。这时候，他换了装扮：戴了顶毡帽，披了件老斗衣。特别的是，穿了双黑薄底靴子。"是靴子！是黑薄底靴子！"这回，轮到"黑靴"派欢呼了。"鱼鞋"派愣了，先前的兴奋荡然无存。他们还一时弄不明白，这到底是怎么回事？

冷静下来后，两派人马都有被愚弄的感觉。他们看穿了马连良的心思，敢情他为了两不得罪，一会儿穿鞋，一会儿穿靴。可是，再仔细想想，马连良这么做，也没有什么不对，甚至可以说，完全合情合理。打鱼时，在水上，他穿鱼鳞洒鞋；不打鱼时，在岸上，他穿黑薄底靴子。不同场合，穿不一样的鞋，不是很合情理嘛。

这件事，就这样顺利过去了。关于萧恩鞋子的问题，大家不再争论了。马连良因为这出戏，给上海观众和剧评家留下了极好的印象。

荀慧生与马连良的合作，收获最大的是在马连良的配合下，尝试在表演细节上，根据人物的情感进行合理创新。比如，《汾河湾》这出戏，说的是柳迎春为等待丈夫薛仁贵，寒窑苦守十八年的故事。其中有一场戏，“柳迎春进窑”。前辈留下来的传统演法是：她边往窑里走，边回身张望，表示她惦念着外出打猎的儿子。荀慧生认为，这里的“张望”并不符合人物心理。如果柳迎春惦念儿子，应该在进窑后立即告诉阔别十八年的丈夫儿子的情况，而不是东拉西扯其他。所以，他断然取消了这个动作。

进窑后，丈夫发现有男人的鞋子，对妻子产生误会。柳迎春卖关子，甚至还故意气他，说：“到晚来，我还要与他睡觉呢。”当他念到“与他”后，有意识地稍微停顿一下，用眼睛去瞟马连良。这个时候，他俩之间便有了一个眼神交流。马连良看到男人鞋，又回身看荀慧生，表示惊讶；荀慧生念白中的略一停顿，表示气他，接着一句京白“睡觉呢”，很有戏剧效果。

又比如《梅龙镇》（又名《游龙戏凤》），说的是明朝正德皇帝微服私访，在酒馆与李凤姐的一段故事。因为戏里有不少正德皇帝与李凤姐调情的片段，所以有“粉戏”之嫌，演员如果把握不好分寸，很容易流于色情和淫秽。荀慧生觉得，李凤姐虽然是个酒家女，但到底不是青楼女子。于是，他将这个人物界定为“涉世未深、娇憨任性、大胆可爱”。马连良塑造的正德皇帝，既尊贵，又风流，也不失身份。这样演来，整出戏毫无“粉”气，又有很强的喜剧性。南白社成员袁寒云看罢此剧，认为白牡丹、马连良演出的《梅龙镇》，已

⊙《梅龙镇》（又名《游龙戏凤》），荀慧生饰李凤姐。

经“变淫媟为幽窈”。

还有一出《南天门》，荀慧生扮演小姐曹玉莲，马连良扮演老仆人曹福，两人合作得也很出彩。画家吴昌硕对这出戏的评价是：“白牡丹和马连良演得是珠联璧合，把握人物的身份是很准确的。白牡丹虽然是一身素装，在落难之中，却演出了大家闺秀的气质；马连良也演出了老仆人的风度，既要关心照料着小主人，又始终保持着主仆之间的距离，这是不容易的，真是相得益彰之杰作。”

第二期合作演出的最后一场、即临别纪念演出那天，天降大雨，可是，7点钟不到，亦舞台的大门口，就已经贴出了“客满”的大红牌子。尽管如此，门口仍然聚集着许多戏迷，强烈要求加座。大家都是冲着白牡丹和马连良而来。这天，他俩演的是双出，先是《打渔杀家》，大轴是《南天门》。演出盛况，有这样的记载：

> “……彩声不绝于耳。在上场门台口，陈列馈赠白牡丹礼品，因物品花篮太多，台上竟有不能容纳之势，乃分两次，更换布置。在台口者，有天台山农书、林屋山人赠歌，及老飞撰书诗词，吴昌硕绘长条冷金笺、莱圃立轴、山岩无量寿佛山水一卷，律和票房赠大泥全金镜屏一面，梅花馆主书序文一篇，赛银檀屏数面，大花银盾多具，银电刻慧生半身照片一座……不能悉数。花篮则有八十多只之多，一时灿烂夺目，更觉热闹。此次慧生临别盛况，实前此未有也。”

荀慧生和马连良的合作，表面上看，是荀慧生提携了马连良；事实上，在某种程度上，马连良也促进了荀慧生的艺术发展。因此，这是一个双赢的结局。

误签合同上了当

荀慧生在1959年11月9日的日记中，这样开头：“老舍去后，突然想起旧社会戏曲界的生活，那真是不易。强欺弱，上压下，犯阴冒坏，黑幕重重，如果谁意志不坚，很难在舞台上站住脚，气也把你气跑了。”那天，他之所以有这样的感慨，是因为想起了马连良曾经受过的气。然而，他自己，在那样的社会环境中，又何尝不是受尽磨难受尽欺凌受尽屈辱呢？在艺术上，他发展得很顺利，声名显赫，然而在生活上，他却遇到过不少麻烦。

“三小一白”下江南轰动上海滩，荀慧生虽然是新人，声誉却超越同行的其他人之上，为剧评家、戏迷等广泛关注，甚至一度出现“舍弃杨小楼、专看白牡丹”的令人难以想象的奇观。白牡丹之名，在那段时期，震人耳鼓。有人更惊呼：在旦行，白牡丹不亚于梅兰芳和尚小云。在他的强大号召力之下，原来在天蟾舞台演出的海派演员，如赵君玉、小杨月楼、刘玉琴等都不同程度地受到影响，最后竟不得不暂时脱离天蟾，另觅栖身之处，转投亦舞台。谁知道，后来，荀慧生也应邀来到亦舞台。

小杨月楼是旦角演员杨慧侬的艺名，他与荀慧生同龄，祖籍天津，生于浙江绍兴，出身梨园世家。他的父亲杨天宝是杭、嘉、湖一带的著名文武小生。小杨月楼自幼随父习艺，工老生，7岁便登台，被称为“七岁红”。抵沪初期，一直在丹桂第一台演出，更名小杨月楼。倒嗓后，他改学旦角和小生，拜师毛韵珂、赵君玉等，旦行之青衣、花旦、刀马旦、武旦等样样精通。

在荀慧生到上海之前，小杨月楼、毛韵珂、赵君玉是首屈一指炙手可热的“南方名旦”。因此，当他们感觉到自己的光辉被初来乍到的白牡丹遮盖后，情绪异常低落。特别是小杨月楼，不满之余，更心有不甘，也有一份忧虑。他担心白牡丹风头日健身价日高，如果那样的话，自己将何以自处？海派演员的阵地被外来的京角儿占领，岂不是让人笑话？为了自身的利益，也为了海派演员的利益，他将亦舞台的几位名角儿联合起来，企图共同抵制荀慧生。

对排挤、打压深有体会而且异常敏感的荀慧生感受到了大家的抵制，他很难过，但也表示理解。他决定主动求和。登台前，他发出邀请，请同台演员吃饭、饮酒，希望以此交流感情建立良好关系。但是，小杨月楼等人并不领情，各自借故拒绝了。荀慧生不气馁，隔日又请，又被婉拒。他再请。这下，他们不好意思了，也体会到了荀慧生的真心，终于如期赴宴。宴席上，彼此沟通之后，各自敞开了心扉，矛盾就这样被化解了。

如果说这次的麻烦是因为别人而引起的话，那么，有些麻烦，荀慧生自身也有一定的责任。那时候，吸食鸦片，是社会普遍现象，荀慧生也沾染上了，几番努力想戒除，一直未能如愿，他心中着急，但也无奈。有一阵子，流行着这样一句话："开烟馆的，不如卖烟土的，卖烟土的，不如运大烟的。"也就是说，贩运鸦片的利润相当可观，以至于吸引了无数抽烟的、不抽烟的，都参与到贩运"事业"中。

有一年冬天，荀慧生自上海返回了北京。不久，他又接到上海更新舞台张姓老板的邀约，请他和另外的京角儿，如陈少霖、朱斌仙等数十人赶在年前赴沪演出"春节戏"。荀慧生他们接受了邀请，收下了定金。

腊月底，荀慧生他们来到上海。刚刚将行李物品和戏箱放下，还未来得及休息，就见张老板慌慌张张地跑来，说：

"工部局来人了，说要检查从北京来的角儿们的行李戏箱。"

这一下，炸了锅，乱了套。大家纷纷七嘴八舌，紧张兮兮的，不停地问张老板："干吗要检查？出了什么事？"

张老板解释："最近贩运烟土的太多了，因为北京的便宜，上海的贵上一倍，运一次，可赚了。工部局三天两头来查，就是要看看有没有带烟土的。"

然后，他问他们："你们可都不好这一口，是不是？"见他们都不作声，他惊道："难不成，你们也带了？"

荀慧生点了头，大家都点了头，说："我们都带了，张老板你想想法子吧。”

张老板叹口气，勉强答应道：“好吧，我试着说说，看能不能从轻发落。”

好半天，张老板回来了，口口声声说他如何费口舌，如何说情，如何打点，事情终于有了转机。大家急不可耐地问他怎么处理，他慢悠悠地说：

“你们每人列一份清单，不得有假，然后原价付你们钱，烟土上缴。这是最好结果了，不白收你们的烟土，也不罚你们的钱，也没有什么损失，人嘛，更不必蹲监，好不好？”

这当然是好事，不赔不赚，只当是没有那回事就是了。于是，他们就将各自所带的烟土详细列出清单，又一一从行李中、戏箱里，甚至是棉袄夹层中取出一包包的烟土，堆了满满一桌子。过了秤，张老板发现实物与清单上列的大致不差，就原价付了款，让人运走了烟土，说是“上缴工部局”。

事后，荀慧生他们才知道，上了张老板的当。原来，张老板早就知道荀慧生他们这次到上海来，每人都带了数量不等的烟土。在北京，500 块大洋能买 200 两烟土；在上海，200 两烟土需要 1000 块大洋，整整翻一番。荀慧生经不住其他人的怂恿，想一想，辛苦唱戏，还不是为了赚钱生？运一次烟土，不费力，赚的可能比唱一场戏还多呢。于是，他也带了一些。

狡猾的张老板使了个小花招，谎称“工部局来检查”，让京角儿们不得不交出所有的烟土，他原价“收购”。说是“上缴”，实际上全部归己所有。然后，他一个转手，大赚一笔。

也就是说，荀慧生他们白白替张老板运了一回烟土。张老板连付给他们唱戏的钱，都利用这次倒卖烟土赚了回来，算是不付钱请京角儿为他唱了一回。京角儿们的亏，吃大了。荀慧生还算好，他不贪，带的不多，只用张老板事先付的定金购买了一些。有些人，

⊙ 荀慧生、吴春生夫妇合影。

不但用光了定金，掏空了家里所有银两，甚至借了高利贷。表面上看，原价给了张老板，不赚不赔，对于荀慧生来说，的确如此；对于借了高利贷的，得偿还利息，这样一来，他们其实还是赔了。

气，当然是要生的了。这个气，生得有些冤，但还不能声张，毕竟不是件光彩的事。荀慧生更多的不是气，而是对自己近似于荒唐行为的自责和后悔。他本身当然有责任，但是，从这件事中也可以看出来，那时的社会环境很恶劣，人心也不古。

荀慧生在上海演出期间，遭遇的人心不古的事，还有不少。

他在1920年3月继续留在天蟾舞台唱了几个月，年底，又被亦舞台聘去唱了一段时间。1921年10月以后的一年多，他在亦舞台和共舞台交叉演出。1923年9月以后，直到返回北京，他又演出于由亦舞台改名的申江亦舞台。这几年来，他并非“足不出沪”，也出外跑过几次码头，到过南京、汉口、杭州、宁波、嘉兴、济南等地，甚至其间也回过北京，演出过几场。

看得出来，他在上海的这几年，主要演出场所在亦舞台。这家戏院是在1912年由在法租界的景舞台演变而来。景舞台先后更名为中华戏院、共和中舞台、共舞台、民鸣新剧场，地址也从原来的大新街三马路新桂茶园迁至湖北路三马路口。1916年，戏院再次更名，为亦舞台。后来，因为地产出卖，在原址上新建惠中旅社，而亦舞台迁至云南路北海路，改名为申江亦舞台。在荀慧生离开上海后，这里又改名为中央大戏院。

荀慧生与天蟾舞台约定的包银是2000元，后来，他被亦舞台邀约，包银涨到2500元。然而，这个数目在一个很长的时期内，无论票价上涨、票房日高，却始终不变，这引起有些演员的不满，特别是包括荀慧生在内的挑大梁的台柱子，更有被剥削的感觉。

正在这个时候，山东济南某戏院到上海来邀角儿，相中了荀慧生和杨某、王某，条件优厚。荀慧生很犹豫，一来他与亦舞台的合约还未到期，此时离开，不妥；二来他知道，此时接受济南之聘，很明显地是在“要挟”亦舞台，不义之举，他也做不出来。但是，杨某、王某却极力鼓动荀慧生。荀慧生只好答应完成与亦舞台的演期后再说。

杨、王两人先行去了济南。亦舞台见势不妙，几番数次做工作，想留住荀慧生，毕竟亦舞台若想保持高上座、高票房，不能没有白牡丹。他们甚至许诺：只要荀慧生能够留在亦舞台，亦舞台保证将包银涨到3000元。一方面，是亦舞台的诚意；一方面，是济南方面的紧逼，和杨、王两人的鼓动与力催，荀慧生左右权衡，难以定夺。

最后，荀慧生还是去了济南。至于原因，连他自己也说不清。既然亦舞台已经愿意提高包银，那么，钱，就不是最主要的。这样说来，他选择走，恐怕一是为了换个新环境，总在一个地方唱，热情渐失；二是顾及到朋友情分，既然杨、王已经过去了，他去与他们会合，是自然的。

可是，令他万没有想到的是，当他抵达济南后，向杨某讨要济南方面提前支付的包银1000元，杨某却只给了他150元。明明是他自己擅自动用了这笔本属于荀慧生的钱，却谎称因为上座、票房极差，戏院大大赔钱而减低了包银。荀慧生不明就里，况且他也不是个斤斤计较的人，也就睁一只眼闭一只眼，算了。

不过，荀慧生在济南演出的上座，的确不是太好。这时，杨某向他进言，意欲另谋生路。荀慧生问他该怎么办，他直截了当地提议：到天津去。荀慧生很吃惊。天津，对他来说，太熟悉不过了。他的艺术生涯，就是从天津开始的。“为什么是天津呢？”他很不解。杨某解释说：

“你既然是从天津出来的，你也就知道，天津是商务繁盛之地，往来客商多，热闹得很。这样一来，戏迷也就多，较之此处，当胜万倍。”

“这倒是实情。”荀慧生认同这样的说法。“不过，”他又有些担心，“话是这么说，可是天津方面，也没有人来邀角儿啊。没人来邀，我们到哪儿去唱？”

杨某说：“干吗等人来邀呢。你难不成不知道，唱戏的，不如开园子的？”

荀慧生大惊：“你的意思是，我们去天津开园子？”

杨某点头：“正是。我和王老板听说，那儿的广合楼正找人租赁。我俩合计合股租下这家园子。荀老板若有意入股，我可以去和王老板说说，看能不能也算你一份。我们三人在亦舞台共处数月，又一起到济南来，也算是情投意合了。王老板好说话，不会不答应的，我也当尽力为你美言。”

这番话说得荀慧生心里热乎乎的，他从心底感激杨某。不久之后，杨某拿来了一份合约，说他竭力游说，终于说服王老板，同意荀慧生参股，现在只差荀慧生在合约上签名了。荀慧生没有上过学、读过书，虽然跟白社学过文化，但识字仍不多，况且合约又涉及法律问题，诸多专业术语，他更是一头雾水。但是，他晓得，在一份具有法律效力的合约上签字，不是小事，应当慎重。所以，他犹豫着，没有立即签字，而是想着该找什么人来帮他看看这份合约。

杨某似乎看穿了荀慧生的心思，他就合约内容，向荀慧生一一做了解释。但是，他所说的，与真实的合约内容大相径庭。他钻了荀慧生识字不多的空子，也钻了荀慧生思想单纯、太相信朋友的空子。然后，他笑着对荀慧生说：

“看样子，白兄是不太相信小弟我了。这也怨不得白兄，要怪就只怪小弟我心直口快，拉你入股，又费尽口舌说服王老板。早知白兄信不过我，我也就……”

心软的荀慧生听杨某这么说，对自己的“多疑”、对朋友的“不信任”，深感愧疚。他连忙打断杨某的话，连声说：“不是，不是这么回事，杨老板多虑了，我哪能信不过您呢。”说着，他就在那份合约上签了字。

与此同时，直奉战争箭在弦上，一触即发，山东济南也在军事范围之内，一时间，人心惶惶。身在济南的荀慧生接到恩师蒋砚香的来信，让他即刻返回上海，以避开战事。荀慧生在济南不过只待了十来天，唱了几出戏，所得寥寥，又因为战事紧迫，戏院营业大受影响，几乎无人听戏。这时，上海亦舞台也委托蒋砚香召他回去，愿意仍以高薪聘他出演。在这种情况下，他决定回上海。可以说，济南一行，毫无收获，甚至连回上海的路费，都只能自掏腰包。

荀慧生回到上海，亦舞台果然遵守诺言，将包银提高到3000元。他也随即在亦舞台登台。经过前段时间的折腾，重新回到既定轨道，荀慧生的心情异常舒畅。不承想，麻烦还是不期而至。

杨某得知荀慧生返沪后，一路追回上海，向荀慧生交涉，说他违背到天津合开戏院的合约，逼他即刻结束在亦舞台的演出，去天津履行合约。然后，他态度颇为强硬地对荀慧生说：“天津广合楼，牌子都挂出去了，正要开锣，只待高贤。此时此刻，白兄却仍留沪上，置合约于不顾，那么，万一广合楼开锣后营业受损，责任由白兄全部承担吗？”

这个时候，荀慧生才将合约拿给相熟的朋友看。这一看不要紧，他吓了一大跳。这份合约内容，在许多方面于他相当不利。特别是，他一旦违约，将高额赔偿，甚至有可能倾家荡产。如今，他真的“违约”了。他明白，他上当了。但是，白纸黑字，合约上有他的签字画押，从法律意义上说，他应当承担责任。然而，他是在被蒙蔽的情况下签的字画的押，从这个角度说，他也不应当承担责任。只不过，他拿不出杨某哄骗欺诈的证据。

先为荀慧生出头的，是亦舞台老板。他为双方进行了调解，更试图说服杨某得饶人处且饶人。但是，杨某自恃一纸合约在手，不依不饶。不得已，荀慧生求助法律界的一位黄姓朋友。黄某不但精通法律，更在社会上有权有势。杨某迫于压力，不得不接受黄某提出的条件：由荀慧生一次性赔偿500元，解除合约，了结此案，从此不得再有任何纠缠。就这样，荀慧生脱了身。

稀里糊涂地运了一回烟土，又懵里懵懂地签了一回合同，从这几件事情中，都可以发现荀慧生为人的单纯。这份单纯，表现在他太轻信别人。他没有害人之心，却也没有防人之意。他这样的性格，在那样复杂的环境中，当然容易吃亏。事实上，他吃的亏的确不少，甚至因此得罪了“大人物”，而不得不委曲求全。

与露兰春无中生有的“绯闻”

身处上海这个花花世界，一不留神，就会跌入泥潭，招来厄运、霉运，对于伶人来说，还会招来桃色绯闻。像荀慧生这样扮相俊美、身材挺拔、嗓音甜润、貌如美女的正值青春的年轻男旦，更容易招来蜂引来蝶，而成为阔太小姐们的追逐对象。她们常常在荀慧生于台上演唱表演时，往台上扔戒指、珠宝；演出结束后，她们又会到后台，说是“道乏”，实际上是引诱。

这一切，并不是只有荀慧生遇到过，名男旦都曾有过这样的遭遇。这个时候，修养、定力就显得格外重要。荀慧生就是如此，从来不为所动。面对诱惑，不予理睬，面对挑逗，严加制止，他始终保持着一颗出污泥而不染的纯洁之心。

尽管如此，关于他的绯闻，还是悄悄地生成，悄悄地弥漫开来。绯闻的女主角，也是位京剧演员，坤伶，名叫露兰春。露兰春比荀慧生小两岁，原籍山东。她走上戏曲之路，是因为继父。她在8岁时，生父病故，她随母亲流落到河北、京津一带。母亲改嫁后，爱好戏曲的继父便让露兰春随一位京剧票友学习老生戏，并取了个“露兰春”的艺名。

14岁时，露兰春开始登台，以唱《文昭关》、《战蒲关》等唱做繁重的老生戏为主。当年，上海天仙合记茶园到天津邀角儿，露兰春应聘南下上海，并崭露头角，被冠以“京津著名坤角”的头衔，从此享名。在天仙合记茶园关闭后，她又辗转共舞台等戏院继续演唱，技艺日进，声誉渐隆。之后，1914年，她离开了上海，到武汉等地演出。

1919年1月，上海共舞台经过修缮后，重新开门迎客。为庆祝开张，露兰春被邀为台柱子，在共舞台献唱。这时，她的艺术更趋成熟，能文能武，唱做俱佳，不仅为自己赢得更大的名声，也使共舞台戏迷盈门，深受老板器重，因此成为共舞台的头牌名角儿。共舞台的老板，就是上海滩三大流氓大亨之一的黄金荣。

在军阀混战、时局动荡不安的社会环境下，上海的有钱人纷纷迁居租界，客观上使得这里的戏院日益增多。有能力开戏院的，除了有钱人，就是上海的流氓大亨。除了黄金荣的共舞台外，天蟾舞台，就是由人称“顾四”的顾竹轩所开，他与“三大亨”杜月笙、黄金荣、张啸林并称上海“四大金刚”。

共舞台有老、新之分。老的共舞台，创建于1911年，由几位开明士绅联合出资兴建，正式开演是在当年的11月22日，戏院名为新剧场。因为生意萧条，半年后改名凤舞台，后来又改称群舞台、朝阳凤舞台。1913年，黄金荣正式接手，又改名字，为天声舞台，之后才改为共舞台。所谓“共”，意即男女同台之意。可以说，共舞台因此开创了中国男女演员同台演出的先例。不可否认，这是进步。

在露兰春离沪去汉后，京剧演员吕月樵接手共舞台，改称沪杭共舞台。几年后，即1917年，沪杭共舞台回归黄金荣，又改名为沪江共舞台。

有人说，黄金荣开办共舞台，其实就是为了露兰春。此说并非没有道理，共舞台定名在1913年，露兰春就是1913年在上海演出，也确实在共舞台唱过一段时间。甚至可以说，她走红上海，也就是在共舞台时期。因此又生出这样的说法：是黄金荣捧红了她。也许正因为如此，当共舞台修缮后重新开张时，露兰春很自然地成为重点邀约对象，而回到共舞台。

有一段时期，荀慧生交叉演出于亦舞台和共舞台。在共舞台演出时，很自然地与露兰春有了更多的同台合作机会。这个时候，他是旦角头牌，露兰春是老生行头牌。两人同挂头牌，又是一男一女、一旦一生，一个英俊、一个娇美，在外人的想象中，这才是天造地设的一对。渐渐地，戏迷们到共舞台，最想看的，就是他俩合演一出戏。

1922年10月3日，他俩合作演出《第一美人》（又名《昭君》），荀慧生饰演昭君，露兰春饰演苏武；1922年11月4日，他俩合作演出《狸猫换太子》，荀慧生饰演寇珠，露兰春饰演陈琳。

在很多时候，当事人本无意，外人却有心。当荀慧生突然发现有人在谈论他和露兰春，而且神情语言都很暧昧时，他想起了白社成员曾经对他的忠告。他们一直在提醒他，在生活上一定要处处小心谨慎，特别是在男女问题上，万万不可出错，所谓“一失足成千古恨”。之前，他在散戏后，循例会和其他演员们一起去吃消夜，其中也有露兰春。为避嫌疑，之后，散了戏，他会编出各种理由，借故立即卸装回家。

相比而言，在他俩的关系上，露兰春似乎更积极一些。有时，露兰春主动当面邀请他共餐，他婉言谢绝。为便于休息、独处，他在某饭店包了一间房。不久，他的包房旁边一间原本是空着的房间，被露兰春包了下来。一些不怀好意的人打探到这个情况后，按捺不住兴奋，日夜守候着，等着看好戏。荀慧生更加小心翼翼地演出和生活，更加小心翼翼地维持着与露兰春演戏搭档的平常关系。他以此对抗着一切流言蜚语。终于，绯闻悄悄地来，也悄悄地去了。

荀慧生大约是在 1922 年年底离开共舞台的。也就是在这年年底之前，露兰春嫁人了。新郎正是共舞台老板黄金荣。早在1919年秋天的时候，黄金荣曾经因为露兰春，而险些葬送了自己的身家性命。原来，有一天，露兰春唱戏唱到一半，忽听得台下有人喝倒彩。一个以唱戏为生的演员，无论对于喝正彩，还是喝倒彩，早已习以为常，并不在意。但是，对露兰春暗生情愫的黄金荣却不能容忍。仗着他是青洪帮首领，当即命人将那人揪出来。然后，他亲自动手，将那人痛打一顿，为心上人好好出了一口恶气。

谁知道，他打的这个人，不是普通老百姓，而是号称民国“四大公子”之一的浙江军阀卢永祥之子卢筱嘉。卢少爷回家哭诉一番，告了黄金荣一状，卢军阀大怒。他的部下何丰林不知道是奉命行事，还是擅自主张，竟然拉了一队人马，将黄金荣掠劫而去，软禁了起来。后来，在杜月笙、张啸林的大力奔走之下，黄金荣这才脱险。不过，经过这么一折腾，他的元气大伤，威风扫地。有人甚至断言：“杜月笙就此后来居上，张啸林也借此站稳了脚跟。”

当然，露兰春不可能嫁黄金荣为正室。黄金荣妻妾成群。露兰春只能成为他其中的一个侧室。从此，她逐渐淡出了舞台。黄金荣多了一个妾，而戏曲舞台上却少了一个颇具才华的文武老生。这令很多人唏嘘感叹不已。她的经历，似乎应了那样的传统观念：一个女人，不论有多少艺术才华，艺术生命如何旺盛，结局也只能是回归男人的怀抱，成为男人的宠儿。

露兰春与荀慧生的感情没有发展起来，甚至没有萌芽。露兰春与黄金荣的感情终于修成正果。露兰春嫁给黄金荣的同时，荀慧生也离开了共舞台。这一切的事实，使得好事之人不由得就荀慧生、露兰春、黄金荣三人之间的关系产生无限遐想。偏巧这个时候，发生了一件事，那就是荀慧生认黄金荣为“义父”。这似乎又验证了外人的揣测。实际上，荀慧生与黄金荣结怨，最后不得不认他为“义父”，与露兰春毫无关系，而是为了他的妻子吴春生。

想象中，唱花旦的比唱青衣的，会更多些浪漫情怀。四大名旦中，唯有荀慧生是唱花旦的。梅、程、尚的青衣戏，荀慧生也能唱，但是，荀慧生的花旦戏，他们三位未必能唱。这并不意味着他们能力有限而学不会花旦戏、唱不了花旦戏，更多的是受性格所限。因而，相对而言，荀慧生更感性，更多情。

荀慧生对露兰春，或许的确没有真正动过心，所谓绯闻，也就是绯闻而已。但是，他对妻子以外的其他女人，并非从来没有产生过好感。其中特别让他引发情愫的，是一个裁缝铺中的姑娘。

这家裁缝铺，荀慧生常常光顾。他是演员，又是名演员，经常需要做衣服，既做戏服，也做礼服，所以选择一家合乎心意的裁缝铺，相当重要。挑挑拣拣后，他选择了这家。那么，他是因为这家的衣服做的的确好，还是因为在这里干活的那个姑娘呢？荀慧生自己也说不清楚。

这个姑娘约摸十八九岁，一看就知道不是上海市区人，而是来自于上海农村。她既有上海姑娘特有的水灵，也有乡下姑娘特有的腼腆。在一般人看来，她不是上海滩的小姐，所以有些土，穿的是半旧的浅竹布裤褂，双颊总是泛着红晕，还梳着一条粗粗的大辫子，用红头绳扎着。她会在扎好辫子后，再细心地将辫梢梳一梳，使辫梢始终很齐整。也许正因为她的土气，所以更显娇羞。她和客人说

⊙ 荀慧生、吴春生夫妇和长子令香。

话，脸上的红晕更红，眼神四处躲避着，不敢直视。

荀慧生和这个姑娘，其实并没有太多的言语交流。每次他到裁缝铺，总见姑娘不吭声地忙进忙出，手脚麻利、动作娴熟。待他坐定，一会儿，她就会端出个小碗，碗里盛着的，不是小馄饨，就是宁波汤圆，或者是元宝茶，茶里还有两颗青橄榄。她将小碗双手递给荀慧生，低声一句："请！"荀慧生双手接过，轻声回一句："谢谢！"然后，姑娘嘴角一咧，笑一下。有时，她以极快的速度扫他一眼，转身急步离去。一来一去，一份淡淡的情感，在两人之间产生。

两人都感觉到了情感的变化。当他面对她时，就会慌张；姑娘见到他时，脸上的红晕会荡开去，弥漫到耳根发际。端午节时，荀慧生又到裁缝铺，姑娘照例给他端来一份甜点，又捎带着送了一串香袋。独处时，荀慧生拿出这串香袋，细细赏玩。他看出来了，那是姑娘自己做的，精巧别致，散发着情窦初开的芳香。几日后，荀慧生收到姑娘第二份礼物，一方丝帕，丝帕上是姑娘的刺绣。不需要语言，荀慧生深切感受到了姑娘的心。

感性多情的荀慧生，并没有让这份情感无限泛滥，他及时收住了心。他很清醒地知道自己的身份。他也知道，对妻子，他不能欺骗；对那姑娘，他不能误了她的人生。于是，他换了一家裁缝铺。他因此有些痛苦。当他听说姑娘曾经到戏院找过他，被白社拦了回去后，本就脆弱的理智险些被恣肆汪洋的感情冲破。正好在这个时候他接到杭州方面的邀请，急着去杭州演出，及时离开了上海，否则后果很难预料。

在荀慧生从杭州返回上海后，意外获悉，那个姑娘死了。是因为意外而致死？是忧愁过度郁郁而终？抑或是知情者用这样极端的方式善意地欺骗而让他彻底死心？他不知道，也不想追究。他只是将姑娘的音容埋在心底，只是将这段只有萌芽却并没有成长的感情视作人生的一个体验。他整理好心情，重新出发。

然而，那个姑娘留给他的印象太深。在他的潜意识里，她已经成为善良、美好女性的化身。有人说，他在舞台上塑造的众多下层社会善良、美好的女子形象，灵感来自于那个姑娘。了解他这段情感的知情人在他饰演的尤三姐、金玉奴、红娘、晴雯、苏三、卓文君等人物身上，都能隐隐约约看到那个姑娘的影子。

也许就是从那个姑娘开始，荀慧生很注意在生活中寻找可提炼成典型形象的人物，用以丰富他在舞台上的表演。都说荀派的艺术特点之一是“从生活出发”，这当归结于他善于观察生活，而生活中不同的女性形象，更是他的研究对象。为此，他从不拒绝和任何阶层的女性打交道，也从不放弃任何接触各种女性人物的机会。

正如在裁缝铺结识那个姑娘一样，他在日常生活中，注意观察普通良家妇女的一举一动一言一行。他发现，穷苦人家的小姐、小媳妇，比有钱人家的小姐、小媳妇更大胆。这个“大胆”，并非不顾一切任意妄为，而是因为受教育程度较低，见识又相对短浅，所以顾忌少，比较单纯。

比如，她们因为没有经济能力时常进戏院，于是一旦看到个唱戏的，就会紧盯着看，也不管你是否乐意。如果你表现出不悦，她们也不在乎，也就是自顾自收回目光罢了，丝毫不扭捏，大有一种

"我想看就看，你能拿我怎么样"的无畏气势。更多的时候，他看她们干活，洗衣晾晒淘米择菜上街购物等等，动作娴熟麻利，干净利索，绝不拖泥带水；他也看她们与人交谈，叽叽喳喳声音响亮，眼睛直视对方，目光简单清澈。

有的时候，为了演好小女孩，他会买些糖果饼干拿给她们吃，然后和她们交谈，听她们说话，看她们玩耍，甚至和她们一起玩捉迷藏、丢手绢、一网捞一个小尾巴鱼等游戏，从中观察她们的动作语言，体会她们的心理。

比较北方与南方的姑娘，他也找到了不同点：一个更粗犷一些，一个更细腻一些。但是，她们也有一个共同点，那就是：纯真。于是，他在表演这类人物时，无论动作如何，身段怎样，"纯真"是根本的，是首先要把握的。

相对而言，有钱人家的小姐、小媳妇，因为规矩多，自身又受过教育，顾忌也就多，生活得小心翼翼，不敢直视他人，不敢随便和生人说话，说话时轻声细语，走路时生怕踩了蚂蚁，吃饭时细嚼慢咽。有的小姐还多愁善感，有几分林黛玉的味道。荀慧生在表演这样的人物时，就不是风风火火、干脆直率，而更注重心理活动的刻画。

和北京相比，上海更多些灯红酒绿。于是，在交际应酬中，在麻将桌上，荀慧生又结识了阔太太、姨太太、交际花、舞小姐、酒廊女、青楼女等。他将这群人物归为"色"类。相对于良家妇女、大家闺秀，她们的典型形象是装腔作势、矫揉造作、忸怩作态、摆阔显富、俗不可耐。她们穿华服，身上的珠宝首饰叮咚乱响。有的首饰根本就是假的，却也当真的一样。

阔太太往往颐指气使，有钱了不起的样子；姨太太因为身份的原因，内心有些自卑，却为了掩饰自卑而更自负；舞小姐、青楼女又有一种看破红尘的玩世不恭，内心却是脆弱的、敏感的。荀慧生在与有些名妓交谈时，发现她们其实很有文化，也有一定的品位，只不过身份和长期周旋于各色男人的生活湮没了真实，她们已经无法摘下面具生活了。

不同的人物，有不同的生活方式、不同的处事原则，因此有不同的说话、走路、处事、衣着方式。就说话而言，北京姑娘说话脆、直，南方姑娘说话甜、嗲。在上海生活五年之后重回北京，观众发现荀慧生的念白更甜、更嗲，原因就是他将南方姑娘的说话方式融入了念白之中。

就衣着而言，当人们夸赞荀慧生的表演服装搭配得很完美时，他说："官宦人家的千金、书香门第的小姐和乡野女子的穿着打扮是不一样的，她们喜欢的颜色都不相同。"不但如此，他还将不同人物的衣着与她们的说话、走路方式结合起来。符合身份的衣着，看着自然顺眼，也就觉得美了。

荀慧生始终记着前辈师傅的一句话："前知五百年，后知五百年。"少时，他并不十分理解这句话。随着生活阅历的不断丰富，特别是表演经验的不断积累，他终于明白了这句话的意思，其实是：要注意研究人物各自不同的身份、历史、处境。而要了解不同的人物，就必须从生活出发，观察生活，观察人物。有这样的认识，又有这样的实践，荀派表演风格越来越显现。

无奈认黄金荣为"义父"

荀慧生对裁缝铺的姑娘，发乎情，止乎礼，完全符合传统伦理规范，无可指责。但是，他对妻子仍然怀有歉疚之心。自与吴春生结婚以来，他对妻子，是很有感情的。他这样评价妻子："对我十分体贴照顾，为我生儿育女，管理家务。"他这样评价与年长他四岁妻子的家庭生活"非常美满"。

⊙ 荀慧生夫妇与令香和令文。

在他首赴上海时，他偕妻带女，在外人眼里，一家人和乐融融。在上海的五年时间里，妻子又为他添儿增女，操持一切，免去他的后顾之忧，让他专心致志一心追求艺术发展。当他名声日广，经济情况大为改观后，他买房置产，目的就是为了让妻子过得更舒适。

无论是在亦舞台，还是在共舞台，荀慧生都为妻子吴春生保留着一间包厢。无论吴春生是否来看戏，这间包厢都是不对外售票的，可以说是吴春生的专用包厢。有一天，在共舞台，吴春生高高兴兴地来看戏，坐进自己的包厢，耐心等着大轴戏的开场，那天的大轴，由丈夫担当。戏演过半，突然有几个年轻人闯入包厢。也许是喝多了酒，言行不受控制，又也许是他们见包厢里只有一个端庄娴静的女子而生出坏意，总之，他们嬉皮笑脸，不怀好意地冲着吴春生污言秽语，加以挑逗，甚至动手动脚。

吴春生吓坏了，匆匆逃出包厢，直奔后台。见到荀慧生，她竟控制不住，哭了起来，边哭边诉说刚才发生的一切。有人曾经这样评价荀慧生："荀郎貌柔美若女子，内性至刚有丈夫气"。"有丈夫气"的荀慧生，怎么能够容忍妻子被欺侮？他当即火冒八丈高，随手拎起一把剑（道具），就要冲出去拼命。旁边的人赶紧将他拉住，劝他不要冲动。他一边挣扎着，一边吼道："叫他们过来！我要和他们好好算算这笔账。"

在吴春生奔出包厢，奔向后台后，那几个年轻人见人跑了，颇不甘心，尾随着一路追来。正在荀慧生嚷嚷着要算账、要拼命的时候，他们正好也来到了后台。"原来是白老板的内人啊。"他们阴阳怪气地嘟囔了一句。显然，他们知道了吴春生的身份，却还是一副毫不在乎的模样。这令荀慧生更加生气，在他看来，他们也太不把他放在眼里了，居然在明明知道吴春生是什么身份的情况下，仍然没有收敛。不仅如此，他们以鄙视的口吻，大声开着荤玩笑，嘲弄着艺人，特别是男旦的婚姻，然后发出一阵阵的浪笑。

就在这个时候，一道白光闪过，只听得啪的一声响，随即便是"哎哟"一声惨叫。人们惊见，其中的一个流氓捂着鲜血横流的面部，倒在地上，扭动着身子，痛苦地呻吟着。原来，怒不可遏的荀慧生操起桌上的一只茶壶，几乎是拼尽所有力气，砸了过去。

他虽然是一个旦角演员，舞台上的他，柔情似水、万种风情，有时甚至是恹恹的弱女子模样，但是，他毕竟是个男人，是有血气的大丈夫。况且，他还练过武，练过拳，需要的时候，他有四两拨千斤的韧度，也有气吞山河、力拔山兮的气概。这个时候，他飞掷茶壶，好像侠客一般。千斤重量集于一点，茶壶正中那人的脑门，鲜血顿时喷溅出来。

在红色血液的刺激下，双方的血管贲张，斗鸡一样，拉开了架势。眼看一场恶斗在所难免，后台管事、其他演员、正巧前来探班的几位白社成员等见势不妙，连忙连拉带拖又拽，将双方强行分开。他们认为，特别是白社成员认为，若真的打起来，荀慧生单枪匹马，能以一当十吗？即便他武艺还算高强，但他面对的毕竟是职业流氓。他的武艺，也许可以用来防身，但是否能够用来打群架呢？如果打不过，真的吃了亏怎么办？另外，他是角儿，是已经出名的“白牡丹”，就这样与流氓厮打，岂不坏了自己的名声？所以，他们不仅及时阻止了一场斗殴，更不顾一切地拉着荀慧生和吴春生从后门跑了。

架，终究没有打起来。大家都以为，事情就这么过去了。虽然有人受了伤、流了血，但事端是他们先挑起来的，荀慧生的行为，是正常反应，是正当防卫。如果说各有错的话，那么，双方也互相不欠。但是，事情却远没有想象的简单。

次日，荀慧生和白社的人得到消息，那些年轻人，是上海帮派中人，而且正是黄金荣的“青洪帮”的人。不仅如此，那个被荀慧生的茶壶砸破脑袋的，是“青洪帮”的一个小头目。也就是说，荀慧生于一怒之下，招惹了帮派。他们放出风声，说白牡丹吃了熊心豹子胆，竟然和“青洪帮”过不去，敢和“青洪帮”的人大打出手。他们不可能咽下这口气，一定要找白牡丹报仇，要断他的腿，毁他的容，让他一辈子不能登台，然后将他逐出上海，让他滚蛋。

闻听此言，大家都傻了。荀慧生自己不由也愣了。他有些自责。虽然他之前并不知晓那伙人的真实身份，但是，看他们嚣张跋扈的样子，他如果不是因为过分气愤而激动，如果冷静一些、理智一些，是应该能够猜得到他们的身份的。可是，现在想这些，又有什么用？关键是想对策。

有人提议：不如逃吧，逃出上海。马上有人反对：就“青洪帮”的强大势力，逃得出去逃不出去，本身就是个问题。即便逃出了上海，是回北京？回天津？难道那里没有“青洪帮”的人？还是躲到一个谁也不认识的地方，从此不再唱戏，永远隐姓埋名，不见天日？这也不现实。总之，逃，不是个办法。

议来议去，还是主动求和为上策。于是，白社的人出面，通过关系求助各方人士，希望他们做个中间人，调和双方的纠纷。“青洪帮”霸道惯了，又要面子，哪肯轻易答应？几番调解，他们的口气依然强硬。继续努力，气氛有所缓和，“青洪帮”松了口：可以和平解决。这下，荀慧生、白社都大大舒了口气。

然而，“青洪帮”随即提出的条件，让荀慧生惊愕不已，甚至让他差点儿吐血，险些又点燃起他心中的怒火。这个条件是：不要白牡丹的摆酒宴请，不要白牡丹的赔礼道歉，只要白牡丹向黄金荣黄老板磕头，认他做“义父”。简单一句话，加入“青洪帮”，从此，既往不咎。

与其说这是“条件”，不如说是公开的侮辱。身为社会地位低下的“戏子”，荀慧生经历过太多的侮辱。刚到上海时，“三小一白”大受欢迎，有人当着荀慧生的面，戏言道：“瞧你们红的，有多少人散了戏后，候在后台，你们以为他们是因为佩服你们的艺术？他们还不是想亲眼瞧瞧你们是雌是雄的真面目。”

闻听此言，荀慧生顿时变了脸色，但那人自顾自继续说：“我看啊，不如把你们四位装在铁笼子里，往戏院门口一摆，让大家瞧个够。你们也不用唱，不用武，保准儿银子票子哗哗的，你们只在笼子里使劲儿地捡就是了。”他以为他的这个玩笑，很可乐，很好笑，说完之后，竟哈哈哈笑得浑身颤抖。

荀慧生勃然动怒，厉声喝道：“你胡说八道什么！”他的声音虽然低沉，但如闷雷一般，全然没有他平时说话时的温和文秀。那人一下子就被吓住了，立刻收住了笑容，诧异地盯着荀慧生。荀慧生气哼哼地接着说：“你把唱戏的当成什么了？猴儿？玩偶？把你装在铁笼子里，试试？”然后，他嘀咕了一声：“什么玩意儿！”

或许，那人本身并没有侮辱艺人的恶意和故意，确实只是开开玩笑。此时，见荀慧生如此大的反应，他意识到，有些玩笑是开不得的，便连忙道歉。荀慧生的气，一时半会儿，消不下去。

无意之中的玩笑，都能让荀慧生大动肝火，何况是不怀好意人的有意为之，就更让他不能容忍。初到亦舞台演出的时候，有一个不常看戏的好色之徒，意外地看了一场荀慧生的演出。他见这个演员细皮嫩肉，身材姣好，眉宇之间柔情万种，真的以为他是个女人，竟疯狂地“爱”上了“她”。

散了戏，他溜到后台，荀慧生还没有来得及卸装，他走上前去，对荀慧生极尽挑逗，说一些情啊爱的话。当荀慧生卸了装，他发现“她”是个男人后，非但没有收敛，反而更加张狂，污言秽语更甚。起初，荀慧生不予理睬，之后，他忍无可忍，顺手操起化装台上的一个粉缸，狠狠地朝那家伙砸过去，吓得那人狼狈而逃。

这样说来，荀慧生用茶壶怒砸“青洪帮”，就不是一气之下的偶然行为，而是为维护自尊的血性之举。如果说，之前的玩笑、挑逗，以及妻子被欺负等都算是一种侮辱，荀慧生可以用怒骂、用粉缸打、用茶壶砸的办法，加以反击的话，那么，当他面临认黄金荣为“义父”这样的侮辱时，他却没有任何可以反击的办法。如果他任性以对，他的艺术前途将毁于一旦，他和他的家人，甚至也有生命之虞。

许多年以后，在有一次给青年演员做讲演时，在对解放前“唱戏的”和解放后的演员进行比较时，他说过这样一段话：“当一个唱戏的，不容易，没有出家当和尚的决心，成不了好角儿，人家要看你舒服了，你就不舒服了。越是有名就越不舒服，你就要越加小心，方方面面都得注意，有人嫉妒你，有人打击你，有人捧你，有人拉着你走邪道儿，你都得经得住，要吃常人吃不起的苦，要忍常人忍不下的气，要经受酒、色、财、气的诱惑……”这番话很能体现旧时戏曲艺人的生存状况。对于荀慧生来说，他被嫉妒过，被打击过，被捧过，也吃过常人吃不起的苦。如今，他又不得不忍受常人忍不下的气了。

无可奈何之下，荀慧生想到了一句话：“退一步，海阔天空。”

于是，他退了。这个“退”，是身体上的退，而不是精神上的退。只有这样想，才能忍得下这口气，才能故作轻松地、假装情愿地，认黄金荣为“义父”(又称干爹)。虽然他以这样的极端方式化解了一场危机，但这也成了他心中永远的痛。

在一般人看来，荀慧生认了黄金荣为“义父”，算是以行动加入了“青洪帮”，是“青洪帮”的人了。事实上，荀慧生不过是一个以唱戏为生的艺人，一个京剧演员，他不可能参与“青洪帮”的任何事务。他的“黄金荣义子”的身份，只是表面上、形式上的，而毫无实质内容。特别是他两年后离开上海、返回北京之后，他与黄金荣更少牵连。那么，黄金荣、“青洪帮”对他而言，意味着什么呢？是某种程度上遮风避雨的保护伞。对于一个挣扎在社会底层、且无社会地位的艺人来说，有的时候，很需要这样的保护伞，甚至可以利用它，做自己想做的事。

1922年秋冬时节，四大名旦之程砚秋初次到上海演出，演出地点在亦舞台。这个时候，荀慧生正在共舞台演出《狸猫换太子》。这是他与露兰春合作的一出戏，而且是初排的新戏，所以，它是这段时期共舞台的重点剧目，广告宣传铺天盖地。程砚秋在亦舞台，上演了他的新戏《龙马姻缘》，也颇受欢迎。就这样，荀、程二人于无意之中，在上海打起了对台。

既然这个对台并非两人有意为之，因而也就谈不上谁输谁赢。不过，客观上，“新人”程砚秋作为后起之秀，他和他的戏，多少给荀慧生造成了一定的威胁，也多少影响了《狸猫换太子》的上座。程砚秋不免有些内疚，荀慧生却毫不在意。相反，程砚秋的强大号召力，使荀慧生突生灵感，有了个新创意。

这个新创意，是联合程砚秋自组的班社和声社，和上海的九大戏班，共同在共舞台举办一次大义务戏，名目是救济贫困。荀慧生的这个想法，得到了老板黄金荣的首肯。由共舞台出面组织这样名班齐集、名角汇聚的大义务戏，而且是为了做善事，对共舞台来说，不失为扩大声名的大好机会。对黄金荣和“青洪帮”来说，也不失为树立好形象的大好机会。于是，黄金荣很乐意积极支持。程砚秋和九大戏班在接到荀慧生发给他们的邀请函后，也都积极响应。于是，荀慧生紧锣密鼓地忙活开了。

11 月 8 日，大义务戏如期在共舞台举行。这天的戏，荀慧生只演了一出折子戏《训子》，而将大轴戏让给了程砚秋唱的《刺红蟒》。演出很圆满，社会反响也很热烈。荀慧生策划的这场大义务戏，获得了成功，不仅为那些需要帮助的人提供了帮助，也为自己树立和提升了正直、善良、有爱心、有社会责任感的良好形象。

⊙ 此画为荀慧生在演出《丹青引》现场边唱边画之作。

拜吴昌硕为师

在1927年《顺天时报》举办的那次“五大名伶新剧夺魁投票活动”中，荀慧生有五部新剧被列为候选，即《元宵谜》、《丹青引》、《红梨记》、《绣襦记》和《香罗带》，结果是《丹青引》获得最佳剧目。既然是由观众投票选出来的“最佳”，那么，这部戏无论是内容上，还是艺术上，一定有可圈可点之处。

看它的戏名，有“丹青”二字，便可推知它的内容与绘画有关。的确如此，这出戏说的是贫女杨云友有绘画才能，

⊙ 《丹青引》荀慧生饰杨云友。

但家境贫寒。一日，其父迫于生活压力，瞒着杨云友，将她临摹大画家董其昌的一幅画偷偷拿出去变卖。这幅赝品恰好被董其昌发现，然后引出董其昌与杨云友以画联姻的一段曲折爱情故事。

关于这出戏的编剧是谁，目前有两种不同的说法：一种说法

是白社成员杨怀白（又名杨中中）。他在加入白社后，又为自己取了个"心词主人"的雅号。一个"词"字，表明他对荀词荀慧生是如何爱惜，对荀派艺术又是如何推崇。可以说，他是白社的最忠实成员之一。另一种说法来自于荀慧生自己，即《丹青引》的编剧是陈墨香。

从杨怀白是白社成员、对荀慧生的性格、喜好、擅长都相当了解来看，他是《丹青引》的编剧不是不可能；从荀慧生于1924年初识陈墨香，陈墨香随即为他改编《玉堂春》、《大英杰烈》等戏，并从此成为他的专职编剧来看，他是《丹青引》的编剧，也大有可能。既然是荀慧生自己说的，那么，姑且就将这出戏的编剧认定是陈墨香。

从艺术上来说，《丹青引》唱做并重、亦庄亦谐、场子穿插尤为精妙。所以有剧评家认为它足可以与经典之作《玉堂春》相媲美。具体到唱念做打等细节方面，这出戏主要有这样几方面的特色：

一、编剧精心设计了八句西皮慢板：

日暮天寒雁唳哀，呵毫自写表心怀。

春风秋月浑无赖，空谷幽兰为底开。

老父难禁催宿债，家贫无计典荆钗。

丹青枉借高名卖，深愧闺中不节才。

这段唱词，典雅悱恻，却又能雅俗共赏。它虽然出自编剧笔下，却体现了荀慧生对唱词的创作思想，即“文大用不上，文小也不行”。也就是说，他要求的唱词不能艰深古奥、佶屈聱牙，但也不能没有文化意蕴。荀慧生很满意这几句唱词，认为“言浅而意深，文近而旨远”，从而把杨云友当时复杂的心情充分地表达了出来，而且具有诗情画意般优美，很符合故事内容和人物身份。西皮慢板的唱腔，又有三日绕梁之妙。

二、表演方面，在“议婚”一段，荀慧生的面部表情和眼神极为丰富，力劝其父提防有诈时，眉宇之间，透出觫觫惴惴的紧张心情；在“推人入江”一段，从表情上看，他是恐慌的、胆怯的。然而，从他的眼睛中，观众看到的却是冷静和明朗。所谓“初写黄庭，恰到好处”。

三、杨云友与天素假洞房的一场戏，十分风趣，喜剧性极强，令人捧腹，也充分显现荀慧生的花旦专长。其中的南梆子唱段，被人赞为有声振林木、响遏行云之妙，而一段快板，字字珠玑、铃铃振玉、错落有致，极显功底。

四、其他配角，如和尚、太监、妓女的戏，也都诙谐有趣，恰到好处地作为全剧的点缀，使故事曲折生动、别开生面，为整出戏增色不少。

五、如果说，《丹青引》与其他新戏有什么不同的话，最大的区别便在于人物身份太有新意。在《丹青引》获得“最佳剧目”的同时，另外一出新戏，《摩登伽女》成为尚小云的“最佳剧目”。这两出戏的共同点，便在于人物的变化。

⊙ 荀慧生便装照。

之前，无论是传统京剧老戏，还是自梅兰芳开始以后的新编京剧，所塑造的人物，大多是佳人、小姐，或者是贫女、丫环，后来有了一些进步，出现了侠女、巾帼英雄等新人物。尚小云的《摩登伽女》，首次在新编戏中引入外国题材，主要角色是穿新潮洋服的洋女郎。荀慧生的《丹青引》，则首次将美丽聪慧的女画家搬上了京剧舞台，丰富了京剧舞台形象，或者这就是被评为“最佳”的重要原因之一。

这样的人物形象，也就需要表演者在表演时能写会画。事实上，在吟唱那八句西皮慢板时，按照编剧的设计，荀慧生边唱边画，八句唱完，“杨云友”临摹董其昌的一幅山水画也正好完成。为了避免唱慢了画却画完了，唱快了画还没有画完的尴尬，也就是说，为了使唱腔和绘画在时间上相一致，既不能使唱影响画，也不能使画耽误唱，事先，荀慧生经过无数次的排练，以找准唱的快慢和画的速度。

人，毕竟很难一心二用。所以，荀慧生听从陈墨香和白社成员，特别是绘画老师的建议，先在画纸上用铅笔勾出所要画的山水的轮廓。经常性地，这个轮廓，由画家胡佩衡代笔。上了舞台，荀慧生在底稿上操作，总出不了大错，唱得也顺溜，更容易将两者配合得天衣无缝。

那一场戏，是全剧中最出彩的。一段唱，唱出了杨云友感伤不幸身世，哀叹悲凉世事的复杂心情，以及对人无法掌控命运的无奈；一幅画，既画出了杨云友的绝世才华，实际上也展现了荀慧生的绘画才能。一曲终了，一幅山水画也显现在观众面前。这幅画“浓淡疏密有致，结构布局也很讲究，有山有水，有石有树，还有一座小小的茅屋，繁而不乱，颇耐寻味”①。

每演到此处，场下必然掌声雷动，观众无不称颂这场戏是“荀氏一绝”。那幅画，随即成为众人争抢的稀罕物，甚至有人愿出高价购买。对此，荀慧生一直谦虚地说：那是游戏之作，是不能卖的。于是，谁提出要，他就免费送给谁。唱一次《丹青引》，他就送出一幅山水画，也算是京剧史上的一个奇景。

陈墨香何以会为荀慧生编这样一出戏？很简单，是因为荀慧生对绘画并非门外汉。他特别学过绘画，还曾拜过画家为师。在上海演出期间，他拜的一位重要绘画老师，是著名金石书画大家吴昌硕。

对于早年的戏曲演员，有两个事实是显而易见的：没有文化，没有社会地位。其实，这两个“没有”是相辅相成的：没有文化，是没有社会地位的前因；反之，没有社会地位，也就会忽略对文化的追求。然而，在他们之后的戏曲演员，特别是到四大名旦这一代，在社会地位渐渐上升的同时，他们的艺术素养、文化素质也日益提高。这种提高，是客观时代的要求，也是他们主观的向往和努力。于是，又有一个事实不容忽视，那就是包括四大名旦在内的许多京剧演员，都擅长书法、精于绘画。有两个例子，可以佐证：

梅兰芳在抗战期间，因避出舞台生活陷于困顿时，曾以卖画为生。还是在抗战时期，恰逢尚小云40岁寿辰，梨园同好纷纷向他祝寿。贺礼中，最为珍贵、最引人注目、也最为尚小云喜欢的，是由十二帧书画合成的条屏。这十二帧书画，分别由十位京剧演员所作，它们是：王瑶卿画的松树，王凤卿写的字，余叔岩写的字，时慧宝写的字，梅兰芳画的佛像，程砚秋写的字，马连良写的字，金碧艳写的字，荀慧生画的山水，姜妙香画的菊花。”

那么，京剧演员是从什么时候开始热衷书法、绘画的？这不能

① 谭志湘：《荀慧生传》，河北教育出版社1996年12月版，第189页。

不提到“老佛爷”慈禧。虽然不能说完全是她促成了艺人们对文化的追求，也不能说她有提高演员文化素质的主观故意，但客观地说，她所起的作用，还是很明显的。

慈禧爱听戏，人所皆知，又偏爱生行戏。因而，前辈京剧艺人，如谭鑫培、杨小楼、孙菊仙、孙怡云，小生朱素云等都是内廷供奉，时常应召入宫唱戏。慈禧听得高兴，常有厚赏。渐渐地，不知是慈禧对这种“你唱戏，我赏赐”的游戏有些腻了，还是因为时常听到有些名角儿大念错别字，有些气了，便降下懿旨：凡内廷供奉闲暇时须读书习字。老佛爷的旨意，谁敢违抗？角儿们不得不在练功习武喊嗓演出之余，耐着性子坐在了书桌前。

最初，他们是为遵旨而读书习字，有无奈的成分。后来，慈禧时常在听戏之余，把酒对歌、出题猜谜，答对的、猜中的又另有重赏，渐渐地，他们的读书习字就成为自觉的行为了。

比如有一年“七夕”，宫里照例传召演员进宫。戏演罢，慈禧还沉浸在剧情的愉悦之中，不放演员们离开，一时兴起，提议猜灯谜。她吩咐太监拿过纸墨笔砚，思索片刻，在一白纸上写下四个“多”字，然后令太监展示，让参与演出的演员猜两个时令名称。大家搜肠刮肚，都想猜中而得巨额赏赐，却又都难解其中意。就在慈禧感到扫兴，预备结束这场无聊的游戏时，突然，小生朱素云跪地请求说答案。慈禧大喜，忙准他快说。朱素云答曰：“除夕，七夕。”慈禧问他是如何想到的。他说：“四个‘多’字，为八个‘夕’字，除去一个‘夕’，尚有七个‘夕’。”慈禧很高兴，大大奖赏了朱素云。

又一次，慈禧出了个上联：“三春三月三”，要求演员们对出下联，老生王凤卿对出：“半夏半年半”，很得慈禧喜欢，又大赏。

在这种情况下，名角儿的文化素养渐有提高。王凤卿不仅能写，而且能画，最擅画花卉；时慧宝能绘竹兰；孙怡云能绘山水；刘永春能画鱼藻等等。到了梅兰芳、尚小云、程砚秋、荀慧生这一代，对于书法、绘画更加重视，甚至有不能者不能成为名角儿之势。他们不满足于做一个业余爱好者，常常拜名家为师，所以达到相当水准的人并非个别，四大名旦便是其中的佼佼者。

至于说到京剧演员为什么会由不自觉转为自觉地习字绘画，梅兰芳曾经说："我感觉到色彩的调和，布局的完密，对于戏曲艺术有声息相通的地方，因为中国戏剧在服装、道具、化装、表演上综合起来，可以说是一幅活动的彩墨画。"尚小云曾经说："一方面是要增添我们的知识和艺术修养，因为美术、书法与戏剧，在艺术上有许多脉息相通的东西，能够互相影响；另一方面是为了丰富我们的表演。"总的来说，他们习字绘画，并非为了娱乐，更不是附庸风雅，而是作为提高修养的手段，以及用以丰富自己的表演，最终为戏曲服务。

对于荀慧生而言，也是如此。学画后，他发现，国画是"竖画三寸，体万仞之高；泼墨数尺，现百里之遥"，讲究形有尽、意无穷，也讲究"风骨"二字。他在看了齐白石画的虾图之后，这样说："老先生画的虾是写意的，看起来栩栩如生，可你偏偏要挑剔它没画上水，说它不真实，于是硬给它添上几道水纹，结果是你看着像虾米凫水，别人看了像是活虾米吃挂面条儿。这是画虾添足了。演戏也是如此，要讲究'曲尽意未尽'。"

写意性，是中国京剧的特征之一，诸如上山、过河、骑马、坐轿、行船、上楼、下楼、开门、关门等行为，都采用写意的方式表演出来。所以，京剧表演中有这样一句话："三四人千军万马，六七步万水千山。"显然，荀慧生已经领会到了绘画的真谛，也感受到了绘画和京剧表演的共通性。

荀慧生第一个绘画老师是北京白社的画家胡佩衡。他在庆贺尚小云四十寿辰时，画的是山水画；他在《丹青引》中临摹董其昌的，也是山水画。显然，他有些偏爱山水画，而且也擅长山水画。他最早学画，便是师从胡佩衡学习山水画。胡佩衡是他的绘画启蒙老师。

有人说，画花卉，需要三五年的功夫；画山水，没有个十年八年，是学不成的。荀慧生却就是喜爱画山水，不怕“渠成”的时间长。他说：“我这个人笨，不会找捷径，做什么事都是下笨功夫，从不敢求容易，也不敢想轻而易举地得到成功。”从中可以看出他性格中的老实和坚毅。

也许最初荀慧生偏爱山水画，只是一种喜好，一种性格的反映。那时，他不知道，在非常时期，山水画却有着别样意义。抗战爆发，山河破碎，有人劝他：

“不要再画山水了，那山，那水，已经不再是那山，那水了。”

荀慧生反问：“那我画什么？”

他们说：“画牡丹吧，你不是白牡丹吗？白牡丹画牡丹，最合适。”

荀慧生再反问：“你们认为在这个时候，这种情况下，画牡丹有意义吗？”

本就喜爱山水的他，此时此刻将对山水的喜爱，赋予了更深层次的内涵。他说的一句话，很能体现出他当时的心态：“我爱名山大川，更爱岳武穆‘还我河山’之气魄。”

还在北京时，荀慧生就在胡佩衡的督促下，几乎日日挥毫练画，从不停歇。胡佩衡为勉励他技艺日进，特意赠诗一首：

性灵烂漫见天真，
余事丹青妙入神。
信是纤尘原不染，
本是明月做前身。

⊙ 老缶即吴昌硕为荀慧生写扇。

这首诗，既可以看作是胡佩衡对他绘画的赞赏，也是对他表演艺术的评价。

荀慧生在上海演出期间，南白社成立，素来爱好京剧、与梅兰芳等京剧大师均有交谊的吴昌硕是其中一员。之前，当他听说荀慧生早已拜胡佩衡学习山水画，而且画艺、书法水平提高很快，便想着要看看他的作品。正在这时，早已仰慕吴昌硕书画艺术的荀慧生却捧着自己的书画册页，在书法家刘山农的介绍引荐下，特地上门求教来了。

吴昌硕既然喜好京剧，对初抵上海即名声广布的白牡丹的名字，也就不陌生，而且还去戏院看过他的戏，对他的表演赞不绝口。如今，又见只有20岁出头的荀慧生，对于书法绘画有兴趣，肯下功夫，而且如此虚心诚恳，对他更加喜爱，欣然接受荀慧生的求教。阅毕书画册页，他觉得，荀慧生的书法绘画的确有了一定的基础，只是还需磨练，便细致地予以指导点拨，给了荀慧生很深的启发。在吴昌硕成为白社一员后，两人的交往更加频繁。

有一天，吴昌硕去看望荀慧生，巧遇荀慧生正在习字。他没有惊动他。荀慧生也没有察觉，此时，他的全部心思都集中在他正在写的“天下为公”这几个字上。

对于“天”，他嘀咕道：“最大莫过天。‘大’字头上加个‘一’，便是天；‘人’字头上加个‘二’，也是天。人人头上两重天，乃父母、岳父岳母也。‘天’字最后一

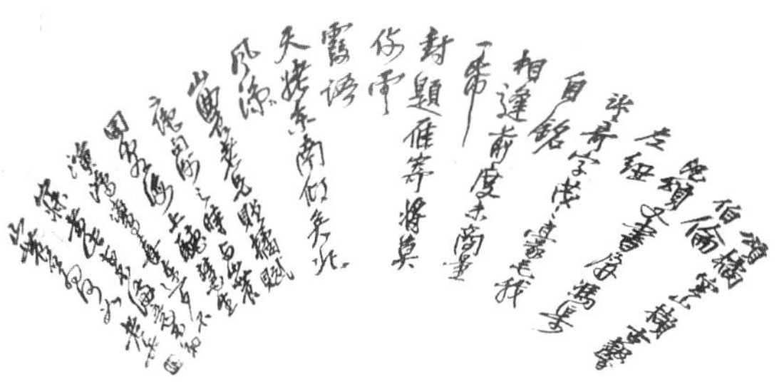

⊙ 荀慧生自绘扇面。
⊙ 1964年8月3日，荀慧生当场挥毫送赵纪鑫画作。

个小尾巴，最不易写好，笔要顿一下，然后轻轻提起。”

对于“为”，他嘀咕到：“这个字最难写，笔画最多，还有四个小点子。这就是说，许许多多的人，为大家办事就是为你们这四个小点子办事。”

当“天下为公”写成，他又嘀咕道：“天下为公，‘天下’，乃天下人之天下也。”

这个时候，一直站在荀慧生身后的吴昌硕实在忍不住，笑出了声，这才惊醒了荀慧生。荀慧生回转身，见是吴昌硕，连忙将其请进屋。寒暄几句后，荀慧生拿过刚才写的那幅字，请吴昌硕指正。吴昌硕很欣赏荀慧生对于一件事情的专注和认真，以及肯动脑、会思想，而不是照葫芦画瓢、盲目临摹。于是，他更加乐意指点荀慧生，在书法上，在绘画上，都慷慨以授。

1923年，农历八月初一，是吴昌硕的八十寿辰。上海的朋友、吴门弟子齐聚山西北路海宁路口的华商别墅，为他祝寿。贺寿礼中，最多的便是诗词书画。身为京剧演员，荀慧生和梅兰芳等人的寿礼，是一台别开生面的演出。寿宴之后，照例要唱戏。

那天的戏，有画家熊松泉唱的《华容

⊙ 吴昌硕（1844－1927）

道》、戎伯铭唱的《贵妃醉酒》等。最有意思的是：荀慧生唱的是梅兰芳的戏《麻姑献寿》，另外他还和袁寒云合唱了一出《审头刺汤》；而梅兰芳唱的是荀慧生的戏《拾玉镯》。花旦唱花衫戏，青衣唱花旦戏，这为寿仪增色不少，也平添了不少乐趣。

目前，所有的研究资料，包括荀慧生自己都说，他是在1924年拜吴昌硕为师，吴昌硕正式收他为弟子的。也就在那年，吴昌硕泼墨挥毫，送给荀慧生一幅字："白也无敌。"实际上，当年，荀慧生并没有向吴昌硕行拜师礼。真正的拜师礼，是在1927年秋他第六次到上海演出时，在"一品香"饭馆举行的。当时，有不少社会名流都参加了拜师礼。吴昌硕又赠了一幅字给荀慧生："仙乐风飘"。严格说来，荀慧生从这个时候开始，才算是真正意义上的吴门弟子之一。

不知是不是受吴昌硕"白也无敌"的启发，上海南白社成员一度纷纷效仿，都以四个字评价荀慧生。比如，严独鹤的"南北蜚声"，丹翁的"哀感顽艳"，黄金荣的"妙舞清歌"，张海尧的"玉润珠圆"，如是票房的"九天珠玉"，杜月笙、张啸林的"响遏行云"、"霓裳清曲"，周渔卿的"声容并茂"，严独鹤、舒舍予的"美意延年"，杜月笙的"正宫仙吕"等。

可惜的是，拜师礼仅仅过去一个多月，同年11月29日，吴昌硕突发脑溢血，溘然长逝，终年84岁。闻知噩耗，荀慧生即刻赶往吴宅吊唁。两天后的下午，举行大殓，国内外艺术界名流，以及友朋旧辈，如朱古微、诸贞长、王一亭、商笙伯、曾农髯、周梦坡、沈琪泉、鲍南屏、许玉农、颜纯生、钱铭伯、徐积余、冯君木、李平书、陈谒士、莫伯衡、步林屋、袁寒云、赵叔孺、刘山农、胡郯卿、

⊙ 吴昌硕先生为荀慧生之书斋小留香馆题字。

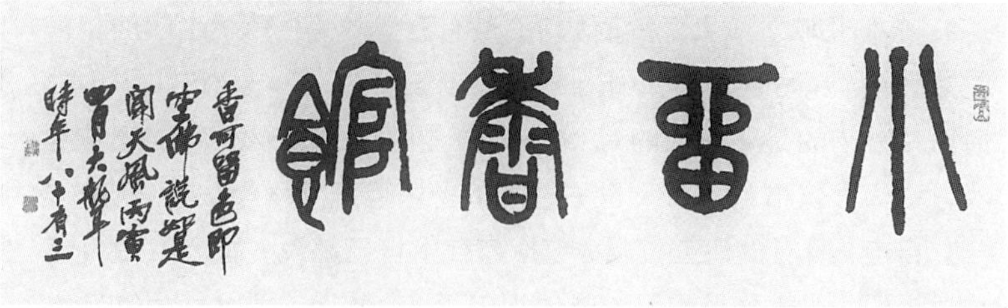

吴待秋、丁辅之、高欣木、青山农、鲁道人、何纂甫、于右任、白石六三郎、吉井民三郎、柴田六次、太仓男爵、驻沪日本商会会长米里纹吉等，共千余人，参加了仪式。荀慧生作为吴门弟子，也身着丧服，前来致奠。想到与吴昌老交往的点点滴滴，想到吴昌老曾经的细心教诲，荀慧生情不自禁泪洒衣襟。

吴昌硕去世后，荀慧生与吴家后人的交谊，从来没有断绝。据说，大约在上世纪60年代初期，荀慧生又到上海，往吴家与吴昌硕三子吴东迈叙旧。正相谈甚欢，门外走进来两个10岁左右的小女孩，皮肤白皙眉清目秀，一双乌溜溜的大眼睛透着灵气，很漂亮很可爱。一打听，大一点儿的，叫吴冬梅；小的，叫吴有雯，都是吴东迈的孙女，也就是吴昌硕的重孙女。荀慧生很喜欢这两个孩子，当即俯下身子，对她们半开玩笑道："走吧，跟我到北京去，去学戏，好不好？"

对于这样突然的提议，两个孩子不知所措，只是怯生生地望着荀慧生，然后赶紧躲到爷爷吴东迈的身后。荀慧生转脸看吴东迈，实则是在征询他的意见。吴东迈将她俩从身后拽过来，搂在怀里，笑而不答。荀慧生知道吴东迈舍不得，不禁笑了。吴家两姐妹没有随荀慧生去北京学戏，她俩的父亲，也就是吴昌硕的孙子、吴东迈的儿子吴长邺每次到京，都要到荀家拜访，甚至就住在他家里。就这样，荀慧生与吴家的友情，一直持续到"文革"爆发两年后他凄惨离世。

⊙ 老舍先生为荀慧生题字。
⊙ 1961年，荀慧生作。

在胡佩衡、吴昌硕之后，荀慧生还投师齐白石、陈半丁、叶恭绰、寿石工、惠孝同、傅抱石、李苦禅、王雪涛等著名画家。其中的齐白石、陈半丁、叶恭绰、王雪涛还曾指导过梅兰芳学画。荀慧生时时向他们求教，他们时时给予他绘画方面的指点，还让他看八大山人、石涛等大家的作品，帮助他提高鉴赏能力。

有大师从旁教导，荀慧生的绘画技艺水平突飞猛进，甚至不亚于专业画家。特别在解放以后，他的画卷意境更加深邃，着笔更加有神。因为如此，成都杜甫草堂、镇江金山寺等地都保留着他的画卷。他和傅抱石、钱松喦等著名画家合作创作的《远山青松图》、《山泉听瀑图》等，更一时传为佳话。

20世纪50年代，老舍对荀慧生说，他收藏有四大名旦梅兰芳、程砚秋、尚小云的墨宝，却唯独没有荀慧生的笔墨，他让荀慧生无论如何也要送他一幅作品。荀慧生非常尊敬老舍，老舍开口，岂有不应之理？之后，他精心绘了

⊙ 荀慧生与上海白社朋友桂泽承（前）和舒舍予（后）合影。

一幅扇面，送给老舍。老舍高兴极了，亲笔书写了一幅条幅，送给荀慧生，作为答谢：

荀公自有好山川，
笔下风流胜自然。
赠我园林一段景，
长松巨瀑接青天。

四大演员于剧艺多所创造，复精绘事，真艺术界之多面手。予藏有梅、程、尚三公作品，今得荀公笔墨，交映生辉，可傲人矣！

这首诗印证了荀慧生的绘画才能，也见证了荀慧生与老舍的深厚情谊。都说老舍自杀于太平湖，是因为不堪侮辱。这侮辱，是发生在他自杀前一天的孔庙批斗。那天，和老舍一起被批斗被侮辱的，还有荀慧生。这时，荀慧生已搁笔两载。在“文革”爆发前的1966年暮春，他又绘了一幅山水画。这幅作品画幅之大，是他一生中少有的，而且气势雄伟，层峦叠嶂，山花怒放，春意盎然。显然，他借以表达他对春的向往，以及呼唤春的来临。这幅山水画，是荀慧生人生的最后一幅画。

两次遇险

就目前资料而言，荀慧生在上海的五年时间内，曾经先后两次到杭州演出。两次在杭州的经历，都让他难以忘却。第一次到杭州，大约是在1920年年底之前。那次，他的演出是失败的。这里的“失败”，指的是票房上座不尽如人意。原因是什么呢？当时，荀慧生在杭州第一舞台演出，说好演期是一个月。与此同时，另外一个旦角演员、艺名“绿牡丹”的黄玉麟正在杭州凤舞台演出。于是，两个“牡丹”于无意之中，打起了对台。既然是“白牡丹”荀慧生失败，那么，对台的胜者，就是“绿牡丹”黄玉麟。

黄玉麟比荀慧生小7岁（两人同于1968年去世），贵州安平人，生于江西南昌，出身官宦之家，因家境破落而不得不于9岁时辍学学戏。之后，他拜江南名演员、艺名“绿牡丹”的戚艳冰为师学习京剧花旦。在聪颖敏慧方面，他甚至超过了荀慧生。戚艳冰因此非常喜爱他，也很器重他，精心培育他，大力栽培他。可惜的是，三年后，戚艳冰去世。黄玉麟袭师艺名，为“绿牡丹”，四处演出，大获赞誉。然后，他应杭州凤舞台重金之聘，来到杭州。他文质彬彬，有如学子，事实上他的确能书工诗。与一般艺人相比，他少了些伶人气习，多了些书生本色，因而，他的气质看上去不同凡俗，令杭人眼前一亮。

白、绿牡丹打对台，戏院方面利用这样的机会大肆炒作宣传。一番“刀枪剑舞”之后，胜负逐渐显现。绿牡丹凭借其强大号召力，大获全胜。白牡丹，以及随他一同前往的上海演员小杨月楼等，都遗憾地败退下来。一时间，外界盛传“京沪名伶之至杭州者悉不敌而去”。说到具体原因，有人说，白牡丹败在新戏太少，终不得杭人之心；绿牡丹风姿秀丽、意态妩媚、嗓音甜润、文武皆能。也就是说，在自然条件与基本功方面，他都不逊于白牡丹。加上他早白牡丹到杭州，明了杭州观众的心理和喜好，为讨杭人巧，他大唱新戏，自然胜白一筹。

可以确定的是，荀慧生是在1920年年底加入亦舞台的。事实上，当时，重新进行改组的亦舞台，在邀约了荀慧生的同时，也聘请了黄玉麟。他们的目的，众所周知，就是想利用白、绿两“牡丹”“相斗”招徕观众。但是，对于这样的安排，白牡丹、绿牡丹并不在意，倒是白党、绿党都觉得不舒服，两党都不愿意打擂台的局面再出现。白党并不相信，这次在上海，荀慧生还会输于黄玉麟，却也无意报杭州“一箭之仇”；绿党虽然面对的是以前的“手下败将”，却也难免担心，上海毕竟是白牡丹的大本营，荀慧生在上海的声誉远高于黄玉麟，观众看惯了他，会不会不买黄玉麟的账？

两党虽然心思不同，但应当都清楚，白牡丹绿牡丹均非等闲之辈，彼此势均力敌。两虎相争，未必有真正的胜者，而必有一伤，且谁也不能保证自己不会成为伤者。鹬蚌相争，渔翁得利，聪明的做法，自然是不要对阵。

亦舞台见双方都不愿打对台，权衡利弊，最终还是长留荀慧生。荀慧生成为亦舞台霸主。黄玉麟只在亦舞台唱了不多的几场，就先后转战大世界乾坤大剧场、春华舞台等戏院，之后又北上北京，客观上将亦舞台让给了荀慧生。

荀慧生第二次到杭州，与黄玉麟无甚关系，时间大约是在1921年。如果说他被人诓去济南，受了骗上了当，只是在经济上有所损失而已，那么，他这次到杭州，不但损失了钱财，还险些送了命。之后，无论什么时候想起这事，他都感到后怕，脊背骨发凉，也让他对恶劣环境下艺人的生存状况感到悲凉。

这次与荀慧生同往杭州的，还是海派演员，有艺名“小达子”的老生演员李桂春，还有曾经和他合作《吕纯阳三戏白牡丹》的生行演员林树森等。杭州方面来约角儿的人从一开始就心怀鬼胎。首先，他们利用演员们识字不多的缺陷，在合同上做手脚，将戏份压得很低，将毁约后的赔偿抬得很高。经过一番讨价还价后，荀慧生他们如期离沪来到杭州，开始了演出。

荀慧生这次遇险，与经励科的阴险狡诈有很大关系。所谓“经励科”，曾经被称为“管事”（相当于现代的经纪人）。经励科在后台的权力，比管事大了很多。他们负责对外接洽演出事务，对内组织演员、支配戏码。因此，经励科不但懂得业务，有组织能力，有经济头脑，更重要的是善于交际、能言善辩。旧时梨园，头牌演员在班社里是不当权的，管事（经励科）负责全部事务。因此，经励科人品的好坏，直接关系到班社的团结和影响演员的利益。

从目前的资料来看，大多数演员对经励科是深恶痛绝的。票友出身的著名花脸演员金少山就曾将经励科称作“约角组班的戏蠹”，他说他恨透了他们，因为“他们手里拿把剃头刀，嘴里没有准舌头，对我们唱戏的大耍花手心儿。什么‘戴高帽儿’（借演员的名义向资方多索包银，自入私囊）、‘剜肚子’（克扣演员的戏份儿），花样多哩！卖满堂也报八成，私下分肥，喝演员的血！”[①]

王瑶卿也说过这样的话：“什么经励科，他只要会说瞎话骗角儿就成了，反正是好说劣说把角儿哄上台就行了。”[②]尽管如此，那个时候，演员们还都离不了经励科，他们还是需要经励科为他们提供演出挣戏份赚包银的机会。在解放初期的戏曲改革中，经励科制度被认为严重侵害人权和艺人福利，因此与旧徒弟制、养女制等，一起作为旧戏班社的不合理制度被取缔。

这样说来，不良经励科是以克扣、盘剥艺人的戏份为邀角儿目的的。当杭州的经励科将荀慧生他们约到杭州时，打定了主意要榨干他们，好好捞一笔。依常理说，只有他们邀来的角儿唱好了、唱红了，上座满了、票房高了，他们能够得到的利益也就会越多，所以，一般来说，他们虽然对角儿们刻薄，但也不至于有意害人。荀慧生遭遇的经励科比他见过的最恶毒的经励科还要恶毒，他们不但想要从他的身上获取最大利益，还故意为难他，甚至想害死他。

一般来说，演员们出外跑码头搭班唱戏，具体唱什么戏，有的时候，并非完全由自己说了算，还得听从所搭戏班经励科的安排。杭州的经励科不知出于什么目的，专拣荀慧生不会的戏，让他唱，让他演。荀慧生说：“那时搭班唱戏就是这样，人家点哪出，你就得唱哪出。许人家不点，不许你不会，更不许你不唱。”他明白这

① 翁偶虹：《我与金少山》，《京剧谈往录》，北京出版社1985年2月版，第365页。

② 吴富琴转说。程永江编：《程砚秋史事长编》，北京出版社2000年12月版，第72页。

个道理，也知道经励科这么做，就是在整他，给他下马威，让他领教“地头蛇”的厉害。

荀慧生一向很倔强，越是如此，越能挑起他的斗志。遇到他不会唱的戏，他就现学，向前辈请教，又找来戏本，细心研究孜孜以练，甚至不惜花大价钱请来能唱这出戏的高人，向他面授，为他说戏。有一次，经励科突然要求他唱《宋金郎》、《杨乃武》等新戏。这些戏，当时，他都不会唱。于是，他紧急电召恩师蒋砚香从上海赶到杭州，为他日夜赶排，总算没有难倒他。经励科原本是以此拿捏荀慧生，想不到，客观上却逼着荀慧生新排新练新唱了不少新戏，这让他在杭州的演出越来越受欢迎。“白牡丹”这个人，也越来越红。

唱得好，唱得红，戏份当然水涨船高。经励科一方面对荀慧生在态度上越来越客气，甜言蜜语几乎要将荀慧生泡在蜜缸里；在招待上，也越来越殷勤，请吃请喝，送烟送酒，不断地许诺为他增加戏份。在账面上，荀慧生也发现，他的戏份的确在增加，他这次在杭州的演出，所得十分令人满意。但是，眼见演出期限将满，经励科却始终没有将账面上的数字变成现实的银票。荀慧生很纳闷。就经励科一贯的为人，他也很怀疑。

演出结束了。经励科还是没有兑现戏份的意思，反而一再要求与荀慧生续约，说尽种种好话。荀慧生拒绝了续约请求，只是要求尽快将他的所得支付给他，好让他按时返回上海。经励科满口答应，就是没有行动，只是不断地请他吃饭、喝酒。吃饭、喝酒的名义，是为他饯行。既然如此，荀慧生也就不好推辞，只能心不甘情不愿地一次次奉陪。

有一天，饭，吃到夜半；酒，喝到凌晨。迷迷糊糊间，经励科拿出一份合约，让荀慧生签字。荀慧生的头晕得厉害，但他没有失却理智，他问：“合约说的是什么？”经励科舌头打结，含糊其辞道：“总之是好事，不会亏了白老板的。”荀慧生不放心，紧盯着问，经励科就说："是续约，戏份翻倍。"说着，就拽着荀慧生的手，几乎是逼着让他赶快签字。荀慧生摇手摆头，说："不签，不签，我不想续约了，我就想着把这次的钱给我，让我回家去吧。"

这是一份怎样的合约？荀慧生死活没有签字，所以它也许因此成为废纸一张而被丢弃，于是谁也不知道里面的内容。那天，荀慧生如何从饭馆回到下榻的旅店，他不知道。他只知道，他人事不省地一连昏睡了三天。

隔了几天，经励科又一次请吃饭请喝酒，而且将荀慧生约到美丽的西子湖畔。荀慧生如期赴约。早已有一艘小船等候在岸边。几个人上了船，小船驶到三潭印月。这时，除了他们，这里已无外人，又月黑风高，荀慧生自感有些不妙。但是，他已经没有了退路。像上次一样，荀慧生被猛灌酒；这次的酒，不像上次，不是一种。经励科鼓动荀慧生将几种酒混合在一起喝，说是有特别的味道。

荀慧生不知道，混合后的酒，喝下去更容易烂醉。荀慧生酒量还算不错，一直能坚持。经励科不知是故意的，还是借酒撒疯，竟将荀慧生按倒在地上，往他身上浇西湖水，然后又以玩笑的方式，用黄土将他掩埋，美其名曰："给白牡丹浇水培土。"如此折腾了半夜，才放他走了。

次日酒醒后，回想起前晚种种，荀慧生吓出一身冷汗。如果不是他酒量好，意志力强，或许就被他们害死了。他忽然明白过来，经励科的所作所为，目的可能就是要致他于死，只不过不至于动手杀他，便想着法子制造意外事故。说到底，就是想赖掉该付给他的那笔数目可观的戏酬。

一想到这里，荀慧生为自己的性命深深担忧起来，不知经励科的人下面还会想出什么毒计来害他，他越想越怕，在杭州一天也待不下去了。他立即收拾行囊，连夜搭上返回上海的夜车。

可以说，他是逃出杭州逃回上海的。尽管他在杭州大红大紫，却分文未得。车进上海，他那狂乱的心这才平息下来。他重重地舒口气，自我安慰："钱财嘛，身外之物。人命，还是顶顶要紧的。"事后回忆起这次的杭州之行，荀慧生说：这"使我更清楚地看到当时社会的险恶"。还有一点，他没有说出来，那就是在险恶的社会中艺人们生存处境的艰难。

如果说杭州遇险是人为因素造成的话，那么，之后的一次遇险则是人力所不能控制的。荀慧生第二次遇险，是在1925年元月，他在返回北京的轮船上。其实，他是在1924年12月30日上的船。那天，是阴历腊月初五，正好是他的阴历生日，实足25，虚岁26。所以，他的心情特别好。

心情好，除了生日以外，更是因为他结束客居上海的生活，就要返回北京、他的家了。尽管他在上海的这五年，是他事业的辉煌时期，但是，终究还是有离乡背井的苍凉之感。想到当初离开北京时，他是被排挤出来的，心情那样的灰暗；如今，他扬眉吐气，可以衣锦还乡了，心情怎么能够不好？

关于荀慧生为什么会在这个时候返京，按他自己的话说，有两个方面的原因："一是我要在北京改变自己受排挤的境遇，二是北京不但有真心捧我的杨小楼杨宗师和余三爷以及白社中那一百多位老朋友，还有一位热心扶植我成长的王瑶卿王大爷。"

实际上，应该说，是多方原因混合而成。首先，他在上海待了五年，演了五年，深受海派京剧文化的浸染，排演了许多新戏，从艺术上说，他的发展已经达到一个小高峰，也遇到了瓶颈。如若继续求发展，求变化，他必须换条路走。其次，无论北京如何比上海保守，它毕竟是京剧的发源地，是京剧的故乡，那儿有适合京剧发展的土壤，那儿有广泛的群众基础。对于荀慧生来说，也确如他所

⊙ 荀慧生夫妇和母亲及氏及儿女爱喜、爱龢(令香)、爱秋、爱顺。

说，那儿还有他的老师、他的朋辈。更重要的是，那儿是他的家。

除此宽泛的理由之外，还有一些具体原因。比如，之前，他在短暂回京期间，结识了文人陈墨香，很佩服他的才华，也想效仿齐如山和梅兰芳、罗瘿公和程砚秋、清逸居士和尚小云，与他建立起“你言我行”、“你编我演”的合作关系，让他成为自己的专职编剧，提升戏曲的文化品位。如此，他就必须返京。

也是在那次回京时，他参加了一些演出，同业对他的态度已经有所改观，这增加了他重登京城舞台的信心。可以揣测，杨小楼自组的班社松庆社很可能也向他发出过邀请。因为事实上，他回京后搭的第一个班社，就是松庆社。这一切，都让他下定了回京的决心。一般来说，年底时，各戏班都会休息一阵子，准备过年。于是，荀慧生便在1924年年底、1925年春节前，离沪返京。

随同荀慧生一同回京的，首先是他的家人，包括妻子吴春生，两个女儿爱喜、爱顺，一个儿子令香，还有哥哥的女儿荀爱秋，以及大舅子吴彩霞，内侄吴彦衡；其次是他的班底，包括谭小培、谭富英父子，小生金仲仁，老生张春彦、曹连孝，丑角马富禄，花脸刘奎官，老旦孙甫亭，琴师钟剑秋，鼓师刘小卿等，共几十口人，热闹非常。正逢荀慧生生日，又是回家，加上就要过新年了，所以，大家兴奋得不得了，开怀畅饮、胡侃闲聊，说着上海的往事，议着北京的旧事，更憧憬着未来。

闹腾了半天，夜也深了，大家都累了，各自回舱休息。荀慧生脑子亢奋，一时睡不着，睁着眼睛东想西想。突然，他感到船身剧烈颤动，船舱里的杂物也随之抖动起来，放在小几上的茶杯更是在一阵左右摇晃后，滚落在地。随后，更多的东西在震动中四处飞舞。没睡着的荀慧生惊恐地坐起身来，已经睡着的被惊醒，更加惶恐而不知所措。接着，各个船舱里都发出女人的尖叫、孩子的哭声。船抖得更厉害了，人们坐也坐不住，站更站不住，东摇西晃的，开始一个跟着一个地呕吐起来。荀慧生忙着照顾妻儿，自己也控制不住大吐特吐。

关于轮船遇到了什么，荀慧生夫人张伟君在《荀慧生传略》中写道："航行中突遇飓风，浪涛汹涌。"荀慧生自己回忆说："据船工说，船开到黑水洋，遇到台风了。"船在海上被抛来抛去，船舱里的人也就被抛来抛去。

当人们听说凶多吉少时，哭喊声响成一片。然后，有的人虔诚祈祷，请求海神爷息怒；有的人慌里慌张地折纸马纸猪，说是烧给海龙王。一人呼号，百人响应，很快，船上密密麻麻跪倒一片；有的人则默默无语，泪流满面，心里念想着什么；有的人则大发牢骚，埋怨起来，金仲仁便是其中的一个。他埋怨的，正是荀慧生。

原来，他们乘坐的这艘船，是日本“顺天丸”。当时，在“顺天丸”之前起航的是日本“新民丸”（一说“青岛丸”）。金仲仁曾经向荀慧生提议，乘坐“新民丸”。对于原因，荀慧生心知肚明：“新民丸”可以提供抽大烟的服务，而“顺天丸”则没有。荀慧生拒绝了，坚持上了“顺天丸”。如今，轮船出了问题，金仲仁便借此责怪荀慧生：“我说坐‘新民丸’吧，你偏不听，非要坐这艘倒霉的船，果真出事了吧。‘新民丸’早一步走，就遇不到这风了。”

发了一通牢骚，他还嫌不够，又说：“死在海里的滋味肯定不好受，不是被呛死，就是被冻死。我可受不了。我不管别人，只要船一沉，我就抓电线，电死，也好死得利索干净。”他的这番话，无异于火上浇油，增加了大家的悲观情绪，有人开始附和金仲仁，埋怨起荀慧生来。

荀慧生无言以对，心里也有一些后悔选了这船，但一切都迟了，眼下他能做的，就是和妻子两人紧紧挤坐在一起，将四个孩子紧紧搂在怀里，静候老天对命运的裁决。

轮船摇摇晃晃了两天两夜，大家也无奈地忍受了两天两夜。第三天清晨，迷迷糊糊的荀慧生一家人，突然听见有人惊呼：“太阳出来了！”他们跌跌撞撞奔到船舷。果然，天放晴了，风也停了，太阳冒了头。这个时候，他们才感觉到，轮船不再颠簸，平稳如初，有一种特别的祥和，特别的宁静。短暂的沉默之后，“顺天丸”沸腾了，人们欢呼雀跃，相拥而泣。

这个时候，船上的大副走了过来，面色凝重地告诉大家：前面的“新民丸”在风浪中触礁沉没了。之前，“新民丸”曾经向“顺天丸”发出紧急求救的信号，但是，“顺天丸”自顾不暇，哪里有能力拯救别人，只能任由“新民丸”葬身海底。听了这个消息，大家惊呆了，特别是金仲仁，他直视着荀慧生，眼神很复杂，既有庆幸，又有感激，更有歉意。随后，船上所有人都自觉地面向大海，低眉垂手，向遇难的“新民丸”志哀。荀慧生想得更多，有九死一生的幸运之感，也有对生命无常的感慨。

两天不思饮食的人们，一旦转危为安，这才突然感到饥肠辘辘，几乎要虚脱，便争先恐后奔向餐舱，要饭要水，要吃要喝。船上的商贩借此情景，坐地涨价，一碗雪里蕻煮面条，要价一块大洋，加一个鸡蛋加半块大洋。刚刚从死亡线上捡回命来的人们，谁都不计较，此时钱在他们眼里，是最不值钱的。

船到塘沽，荀慧生他们下了船，步行两三里路后又上了火车。车抵北京站，他们下了火车，再乘车返回了家。之前，他已经将新家安置在了棉花下七条。经历过死亡的威胁，他对生活更多了份感悟，随即创作了一部新戏《河伯娶妻》。它取材于西门豹治漳水的故事，灵感即来自于他的这次海上遇险。

晚年时，他回忆编排这出戏的初衷时，这样说：“一方面是抨击迷信与愚昧，一方面是我亲身经历过飓风，看到过那凄惨欲绝的场景，所以我上演了这出戏。我记得我演女儿与母亲生离死别时的唱段中，泪水不由得就流了下来。因为我有过海上遇险的那一刹那间即将葬身鱼腹的体会。”

就此返回北京的荀慧生，心中不免忐忑。尽管他早已红遍上海滩，但是他知道，那是因为他吸收了海派特色的表演风格，符合上海观众的欣赏口味和审美取向，因此在上海能够站得住。那么，北京的观众能接受吗？北京的同业对于他不拘泥于传统程式、有突破有创新的大胆行为能容忍吗？他做好了回到起点重新出发的准备，也做好了迎接新考验的准备。

第三章

和陈墨香的合作年代

⊙ 荀慧生等演员出演义务戏戏单。

搭班双胜社

1925年的春节，荀慧生过得很舒畅，一来这是他相隔几年之后，又一次回到北京过新年；二来也是他大红大紫功成名就后，第一次在北京过新年；三来他刚刚经历海上遇险，劫后重生，其心情可想而知。

关于回到北京后的首场演出的时间，荀慧生这样回忆说：“我是甲子年的年底回到北京的，可我这次回到北京的首场正式演出却是在乙丑年的初夏。而且我仍然用《花田错》打泡。”他所说的“甲子年”是1924年；他所说的“乙丑年”是1925年；他所说的“初夏”，经考证，是阴历五月二十七日，即7月17日。于是，有人这样说：“直到……荀慧生才登台亮相，与北京观众正式见面。”[①]

事实上，荀慧生早在1925年元月14日，他刚刚返回北京后十来天，即甲子年阴历十二月二十日，也就是春节前，就已经登台了。那天的演出，在开明戏院，荀慧生还是以白牡丹之名，唱了一出《鸿鸾禧》，戏码位列压轴。在他之前，是前辈名旦陈德霖的《落花园》。在他之后的大轴戏，是余叔岩、杨小楼、名净郝寿臣合作的《八大锤》。

紧接着，2月7日，即乙丑年阴历正月十五，荀慧生与余叔岩、杨小楼在新明戏院演了一场夜戏。那天的戏码是：开场是裘桂仙（名净裘盛戎的父亲）的《御果园》，之后是方连元的《演火棍》，陈德霖、刘景然的《三击掌》，杨小楼、侯喜瑞、范宝亭、傅小山的《恶虎村》；

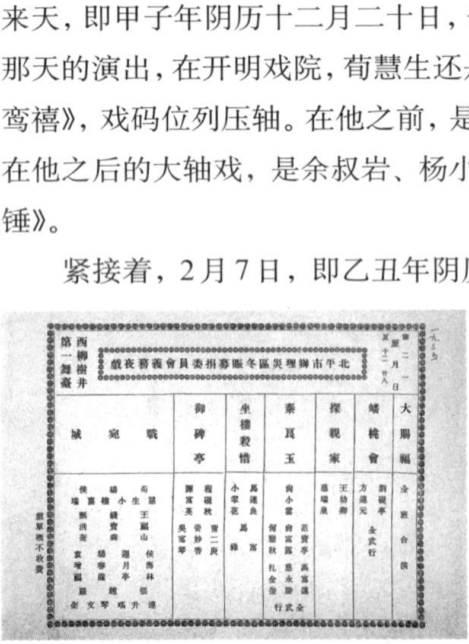
北平市籌理災區冬賑募捐委員會義務夜戲

西柳樹井 第一舞臺

大賜福	全班合演
蟠桃會	劉硯亭 方連元 全武行
探親家	王幼卿 慈瑞泉
秦良玉	尚小雲 范寶亭 尚富霞 何雅秋 高富遠 慈永勝 札金奎 全武行
坐樓殺惜	馬連良 小翠花 馬富祿
御碑亭	程硯秋 譚富英 曹二庚 姜妙香 吳富琴
戰宛城	荀慧生 楊小樓 侯喜瑞 王鳳山 錢寶森 甄洪奎 侯海林 遲月亭 楊春龍 袁增福

⊙ 荀慧生《战宛城》中饰邹氏。

① 和宝堂整理:《戏苑宗师荀慧生》,辽宁美术出版社1999年12月版,第65页。

⊙ 侯喜瑞饰曹操。

压轴戏，是荀慧生与余叔岩合作的《乌龙院》；大轴是余叔岩、杨小楼、钱金福、王长林合作的《青石山》。

而后，2月28日，还是在新明戏院，荀慧生与余叔岩、杨小楼、名净侯喜瑞合作了一出大轴戏《战宛城》。

3月份，奉系军阀张作霖五十寿辰，他原先并不准备大操大办过于铺张，所以也就没有邀角儿演剧之意。北京名伶却都很积极，甚至有人有意自带行头前往祝寿。张作霖身边的人大献殷勤，以为大寿之日不可无戏。张作霖就同意办一次堂会。他亲点的京城名角儿，是杨小楼、余叔岩、梅兰芳这“三大贤”，除此之外，还有程砚秋、龚云甫、时慧宝等，以及荀慧生。显然，此时荀慧生的名声已经由上海、北京传到了东北。

实际上，张作霖在三天的堂会中，也只看了杨小楼、余叔岩、梅兰芳、程砚秋、荀慧生的戏。由他点名，杨小楼、梅兰芳合作了《霸王别姬》，杨小楼的《落马湖》，程砚秋的《红拂传》，荀慧生的《小放牛》。座下观客，各有所好。捧梅者多为奉天官僚，各省代表多捧荀，其余的多捧程。一时间，梅、程、荀争妍斗胜，而三派观众也为所捧角儿叫好喝彩，场面极其热闹。

在新明戏院4月26日的一份戏单上，可见那天荀慧生也参加了演出，戏码是与余叔岩、杨小楼合作的一出大轴戏《摘缨会》。

之后，5月8日（一说6月28日），荀慧生首演陈墨香为他重新改编的全本《大英杰烈》。由“铁弓缘开茶馆”起，直到“团圆”为止。这是文武并重，兼具花旦、刀马旦的一出大戏。杨小楼为他配演其中的一个角色王甫刚。

从这份也许并不完备的演出时间和演出戏码列表中，可以看出这样几点：一、荀慧生返回北京后的首场演出，是在1925年元月，而并不是他自己所说的“初夏”，即7月17日。二、他首场演出的戏，是《鸿鸾禧》，而不是他所说的《花田错》。三、这许多场演出，与他同台，或者直接与他合作的，主要是余叔岩、杨小楼。这说明他回京后，直接加入了余、杨的班社。四、他参与演出的戏，不是压轴，就是大轴，这说明他很受余、杨器重。

那么，此时余、杨的班社，叫什么名字呢?

“三小一白下江南”的时候，杨小楼组织的班社是永胜社。严格说来，这个班社是他专为赴沪演出而组建的，有临时的性质。实际上在此之前，他在北京自组的班社叫中兴社，成立于1919年，也就是赴沪演出之前。1920年元月，“三小一白”结束在上海的演出，荀慧生被续聘留在上海，其他人返回北京。这个时候，永胜社也就自动解散了。返京的杨小楼重新组织中兴社，在京演出。之后，余叔岩脱离梅兰芳的喜群社，应邀搭入中兴社。

在搭班永胜社去上海之前，荀慧生搭的正是喜群社。余叔岩决心脱离喜群社，改搭中兴社后，梅兰芳决定喜群社演出五天，作为临别纪念，时间是在1920年2月。前一个月，荀慧生刚刚完成在上海的演出；后一个月，他就要重返上海继续演出。于是，2月份，正是他在京做短暂休息的时候。趁此空当，他应梅兰芳之邀，参加了那五天的临别纪念演出。临别纪念的最后一场，演出尤为轰动，因为大轴戏是梅兰芳、余叔岩最后一次合作《游龙戏凤》。那天，荀慧生演出的戏码是与老生刘景然合作的《浣花溪》。

依常理看，杨小楼的中兴社的旦角，理当聘请荀慧生。由于荀慧生要回上海，所以，杨小楼改约青衣尚小云。于是，中兴社便有了杨小楼、余叔岩、尚小云三大名角儿，主要在东安市场的吉祥园

⊙《贵妃醉酒》等戏剧预告。

演出。但是，三人只合作了不到一年，1921年，余叔岩、尚小云改搭俞振庭的双庆社；杨小楼与梅兰芳合作组建了崇林社。经典之作《霸王别姬》便诞生在崇林社时期。这样一来，中兴社也就解散了。

1922年下半年，杨、梅二人分道扬镳。梅兰芳自组承华社，杨小楼自组松庆社。不久，余叔岩也脱离双庆社，自组胜云社。于是，承华社、松庆社、胜云社是当时鼎足而立的三大京剧班社。“伶界大王”梅兰芳、“国剧宗师”杨小楼、“老生泰斗”余叔岩是这个时期的梨园“三大贤”。

荀慧生搭班杨小楼的松庆社参加演出，并不是在他返回北京以后，而是在上海演出期间的1923年。从1920年至1925年，他是在上海演出，但其间返回过北京几次，而且也登过台。有资料可证实的两次返京登台，一次是在1920年年底，在奉天公馆乌宅堂会上，他在《双摇会》中客串书童，余叔岩和言菊朋分饰二位邻居，侗厚斋（溥侗）饰演相公。第二次便是在1923年。

这年元月27日，松庆社在开明戏院演夜戏，荀慧生演的是压轴，戏码是《贵妃醉酒》；大轴是杨小楼的《安天会》。也许之前的《双摇会》并不是旦角戏，也不是由他主演，而只是客串，此次的《贵妃醉酒》则不同。所以，有人将他这次的演出，视为他去上海后，第一次在北京登台。第二天，即元月28日，还是在开明戏院，松庆社再演。荀慧生还是演压轴，戏码是《玉堂春》。在他之前，是贯大元的《辕门斩子》；在他之后的大轴，是杨小楼的《挑滑车》。

就在荀慧生自沪返京的时候，杨小楼、余叔岩两大贤第二次合作，将松庆社和胜云社合并为双胜社。荀慧生在回忆他返京之初的演出时，还有这样一句话："我仍然是在杨小楼先生的班社搭班演出，仍然在他的前面演压轴戏。一要人保戏，二要戏保人。唯一不同的，是杨小楼先生的班社已不叫'永胜'，而改为'松庆'了。"[1]实际上，这个时候，不但永胜社已经解散[2]，连松庆社也不复存在了。也就是说，荀慧生搭的班社，是杨、余的双胜社。

双胜社最初在开明戏院演出，不久移师新明戏院，每周演两天，星期六、日。每逢双胜社开演，人们发现在台下前三排的观众席中，有一个人总是抱着一个小孩儿，每场必到。散戏后，一个刚刚完成演出、还没有卸装的演员下台来，与那人寒暄几句，然后领走了那小孩儿。这人就是荀慧生，那个小孩儿是他的长子荀令香。当时，令香只有4岁。他日后也从艺，也唱旦角，最早就是在那个时候受到的熏陶吧。

"四大名伶"大结合

杨小楼、余叔岩的双胜社，从1925年年初组建成功，到该年年底解散，只维持了不到一年。而荀慧生搭班双胜社，对他来说，意义重大。可以说，他返京后的艺术发展，起步于双胜社；他将名声从上海扩展到北京，也是在双胜社。在这个时期，他开始与陈墨香合作，从此迈入编创新戏阶段，为他两年后荣任"四大名旦"，奠定

① 和宝堂整理：《戏苑宗师荀慧生》，辽宁美术出版社1999年12月版，第65页。

② 1927年，杨小楼又一次改组班社，又一次取名永胜社。这也是他一生中自组的最后一个班社。从此，他一直用的是这个班名，直到他去世，只是班社里的人员，时时变动。1928年元月，余叔岩第三次与杨小楼合作，加入永胜社。

⊙ 白牡丹改名荀慧生后与余叔岩演出的第一出戏《打渔杀家》。

了基础。

也在这个时期，他与余叔岩、杨小楼、陈德霖四大名伶大合作，相互配合。特别是他被余叔岩、杨小楼提携，不但使他的艺术上升到一个新高度，也使他的名声进一步得到扩大。还是在这个时期，他听从杨小楼、余叔岩的建议，将“白牡丹”改名为“荀慧生”，又与余叔岩合作了一出大戏《打渔杀家》。也就在这次演出之后，余叔岩退出了双胜社。自此，双胜社解散。荀慧生也开始自组班社，挂头牌，独挑大梁。

荀慧生与余叔岩同台演出，最早始于同时搭班梅兰芳的喜群社。1923 年 10 月，上海的实业家陶希泉举办堂会，邀请了正在上海演出的荀慧生、程砚秋，还特别将余叔岩从北京邀来上海。于是，在上海，荀慧生和余叔岩又一次同台。堂会戏一共唱了三天。第三天的戏码，按照演出顺序是：荀慧生的《麻姑献寿》，程砚秋和侯喜瑞的《法门寺》，王幼宸的《捉放曹》，余叔岩、王长林、九阵风、钱金福合作的《青石山》，白玉昆的《连环套》，压轴是筱翠花（于连泉）和萧连芳的《得意缘》，大轴是余叔岩和钱金福的《定军山》。

两人的第三次集中同台，就是在双胜社时期。当时的双胜社成员，除了杨小楼、余叔岩之外，还有陈德霖、裘桂仙、王长林、罗福山、刘景然等老艺人，可谓名角荟萃，人才济济。有人说，荀慧生在双胜社初期只演一些小戏，如《马上缘》（与他的老师陈桐云合作）、《小放牛》（与王长林合作）、《鸿鸾禧》等。如果说这些戏确属“小戏”的话，那么，荀慧生早在返京之初的2月份，就已经凭借《鸿鸾禧》这样的小戏，唱压轴了。

其实，荀慧生自从在京城舞台上重新露脸，就已经深受戏迷关注了。原因很简单，他离京已有五年，观众当然想要看一看他的艺术有无长进、长进到什么地步，更想一睹他兼具京派、海派表演于一体的清新表演。经过时间的推移，北京梨园的戏曲观念已经有所转变，少了些保守，也更容易接受新生事物。因此，荀慧生的表演，令戏迷耳目一新，他们接受了他的表演风格。

随着荀慧生越唱越多，也越唱越红，以至发展到后来，有些观众看双胜社的戏，只看荀慧生，更有观众因为晚到而没有看到荀慧生的戏而大发牢骚。戏院老板见这架势，便想了一个更加吸引观众的好法子，那就是：将角儿们“拴”在一起，合作演出。于是，荀慧生有了更多与杨小楼、余叔岩合作的机会。

比如，三人合演《翠屏山》，杨小楼演石秀，余叔岩演杨雄，荀慧生演潘巧云；三人合演《美人计》，杨小楼演赵云、余叔岩演刘备，荀慧生演孙尚香；三人合演《长坂坡》，杨小楼演赵云、余叔岩演刘备，荀慧生演糜夫人；三人合演《战宛城》，杨小楼演典韦，余叔岩演张绣，荀慧生演邹氏。

⊙《长坂坡》中，杨小楼饰赵云、钱金福饰张飞。

与其说是他们三人合作演出一出戏，不如说是杨小楼、余叔岩合力提携荀慧生。比如，《长坂坡》这出戏，是杨小楼的代表作之一，他演的赵云，将人物心情变幻层次表现得相当细腻，故有“活赵

⊙《长坂坡》，荀慧生饰糜夫人。

云”之称。其中的糜夫人一角，陈德霖、梅兰芳、尚小云、芙蓉草都为他配演过，彼此合作得天衣无缝。

又比如，《战宛城》这出戏，既是武生戏，也是老生戏。用行话说，它是“武生和老生两门抱的戏”。张绣、典韦这两个角色，武生杨小楼、老生余叔岩分别都演过，因为基本功都扎实，又都受到过

⊙ 余叔岩先生为荀慧生写的一幅石鼓文，印证了余荀之间的友谊。

谭鑫培的指点，所以一时瑜亮、各有千秋。双胜社期间，杨小楼有时演张绣，有时演典韦；余叔岩也有时演张绣，有时演典韦，唯一不变的邹氏一角，则由荀慧生饰演。可以说，这出戏既是杨小楼的招牌戏之一，也是余叔岩的拿手戏之一。杨小楼去世前演的最后一出戏，就是这出《战宛城》。

也许正是因为荀慧生与杨、余合作过《翠屏山》、《战宛城》，受过大师指点，表现不俗，所以，有人将这两出戏列为荀派六大跌扑剧。

之所以说是杨、余在提携荀慧生，那是因为毕竟从声名上来说，他俩远远大于荀慧生。他们之所以愿意提携荀慧生，是具备一般人所没有的慧眼。他们从荀慧生别具特色的清新表演风格中，看到了他的大好未来，也就认定他是可造之材。

最典型的提携之举：

一是余叔岩在《摘缨会》中，大胆起用荀慧生。这出戏的情节出自《东周列国志》，也是出老戏，以前在恭王府堂会中，杨月楼之后的奎派（创始人是“老生前三鼎甲”之一的张二奎）老生的主要代表许荫棠常唱这出戏，也是他最擅长的。为他配演许妃一角的，是著名旦角前辈陈德霖。之后，谭鑫培搭班同庆班时，也时常唱《摘缨会》。余叔岩既然宗谭派，自然不能不唱这出戏。为余叔岩配演最成功的，是杨小楼和梅兰芳。他们三人改编演出的《摘缨会》，据说是那个时候堂会戏里最受欢迎的一出戏。

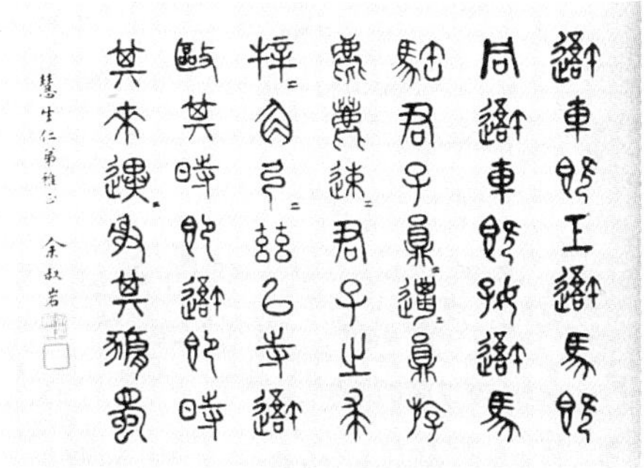

在双胜社时，余叔岩又新排了《摘缨会》，仍然演楚庄王。唐狡

⊙《四郎探母》，荀慧生饰铁镜公主。

一角，仍然由杨小楼担当。原先由梅兰芳配演的许妃一角，则改由荀慧生出演。其他角色，钱金福演先蔑，王长林演襄老等，也是为了提携荀慧生。余叔岩特别为荀慧生扮演的许妃在“庆功会”一节加了一段舞蹈，在“回宫”一节加了一段“二六”唱腔。

尽管这个角色，按照常规来说，由三流旦角演出就可以了，但是，无论是以前的梅兰芳，还是现在的荀慧生，演得都非常认真。荀慧生更在梅兰芳的基础上，融入了自己的新创。比如，在“敬酒”一节中，他边唱边舞，很好地烘托了舞台气氛。之前，余、杨、梅的《摘缨会》已经深入人心。此次余、杨、荀的新组合，未演先热，非常惹人期待。正式演出后，人们对这出戏的评价是：精彩依旧；对新加入的荀慧生的评价是：不逊梅兰芳。事实上，每演此戏，上座必佳，营业必盛。

二是荀慧生在其本戏《大英杰烈》里，杨小楼为他配演王甫刚。这出《大英杰烈》是他与陈墨香合作公演的第一出新改编戏。之所以强调“公演”，是因为它并非陈墨香为荀慧生改编的第一出新戏。在这出戏里，王甫刚这个人物，只能算是三路角色。“国剧宗师”杨小楼为荀慧生的戏配演一个三路角色，不是提携是什么？所以，戏报一贴出去，立刻引起人们的关注，大家都想看一看，这样新颖组合的表演，该是什么样。

杨小楼对于提携后辈，从来不遗余力。早在1916年，致力于编创新戏的梅兰芳在排演古装新戏《春秋配》时，曾经邀请杨小楼参加演出。但是，给他的角色只是“一个武进士出身、受了试官的刺激，一怒就去入伙集峡山的好汉”，角色名字叫张衍行，只有不多的出场，而且唱段很少。当时，梅兰芳担心杨小楼未必愿意接演这样的配角。没想到的是，杨小楼毫不介意。他的本意，就是想提携梅兰芳。如今，杨小楼又在《大英杰烈》里为荀慧生配演，目的很明显。

《大英杰烈》一经公演，票房奇高。一来这是荀慧生的新戏，二来有杨小楼参与演出配角。荀慧生愿意这么想，大家主要还是冲着杨小楼杨老板这块牌子去看这出戏的。这不能说他这么想是有自知之明，实在是他的谦虚。不过，事实上，也并非没有这样的成份。因为北京的观众早已将杨小楼的戏看了个遍，却从来没有看过他演的王甫刚，这能不吸引人吗？有杨小楼的提携，荀慧生的第一出新戏，大获成功。这为他继续创排新戏，增加了信心。

杨小楼不但在演艺方面提携荀慧生，也在思想上精神上给他以鼓励。比如，1925年3月，也就是荀慧生返回北京加入双胜社后不久，杨小楼特别为荀慧生录写了一篇《心赋》。他的这一系列行为，明摆着告诉大家，他是在力捧荀慧生。因为此时荀慧生刚刚返京，按他的说法：“门户之见仍未尽泯”。因此，杨小楼的提携显得尤为重要。

既然荀慧生是杨小楼力捧的人，而杨小楼是国剧宗师，是武生泰斗，是继谭鑫培之后的生行第一人，在梨园的地位举足轻重，那么，那些瞧不起荀慧生的人，嘲笑他是“唱梆子”的人，容不得他的人，因为喜欢看杨小楼的眼色行事，也就不敢小看了荀慧生，也就渐渐地转变了态度。其中有些人，态度转变之大，令人咋舌。他们极尽恭维之能事，对荀慧生创排的新戏，高度赞许，甚至试图攀亲认故。对于观众而言，则因为他们喜爱“杨戏”，尊敬杨小楼，爱屋及乌，对荀慧生也就多了份亲近和好感。

对于杨小楼，荀慧生的感激之情无以言表。他曾经这样说：“我总是想，像杨老板这样的人是太难得了。人们常说，‘千里马易得，伯乐难寻’，我可是真有切身体会了。”对于那些“前倨后恭、判若天壤”的势利之人，他嗤之以鼻。他知道他们不过是简单地以成败论英雄。他也从中体会到今古一辙的世态人情。

在双胜社时期，荀慧生除了与杨小楼、余叔岩合作外，也与陈德霖有过合作。比如，在他俩和余叔岩合演的《四郎探母》里，陈德霖饰演萧太后。此时的陈德霖虽然年事已高，但嗓音依然高亢明亮。余叔岩还和陈德霖合演过《二进宫》、《御碑亭》等。有的时候，在一台戏中，前有陈德霖的《落花园》，中有荀慧生的《鸿鸾禧》，后有杨小楼、余叔岩的《八大锤》；或者，前有陈德霖演《战蒲关》，后有杨小楼、余叔岩、荀慧生合演《战宛城》。

最值得一提的，就是10月2日的那场演出。陈德霖演《彩楼配》，压轴是余叔岩和荀慧生合演《打渔杀家》，大轴是杨小楼演《落马湖》。也就是在演《打渔杀家》时，荀慧生将艺名“白牡丹”正式改为“荀慧生”。从此以后，“白牡丹”成为历史，“荀慧生”开始了新的艺术之路。

公认的，杨小楼、余叔岩、陈德霖、荀慧生是双胜社四个头牌。虽然客观上，他们四人的声名各有不同，但在双胜社合作期间，他们角色不分主次，名次不分先后，演出不分早晚。他们也不争戏码，不吃戏醋，每一出戏都是精诚合作，相互配合。因此，无论谁演的戏，无论四人如何组合合作的戏，都非常精彩，也非常叫座。荀慧生回忆说：“每一贴演，观者争相抢购戏票，场场座无虚席。”于是，北京许多报刊，都将双胜社的四大角儿合作，称为“北京四大名伶大结合”。

这样的“结合”，对于刚刚返京的荀慧生来说，有着特别的意义。他从此摆脱了“唱梆子”的尴尬，在积累了一定的声名之后，开始积极创排新戏，《大英杰烈》便是开路先锋。他也更敢于将梆子腔融入皮黄腔之中，而创造了新腔。新戏、新腔，又使他的声名再扩大，他逐渐成为炙手可热的名伶。因此，他也就更具备创排新戏的基础和能力。当双胜社解体时，他完全可以单飞了。

解散双胜社，是不得已而为之。有一个时期，有这样一个传闻：杨小楼与梅兰芳合作时，梅兰芳每日每次的戏份，只有100元；杨小楼与荀慧生合作时，荀慧生开口要价140元。言下之意，荀慧生自视太高，甚至超越了梅兰芳，要不然，他怎么能要价这么高？事实上，荀慧生在双胜社的戏份的确是140元。但是，在双胜社，他的戏份并非最高，其他演员的戏份比他还高。

这就产生这样一个问题：双胜社的演出，上座的确不错，但是，由于演员们的戏份都太高，在票价不能上涨的情况下，票房压力相当大。这样一来，双胜社的净收入并不可观。众所周知，双胜社的老板是杨小楼和余叔岩。双胜社的赔赚，都由他俩承担。赚了，自然无话可说；赔了，不免生牢骚。于是，有人说，杨小楼曾经对荀慧生要价过高有些怨言，在友人面前抱怨道：“畹华（梅兰芳的字）才拿100元，而慧生要140元，这每天哪能卖得进来呢？”

如果杨小楼的确说过这样的话，那么，对荀慧生而言，是不太公平的。杨小楼忽略了这样一个事实：他与梅兰芳合作时，梅兰芳的戏份的确只有100元。但是，他自己的戏份也只有100元。在双胜社时，杨小楼、余叔岩的戏份，每人各是200元。这个数字，比杨、梅合作时的戏份，高出一倍。也就是说，杨小楼拿100元时，梅兰芳也拿100元；杨小楼拿200元时，荀慧生只拿140元。

这样说来，梅兰芳的戏份是很高的，荀慧生的戏份并不比梅兰芳高，甚至还低。如果杨小楼、余叔岩各是100元，那么，按照比例测算，荀慧生只能拿到70元，也比梅兰芳低。所以说，荀慧生在双胜社的140元戏份，并不高。

双胜社解体的原因，如果要归结于演员戏份过高的话，那也怪不到荀慧生的身上。杨小楼、余叔岩在组班时，自己的戏份是事先定好的，其他演员，包括荀慧生的戏份，都是参照他俩的各200元的戏份而确定的。所以说，如果非要论责任的话，杨小楼、余叔岩的责任似乎更大一些。

“四大金刚”

荀慧生的艺术足迹，游走于津、京、沪三地，在荣任四大名旦之前，以上海为重；之后，以北京为基地。因此，可以这样说，他学艺在天津，投师在北京，在北京受挫，然后成名在上海，又在北京发展。上海对他来说，意义重大。有人说，北京走红，不算真正的红；上海走红，才算是真正的红。在上海走红的荀慧生，很容易地在北京也红了。整个1925年，他都生活在北京，搭班双胜社演出，又在杨小楼、余叔岩的提携下，声名愈发如雷。准确地说，只有在上海、在北京都红了，才应该是真正的红。如今，荀慧生达到了这个“真正的红”。

到了1925年年底，也就是双胜社即将解散时，荀慧生已经以名伶的身份参与各种演出了，频频活跃在京城舞台上。除了营业戏，他也是大义务戏、大合作戏、堂会戏中的常客，甚至还在一次堂会中担任了一次戏提调。所谓“提调”，就是办堂会的人家特别商请一人，负责安排戏码、邀请演员、计划花费等事宜。一般来说，提调由戏界有威望的内行担任。换句话说，能够担任戏提调的，总有不小的名声。回北京不满一年的荀慧生，被请做戏提调，可见他此时在梨园界，已经有了一定的地位。

荀慧生担任戏提调的那场堂会，是为段祺瑞政府交通银行总理梁士诒贺56岁寿辰的梁宅堂会。堂会地点就是梁士诒位于大佛寺的大宅。戏，在戏提调荀慧生的安排下，于傍晚6时开演。戏码，按演出顺序是：开场《赐福》，然后是朱桂芳的《泗州城》、李万春的《英雄义》、卧云居士的《钓龟》、朱琴心的《打花鼓》、程砚秋的《碧玉簪》。

接下来，由荀慧生出场，他一连唱了两出戏，一为《文章会》，一为《宝蟾送酒》。压轴是梅兰芳、王凤卿的《御碑亭》，大轴是杨小楼、余叔岩的《朱仙镇》。整晚的演出排列紧凑，也不失热闹，戏码安排得当，演员配备也合理。他能邀请到这一班名伶，显示了他的好人缘。同时，他的组织才能也得到体现。

之后的1926年、1927年，荀慧生又先后两次到上海演出。正如外界所言，他在上海，显然有着特殊的号召力。前一次，他在上海大新舞台一口气演了三个多月。这是他第一次以“荀慧生”的名字在上海演出。上海的报刊和戏院门口的广告牌上，这样宣传：“名震环球色艺双全超群轶伦文武唱做青衣花衫荀慧生即白牡丹领衔主演”。在这次演出中，他演了新戏《丹青引》、全本《玉堂春》、《元宵谜》、《辛安驿》，还和“四大须生”之一的高庆奎合作了不少戏。

一年以后，1927年7月，《丹青引》被选为“最佳”。随即，也就是在11月份，他再次到上海。这次，他是应新建的天蟾舞台的邀请，参加该戏院的开幕演出。当时，戏院在《申报》、《新报》等报纸上刊出的巨幅广告，比上次更夸张：“重金敦聘名闻南北环球欢迎别树一帜花容月貌天仙化人文武古装青衣花衫荀慧生”。看到了这样的宣传，连荀慧生自己都认为：“如此溢美之词，真可谓登峰造极了。”这次在上海，上海滩流传着这样一句话：“天蟾大舞台，三千五百人，天天关铁门。”“关铁门”的意思，就是“客满”。

上海的新闻界认为，荀慧生每次到上海，“必有新发明以飨阅者，其声誉亦每一次增高一度”。那么，这次，他又有什么“新发明”呢？首先，他带去的演员阵容十分强大。除了老搭档老生谭富英、张春彦，丑角马富禄，内兄吴彩霞，小生金仲仁外，还有计艳芬、王多寿、曹连孝、孙甫亭、陆凤琴，以及名噪南北的净角演员金少山。

这样的班社阵容，有人说，足以与梅兰芳的承华社、程砚秋的鸣和社、尚小云的重庆社相媲美。其次，他与麒派创始人周信芳进行了合作。再次，他带来了几部新戏：在《花田错》基础上改编加工的新戏《花田八错》、新改编的《荀灌娘》，以及《飘零记》、《丹青引》、《绣襦记》、《香罗带》。这三个方面，分别值得一说：

关于几出新戏。其中《丹青引》、《绣襦记》、《香罗带》刚刚作为候选剧目，参加了荀慧生个人最佳新剧的评选，因此备受注目。这三部戏和《飘零记》一起，在当时，被称之为“荀慧生四大新剧”、“荀慧生四大名剧”。

关于周信芳。其实，荀慧生与周信芳，早在他第一次到上海演出时，就认识了。不过，他俩真正有过比较亲密的接触，是在他后来应聘留在上海之后。那时，他和周信芳同住在南京路大庆里，比邻而居。因为荀慧生初来上海，而周信芳早已在上海扎根，所以在生活上，周信芳一直很照顾荀慧生。周信芳的母亲对荀慧生也很疼爱关怀，时不时地问寒问暖，送吃送喝。无论荀慧生缺什么，他们母子二人马上就给他送过来。

有一天，荀慧生唱完夜戏回到住处，饥饿难耐。那时已近夜半，街上已经冷寂一片，小商小贩都已撤摊，商铺店面也都已打烊。无奈之下，荀慧生自己动手，准备做一顿夜宵。不料，一个失手引起了火灾。他手忙脚乱地赶紧扑救。周氏母子闻讯，赶了过来，帮他一起扑火。幸亏火势并不大，又扑救及时，没有蔓延开来，也没有烧毁太多的东西。扑灭了火，周信芳又帮着荀慧生将房间收拾干净，还细心安慰了他半天，又再三叮咛了一番，这才回去。这一切，都让荀慧生倍感温暖。

其实，他俩合作的戏并不多，只有《卧薪尝胆》等几出。但是，在表演风格上，他俩曾经互相影响。比如，麒派与荀派的表演特征，都是从生活出发，追求雅俗共赏，讲究通俗易懂，语言清新明快、生活气息浓郁，念白甚至还有口语化等，也都是以传统程式为手段，以刻画性格鲜明的人物形象为目的。

关于班社的演出阵容。荀慧生自组的班社，先后有春生社、庆生社，最有名的、留存时间最长的，是后来的留香社。“留香”是他自取的号。

那时梨园界，成名的角儿都会自组班社，自挑头牌。一般人都知道，一个班社，不能仅仅依赖一个头牌。用一句最通俗的话，就是“红花须有绿叶衬”。因此，组班的角儿，对于自己班社的班底，也精选甚严。从谭鑫培、余叔岩、杨小楼，到梅兰芳、程砚秋、尚小云等，莫不如此。

荀慧生的班社，也很注重挑选良将。当然，一个班社，人员常来常往，流动得也很频繁。无论其他人员如何变动，有一段时期，荀慧生的身边、他的班社里，却始终有四个人相伴。用行话说，他们将他傍得严严实实。这四人中，除了最早与他合作的张春彦、马富禄、金仲仁，后来又加入了“芙蓉草”赵桐珊。他们被称为“四大金刚”。

有观众说：“就是这‘四大金刚’，就对得起听戏的所花的票价。”甚至有人说，荀慧生之所以有大名声，一半固然靠他自己的艺术，一半则靠的是“四大金刚”的辅佐。这种说法，也许不免夸张，但也从侧面说明，他们四人对荀慧生的影响有多大，对他的班社的帮助有多大，对荀派艺术流派的确立所做的贡献有多大。他们是荀慧生真正意义上的“左膀右臂”。荀慧生常说：“好花还得绿叶扶，我尤得金、马、张、赵辅弼出色不少。”

一、金仲仁（1886–1950）。他是清皇族，本名爱新觉罗·春元，清礼烈亲王[①]的后裔。他的祖父是曾经官拜奉恩将军的阿昌阿，因此金仲仁承袭奉恩将军之爵名。少时，他被送进只有皇族子弟才能进入的法政学堂，学习满汉文学、皇族礼法、军事法政等课程。在学习期间，恰逢戊戌变法，他受维新运动的影响，不满清廷腐败，厌烦皇族生活。正好，他自幼喜爱京剧，便向内廷供奉张晓山学习小生戏，又向茹莱卿、姚增禄学习武小生戏，师从曹心泉学习昆曲。

因为时常出入肃亲王善耆的肃王府“贵胄票房”和清室成员载雁宾创办的“翠峰庵票房”，从而结识了著名小生演员德珺如，视他为学习榜样，并且拜他为师。在德珺如的鼓励下，他于17岁那年，毅然抛弃爵位，舍弃皇族生活，“下海”做了一名京剧演员，并更名金仲仁。一个清室子弟，却甘当“戏子”，这在当时，是惊人之举，非常引人注目。

金仲仁很早就与王瑶卿结识，加入梨园后，更与王师接触频繁，相互切磋技艺，并且合作演出，配合默契，无懈可击。他的艺术也深受王瑶卿的影响，表演朴实稳健，唱念做打，因戏制宜，总是根据角色的身份性格、思想感情，细腻地刻画人物。由于他的皇族出身，以及自幼受过良好教育，他比一般艺人更有文化，因此饰演的角色，多有书卷气。他也因此更擅长演书呆子气十足的书生，比如，《悦来店·能仁寺》中的安骥，《玉堂春》中的王金龙，《梅玉配》中的徐廷梅，《绣襦记》中的郑元和等。其中安骥、王金龙，他演得最好。

荀慧生与陈墨香合作的第一出戏，就是全本《玉堂春》。这出戏是荀慧生的第一出新改编戏，也是他的代表剧目之一。金仲仁配演的王金龙一角，为这出戏增色不少。其实，金仲仁与很多名角儿都曾合作过，除了王瑶卿，还有王蕙芳、马连良、程砚秋、李洪春、雪艳琴等，唯有与荀慧生合作的时间最长，长达二十余年。在荀慧生大多数新编戏中，都有金仲仁的角色。

对于荀慧生和金仲仁的合作，有人说：珠联璧合、相得益彰；也有人说：互相依存、互叩心扉。荀慧生的长子荀令香这样总结："这是因为他们哥儿俩在艺术造就、文化修养、风格气质、舞台经验等方面，均已步入同一境界，所以才能开拓出生旦戏的新局面，在舞台上闪出光芒。"②

金仲仁是著名花旦演员、艺名"筱翠花"的于连泉的妹夫。他的儿子金玉书，原名金大钧，幼入程砚秋任校长的中华戏曲专科学校，本应排名"德、和、金、玉、永"中的"金"字辈。这样，他的名字就成了金金书，被认为不好，所以改排在"玉"字辈，成为金玉书。他先学老旦，后习老生，又学武净，最后改工胡琴，曾与父亲一起在荀慧生的班社中辅佐荀慧生。因此，荀慧生与金家二代都有着深厚情谊。

荀、金二人分手，大约是在1939年。

二、马富禄（1900–1969）。看他的名字，就知道他是富连成第三科"富"字辈学员（第一科是"喜"字辈；第二科是"连"字辈），是著名文丑演员、富连成总教习萧长华的得意弟子，连他的名字，都是萧师亲取的。他先学的是老旦，后改丑行，是京剧舞台上的名丑。他的特点是天赋歌喉，嗓子相当好，洪亮清脆，连念白都很畅亮。除此之外，他为人聪明绝顶，反应快，领悟力强，所以无论唱什么戏，都不僵、不油、不贫、不温，既轻松明快，也不流于油滑，更

① 清礼烈亲王，指的是努尔哈赤的次子代善。
② 荀令香：《艺林留香》（一），《戏曲艺术》1987年第10期，第42页。

不出规矩。

自富连成出科后，马富禄搭散班唱戏，搭过杨小楼、梅兰芳、尚小云的班。成名后，他搭班相对固定，有马连良的班、筱翠花的班。搭荀慧生的班时间最长，大约有十年。在庆生社时，他就是班社不可或缺的重要人物。到了留香社时，他很自然地成为“四大金刚”之一。

花旦挑班，当然以演花旦戏为主；花旦戏，小生、小丑是必不可少的。于是，花旦戏里就有了“三小”，即小旦、小生、小丑。荀慧生的班社，有了小生金仲仁，就不能少了小丑马富禄。

荀慧生与马富禄合作的第一出老戏，是《小放牛》。两个成年演员要演好戏中的小姑娘、小牧童，非常不容易，既要载歌载舞，脸上又要带有稚气，但又不能演得做作，更不能演成一对关系暧昧的青年男女。他俩的表演，很到位，也很精彩。他俩合作的第一出荀派新戏，是全本《玉堂春》。在这出戏里，马富禄演了两个角色：前半部是沈延龄，后半部是崇公道。无论是乡愚财主沈延龄，还是圆滑老练崇公道，他都演得恰如其分。

荀派新戏，他基本上都参与其中。在他所扮演的一系列角色中，有令人切齿的恶少，有凶残的丑婆，当然也有善良的好人。无论什么样的角色，只要由马富禄饰演，就很出彩。即使戏份不多的角色，如《花田错》中的店家，只需要念几段数板，他也能赢得满堂彩。有人说，正是这几段，给全剧增添了活气，起到了“兴奋剂”的作用。

荀、马二人分手，大约是在1936年以后。

三、张春彦（1892—1954）。他也是科班出身，自幼入科长春班，初学老旦，后习老生。他虽然是二路老生（行话称“里子老生”）中的佼佼者，但论名气，他绝不亚于任何头、二牌老生。他的表演特点是不温不火、四平八稳、唱念咬齿清楚。更重要的是，他是个绝佳配角，从不喧宾夺主，用行话说，就是不啃人，不洒狗血，当然也从不敷衍搪塞。为名角儿配戏，他不卑；为小演员配戏，他不亢。所以说，他是各色人等争抢的配角，是里子老生中首屈一指的人物。

在杨小楼、马连良、高庆奎，以及四大名旦的戏中，张春彦都做过“绿叶”，其中搭程砚秋、荀慧生的班时间最长，为他俩配的戏也最多。由于他为人纯朴率真，奖掖后生不遗余力，因此在梨园界，人缘极佳。搭班程砚秋的秋声社时，与程砚秋称兄道弟，常在一起排戏、练功，吃喝不分，亲如手足。辅佐荀慧生时，也莫不如此，也是兄弟相称，他称荀慧生为四弟，荀慧生称他为三哥。

张春彦和荀慧生合作最精彩的一出戏，是全本《玉堂春》。当时，他在其中饰演刘秉义。这个人物尖酸刻薄，对王金龙步步紧逼，两人时时针锋相对。“四大金刚”时期，王金龙由金仲仁饰演。张、王两人一唱一和、滴水不漏。演到“团圆”一场时，刘秉义向王金龙赔礼，张春彦演得不卑不亢、恰到好处。有人甚至说，此时他的表演达到了绝妙的境界。

除此之外，《元宵谜》中，他演吕刚，将这个刚愎自用的人物形象，刻画得惟妙惟肖。又有人说，此时他的表演达到了逼真的境界。在《鱼藻宫》中，他演忠勇谋兼于一身的大臣周昌。其中的“蹉步”动作表演，使剧情达到一个小高潮。《香罗带》中，他与荀慧生扮演夫妻。荀慧生演妻子林慧娘，张春彦演丈夫唐通。张为荀衬，将自己的作用发挥到了极致。

张春彦能够成为一个绝佳配角，戏路子宽是很重要的原因。因为如此，什么样的角色，他都能演，上到帝王将相，中到官绅学士，下到平民百姓，由他演来，无一不真实，无一不相像。难怪荀慧生一直很倚重他。

⊙ 荀慧生夫妇与留香社主要成员合影：前排左起张春彦、马富禄、赵桐珊、吴春生、荀慧生、金仲仁、蒋少奎、曹连孝；后排鼓师叶老五（左一）、沙大风（左三）、孙甫亭（左四）；三个小孩荀令文（左）、荀令香（中）、王世荣（右）。

荀、张二人分手，大约也是在1936年左右。

四、赵桐珊（1901—1966）。“芙蓉草”与荀慧生是同学，两人曾经同在正乐班学戏，又同为“正乐三杰”。依常理看，他俩应该有相当深厚的感情。荀慧生和他的关系，理应比其他三大金刚，要更好一些。然而，四大金刚中，恰恰就是赵桐珊辅佐荀慧生的时间最短，不过短短几年。至于到底是几年，说法不一。按照赵桐珊自己的说

法，是“唱了两年多”。但是，荀慧生说过这样一段话：“他跟我配演以来，不过三四年就购买了鲜鱼口内草厂上六条24号新房……”

不仅如此，赵桐珊离开荀慧生、脱离四大金刚的时候，负着气。至于为什么负气，也就是两人分手原因，没有人能够说得清。当时，某戏曲刊物上提到他俩的分手，这样说：“两人忽然起了裂痕。赵是志气高傲，受不了闲气的，因为某种事故，就此分手不干。”究竟是什么“事故”，文章没有明说。

不管怎么说，他俩之间产生间隙，是客观事实，以至于日后他俩在各自的回忆录中，在谈到两人怎样开始合作，也就是说，赵桐珊是如何加入荀慧生的班社，成为四大金刚之一的，说法明显不一。

在赵桐珊的自述中，他说：

1928年冬天，我与言菊朋到天津中原公司演出。这个戏院在五楼，下面全是商场。

唱到年底，菊朋合同期满回去了，我被留了下来。第二年（1929年）新春，又演了一个月。随后在天津升平、大罗天等戏院连续唱到九月。这年腊月二十三日，我的养子因患猩红热死去。我于大年除夕回京，家中没让我知道此事。王大爷（指王瑶卿）到车站接我，先住在马神庙他的家中，免得我回家触景生情，足见他老人家爱我的深情。

我住了一宿，第二天元旦又赶到天津……

当天……晚上我来到中原公司的后台。那时中原邀京角，一星期只唱四、五、六、日四天，这天正是荀慧生演到末天。他见了我分外亲热，因为何雅秋死了，他正缺个贴旦，便很诚恳地邀我回京合作，并且以幼年“三年科班”同学时的感情来说服我。他还问我天津亏空多少，我说只缺数十元。荀当即给了我50元，实际我欠人2000元。

次日，我同荀回到北京，参加了慧生的班子并成为荀班“四大金刚”之一，即金仲仁、马富禄、张春彦和我。荀每星期只唱二天。这时陈墨香为荀编剧，所以荀的新戏很多。这样，我在慧生班中唱了两年多。[①]

这段回忆，涉及到好几个时间：1928年冬天，1929年新春，这年腊月二十三日，大年初夕等，却偏偏没有明确说明他和荀慧生在中原公司后台相见、荀慧生邀他合作，以及最终随荀慧生回北京的具体时间，而只用了“当天”、“次日”这样含糊的字眼。

荀慧生的回忆，则具体得多。他说：

赵老板，秦腔出身，后改二黄，在天津中原公司演唱，由于他性情古怪，落魄后只能在天津当卖为生……1929年8月30日，我到天津中原公司演出一期。一天晚上，我演出《柳如是》后回到宾馆，大约凌晨一点钟，他来看我，说自己流落天津，乞求我带他回到北京。我看他景况甚寒，念其少年同班，送给他三百大洋，让他料理琐碎账目，并劝他同我一道回北京，搭我的班，一起演唱。至于回京车票等一切事项均由我负责。[②]

一个说，他邀我、说服我；一个说，他乞求我。一个说，两人见面，是在"中原公司后台"；一个说，是在"宾馆"；一个说，"给了50元"，一个说，"送了300大洋"。他二人对同一件事情的不同表述，让后人难明事实。不过，有一个事实，两人的回忆，是一致的，那就是赵桐珊当时在天津的生活，的确穷困潦倒。赵桐珊说他"欠了2000元"，荀慧生说他"当卖为生"、"景况甚寒"。

的确，赵桐珊在王瑶卿家住了一宿赶回天津后，因思念儿子，无心唱戏。演出减少，意味着收入减少，渐渐地，他的生活到了不但演出行头无法置备，甚至连基本生活都无法保障的悲惨地步。荀慧生所说"当卖为生"，应是事实，因为最后，他的身上只剩下一件长衫式的雨衣。在这种情况下，他不得不又返回北京，求助王瑶卿。据他说，王瑶卿此时也没有什么钱，却又同情他的遭遇，向学生借了5元钱，给了他。也许是自知在北京无法立足，赵桐珊拿着这5元钱，还是决定去天津。

那天下午，他在火车站买了车票。因为时间很紧，火车就要开了，他买了票，就急急忙忙地往进站口跑。忽然，他的脚下被什么东西绊了一下，低头一看，是个皮夹。他看看皮夹，再四下张望，周围已空无一人。对于一个贫穷困苦的人来说，眼前这个皮夹是意外之财，是天上掉下的馅饼，是极大的诱惑。

"捡，还是不捡"，这是一个问题。对于这个问题，赵桐珊产生了丰富的心理活动，他想起了《拾玉镯》中的孙玉姣："我若不捡，

① 赵桐珊遗稿：《芙蓉草（赵桐珊）自传》，《京剧谈往录续编》，北京出版社1988年6月版，第183—185页。

② 和宝堂整理：《戏苑宗师荀慧生》，辽宁美术出版社1999年12月版，第102页。

也会给别人捡去；不如我捡上，上车后让失主来认领；但我又怕人家怀疑我是偷来的，因为我衣衫褴褛，形容憔悴，是容易启人之疑的。”火车汽笛声响起，事实上时间已不容他多想，他捡起了皮夹，再左右看看，仍然不见一人。

对于这个皮夹的处理，赵桐珊在行动上，没有主动找寻失主，没有请求他人帮助寻找，没有上缴给列车员。但是，他在思想上，却等待着失主来认领。所以，他将皮夹拿在手上，而没有放进口袋。一直到火车抵达天津站，他出站以后，始终没有人来认领。这时，他才打开皮夹察看，发现里面有汉口票10元。这10元汉口票在天津可兑换3元，还有通用钞票33元。除了这些，别无他物，更没有名片和地址。

面对那36元钞票，赵桐珊心里又活动开了：“交到警察局？是不可能的，因为社会上不兴把捡来的东西交给警察局。如果交上去，皮夹会被他们留下，说不定，还要给捡拾者扣上一个盗窃的罪名。”想来想去，他没有别的办法，只得将皮夹放进了自己口袋。皮夹里的36元钱，他就留着自用了。但是，那只皮夹，他一直保存着。不仅如此，在他日后经济好转以后，往皮夹里又放了36元钱。他知道他将永远等不到那个无名失主，但是，他在心里一直充满着感激。

赵桐珊所说的“当天”，就是他捡皮夹的那天。也就在这天，他与荀慧生见面。在他捡了皮夹，从而意外获得36元钱后，用其中的26元钱赎回了之前被当掉的夹袍和马褂，然后洗了个澡，这才去了中原公司的后台。

无论两人谁说得更接近事实，总之，赵桐珊加入了荀慧生的班社，他的生活从此有了转机，经济上也大有好转。按照荀慧生的说法，不出三四年，就已经能够买房置地了。他购买的房子，花了3350元，共有15间房间，正四合院，外带跨院，院内还有4间房。不过一开始，也就是他从天津初返北京时，连个住的地方都没有，就住在荀宅西厢房。初次为荀慧生配演，在吉祥园，戏份是每场6元钱。那段时间，两人同进同出，一块儿去戏院，一块儿唱戏，散了戏，和另外三大金刚一块儿吃消夜，然后一块儿回家。那是他俩关系的黄金期。

为了什么荀慧生开始对赵桐珊产生不满的呢？荀、赵二人都抽大烟。有一天，在烟榻上，赵桐珊对荀慧生说："二哥，你知道我在天津演戏的戏份吗？至少也要8元钱。"荀慧生一听，心里咯噔一声。这句话是什么意思？很明显，他嫌6元的戏份太少。其实，这件事并没有使荀慧生特别反感。一来他知道赵桐珊生活困顿，需要钱；二来随着演出的日益增多，在京城舞台上，赵桐珊的名气也日渐提高，一些名角儿，如程砚秋、尚小云、高庆奎等，都纷纷邀他配戏。身价高了，当然也就有资格要求提高戏份了。

真正让荀慧生不高兴的，也许并不是赵桐珊要求涨工资，而是有另外的原因。具体原因，荀慧生没有明说，只是说了这样一句话："他竟然忘记我在天津援助他的情况，我当时就感到人心可云不古也。"赵桐珊是如何忘记荀慧生的恩情的？怎样表现的？是在态度上由谦恭转为傲慢，还是在行为上朝秦暮楚、移"情"别"恋"？不清楚。总之，在裂隙产生，彼此又无意弥补后，两人分了手，"四大金刚"也拆了伙。

尽管荀慧生对赵桐珊在某些方面的确很有意见，但他从不否认赵桐珊的艺术才华，也不否认他的确是难得的好配角，更不否认他对荀派艺术的最终形成所做的贡献。正如赵桐珊所说，"四大金刚"时期，荀慧生排演了一大批陈墨香编剧的新戏，他也就演了不少荀派新戏。有他参演的戏，荀慧生说，戏中总是小有精彩。

比如，当金仲仁临时外出时，赵桐珊能在《贩马记》中反串小生。有一次，在上海演出时，他们演出荀派新戏《鱼藻宫》，赵桐珊演其中的“坏蛋”吕后，将吕后的阴险、恶毒、凶狠、残忍刻画得生动形象，反衬了荀慧生演的戚姬更加可怜、悲凉、凄惨，从而使观众对这个人物的命运寄予无限同情。当演到末场吕后斩戚姬时，台下观众已经完全进入剧情，竟将赵桐珊当作了真吕后，用甘蔗皮、橘子皮狠砸，使赵桐珊相当狼狈，但也可看出他演得如何逼真了。

一个赵桐珊是如此，其他三金刚也是如此。所以，四大金刚先后离开荀慧生，对于荀慧生和他的庆生社而言，损失是巨大的。1939年，最后一个“金刚”金仲仁也走了。从此，荀慧生的“金刚”时代终结。外界评价，荀慧生的庆生社的势力，自然远不如以前雄健了。也许是先入为主的偏见，人们再看庆生社的戏，热情总不那么高了。起初，他们一时也找不到原因，想一想，荀慧生还是那个荀慧生，编剧也还是那个陈墨香，味道怎么就变了呢？再细细琢磨，原来是配角不对了。特别是对于顶“四大金刚”缺的四个人，尤其不适应。

这四个人，旦角何佩华，老生曹连孝，丑角朱斌仙，小生徐和才。从他们个人艺术来说，都无可挑剔——荀慧生对配角的选择，本就要求严格，不肯将就，但与四大金刚相比，毕竟欠缺一些。比如徐和才，他原先只是戏曲学校的一个普通学生，并不十分出众，甚至一度心灰意冷，在临毕业前准备弃小生改学场面。正在这时，名声在他之上的李德彬离校了，小生人才又十分紧缺，他这才为人所关注。在金仲仁离开后，荀慧生极力提拔徐和才，对他很信任很看重，徐和才也没有辜负荀慧生，在《侠骨香》等荀派新戏里，都有出色表演。

若论相互配合，徐和才和其他三人就更不如四大金刚了。之后，“四大”又有变化：旦角费文芝，老生陈喜兴，丑角朱斌仙，小生沈曼华。荀慧生将此四人称为“后四大金刚”，外界却并没有这样的说法。也就是说，在戏迷和剧评家看来，“四大金刚”是空前绝后的，其他人，无论如何也替代不了。

其实，早在三大金刚脱离庆生社，荀慧生身边只剩下金仲仁一人，庆生社的戏受到影响，上座率直线下降时，就有人向荀慧生提议：不如先将马富禄、张春彦召回，以重振庆生社声势。至于隔阂最深的赵桐珊，择机再说。虽然少了一个赵桐珊，已经凑不齐“四大”，但是，至少还有“三大”，也“庶几近之”了。可是，荀慧生不但没有接受这样的提议，甚至倔强地大加反对：“他们走了，戏，我庆生社照样能唱，又不是少了他们，唱不成戏了。”这样一来，那些试图重现“四大金刚”辉煌的热心人，便不好再说些什么了。

庆生社演出阵容由强转弱，是显而易见的。在金仲仁脱离荀慧生之后第二年，上海更新舞台邀请荀慧生赴沪演出。事先，与他有些交情、他曾拜为师的张啸林特地就配角演员太弱问题，给他去信，让他一定要“好好地整理一下”。在荀慧生给张啸林的回信中，承认了班底太弱的事实。

信中有这样几句：“来谕云慧生班底太弱，此无庸讳言，慧生亦亟思整顿，但其中有碍难不能宣之笔札……况慧生正可于今年腊月，整顿班底，明春南下，辅佐得人，不更善乎？此慧生鄙见如此，未知师尊钧意以为然否？……”

不知道因为什么，荀慧生此次赴沪演出的计划泡了汤。因此，他“整顿班底”的雄心大志也未付诸实施。又一年，上海黄金大戏院邀请荀慧生南下。上海方面仍然对他的班底表示担忧，都希望他借此机会，重拾整顿班底的计划。有人甚至向荀慧生进言：“荀老板固然是一棵红里透紫笔立挺硬的‘好牡丹’，可是总得要有‘绿叶’扶持，才能显出牡丹的好来，光秆牡丹，怎么行呢？”

荀慧生当然也希望重新调整班底，但对于能否有机会再与“四大金刚”合作，他并不抱有奢望。然而，有不少人，对此却充满了信心。他们认为：

一、赵桐珊此时是黄金大戏院的基本演员（行话叫“底包”）。也就是说，无论哪个角儿来“黄金”献唱，作为底包，需要的时候，他都必须为其配演。荀慧生来“黄金”，他当然不能不予配合。固然之前，他与荀慧生之间有裂隙，但事过境迁，过去的早已过去，何况两人又没有深仇大恨。即便彼此还有未解开的疙瘩，“黄金”方面从中撮合撮合，化干戈为玉帛也完全可能。

二、马富禄与“黄金”素有交情，与“黄金”的经理孙甫亭也有很深的私人情谊，只要孙经理出面，给马富禄去封信，邀请他到上海，陪荀慧生在“黄金”演一个月，也非难事。对于张春彦来说，他本就与荀慧生之间没有太大的矛盾，请他“出山”，应该没有什么问题。

三、至于金仲仁，稍稍有些麻烦。尽管他辅佐荀慧生，在四大金刚中时间最长，但是，他也是在与荀慧生产生矛盾之后，离开留香社的。甚至于，据说他走时扔下一句狠话：“此生不再侍候荀大老板了，就是穷得没饭吃，没衣穿，宁愿饿死冻死，也不再和荀大老板合作了。”

他与荀慧生之间到底发生过什么？何以会有那么大的气，说得那么绝情？不得而知。无外乎性格各异，为人处世的方式不同，观念思想相左罢了。在谈到与合作伙伴的关系时，荀慧生说过这样一句话，很能说明他与金仲仁或者赵桐珊等人的关系由盛而衰的原因：“人与人之间的合作，难免会有一些矛盾……也有些同行，很难合作。”

尽管如此，还是有人对金仲仁重新与荀慧生合作，表示乐观。在他们看来，艺人之间、角儿之间有误会、耍性子、闹矛盾，都是正常的，荀慧生既然是名角儿，又早已被公认为“四大名旦”之一，不如拿出高姿态，主动求和，亲自往金宅跑一趟，说些好话、软话，给足金仲仁面子，金仲仁哪会拒绝?

然而，这一切都是理想主义者想象出来的。事实上，他们的愿望没有能够实现。原因也许并非荀慧生不愿，或者是“四大金刚”不想，只是时机不对、机会不好。此时，各人头上一片天，他们终究没有能够重新走到一起，“四大金刚”时代一旦成为历史，也就再不能回到现实来了。只是这段历史，对于荀慧生而言，很值得留念。

结识陈墨香

论及四大名旦的成功原因，除了社会环境因素，以及他们自身的勤奋努力外，不能不提到“智囊团”(俗称“×党”，如梅党、荀党)的作用。有人说，他们四人的竞争其实蕴含着文化的竞争。何以这么说？原因便在于他们身后，都有一批文人在加以辅佐。梅兰芳身边有齐如山、李释戡、黄秋岳、吴震修、冯幼伟等，程砚秋身边有罗瘿公、金仲荪、翁偶虹等，尚小云身边有“清逸居士”爱新觉罗·溥绪、庄蕴宽、洵疏厂、“还珠楼主”李寿民等，而荀慧生的身边则有陈墨香、陈水钟、舒舍予等。其中，梅兰芳与齐如山、程砚秋与罗瘿公、尚小云与清逸居士、荀慧生与陈墨香，是最值得称道的“黄金组合”。

荀慧生与陈墨香初次相识，是在1924年。当时，他的演艺事业以上海为重，其间偶尔返回北京做短暂停留。那年年初，他又回北京。有一天，他应邀参加了一个堂会的演出。散戏后，主家又开宴席。机缘巧合，荀慧生与陈墨香坐在了一起。当时，他俩并不认识——荀慧生肯定不认识陈墨香，又因为他长期生活在上海，尽管他已经有了不小的名声，但陈墨香也没有见过他。

也许是命中注定，不知道为什么，他俩彼此吸引，都对对方充满好奇：在陈墨香的眼里，眼前这个角儿，气质儒雅、温良谦和、文

⊙ 王瑶卿赠荀慧生画作。

质彬彬，少了些戏子的俗气，多了些文人的雅气；在荀慧生的眼里，眼前这个鼻梁上架着深度近视眼镜的老夫子，谈吐斯文、博学多才，既熟读二十四史，又深谙音律，还遍知各种野史、笔记小说、元曲、传奇等，更通晓梨园数十年的历史。听他谈话，所言趣语多多，字字如珠，令荀慧生受益匪浅，也大开眼界。

在荀慧生的另一边，恰好坐着王瑶卿。大家聊得正欢，王瑶卿忽然发现，荀慧生和陈墨香是不认识的，而且之前，他曾经听荀慧生说过，也想效仿梅兰芳和齐如山、程砚秋和罗瘿公，找一个能编会写的文化人，作为自己的专职编剧，编戏写词。眼前这个陈老夫子，不正是个合适的人选吗？

于是，他赶紧为双方作了介绍。他指着荀慧生，对陈墨香说："这是白牡丹，这些年一直待在上海，红遍上海滩啊，想必早有耳闻吧。"陈墨香扶了扶眼镜，仔细看了看荀慧生，然后才边点头边合拳作揖。荀慧生也回了礼。接着，王瑶卿指着陈墨香，对荀慧生说："老二，你不是正要请一位打本子的先生吗？这是陈墨香先生，雅号敬余，不但会舞文弄墨，又精通出将入相。我看，你俩合作，倒挺合适。"

尽管这个时候荀慧生对陈墨香并不了解，但他想，王瑶卿大力推荐的人，定非碌碌之辈。于是，他赶紧起身，再次致礼，说："往后还请多多指教。"陈墨香又回礼，说："岂敢岂敢，大家一起研究吧。"

陈墨香（1884–1942）是湖北安陆人，除了雅号"敬余"外，还自号"观剧道人"。他出身于书香世家，父亲陈学芬（字桂生，号子韬，别名觉分居士）是清同治元年的翰林，曾任内阁学士、户部侍郎、工部尚书等职。身居官场，他却不喜为官，但有恪尽职守、勤劳王事。庚子年间，八国联军入侵北京，他随同皇室一起西行避难，日走数十里，中途患病，不久去世。

有两个方面，陈墨香深受其父影响：一是厌恶官场，一是爱好戏曲。厌恶官场，他一生不愿为官，唯喜闭户读书；爱好戏曲，他将戏曲作为一门学问加以研究，所以除了精熟京剧、深通昆曲外，对梆子、评剧等地方戏曲也有了解。

既然是“观剧道人”，那么，他一定是爱好看戏的了。陈家家教甚严，严禁子女吃喝嫖赌，只允许听戏。日后，陈墨香主要为荀慧生编剧，也为程砚秋、尚小云编过剧。很难想象，他在小的时候，却并不喜欢看旦角的戏，特别不爱看花旦、闺门旦戏，只要台上出现这样的戏，他就吵嚷着让家丁抱他离开，得不到响应，他就小拳捶、小脚踢。

生活中，幼年的他也讨厌脂粉气。他的奶妈说：“这孩子性格煞是古怪，有时给他脸上抹些脂粉，他必然洗掉，说是姑娘才擦粉呢，我是男子用不着的。”有的时候，丫环仆人拿他取笑，唤他一声“小姐”，他必定发怒。于是，家人说他“长大定然不好色的”。有人因此对陈学芬说：这孩子不喜旦，从小看大，到日后只怕是色欲上是淡然的。陈学芬不以为然，笑到：“此时哪里看得定？且待十几岁时，看是如何。”

是从什么时候开始，陈墨香对旦角戏转变了态度？是在看了王瑶卿的戏、认识王瑶卿这个人之后。他发现，在台上，王瑶卿“一双俊眼真称得起明眸善笑，那脸庞儿，一种秀丽天然的情态，真个令人销魂”。在台下，王瑶卿是玉树临风的美少年，翩翩风度的伟丈夫。从此，他与王瑶卿结为挚友，过从甚密，经常在一起切磋戏曲艺术。同时，他也向王瑶卿学过不少戏，常以票友的身份演出，与早年的旦角演员余玉琴、路三宝等都有过合作。

由于官家出身，加上自幼博览群书，青年时期的陈墨香对时政相当不满。又因为他爱好戏曲，所以，他崇尚“戏曲救世”，认为戏曲可以起到移风易俗、教化民众、惩恶劝善的作用。作为一个编排新戏的编剧，则可以通过剧本表达自己的爱国情怀和民主思想。于是，他走上了编剧之路。

陈墨香编写的剧本，题材多取自古典戏曲、小说及地方戏脚本，内容以反封建为主，大多是为封建枷锁下受压迫的妇女鸣不平，既展示了她们的悲惨命运，也刻画了她们的善良本性。此类戏有《钗头凤》、《红楼二尤》、《勘玉钏》、《鱼藻宫》、《霍小玉》等。敢于反抗压迫和斗争的妇女形象，是他重点描写的对象。比如，《红楼二尤》中的尤三姐、《杜十娘》中的杜十娘、《庚娘》中的庚娘、《东吴女丈夫》中的徐氏等。除此之外，还有古代巾帼英雄形象，比如《荀灌娘》中的荀灌娘、《儿女英雄传》中的何玉凤、《美人一丈青》中的扈三娘、《陶三春》中的陶三春等。在编剧技巧上，他吸收了古代传奇、地方戏曲之长，结构严谨、笔墨简洁，但注重情节和故事性，往往高潮迭起、引人入胜。

与陈墨香合作，是荀慧生艺术人生的重要阶段。从1924年他在王瑶卿的介绍下结认陈墨香开始，到30年代后期两人失和分手，在这十几年中，两人过往甚密。生活中，尽管陈墨香比荀慧生年长十六岁，但二人以兄弟相称，荀慧生一直唤陈墨香为“敬余兄”。陈墨香到荀宅，可以不用通禀，直来直往，来去自由。他甚至可以在荀慧生午休时闯入卧室，将其唤醒，而荀慧生却不恼不怒。这一切，换作他人，是绝对不可能的。可想而知，荀慧生对陈墨香尊重而器重，陈墨香对他而言，是何等重要。

最为重要的，当然是两人在艺术上的合作。这个时期，荀派剧目新添了数十出，特别产生了《玉堂春》、《丹青引》、《钗头凤》、《杜十娘》、《鱼藻宫》、《红楼二尤》、《霍小玉》、《勘玉钏》等荀派名剧。甚至可以说，荀派艺术流派的确立，就是在这个时期。

有人撰文称，在陈墨香于1942年去世时，荀慧生痛哭流涕，哀叹道："没有陈墨香，怎有荀慧生？京剧舞台可以没有荀慧生，但是不能没有陈墨香。"荀慧生真的说过这样的话吗？值得怀疑。即便他真的这么说，那也是自谦。不过，虽然"没有陈墨香，就没有荀慧生"这样的结论，不免夸张和武断，但至少可以说明，陈墨香对荀派艺术的确有所贡献。

荀派几出新戏

1. 与陈墨香合作的第一出新戏《玉堂春》

荀慧生公演的第一出与陈墨香合作编写的新戏，是《大英杰烈》，时间是在1925年初夏，于北京。但是，这出戏并非他俩合作编排的第一出新戏。第一出新戏是《玉堂春》，大约编排于1925年初，也就是他俩相识后第二年、荀慧生自沪返京之初。真正公演，却在1926年3月19日，于上海大新舞台。当时，由荀慧生饰演苏三，金仲仁饰演王金龙，马富禄分饰两角，前饰沈延龄，后饰崇公道，老生高庆奎饰刘秉义。

至于编排《玉堂春》的理由，有这样几个方面：

一、按荀慧生所说，当时的时尚是非新戏不足以叫座，非新腔不足以入时，所以，编排新戏，是潮流。排《玉堂春》如此，排其他新戏，也是如此。若论新腔，《玉堂春》恐怕是最早被安上新腔的传统老戏。将老腔老调的《玉堂春》改造成为娓娓动听的新腔《玉堂春》，归功于梅兰芳的伯父梅雨田的一个外界朋友林季鸿。他不是专业京剧演员，也不是票友，只是个戏迷，平时喜欢琢磨青衣腔调，更热衷研究新腔。梅兰芳唱的新腔《玉堂春》就是随梅雨田所学。

无论从故事内容，还是从腔调来说，这出戏都够得上经典。改编经典，虽然比较冒险，但正因为风险大，却也更容易引起关注。

二、选择改编《玉堂春》这出传统老戏，也有着艺术价值上的考量。这出戏，是京剧传统青衣戏的代表之作，是青衣演员的必唱曲目，占据京剧舞台足有七八十年，其中的两折“起解”、“会审”，在不断地演出、改编、再演、再改中，唱腔、表演日臻完美。早年，它是一出纯粹唱工戏，演员没有基本功是唱不下来的。梅兰芳曾说：“从前老师开蒙教戏，总是西皮先教《彩楼配》，二黄先教《战蒲关》，反二黄先教《祭江》，没有听说小学生先学《玉堂春》的。可见得唱工如果没有点功夫，是动不得的。学会了《玉堂春》，大凡西皮中的散板、慢板、二六、快板几种唱法都算有个底子了。”[①]之后，它发展成为以唱为主，但也注重表演和做工的传统名剧。

三、在这之前，荀慧生已有编新戏的经验，他在上海排演了《宝蟾送酒》、《荀灌娘》等新戏。他发现，数十年来的戏曲，多演出零折短剧，俗称“折子戏”。这些戏往往没头没尾，常使观众有不知缘由也不知结果的莫名其妙之感，更有只窥其一斑而不见全豹的遗憾。他认为，这既不能满足观众的需求，也对戏剧发展不利，便想着要将折子戏加头加尾，使其成为故事情节完整的全本大戏。事实上，这样的戏，观众是欢迎的，爱看的，这在客观上也增加了他的信心。将《玉堂春》改编成为全本《玉堂春》，是他的初次尝试。

在改编《玉堂春》之前，荀慧生在北京看了一场由梆子演员崔灵芝演的梆子《玉堂春》。他演的苏三，足下踩跷，身穿红布罪衣，一上来就唱几十句长的尖板（相当于京剧的散板）：“忽听唤苏三，两眼泪不干……”然后进了大堂，接唱尖板：“小女子跪在都察院，头不敢抬来眼也不敢睁。”每唱到这个时候，都会博得个满堂彩。看他演苏三，荀慧生想起自己在唱梆子时代，也唱过梆子《玉堂春》，而且也踩跷。改学京剧后，他先后师从孙怡云、吴菱仙、王瑶卿等学

⊙ 编剧陈墨香。

过京剧《玉堂春》，也唱过新腔《玉堂春》。那个时候，他就有个想法："假如能将故事情节丰富一些，把苏三被屈含冤的遭遇，通过唱、念、做等实际表现出来，会给观众留下更为深刻的印象。"这是他改编这出戏的初衷。

荀慧生欲将《玉堂春》增益头尾，使之成为情节完整的大戏的想法，与陈墨香不谋而合。陈墨香看戏十多年，对什么人演什么戏，十分了解。在谈到《玉堂春》这出戏时，他说："此一剧，京伶演者极多。胡喜禄，余不得而见之。(余)紫云、(王)瑶卿、(梅)兰芳均以此擅名，然紫云仅演《会审》，瑶卿、兰芳不过增出《起解》，前后均付阙如。田桂凤、陈祥云之徒，皆演《关王庙》，又嫌其淫秽太甚，观者憾焉。"所以，他也想着改编，让其首尾完备。

不过，对于这个想法，起初，也就是在陈墨香认识荀慧生之前，因为有顾虑而一直未付诸于实践。一位戏界老前辈、他的一位朋友说的一句话，道出他的顾虑所在："这全本《玉堂春》，前半部分，是花旦应工；后半部分，是青衣应工，现在哪有这样的全才？"这也许正是长期以来，包括梅兰芳等在内的许多名旦，只演其中的"起解"、"会审"，而不演全本的原因之一。当陈墨香结识荀慧生以后，他发现，他找到了既能应工花旦又能应工青衣的"全才"。正好荀慧生也有相同想法，二人一拍即合。

这也就是两人为什么第一次合作，就改编《玉堂春》的主要原因。

那么，他们为什么没有在编排好之后立即公演呢？这毕竟是他俩的第一次合作，无论唱词、唱腔、身段、演员的选择、扮相的设计等，都需要细心琢磨，非到成熟不敢示人。然而，就在他们精心

① 梅兰芳：《舞台生活四十年》，河北教育出版社2001年5月版，第96页。

打磨时，别人捷足先登，率先推出了全本《玉堂春》。这个“别人”，正是四大名旦之一的尚小云。然而事实上，在尚小云之前，还有一个旦角演员排出了全本《玉堂春》，他是一度有“五大名旦”之一之称的徐碧云。也就是说，最早将《玉堂春》改编成全本《玉堂春》的，不是尚小云，更不是荀慧生，而是徐碧云。

1925年初夏，徐碧云准备公演全本《玉堂春》，但是，饰演王金龙一角的小生演员姜妙香因身体不适不能演出，于是，就延搁了。也就在这时，尚小云的全本《玉堂春》抢了个先，于这年11月15日，演出于北京三庆园戏院。不过，他的“全本”，并非真正意义上的“全”，仅从“会审”开始，接“监会”、“团圆”，不但摒弃了“起解”，更没有之前的情节。但不管怎样，他的改编本较之以前的演出本，还是要完整一些，当然也更精彩。

尚小云的全本《玉堂春》公演那天，台下坐着几位特殊的观众，他们就是荀慧生、陈墨香，还有白党沙大风等。他们是来观摩、学习、总结经验的，为的就是完善他们自己的全本《玉堂春》。

在荀慧生与陈墨香合作时期，他俩的编剧方式，一般来说，先由陈墨香写出剧本梗概，然后两人共同研究。然而，《玉堂春》的编剧方式并不是这样的。原因在于陈墨香的手里，早已有全本《玉堂春》的秘本。至于他是如何得到的，他没有明说，而只说：“余曾觅得此剧全本，自‘王公子入院’起，至‘迎娶苏三’止。”这个“全本”篇幅之长，令人咋舌，“非四日不克演全”。在他发现了荀慧生这个“全才”，并且决定合作改编《玉堂春》为全本后，对秘本进行压缩、削减，重新整理加工，然后将本子赠与荀慧生。

于是，荀慧生演出的全本《玉堂春》，在原先大家常演的“起解”、“会审”之前，加上“嫖院”、“关王庙”、“落风坡”、“小公堂”；之后，增加了“监会”、“装疯”、“团圆”，终成首尾相连的一出大戏。当年，汉口大舞台印制的《荀剧“玉堂春”特刊》，有这样一段话：

“鉴于京剧之片断支离，日就颓敝，以萃力搜求旧本之善者，汰腐择精，从而致善，全本《玉堂春》其一也。”

说到荀慧生演出的全本《玉堂春》有何特别之处，除了“全”之外，还在于：

首先，初演这出戏，是在上海。荀慧生在上海生活多年，无论表演方式上，还是舞台设备和装置上，他受海派影响较深，除了注重故事内容外，也比较讲究华丽形式。比如，他几年前在上海演出时，就已经开始运用灯光、布景了。这个时候，上海更流行“彩头戏”，因而现代化的舞美设施被广泛运用。在演出《玉堂春》时，荀慧生也增加了布景。尽管这个“布景”，只是彩绘的景片和绣工精细的大帷幕，但相比过去单调的守旧①，还是先进了不少。另外，他在“嫖院”一场戏中，还运用了立体装置，有“南北楼”、“玩月花厅”等，他将它们设置在舞台两边和后方。远看，很像是真景，观众可以透过布景的楼窗，看见“苏三”照镜梳妆，很有创意，很吸引人。

其次，在扮相上，也有不同。原先，荀慧生演折子戏《起解》时，穿红罪衣，披枷戴锁。在全本《玉堂春》中，苏三出场时，并非“犯妇”，而只是一个普通女子，因此，此时，荀慧生按闺门旦的扮相，上穿花褶子，梳一般的大头。考虑到初出场时的苏三比较年轻，他特别设计了一个新发型，取名“半边翘”，即：在右边鬓间加了一个小发卷，把小水发折上去，用一个压鬓簪别住，再把折起来的头发扯松。这样的发型，很像女孩子的发髻，但又与发髻有所不同。待唱到“起解”一场时，他再改变发型，将小水发放下，使她看上去蓬头乱发。

至于金仲仁扮演的王金龙的扮相，也做了些调整。以往，这个角色是六品巡按的装扮，即：穿蟒袍玉带，头戴乌纱。这次，因为增加了“起解”之前的故事，王金龙出场时，只是一个国子监的太

① 守旧：传统戏曲演出时所用的台帐和作装饰背景使用的底幕，上面绣有各种装饰性图案。

⊙《玉堂春》中“梳妆”荀慧生饰苏三。

学生，所以他穿淡青色的褶子，头戴文生巾，显得书生气十足。这些装扮，在以前的《玉堂春》中，是没有出现过的。

再次，对于唱词、唱腔的处理，荀慧生突出表现苏三的坚贞、刘秉义的狭隘和势利、王金龙对爱情的执着追求和对封建礼教的反抗性。比如，他将大家唱惯了的“起解”中的“十恨”给改了，取消了恨书吏、恨李虎的唱词，最后一句“九也恨来十也恨”，他改成“越思越想实可恨”，显得更加精练而有力量。又比如，在“会审”一场中，他在唱到“上堂去先打四十板”、“无情的拶子我难受刑”之后，加了一句“我的大老爷呀”，而且融进了梆子的腔调。这句新腔，观众听着非常新鲜，不久之后，就在大街小巷流传开了。

还有，陈墨香很注重因人编戏。剧评人何时希说：“墨香编本所以见佳处，在于能适合慧生性格，而逞其所长，如‘嫖院’之若即若离，作小儿女态，本慧生之能事；如‘庙会’之旖旎风光，是慧生梆子之本色；若‘病房’之满腔幽怨，如泣如诉，哀感顽艳，赚人清泪，身份之贴切，无出其右者矣。”①

其实，不论徐碧云，仅四大名旦而言，他们都演《玉堂春》，但每个人演的都不一样，表演中融入自己的理解、自己的喜好，也按照自己的条件扬长避短。比如，“如今不见公子面，我那三……”的一句唱，他们的处理就完全不一样。梅兰芳、程砚秋唱到此处，都抬高声调，使唱腔高昂。但由于程派唱腔特有的如泣如诉，所以观众从他的唱中能够体会到苏三内心的悲凉。尚小云天赋歌喉，嗓子明亮，他唱到这个地方，有一种直冲云霄的恢宏气势。荀慧生呢，他的嗓音本身不够高亢，所以他并不有意拔高“三”字的音调，更不拖长，而以轻快唱出苏三的万种风情。

在某些唱词的改编上，四人也有不同。比如，有这样一段唱词：

梅兰芳唱：“自从公子回原郡，奴在北楼装病人，公子若是不娶妾，玉堂春立志我就不接人！”

程砚秋唱：“自从公子南京去，玉堂春在北楼装病情，公子若是不娶妾，玉堂春守节不嫁人。”

荀慧生唱：“打发公子回原郡，二人在灯前把誓盟，公子立志不另娶，玉堂春至死不嫁人。”

最后一个方面，很重要。在决定唱全本《玉堂春》之前，荀慧生有一定的顾虑。原因是在他之前，梅、程、尚都唱过《玉堂春》，甚至这出戏分别是他们的拿手戏，因此早已深受戏迷欢迎而获得社会公认。这个时候，他再唱，压力很大。王瑶卿给了他很大的鼓励。他不愧有“通天教主”的美誉，也不愧有“戏曲教育家”的美称，他的教育方法，最显著特点便是因人而异。他对荀慧生说：“如果在《玉堂春》‘会审’一折中，你与他们三位比唱，你肯定是不行的，你比不过他们的嗓子。但是，你有表演上的长处啊。不仅‘会审’中，你要发挥你表演的长处，在其他场次中，你也不妨在这方面做些修改。”

一语惊醒梦中人。荀慧生茅塞顿开，也因此有了信心。于是，他在“表演”上动脑筋。比如，他将“沈延龄入妓院看中苏三”的过程，改暗场为明场表现。马富禄饰演的沈延龄，是山西人，所以上场后先唱一段山西梆子，然后与绣楼上的苏三相遇，一个楼下，

①何时希：《梨园旧闻》，《京剧谈往录三编》，北京出版社1990年9月版，第566页。

一个楼上。这样的场景，不用说，很有戏剧性。而“王金龙落凤坡被劫”、“王金龙关王庙遇金哥”、“王金龙封为八府巡按”等场次，他则由明场改为暗场表现。第一次在上海公演时，他发现，演出时间还是太长，观众对其中“关王庙”一场很不耐烦，于是，他将其整个儿删去。同时，为避开嗓子的短处，他还删去了其他碎场子，更删去了苏三的一段慢板。

这一系列的处理，使得剧情更加紧凑。荀慧生自己也说：“使全剧焕然一新，除保留了唱腔之外，增加了许多表演动作。对演员来说，表演的范围广了，观众呢，由闻之于耳到睹之于目，又有一番新的感受。”所以，荀派全本《玉堂春》一经公演，即大受欢迎。留守北京的陈墨香得到消息，说：“慧生全部《玉堂春》已开演，极为观客所重，每一登场，池无隙地，并能召得邻省人士，可知其魔力矣。”戏迷爱看，剧评界的评价也很高。从此，它成为荀慧生的拿手戏之一，日后又被人列为荀慧生的“六大传统剧”之一。他每到一地，不是将它作为打泡戏，就是作为临时纪念演出剧目之一。

1932 年 3 月的一天，荀慧生又演《玉堂春》，地点是北平吉祥戏院。这时距他首演，已经过去了六年。令他没有想到的是，购票的戏迷仍然十分踊跃。戏院门口挤满了抢购戏票而不得又不甘心的人，足有四五百人。戏还没有开演，戏院内早已无立足之地。更多的人在打听荀慧生何时还能演出这出戏。有人甚至通过各种关系直接找到荀慧生，向他抱怨：每演《玉堂春》，总是不容易买到票。还有人找到戏院经理，恳求道：以后荀老板再演《玉堂春》，务必事先电话通知一声，以便及时为自己、为家人、为朋友买到戏票。

荀慧生的亲朋好友也到后台托他代为购票，甚至愿意出高价购买台座票（即台上两侧的位置票）。对此，荀慧生表示无能为力，因为这出戏需要动用大量道具，所以不卖台座票。看着他们失望的眼神，荀慧生既遗憾，又感动。类似这样的盛况，遍及平、津、沪等地。荀慧生说，如此争看《玉堂春》的现象，自《玉堂春》诞生之日起，就一直没有间断过。

关于《玉堂春》，还发生过一个很有意思的小故事。荀慧生第一次演出《玉堂春》时，是在上海。当时，陈墨香并没有跟着一起去。荀慧生基本上是严格按照剧本进行表演，只在个别地方有所删改。由于是第一次演出新戏，又是全本大戏，面对的又是比较挑剔的上海戏迷，便在紧张之下，出了差错。

那天，他忘记了，他的跟包周信德也忘记了，遗落了一件很重要的道具——鱼枷。上了台，一路演下去，演到“起解”一场时，当马富禄饰演的崇公道下场取鱼枷时，却怎么也找不到鱼枷。他惊出一身汗。台上荀慧生的苏三唱得正欢，哪晓得后台出了问题。又要轮到马富禄上场了，情急之下，他顺手拿了一副手铐道具，重新上了场。与此同时，工作人员赶紧回家取鱼枷。

上场之后的马富禄，有一句戏词：“苏三呐，把这个戴上。”“这个”指的是什么？当然是鱼枷。幸好戏词中的“这个”所指比较含糊，并没有明确是鱼枷，所以马富禄钻了空子。他一边唱着，一边就将手铐递给荀慧生，同时朝他摇了摇，算是特别提醒。荀慧生反应很快，一见是手铐，而不是鱼枷，就知道出了差错。他不动声色，“喂呀”哭了一声，转身就将手铐戴上了，继续表演。演到“会审”时，鱼枷也取来了。这个时候，就不能没有鱼枷了，因为这里有一场“劈轴开枷”的戏，是绝对不能用手铐代替的。

演出完，回想起这个差错，荀慧生既好笑又后怕。那个时候，观众对台上演员出错，是相当计较而不留情面的。一个小错，必定引来嘘声和倒好声一片。观众对于《玉堂春》这出戏，是再熟悉不过了，应该知道此时，苏三戴鱼枷，而不是手铐。也就是说，这个“错误”，他们并非没有觉察到。那么，他们又为什么能够容忍呢？荀慧生推断，既然这是出经过改编的新戏，其中唱腔、唱词、身段等与传统《玉堂春》都有所不同，那么，在“起解”里，将鱼枷改成手铐，又有什么不可以的呢？观众不知鱼枷变手铐是一个错误，还以为是荀慧生故意改的呢。

面对意外发生，荀慧生没有张皇失措，而是沉着冷静。从这次事件中可以看出，他此时的舞台经验已经十分丰富，随机应变的能力也很强。

《玉堂春》的成功，极大地增加了荀慧生的信心。这个信心，包含三个方面：继续创排新戏的信心；继续将传统折子戏增益首尾，使之成为首尾相接情节完整大戏的信心；对陈墨香编剧能力的肯定，以及就此与他合作下去的信心。事实上，在《玉堂春》之后，两人合作，又接连推出了多部新戏。

2.“演人别演‘行’”的《金玉奴》

后人将荀派剧目，列为六个“六大”。有人对此提出质疑，认为这样的划分，人为痕迹过重，有的甚至与事实不符。无论怎样，为了便于清楚地认识荀派新戏，我们姑且引用这样的说法。荀慧生的《玉堂春》和《贩马记》、《十三妹》、《棋盘山》、《得意缘》、《金玉奴》被列为“六大传统剧”。《玉堂春》是荀慧生与陈墨香合作的第一出新戏，固然是荀派代表作之一，除此之外，《金玉奴》对于荀慧生来说，也很重要，很值得一说。

这出戏原名《鸿鸾禧》，又名《棒打薄情郎》，或叫《金玉奴棒打薄情郎》。在民间，这个故事流传很广。戏本则源自于明代冯梦龙编辑的古代话本小说《喻世明言》(卷2)。京剧《棒打薄情郎》大约源自于清代。道光二十五年的《都门纪略》中，就记载着伶人丑角朱三喜擅工此戏。然后，一代又一代的演员不断地演出、修改、补充、删减，使之逐渐成为一出传统京剧。比如，冯氏小说中，没有书生莫稽倒卧雪地，金玉奴给他喝豆汁从而救他一命的情节，而只

⊙《金玉奴》荀慧生饰金玉奴。

是金松托媒招纳莫稽为上门女婿。在京剧《棒打薄情郎》中，则出现了“喝豆汁”的情节。取“鸿鸾禧”这个戏名，即“鸿鸾星照命，婚姻天定”的意思，很明显，有着很浓厚的封建性。

荀慧生改《鸿鸾禧》为《金玉奴》的时间，以及他何时首演，目前还无法得到证实。可以明确的是，早在他于1919年随“三小”初次赴沪演出时，就演过传统戏《鸿鸾禧》，而且演过不止一次，可见他对这出戏，还是有所偏爱的。无论是传统的《鸿鸾禧》，还是《金玉奴》，故事内容大抵相当：

书生莫稽，落魄行乞。值严冬风雪，饥寒交迫，倒卧于乞丐头领金松门首。金松外出未归，其女金玉奴倚门盼父，见莫稽倒卧雪中，心甚不忍，将之唤进门内，喂以豆汁。金玉奴见莫稽仪表不凡，甚为爱慕，待父归家后，得父允许，与莫稽结为夫妇。之后，莫稽赶考，得中进士，出任江西德化县正堂，从此憎恶金玉奴出身微贱，乘赴任行舟江中，推金玉奴下水，并将金松逐去。金玉奴大难不死，被江西巡按林润所救收为义女，还差人将金松找回。德化县本为林润所辖，林乃伪称欲以己女许配给莫稽。莫稽以为就此攀上权贵，欣喜不已。入了洞房，莫稽被新娘棒打，这才知道新娘就是金玉奴。金玉奴怒斥莫稽薄情负义。

从艺术上来说，荀慧生的《金玉奴》很能体现他的表演理论和表演特点。

在表演理论方面，他有一个很重要的思想，那就是："演人别演'行'"。他认为，人物，总是有变化的。也就是说，一个人物，不是从头到尾一个样子、一种性格。比如，《金玉奴》里的金玉奴，到底是哪行应工？花旦？青衣？闺门旦？有人说：当然是花旦。可是，荀慧生则不这么认为，他觉得除了花旦以外，在这个人物身上，还有闺门旦的东西，也有青衣的东西。

出场时，金玉奴是个活泼可爱的小姑娘，这时，是花旦的路子；与莫稽成亲后，活泼中有了沉稳、天真中加入了庄重，这时，就要按照闺门旦的演法了；随着剧情的不断深入，她的心情越来越复杂，心理活动也越来越丰富，这时，需要运用青衣表演方式。当然，这三种行当的划分，也不是那么界线分明的，并非严格按照出场时——花旦，中场时——闺门旦，终场时——青衣。如果那样的话，还是在演"行当"，而不是在演人，甚至反而会使观众觉得前后矛盾、支离破碎。荀慧生的原则是：行当永远服从于人物，行当的变化，是人物发展变化的结果。把握住了这个大方向，他演的人物，就立体了许多。

在表演方面，荀慧生的特点是演戏，不能单纯演戏，也就是不能为唱而唱，为演而演，更应该是表现人物。这与"演人别演'行'"理论近似。以《金玉奴》为例，他演的这个人物，形象饱满、性格鲜明，表现在层次非常清晰。他将"金玉奴"分为四层：第一层是少女的热情、天真、活泼、舍己救人；第二层是婚后，重点刻画了她的稳、忍和体贴；第三层是上船之后，开始流露出人物的不满情绪，心理活动也丰富起来；第四层，突出了人物内心的愤慨和对莫稽的批判。如此层层递进，在剧情逐渐发展的同时，人物性格也在不断发展。所以，总结荀派表演艺术特点，就是注重人物内心、思

⊙《丹青引》荀慧生饰杨云友。

想感情的刻画，无论唱腔、念白、动作、表演，都是为表现人物的性格服务的。

3.别具一格的《赛金花》

继《玉堂春》、《大英杰烈》之后，荀慧生在陈墨香的辅佐下，又改编或新编了《元宵谜》、《辛安驿》、《丹青引》、《绣襦记》、《香罗带》等新戏。其中的《丹青引》在1927年的“五大名伶新剧夺魁投票活动”中，荣获最佳剧目。

当时，尚小云的最佳剧目是他的新编剧《摩登伽女》。这出戏是尚小云艺术生涯中很重要的一出戏，它得以留名于世的原因，并非其故事内容如何富于传奇，而是尚小云对这出戏在题材上的独到选择，以及在服装扮相上、表演方式上的大胆尝试。题材上，他选择述说了一个异国故事；服装扮相上，他烫发，身着印度风格的服装，穿玻璃丝袜，脚蹬黑亮高跟鞋，戴鲜红斗篷。化装之后，女主人公鼻梁高挺、下颏尖润、桃花粉脸、柳叶弯眉，很摩登。在表演方式上，戏中既有传统京剧中的胡琴，还用上了钢琴、小提琴等西洋乐器。尚小云更着素纨长裙，跳起了西洋味十足的苏格兰舞。

对这样跨度较大的创新，人们褒贬不一，思想保守人士更是大摇其头。但是，也许正因为它的新鲜和奇特，很有吸引力，上座奇佳，票房奇高。在“新剧投票活动”中，从最终的得票情况来看，在所有的25出剧目中，尚小云的《摩登伽女》得票最高，高达6628票，远远超过了梅兰芳的“最佳”——《太真外传》，也超过了荀慧生的“最佳”——《丹青引》。可以说，名列榜首的就是《摩登伽女》。这从另一个侧面反映出观众的欣赏口味已经由传统的、熟悉的转向新锐的、陌生的。这对尚小云来说，具有启示作用。对荀慧生来说，则有借鉴作用。

于是，荀慧生的新戏《赛金花》诞生了。事实上，根据荀慧生的回忆，这出戏创作于1931年春。此时距《摩登伽女》初次公演，已经过去了四年。但是，它一经面世，还是遭到了铺天盖地的谩骂、攻击、诽谤，有人说他“搞歪门邪道”，有人说他“外造天魔，毁灭京戏”等等。如果说创新的话，连荀慧生自己也说，在他所有的新戏中，这出戏“迈的步子比较大”。如何“大”呢？

这是出清装戏。因为戏中有赛金花随洪钧大使出使德国、参加皇宫夜舞的情节，赛金花又必须穿洋服、跳西洋舞，这与《摩登伽女》的确有些相像。简单地说，它带有时装戏、洋装戏的味道。因而，塑造这样一个人物，穿蟒、褶子、裤、袄，以及踩跷、走宫装步、跑圆场等，都不合适。为此，荀慧生和陈墨香四处搜寻资料，还特地往天津跑了一趟，拜访赛金花本人。

此时的赛金花为人处世十分低调，她虽然不反对别人把她的故事搬上舞台，但她并不参与其中，也不提供更多的资料和线索。给荀慧生、陈墨香提供比较多资料的，是天津的一位票友吴颂平。吴颂平就他所知，向他们讲述了赛金花在北京和上海的活动情况，还提供了一张赛金花的照片。

这张照片，对荀慧生来说，非常有价值。荀慧生也就是根据这张照片，为赛金花在“皇宫夜舞”这场戏设计了一件晚装，取名“金花裙”。他还特别设计了赛金花专用的发型。以一个新颖的西洋式发型，又穿着别具特色的金花裙，荀慧生按照西洋舞台的节奏和舞姿，翩翩起舞，的确够得上标新立异。难怪有人说，荀慧生的《赛金花》与尚小云的《摩登伽女》有异曲同工之妙。

《赛金花》这出戏，是荀慧生的一个新尝试，无所谓成功或失

⊙《绣襦记》荀慧生饰李亚仙。

败。实际上，梅兰芳早在1910年代，就已经排演过时装新戏，但很快就放弃了，因为他发现，以传统的京剧形式很难表现新内容。如果以新形式表现新内容，又有违京剧基本规律之嫌。也就是说，“移步”应当不“换形”。移步，而且换形，就谈不上是京剧了。或许也是这个原因，尚小云在《摩登伽女》、荀慧生在《赛金花》之后，没有再排演类似的新戏。

4.再现青楼女子形象的《绣襦记》

在1927年的“五大名伶新剧投票选举活动”中，荀慧生有五出新戏被列为候选，《绣襦记》是其中之一。它首演于这年的3月26日，于北京开明大戏院，也是由陈墨香参与编剧，被视为荀派六大喜剧之一（另外有喜剧《埋香幻》、《勘玉钏》、《红娘》、《卓文君》等）。

这出戏根据古典名著唐宋传奇《李娃传》，并参照了昆曲《郑儋打子》、《亚仙刺目》等折子戏改编而成。故事大意是：

唐代常州刺史郑儋之子郑元和，赴京科考路中，与长安妓女李亚仙一见钟情，倾心相爱，以致迷恋挥霍，不惜杀骏马为亚仙医病，卖童仆以偿老鸨。金钱散尽，郑元和流落街头，沦为乞丐，路遇父亲郑儋。郑儋怒其儿不争气，对其大打出手，将他打死在街头。这时，李亚仙赎身出妓院，将其所有金银细软藏于一绣襦之中，四处找寻郑元和。郑家老仆正为元和买棺材，巧遇李亚仙。李亚仙抚尸痛哭。郑元和竟然死而复活，随李亚仙回家。在李亚仙的鼓励下，郑元和日夜勤读，终中状元，归家见父，也与李亚仙结合，一家团圆。郑儋奏明皇上，封李亚仙为状元夫人。

初演此戏，由荀慧生饰演妓女李亚仙，金仲仁演公子郑元和，张春彦演郑儋，马富禄演与郑元和同时赴考的乐道德，旦角高秋颦演老鸨。

从故事内容来看，《绣襦记》并无特别出彩之处，最终“中状元”、“大团圆”也使该戏不可避免地落入俗套。女主人公李亚仙的妓女身份，相比《丹青引》中的女画家，也没有什么新意。它不如《丹青引》，因而落选“最佳剧目”，当属意料之中。

不过，就表演方面而言，它还是有不少值得称道的地方，甚至几位配角演员的衬托表演，也很精彩。比如，“四大金刚”之张春彦演的郑儋与金仲仁演的儿子郑元和之间有不少对手戏，其中“打子”一场，尤为生动。有些打的动作，借鉴了传统戏《打侄上坟》中的某些精华。当郑儋听到一个乞丐正在行乞，悲惨地唤着“哎呀老爷太太”时，觉得声音很熟悉，心中不免一惊，猛然回头，发现那正是儿子，随即勃然大怒，追打元和。在元和被打致死的过程中，演员金仲仁有躲闪、翻吊毛、抢背、僵尸①等动作。一追一打，一打一死，两人的节拍严丝合缝，配合得相得益彰。

荀慧生本工花旦，演喜剧是他的专长。这出《绣襦记》，他演得非常动人，将一个妓女的神态、心理表现得淋漓尽致。“她”初见郑公子时的娇羞，惊见公子暴尸街头并抚尸痛哭的哀恸，无不形象逼真。观众在他的“引导”下，忽喜忽悲，忽乐忽泣。有观众在走出戏院时，感叹道：“真有说不出来的回味呀。”

① 京剧表演里的翻跌动作俗称“翻筋斗”。这方面的功夫被称为“毯子功”。毯子功包括拿顶、下腰等基础功、单筋斗、长筋斗、桌子功、软毯子功。软毯子功，就包括翻吊毛、抢背、僵尸等。所谓“抢背”，就是以肩着地的翻滚动作。

⊙《绣襦记》荀慧生饰李亚仙、金仲仁饰郑元和。

有意思的是，一次荀慧生在天津中国大戏院演出《绣襦记》，有好事者发现，座中观众十分之七是女观众，其中又有五分之二是津门妓女。不论其他旦角，也撇除传统老戏《玉堂春》，仅四大名旦的个人本戏而言，在《绣襦记》之前，只有梅兰芳早在1914年初排时装新戏时，在他最早的一出新戏《孽海波澜》里演过一个被卖进青楼被迫成为妓女的可怜女子，除此之外，再也没有以妓女为描写对象的戏目。梅兰芳的《孽海波澜》，主旨意在暴露娼寮黑暗，呼吁妓女解放。也就是说，这出戏里的妓女，身份是卑下的，命运是悲惨的，是需要别人拯救的。

荀慧生在《绣襦记》里演的妓女李亚仙，也是因家贫而被卖入青楼，身份虽然也低贱，但他的本意，不是展示她的悲惨，而是着意将其刻画成善良、正直，有情有义，有文化有追求，又大仁大义颇有侠气的非凡女子。比如，她在劝说郑元和奋发努力勤勉读书时，说出“天之将降大任于斯人也，必先苦其心志，劳其筋骨，饿其体肤，空乏其身”这样具有哲理性的话来。又比如，她怒斥元和：“你枉读诗书不知礼义，我悔不该结识与你……”等。

⊙《绣襦记》剧照：左起：何佩华饰银筝、荀慧生饰李亚仙、陈喜星饰郑儋、曹连孝饰崔佑甫、金仲仁饰郑元和、朱斌仙饰乐道德、王多寿饰来兴儿。

脩業勤如貴
詩書古畫無論價

他又借郑儋之口，对李亚仙极尽赞美。比如，在最后一场戏中，郑儋有这样几句念白："青楼之中有这等之人，真正的难得。""烟花之中竟有这等之人，真个可敬可爱。""想这亚仙虽然是青楼中人，她的贤德就是名门闺秀也不过如此。""媳妇贤能，古今罕匹。"他还有这样几段唱词："烟花女子有德性，倒比名门强几分。""好一个贤女子谦德可敬，我焉能辜负她一片高情。"

《绣襦记》吸引众多津门妓女走入戏院，恐怕正是因为荀慧生塑造了一个非同已往的青楼女子形象，也算是在一定程度上为她们正了名，为她们扬了眉吐了气。也有人笑称，她们那么爱看《绣襦记》，可能是要和荀老板学一学，如何能够成为一位状元夫人。

5."一人分饰两角"的《勘玉钏》

《勘玉钏》是继《绣襦记》后，荀慧生和陈墨香合作的又一出喜剧。它是陈墨香根据古典小说《喻世明言》中"陈御史巧勘金钗钿"改编而成，首演于1934年8月28日，又名《诓妻嫁妹》。因为《诓妻嫁妹》与传统老戏《钟馗嫁妹》在戏名上过于相像，荀慧生用得比较多的，还是《勘玉钏》这个戏名。

这出戏的故事大意是：

俞素秋自幼许配给张少莲，成年后，素秋父亲俞员外嫌张家贫寒，擅自退了婚。素秋早已有情于张公子，不满父亲退婚之举，与母亲商量后，派丫环给张少莲送去一对玉钏中的一只，意思是叫他卖了拿钱来娶她。另一只玉钏，被她的母亲拿去了。后来，阴差阳错，俞素秋瞒着父亲，与冒充张少莲的韩臣结了婚。之前，她没有见过张的面，所以误会就产生了。婚后次日，有贼（名叫江海）闯入俞家，杀死了丫环和俞夫人，偷走了俞夫人手上的那只玉钏。后来，张少莲被当作杀人犯，抓了起来，原因是他手上有一只玉钏。俞素秋惊知与她成婚的并不是真正的张少莲，羞愧之下，自尽身亡。韩

⊙《勘玉钏》中荀慧生饰韩玉姐。

臣之妹韩玉姐聪明伶俐，在她的一番努力之下，抓到了真凶，救下了以“奸骗俞家小姐”罪名险些被问斩的哥哥韩臣，洗脱了张少莲的冤情，又嫁给了张少莲。

纵观荀派剧目，人们发现，荀慧生在创作中，有一个很显著的、区别于他人的特点，那就是：善于对比。这个“对比”，包括人物、角色、性格、唱腔、念白等，特别是对人物对比，尤为重视。因为他比较注重刻画人物性格和思想感情，而人物性格和思想感情，除了通过生活习惯和方式、为人处世态度等等不同表现出来，也会在人与人交往中表现出来。在对“这一个人”与“那一个人”的对比中，更能显现“这一个”和“那一个”的不同。这恐怕就是荀慧生偏爱对比的原因。

那么，荀慧生以什么方式进行“对比”呢？在一出戏中，一人分饰两角，甚至三角。这种表演方式，在旦角中，由荀慧生首创。在他之前，有旦角演员在一出戏中分别饰演不同的行当，比如，前饰旦角，后因剧情需要女扮男装而反串小生。这种方式，和一人演两个或两个以上的角色，是不同的。前者，终究只是一个人物；后者，则完全是两个不同的人物，表演难度也就大得多。

《勘玉钏》这出戏，是荀慧生运用对比表演方式的第一次尝试。他前饰俞素秋，闺门旦应工。在俞素秋自尽身亡后，他后饰韩玉姐，花旦应工。从该戏的故事内容看，这两个人物，完全不同。俞素秋是大家闺秀，文静秀气，满腹心思，对感情专一，受封建礼教浸毒太深，在被骗婚而失去贞操后，选择了自尽。在决定赴死后，她从桌子上拿起一把剪刀，唱了四句充满凄楚和悲凉的散板，将她内心的绝望展露无遗。随即，她用剪刀自刎在坐椅上。

韩玉姐活泼可爱，聪明机灵，因父母早亡生活困顿，养成了满不在乎的脾气，有很重的市井气，所以大大咧咧，敢说敢干，敢爱敢恨。比如，在案情水落石出后，她与张少莲成亲。张少莲有些不情不愿，韩玉姐猛地掀开红盖头，大声说："张少莲！你过来！俞素秋都死了好些个日子了，你干吗老是想她呀！"然后，她又说："今天我这么大姑娘家，当着这么多人面，跟你拜了天地，你要是不要我，我也没脸儿活着了，我也得寻死去！你哪！也是一条人命！你不要我呀！我还不想嫁你呢！我寻死去！"张少莲吓坏了，连忙赔不是。这时，韩玉姐眼朝观众，偷偷抿嘴一笑，充分显现了她的顽皮任性和明朗洒脱的性格。

荀慧生的《勘玉钏》开创了"一人分饰两角"的先河。之后，他在《红楼二尤》中，继续了这种尝试。后来，他的学生孙毓敏也效仿这种表演方式，在由六本《狸猫换太子》改编的《宋宫奇冤》中，前饰花旦寇珠，后饰老旦李妃。也有旦角演员甚至在《四郎探母》中，一人饰三角：前饰铁镜公主，中饰萧太后，后反串小生杨宗保。

除此之外，荀慧生在《勘玉钏》里，还有其他艺术创新。比如，关于出场。俞素秋的头一次出场，如果按照传统京剧的一般表演方式，不外乎先给她设一个单场，让她在小锣声中上场，慢慢地自报家门，唱念自己的婚姻过程等。这样的出场方式，很普遍、很传统，当然也很稳妥，虽然不会让人惊喜，但也不会因为标新立异而被人诟病。但是，荀慧生却不是个因循守旧的人。

荀慧生设计的俞素秋的出场方式，很特别，他让她在父母因她的婚姻而争吵厮打的紧张气氛中出场。为了使这样的出场更具合理性，他首先安排丫环鸾英上场偷听俞氏父母的争吵，然后匆匆跑下场，表示她去向小姐报信去了。接着，俞员外唱一个二黄散板的上句，在“崩登呛，呱儿呛”的“丝边”声中，俞素秋被鸾英拉着跑出台来，冲到台口，一欠身，随即转身入门，在正在厮打的父母面前，屈膝跪下，接唱下一个二黄散板：“爹爹为何打娘亲？”

这样的出场，在当时看来，的确非常新奇，也非常符合剧情，所达到的戏剧效果也是很明显的，一下子就将观众的心紧紧抓住。它不仅开门见山地交代了前因，即俞素秋的婚姻状况，也在瞬间产生强烈的戏剧冲突，使矛盾陡然尖锐起来，观众被带进戏中，不由为俞素秋日后的婚姻命运担心起来。

至于戏中另一个人物韩玉姐的出场，则又不同。她出场时，除了“跳”以外，几乎没有什么动作。这个“跳”，很形象地展示了这个人物的性格。因为没有别的动作，所以这时完全得依靠演员丰富多变的眼神。但是，当她念到“我哥哥有只玉钏，我跟他要，他不给”的时候，却用手一指。因为之前她没有什么动作，所以这个时候的“一指”，就显得格外突出而特别引人注意了。

孙毓敏曾经总结荀派的出场，用了“与众不同”、“形象鲜明”这样的词。简单地说，就是先声夺人，先乐夺音。所以有人说：“荀派演员上场从来没有没亮光的。”①

在具体的唱腔方面，荀慧生在《勘玉钏》中，也有新创造。

众所周知，京剧的唱腔音乐有西皮、二黄两种声腔②；京剧的

① 孙毓敏：《我这两辈子》，花山文艺出版社2003年7月版，第318页。

② 二黄，是一种在胡琴上以“52”弦定弦的声腔，其曲调委婉、深沉，适合表现较为凝重、低回的情绪。西皮，是一种在胡琴上以“63”弦定弦的声腔，其曲调高亢、明亮，适合表现较为昂扬、激越的情绪。

唱，又属于板式变化体音乐。所谓“板式”，即唱腔的节拍形式。就二黄声腔而言，其板式有二黄慢板、二黄快三眼、二黄原板、二黄导板、二黄回龙、二黄散板、二黄摇板、反二黄；就西皮声腔而言，其板式有西皮慢板、西皮原板、西皮二六板、西皮流水板、西皮快板、西皮导板、西皮散板、西皮摇板、反西皮。显然，在二黄声腔中，没有二黄快板这样的板式。但是，荀慧生根据剧情、人物情感的需要，创造了一段二黄快板。

那场戏是说俞员外告诉女儿俞素秋，杀人犯就是张少莲。俞素秋怎么也不相信，当她又听说张少莲已被收监正在接受拷问时，心急如焚，又不免惊慌失措，这时，她的一段唱词是：“事事万般难猜想，杀人未必是张郎，潜踪蹑足去观望，性急之时足也忙。”荀慧生认为，在这样的紧张气氛中，在俞素秋这样的慌乱情绪下，无论二黄原板，还是二黄摇板，都无法恰如其分地表达出她当时的感情，更无法配合她双抖袖、双撩袖、绕袖拎裙等一系列紧张急迫的动作。于是，他就开拓性地创造了二黄快板。

就创新动机，荀慧生说：“我决不是为了标新立异，为创造而创造。主要是感到在某些戏中，由于人物的性格、处境和感情变化，原有的唱腔已经不能完美地表达……”就如何创新，他说：“我的创造新腔，是在熟悉台词，体会人物性格，分析剧本主题、内容，和排练、演出的过程中酝酿成熟的。”[①]

可以说，这段创造出来的[二黄快板]，很有“荀派”风格，代表了“荀派”艺术的特点。如果有人疑惑：一个艺术流派是如何形成发展的？荀慧生对《勘玉钏》的创新，可作为注脚。

6.荀派悲剧之首《钗头凤》

在一般人的想象中，专工花旦的荀慧生，最擅长的，当是喜剧。实则不尽然，悲剧也是他所长。所以在荀派六大喜剧之外，还有六

⊙《钗头凤》中荀慧生饰唐蕙仙、费文艺饰红箫。

大悲剧。按照首演时间排列，它们分别是《钗头凤》(1928年8月26日)、《杜十娘》(1929年10月10日)、《鱼藻宫》(1929年11月29日)、《红楼二尤》(1932年3月11日)、《霍小玉》(1932年5月26日)、《晴雯》(1937年3月21日)。除了《晴雯》的编剧究竟是陈墨香还是另有其人存有争议外，其他五出戏，都是陈墨香执笔编剧。

显然，《钗头凤》是荀慧生第一次尝试演悲剧，也就成为荀派第一出悲剧。起意创作该戏的，其实不是陈墨香，而是荀慧生。当时，

① 荀慧生：《略谈用腔和创腔》，《荀慧生演剧散论》上海文艺出版社1980年8月版，第71页。

⊙《钗头凤》中荀慧生饰唐蕙仙。

他偶然读到陆游的词《钗头凤》，发现这是一个非常感人的爱情故事，而且情节也不落俗套，于是和陈墨香商量，将它改编成京剧。陈墨香接受了他的提议。

如果说荀慧生只是看中陆游和表妹唐琬凄美动人、感人至深的爱情故事，而决意将它搬上京剧舞台，那是片面的。其实，他更看中的，是在这个爱情故事背后所隐藏的封建家长、封建礼教对纯真爱情的残害。从荀慧生开始自创新戏以来，反封建而具有一定社会意义的题材，是他一直重点关注的。所以，荀派大部分新戏，都充满了反封建性。《钗头凤》也不例外。

从许多年后荀慧生的回忆来看，他对《钗头凤》这出戏，充满很深的感情。他说："我每次演出这个戏，总是被人物的那种起起伏伏的感情变化所感染，很多时候，我在场上都几乎不能控制住自己的激情，就如同我和唐琬一起，经历了她的痛苦的爱情生活一样。"所以，他对《钗头凤》的评价是："真真切切地写出了封建家长及封建礼教对这对男女青年的迫害，深刻地发掘出了唐琬最激烈的感情生活和最深的内心痛苦。[①]"

这也可以看出，这出戏之所以成为荀派六大悲剧之一，而成为荀慧生最具代表性的剧目之一，很大程度上源于

他对人物情感的深刻理解，对人物悲惨命运的深切同情。

也许正因为如此，与其说《钗头凤》的编剧是陈墨香，不如说它是由陈墨香和荀慧生共同编创完成的。荀慧生在唐琬这个人物身上，倾注了太重的感情，所以他比其他人，甚至比陈墨香更加体谅她，更加理解她。由于他俩的理解不同，在某些场次上，便发生了矛盾，以至于争执。这种矛盾与争执的产生，又恰能体现荀慧生的戏剧观，那就是：从人物出发，以表现人物为表演的最高追求。

比如，“病房”一场。此时，唐琬已经病入膏肓，卧床不起，仍然对陆游满腔深情。陆游声言“誓不再娶”，她倍感欣慰，谁知道，陆母却以“无后为大”为由泼来一盆冷水。在威严的母亲面前，陆游软弱而有所退缩。这对唐琬打击很大。这个时候，陈墨香为唐琬设计了一段二黄原板，怒责陆游的薄情，并将他俩婚姻的失败归咎于陆游。

荀慧生对此表示反对，他直言不讳地说：“这样处理不符合实际。”他所认识和理解的唐琬，是痴情的、拘谨的、善良的、懦弱的。她是陆游的表妹、陆母的侄女，在姑母兼婆婆面前，她是谨小慎微、战战兢兢的。婆婆越是严厉，她就越能感受到陆游内心的苦楚，对他的处境也就越发同情。因此，她从来没有怀疑过陆游对她的真心真情。当她在沈家花园看到陆游所题写的“一怀愁绪，几年离索，错，错，错”时，更了解了陆游对自己的一往深情，便应答了“角声寒，夜阑珊，怕人询问，咽泪装欢，瞒，瞒，瞒”的词句。这样一个天性温柔却善解人意的女子，怎么可能有怒斥心上人的举动？面对陆游迫于母亲压力而退缩，她只有悲痛和绝望，而不会、也不可能指责陆游，以她的性格，不会忍心的。

起初，陈墨香并不赞同荀慧生的意见，他也有他的理解。一个被强行掐断了爱情，又重病缠身将不久于世，对人生充满绝望的人，内心早已聚集了无穷的力量，这种力量，岂能是怯懦性格所能阻挡

① 荀慧生：《演剧心得》，《荀慧生演剧散论》上海文艺出版社1980年8月版，第231页。

得了的？它必将喷发而出。

但是，荀慧生坚持他的观点。实际上，他的坚持，除了考虑到唐琬这个人物的性格之外，更有深层次的意图。那就是，陆游与唐琬的爱情故事是《钗头凤》的现象，揭露封建家长制和封建礼教，才是《钗头凤》的本质。陆游的退缩，并非仅仅是他个人性格软弱所致，更是因为他无法抗拒他所面对的强大封建礼教。以唐琬的聪明，她应明白这个道理。她既然看出了她与陆游爱情悲剧的症结所在，也就不会单纯地去指责陆游。如果她斥责陆游，会将观众的注意力集中到陆游身上，误导他们对悲剧根源的正确理解。

这样的认识，恐怕才是陈墨香最终接受荀慧生建议的主要原因。从中可以看出，此时的荀慧生，不但在编剧能力上有了较大提高——与专职编剧也有得一“争”，而且在认识水平上也今非昔比了。

具体到表演细节上，《钗头凤》也凝结了荀慧生太多的心血。比如，他又采取了“对比”的方式。“病房”一场，他特别安排了这样的场景：病房内，唐琬因病魔缠身，也因失掉了爱情而痛苦不堪；病房外，鼓乐喧天、花轿过堂、热闹非凡。这一悲一喜，悲喜两重天，更映衬了唐琬的悲剧命运。

又比如，为了唱好陆游《钗头凤》原词，他试用了各种曲调和板式，但都不满意。为了保证还原古典诗词的文学韵味，他特别邀请昆曲名家曹心泉按昆曲的格律重新为《钗头凤》词谱制新曲。在谱曲过程中，他全力配合曹心泉，往往是曹心泉度谱，他吟唱，一字一曲、一词一调，反复推敲，细致琢磨，以致废寝忘食、通宵达旦，直到达到最理想效果为止。

初演《钗头凤》，发生过一件有趣的小故事。当时，荀慧生与赵桐珊合作演出，由赵桐珊饰演丫环秋香。在“沈园”一场戏中，按照剧本要求，唐琬要扔手绢，陆游要捡手绢，然后题写《钗头凤》

词。这里的“手绢”是一个非常重要而不可缺少的道具，没有它，戏就无法演下去了。

可是，当荀慧生演的唐琬在场上准备掏手绢扔的时候，猛然发现，由于疏忽，他根本没有将这个道具带上场。他的心里咯噔一下。好在他临场经验丰富，并没有惊慌失措，而是一边加做身段，一边靠向赵桐珊，悄声说：“糟了，没带手绢。”赵桐珊一听，也急了，悄声回了一句：“这可怎么办？”他的反应实在快，话音刚落，他也想出了办法，扯下了一个水袖，交给荀慧生。因为他演的是丫环，穿古装，所以有水袖。荀慧生立刻就明白，赵桐珊是让他以水袖当手绢。他赶紧接过水袖，然后扔出去。戏，接着演下去了。心有余悸的荀慧生，赶忙向赵桐珊道谢，对他的灵活和机智敬佩不已。

1963年，荀慧生巡演到了成都。晚年的陆游，曾经闲居在成都的昭觉寺。在决定去成都的时候，荀慧生自然而然地想起了陆游，想起了昭觉寺，更想起了他已经有四年没有演出过的《钗头凤》。抵达成都，他先去了昭觉寺。在寺里，他看到一块由陆游题写的诗碑，内容大意是：寺中住持愿将庙内闲散之地借他十年，以为遨游之所。抚摸着诗碑，研读着碑文，他似乎触及到了陆游的内心。陆游和唐琬的爱情故事，以及《钗头凤》词，在当地流传甚广。所以，有很多戏迷都向荀慧生提出唱《钗头凤》的要求。荀慧生答应了。

再唱时，荀慧生还想到了陈墨香。此时想起他，不仅仅因为他是《钗头凤》的编剧。在陈墨香于1942年去世时，荀慧生曾经以演出《钗头凤》的收入，为他筹集办后事的款项，也为表达他与陈墨香合作十多年的感激。但是，那个时候，他已经与陈墨香分手好几年了。分手，总是令人伤感的。《钗头凤》本就是出伤感的悲剧，所以，他清楚地记得那时唱这出戏时的悲凉心情。如今，二十年过去了，又从解放前跨越到解放后，过去的恩怨早已灰飞烟灭。重新唱起《钗头凤》，想起陈墨香，他的内心，伤感之余，又多了份遗憾。

7.“怒沉百宝箱”的《杜十娘》

杜十娘的故事，家喻户晓。荀慧生的《杜十娘》基本上还原了一个真实的杜十娘的故事：明朝洪武年间，临安书生李甲入都春试，结识金陵名妓杜十娘。杜十娘误以为可托付终身，设法逃出妓院，与李甲相偕返里。途中，夜泊瓜洲渡口，被富商孙富所见。孙慕杜十娘姿色，与李甲密议，欲以银千两质换杜十娘。李甲贪图钱财，竟然同意出卖杜十娘。杜十娘闻知，悲愤之极，先在李甲面前展示她百宝箱内价值连城的金银珠宝，随即将百宝箱投入水中。这就是著名的“怒沉百宝箱”。随即，她立于船头怒斥孙、李二人的卑鄙无耻，然后投河自尽。

严格说来，《杜十娘》这个本子，并非陈墨香首创、独创。荀慧生最早获得的这个本子，是京剧老前辈、绰号“老乡亲”的著名老生演员孙菊仙赠予的。当时，孙菊仙认为“此剧既富于警恶劝善意义，又符合荀慧生的表演风格”，所以，就将戏本给了荀慧生，并力劝他将其搬上舞台。荀慧生看过本子，心为所动，跃跃欲试。正如孙老所说，这个本子的社会意义毋庸置疑，风情万种却又知书达理的女性形象，也的确是荀慧生擅长刻画的。

不过，荀慧生觉得，从内容情节上、人物形象上来说，这个本子的确值得排演出来，但是，从表演艺术上来说，本子结构松散，其中几乎全是过场戏，重点也不明确。于是，这本子就暂且搁置了，直到与陈墨香开始了合作，他才又拿了出来。陈墨香以这个本子为蓝本，又参照了《警世通言》中“杜十娘怒沉百宝箱”的故事，重新进行了创作。

首演《杜十娘》，是在北平的中和戏院。演员阵容是：荀慧生饰杜十娘，金仲仁饰李甲，马富禄饰孙富，张春彦饰柳遇春。解放后，

⊙ 荀慧生饰杜十娘。

荀慧生对剧本进行了修改，改编本首演于1961年新年，是在北京的吉祥戏院。演员阵容是：荀慧生饰杜十娘，徐和才饰李甲，朱斌仙饰孙富，陈喜兴饰柳遇春。

这是继《绣襦记》后，第二部刻画妓女形象的荀派新戏。《绣襦记》是喜剧，有情人终成眷属的大团圆结局；《杜十娘》是悲剧，杜十娘投河自尽的悲惨结局。尽管一出是喜剧，一出是悲剧，但两部戏还是有相似之处的，那就是，无论是《绣襦记》里的李亚仙，还是《杜十娘》里的杜十娘，在荀慧生的着意塑造下，虽然身份卑下，但尊爱重情、有情有义，又有着强烈的自尊和傲骨。

比如，杜十娘有这样一段念白："想我虽是青楼妓女，却有崚嶒傲骨赤子诚心，不似你这宦门子弟高雅之士，看起来衣冠楚楚，却是见利忘义，寡廉鲜耻。"荀慧生将这段念白作为重点，在表演时，又特别突出"想我虽是青楼妓女，却有崚嶒傲骨赤子诚心"，以表现杜十娘的凛然气概。

刻画底层妇女形象，展示她们的善良品德和傲然自尊，表达她们的刚烈性格和不屈精神，是荀慧生一以贯之的表演意图，也是荀派剧目的特点之一。《杜十娘》是其中的代表剧目。

在抗战最艰苦的20世纪40年代，梨园萧条，著名戏曲编剧翁偶虹发起组织了多场大合作戏，用以招徕观众，以期重振戏界辉煌。所谓"大合作戏"，就是打破戏班之间的界限，将各个戏班的名角儿聚集在一起，共同演出一台戏。那时，最引人注目的，是以旦角为主的"巾帼十绝"。也就是以戏中女主人公的排行顺序，从一至十。即：

王大娘（谷玉兰饰）——《锔大缸》；

孙二娘（阎世善饰）——《十字坡》；

李三娘（张玉英饰）——《白兔记》；

张四姐（李金鸿饰）——《摇钱树》；

虞五凤（李玉芝饰）——《霸王别姬》；

王三巧（花砚雯双演，成为“六”巧）——《珍珠扇》；

崔七娘（张玉英饰）——《梅花剑》；

杨八姐（李金鸿饰）——《黄花园》；

巴九奶奶（白玉薇饰）——《刺巴杰》；

杜十娘（荀慧生饰）——《杜十娘》。

荀慧生参加了“巾帼十绝”的演出，演的是大轴。那天的演出地点在北京东珠市口的开明大戏院。演出的确很轰动，特别是荀慧生的《杜十娘》，最受欢迎。虽然这次只是演出而已，并非竞赛，也不评选孰优孰劣，但在戏迷的心目中，还是有高低的。他们一致认为，夺魁的是《杜十娘》。报刊也认同这种说法，更指称荀慧生是“十绝之首”。对于这台大合作戏，人们赞叹道：“办绝了，荀慧生的杜十娘也是一曲绝唱。”

从20年代末初演，到解放以后再演，在三十多年的时间里，荀慧生演过无数遍《杜十娘》，像其他的荀派戏一样，每演一次，他都会修改一次。在不断地整理加工中，他不但在表演技术上更加娴熟，思想性也更强。比如，早年，《杜十娘》只是揭露了李甲、孙富的贪婪无耻，对造成他俩恶行的社会因素，却并没有触及。在解放以后的新形势和新环境下，他逐渐认识到应该透过现象看本质。于是，改编后的《杜十娘》，将讽刺的矛头由单纯地指向李、孙个人，转向暴露整个封建制度、封建社会的黑暗。

8.宫廷戏《鱼藻宫》

都说荀慧生是全才，青衣、花旦、刀马旦样样拿手。也许正因为如此，他所塑造的人物，具有多样性。小姑娘、小丫环、小姐、村姑、画家、妓女等各种女性形象，他都着力表现过。除此之外，他还演过宫廷妃子，这就是《鱼藻宫》。

⊙ 荀慧生等演出戏单。

曾经有人在分析四大名旦之间的竞争时说：当梅兰芳的宫廷戏《贵妃醉酒》大受欢迎后，其余三人也分别创排了宫廷戏——尚小云的《汉明妃》、程砚秋的《梅妃》、荀慧生的《鱼藻宫》。

尚小云的《汉明妃》虽说形成于1935年，但它却是在《昭君出塞》的基础上引申发展起来的，而《昭君出塞》首演于1919年。所以说，《汉明妃》是否受梅兰芳《贵妃醉酒》影响而创排的宫廷戏，值得怀疑。程砚秋的《梅妃》，首演于1928年9月28日，据说是受梅兰芳述说杨贵妃故事的《太真外传》的启发而创作的。至于荀慧生的《鱼藻宫》，它首演于1929年11月29日。

从首演的时间来看，《鱼藻宫》是否的确受梅、尚、程的影响呢？不管怎么说，它是荀慧生第一次以妃子为刻画对象的荀派新戏。

如果用一句话概括《鱼藻宫》，那就是：汉朝吕后灭绝人性地残害戚姬的故事，展现了吕后的阴毒残忍，揭示了宫廷妃子的悲惨命运。

由于这是一出表现宫廷内部斗争的历史剧，又暴露了人性的丑恶，所以有一定的深度，对演员的表演，也提出了更高的要求。说到《鱼藻宫》的表演特点，荀慧生之子荀令香一言以蔽之：“荀派艺术不仅是突破了某些程式，而且在原有的基础上，又创造了一些新程式。”

雙頭獎 黃夾獎券 兩萬元 北平 正通銀號
哈爾飛戲院
（西單牌樓 舊刑部街）（電話西局一八二〇）
民國二十五年六月五日（星期五）夜戲
陳富瑞 王玉吉 奎富光 青風寨
孫甫亭 賈松齡 孟津河
吳彥衡 錢富川 許德義 郭慶永 周益瑞 霍明如 小商河
王文源 滑少山 王盛如 郭春山 新麗琴 奇冤報
休息十分鐘
荀慧生 陳喜星 蔣少奎 金仲仁 何佩華 朱斌仙 曹連孝 甄洪奎 張蓮升 王多壽 孫福亮 陳喜光 魚藻宮
池座一元 廂 四角 樓上七角 加捐印花在外
包廂四座 三座廂 二座廂三元 加捐印花在外
附告

比如，有一场戏，当戚姬诉说自己“不是猪是人”却被斥为“人彘”时，有两句二黄慢板和三段二黄原板，共有十四句唱，叙述了自己的身

⊙《鱼藻宫》中荀慧生饰戚姬。

世和被害过程。最后，她骂了一句“商山四皓四个老狗”。按照一般人的理解，这个时候的戚姬身为阶下囚，理应低头蹙眉哭哭啼啼悲悲切切的，但是，荀慧生骂的时候，面露娇嗔之色，这让很多人感到奇怪和不理解。

荀慧生这样安排，有他的理由，他认为，戚姬在回顾一生，特别是唱到她的被贬的儿子正在赵国为王时，对自己的未来生发出希望和信心，想到儿子定能重新掌权，她就抑制不住地高兴。于是，她一时忘了自己“阶下囚”的身份，便有了在外人看来不可思议的微妙表情。他理解的戚姬，究竟不是大义凛然的女英雄、革命者，她不过是一个母凭子贵的妃子而已。在希望儿子能够救她于水火的时候，她对生活没有绝望。他这样塑造的戚姬形象，真实可信而立体饱满。

在最后一场戏中，他又独创了“连哭带唱”的表演方式。这个时候，戚姬之子被吕后毒死，她也面临死亡。在临死前的十二句反西皮散板中，她的每句唱，都透出无尽的绝望和悲愤，都含泪带血，字字泪，声声血。他连哭带唱，并不专注声腔的优美，为的是倾诉和情绪的渲染，以揭示人物内心情感。

在人物的佩饰方面，荀慧生在《鱼藻宫》中也有创新。比如，他设计的戚姬“头面”（首饰等佩物）别具特点，特别是她头上的一

⊙ 荀慧生饰霍小玉。

顶特制的凤冠，格外耀眼。凤冠是用水钻镶成的一只大凤凰，凤头在前，凤尾伏于脑后。他为吕后设计的是一顶“如意冠”。凤冠、如意冠都很凸显华丽而富贵，仅凭这两个头冠，就能显示出宫廷贵妇的身份。当戚姬被吕后迫害降为阶下囚时，并不需要特别装饰，只要摘掉凤冠，顿时华贵尽失，表现人物身份与境遇的转变自然而明显。

9.文学性最强的《霍小玉》

在荀派剧目中，《霍小玉》这出戏，唱腔最动听，唱词最优美，诗情画意感最强，含意最深，因此被视为文学性最强的一出戏。

这出戏的文学性，并非剧作者为文学而文学，更不是为附庸风雅，一味追求华丽辞藻、绚烂文采，而是为了与主人公的身份相契合。

该剧根据唐宋传奇中的故事改编而成，说的是唐代霍王庶女霍小玉的爱情故事。霍小玉在霍府，为王妃所嫉，与母亲被逐出宫，寄居长安。她是个才女，能诗会写，特别偏爱才子李益的诗。偶然机会，她与李益相识并相知，意欲以身相许。在鲍十一娘的撮合下，两人终成婚。婚后不久，李益高中，为自己的前途着想，竟又娶侍郎卢志之女，而抛弃了小玉。小玉思念成疾。此事被侠客黄衫客得悉，他同情小玉遭遇，痛恨李益的薄情，便强迫李益与小玉相见。然而此时，小玉已经只剩下一口气了。

荀慧生对戏中唱词、念白的一贯认识是，“太过于文雅不见得就好”，“唱词要让观众听得懂”，“有些唱词有文白，才别有趣味”。他认为唱词、念白的最高境界，应该是既注重文采，又不盲目堆砌辞藻，既要雅气，又要通俗。他的这种思想，在《霍小玉》中，得到了很好体现。

优美的语言往往更宜于描绘一个才女感天动地的爱情故事，同时，既然霍小玉是才女，她的唱词、念白，理应更雅致一些，更抒情一些，从而更具文学性，但又不失通俗易懂。比如，在“玉殒”一场戏中，霍小玉有这样几段唱词：

(1)叹红颜薄命前生就，美满姻缘付东流。
薄幸冤家间信无有，啼花泣月在暗里添愁。
枕边泪共那阶前雨，隔着窗儿点滴不休。

(2)含辛茹苦病奄奄，好似梨花带雨眠，
夫婿因何不来见，画廊的鹦鹉低唤堪怜！

(3)曾记得定情私语话衷肠，
一些儿瞒不得雪衣娘。
又谁知海誓山盟全是谎，
你抛旧怜新抛得奴孤苦凄凉！
旧日的恩情你全不想，
你忘却了灯残画阁，月暗星稀，迟松钮扣，
羞整珠翘，曲效于飞，怎样的依偎。
往事思量，怎不悲伤？
私拭千行泪，暗断九回肠。

为郎憔悴却羞郎！

如果以一句话概括四大名旦之所以成为四大名旦，以及他们与前辈京剧艺人的最大区别，那就是重新赋予京剧以文化色彩。这体现在他们积极地与知识分子相结合，在共同合作中，既提高了自己的文学素养，也为戏曲增添了文学韵味。

为何是“重新”呢？纵观中国戏曲发展，从宋元南戏、元杂剧到明传奇，都很讲究文学性。昆曲更将戏曲的文学性推向极端高峰，以至于过雅、过精而逐渐远离普通大众，因此被称为“雅部”。与之相反的，则是来自于民间的、生活气息浓郁的各种地方戏，包括京剧，因为俗、粗而被称为“花部”。它们不仅完全抛弃了文学性，更一度滑向低俗、粗鄙，甚至下流黄色的泥潭，而难登大雅之堂，以至于成为封建的、落后的代名词，最终在新文化运动中被大批特批，甚至被全盘否定。包括荀慧生在内的新一代京剧艺人，改变了京剧面貌，那既是社会环境造成的，也是他们自身发自内心对文化的渴望和追求。

荀慧生在追求戏曲文学性的同时，并不抛弃生活化、通俗化。也就是说，他既注重吸取昆曲的文学性，也保持了地方戏曲生活化、通俗化的特点，将两者巧妙地融合。总结荀派艺术，有“三化”和“三感”。所谓“三化”，即生活化、趣味化、性格化；所谓“三感”，即时代感、真实感、幽默感。《霍小玉》这出戏，对于表现时代感，也有独到之处。比如，从第三场开始，霍小玉就一直处于病中，所以动作很少，相对地，心理活动很丰富。如何将心理活动外化？荀慧生运用了一些话剧的表演方式，从而更具艺术性。

与之前的《丹青引》相似，《霍小玉》中也有一场边唱边画的戏，即“画竹盟诗”。在音乐声中，霍小玉和李益喜滋滋地上了场，来到一片青竹林中，便有了画竹的念头。霍小玉先是谦虚了一句，“才疏学浅，怎敢在陇西才子面前班门弄斧”，但在李益的强烈要求下，她当场挥毫，边唱边画，唱完，也画完。这既是剧情需要，客观上也展示了演员的文化功底，符合荀慧生对文化的追求。

《霍小玉》由荀慧生和陈墨香合作编剧，首演于北平哈尔飞戏院，由荀慧生饰霍小玉，金仲仁饰李益，马富禄饰鲍十一娘。解放以后的1954年，他对全剧的内容、扮相都进行了修改。比如在扮相上，他改梳大头为古装；在唱段上，他也进行了增删，使之更加精练，更形象地突出人物。

10.红楼戏及《红楼二尤》

荀慧生最喜爱的一本书，非《红楼梦》莫属。他曾经一字一句地将整本书抄写了三遍，仍然意犹未尽。他之所以如此，不仅是对古典文学的偏好，对文化经典的膜拜，而是从一个演员，更准确地说，从一个旦角演员的角度出发，对书中描绘的各色女性人物形象的推崇。这个“人物形象”，包括外在的，更有心理的。特别是心理刻画，对于像荀慧生这样注重表现人物又擅长表现人物的演员来说，尤其有启发和值得借鉴。他由衷地赞叹：“它把大观园里的各类女性的心理描写得多么细腻动人。”他将《红楼梦》视为旦角演员必读的书。

对《红楼梦》的偏爱，使荀慧生非常热衷排演红楼戏。如果说梅兰芳、欧阳予倩是红楼戏的开拓者的话，那么，荀慧生则是红楼戏的承继者，也是他将红楼戏发扬光大。他的一生，演出过六部红楼戏，《宝蟾送酒》、《贾元春省亲》、《红楼二尤》、《晴雯》、《平儿》、《香菱》。有人说，后四部戏都由陈墨香编剧，被称为“红楼四大丫环戏”。实际上，荀慧生还有一出红楼戏，戏名为《鸳鸯》，但不知什么原因，他并没有如愿将它搬上舞台。

⊙《平儿》剧中，荀慧生饰平儿，陈喜星饰贾琏，朱斌仙饰刘姥姥，林秋雯饰王熙凤，何佩华饰巧姐。

荀慧生的红楼戏，共同之处在于选材上，特意避开了常见的宝黛爱情故事，而另辟蹊径，重点刻画了红楼丫环的形象，显示了荀慧生和陈墨香强烈的创新意识。从表演方面来说，宝玉、黛玉的形象已深入人心，很难有所突破，而红楼丫环则不同，表演空间更广阔，演员也就更有发挥余地。另外，与其他荀派戏一样，红楼戏也特别注重情节的首尾完整，而且讲究戏剧冲突。当然，表现人物情感、刻画人物性格是荀慧生一贯的表演风格，他的红楼戏，也是如此。

《香菱》这出戏，演的是香菱生平始末，从她被拐卖给薛蟠为妾开始，直到被扶正为止，取材于《红楼梦》原书第四回、第六十二回至八十回、第一百回、第一〇三回等。它首演于1938年。

《平儿》演的是凤姐泼醋、平儿理妆的故事，取材于《红楼梦》原书第四十四回。它首演于1941年。对于这出戏的评价，有人说，

⊙《红楼二尤》荀慧生饰尤三姐。

“它是荀慧生最费心血、最用功的一部好戏，腔调之美妙悦耳，新腔之多，是他全部新戏中的冠军。”说它是“冠军”未免夸张，但说它是“好戏”，则是实情。

从这两出戏的首演时间来看，那个时候，荀慧生与陈墨香早已经分手。那么，它们的编剧真的是陈墨香吗？暂且存疑。

在“红楼四大丫环戏”中，以《晴雯》、《红楼二尤》最为著名，也是荀派六大悲剧中的代表作品。

关于《晴雯》的编剧究竟是谁，目前存有争议。似乎大多数人认为应该是陈墨香。持此论断的人，也许是从另外一部著名的红楼丫环戏《红楼二尤》是由陈墨香编剧，而认为《晴雯》的作者是陈墨香的可能性更大一些。这里便产生这样一个疑问。荀慧生与陈墨香失和，大约是在1936年。实际上，按照荀慧生自己所说，早在1932年两人合作创作《红楼二尤》时，矛盾就已经显现了。《晴雯》创作于1937年，于同年3月21日首演于北平。与《香菱》、《平儿》一样，既然在《晴雯》诞生之前，他俩就已经分手了，那么，《晴雯》的编剧似乎也不应该是陈墨香。

另外，1936年，荀慧生又推出了一出荀派名剧《红娘》，这出戏的作者已经不是陈墨香，而是陈水钟。这是不是意味着：这个时候，两人的确已经分手。从这个角度说，创作于《红娘》之后的《晴雯》，编剧也应不是陈墨香。

再者，出版于1982年、由上海文艺出版社编选的《荀慧生演出剧本选》中，对于《晴雯》的介绍这样说："《晴雯》一剧取材于中国古典文学名著《红楼梦》，荀慧生于1937年改编……荀慧生饰晴雯，金仲仁饰宝玉，林秋雯饰袭人。解放后，荀慧生参照《红楼梦》原著及对晴雯新的评价，于1962年又对此剧作了修改。"显然，这里将《晴雯》的作者只限定是荀慧生，而没有提及陈墨香。因此，《晴雯》的编剧，可能就是荀慧生自己。

《晴雯》的故事，从晴雯进怡红院开始，直到被逐屈死，以其一生的主要事件串连而成。具体情节是：她本姓吴，自幼父母双亡，被卖进荣国府为婢，入怡红院侍候贾宝玉。宝玉很同情晴雯的遭遇，晴雯对宝玉忠心耿耿。宝玉的另一个丫环袭人对晴雯心怀妒忌，从中挑拨离间，并在王夫人面前进谗言。最后，晴雯被赶出了怡红院，乃至赶出了荣国府，一气之下病倒。对此，宝玉无能为力。晴雯兄嫂责宝玉刻薄寡义，逼他前往探视晴雯。宝玉冒险来到晴雯身边，晴雯已气息奄奄。主仆二人在悲痛中诀别。

这出戏之所以是荀派代表作之一，原因是无论在题材选择、情节安排、人物形象塑造等方面，都具有荀派特点。在题材选择上，作者选取了"晴雯撕扇"、"晴雯补裘"（见《红楼梦》原书第五十二回"晴雯病补孔雀裘"事）、"晴雯夜读"、"晴雯归天"等经典场景。在情节安排上，比较注重矛盾冲突，不断制造高潮，使整出戏非常好看而引人入胜。在人物形象塑造上，孤洁高傲的晴雯固然是重点，尖酸狭隘的袭人的形象也很突出。不过，也许是因为在一定程度上描写袭人是晴雯悲剧的罪魁祸首，所以，有过于丑化而脸谱化之嫌。但是，也唯有如此，才有"戏"。

虽然正如《荀慧生演出剧本选》中所说，《晴雯》一直演到解放以后，但是，真正在解放后普遍流行，而且流传至今的荀派红楼戏，并非《晴雯》，而是《红楼二尤》。它也是全部红楼戏中，唯一一部至今仍在演出的红楼戏。换句话说，在包括梅兰芳、欧阳予倩在内创作的所有红楼戏中，荀慧生的《红楼二尤》，生命力最为旺盛，可想而知它有何等重要的艺术价值。

《红楼二尤》取材于《红楼梦》原书第六十回至六十九回，于1932年创作完成，同年3月11日首演于北平哈尔飞戏院。当时的演员阵容是：除了荀慧生，金仲仁饰柳湘莲，张春彦饰贾琏，马富禄前饰薛蟠，后饰秋桐。

该戏的故事大意是：少年柳湘莲喜欢演戏，一日串演《雅观楼》，贾府之贾珍、贾琏兄弟，以及贾珍之妻妹尤二姐、尤三姐与其母尤老娘一同前往观戏。贾琏垂涎尤二姐美貌，私以九龙玉珮为聘，背着其妻王熙凤偷娶之。贾珍则觊觎尤三姐，但被尤三姐嘲笑痛斥。三姐看了柳湘莲的戏，对柳公子心生爱慕。贾琏知情后，自告奋勇，愿意做媒，向柳湘莲提亲。湘莲允婚，并以所佩鸳鸯剑作为聘礼，后其误信薛蟠之言，疑三姐与贾琏之间有暧昧关系，向三姐索回鸳鸯剑。三姐为表明心迹，拔剑自刎。湘莲后悔不迭，疯了。再说尤二姐，王熙凤察觉贾琏偷娶二姐之事，乘贾琏外出之机，将二姐骗入荣国府，唆使贾琏侍妾秋桐对其百般凌辱，而且还残忍地将二姐初生婴儿烫死。二姐被逼而死。

全剧共分“赴寿”、“串戏”、“谋姨”、“思嫁”、“授聘”、“明贞”、“泄机”、“赚府”、“摧芳”九场，分别讲述尤三姐与柳湘莲的恋情、尤二姐与贾琏和王熙凤的三角关系。前半部以尤三姐为主，后半部以尤二姐为主。

据推测，《红楼二尤》可能是荀慧生新创作的荀派红楼戏的第一部。至于为何选择尤氏姐妹作为描写对象，荀慧生说：“鉴于历来演红楼故事者，皆以宝玉、黛玉为题材，因想另辟蹊径，专演尤氏两姐妹。”[①]这其实也是他演出红楼丫环戏的初衷。具体到《红楼二尤》，尤氏二姐妹的故事独立于红楼故事之外，相对集中完整，便于

① 荀慧生：《荀慧生演出剧本选》，上海文艺出版社1982年2月版，第347页。

创作。同时，她俩的故事本身极具戏剧性，又有很强的悲剧性，很容易吸引人。更重要的原因，是他看中了二姐、三姐这两个个性完全不同、形象分明的人物。

在之前的《勘玉钏》中，荀慧生创造性地使用了“对比”表演手法，一人分饰两角，前饰闺门旦俞素秋，后饰花旦韩玉姐。在《红楼二尤》中，他第二次一人分饰两角，前饰花旦尤三姐，后饰闺门旦尤二姐。初演此戏时，与他同台的“芙蓉草”赵桐珊前饰尤二姐，后饰王熙凤。

“一人分饰两角”，是《红楼二尤》的最大艺术特色。尤二姐这个人物，软弱到极点，即便临死前，按照荀慧生的说法，也还是“像一块豆腐、一只绵羊一样，任人宰割，没有多少怨言”。相比之下，尤三姐豪爽泼辣，但不失细致；有远见、果敢决绝，又不失小女儿的娇羞。对于这两个反差极大的人物，荀慧生坦言，他更偏爱尤三姐。他曾经这样说：“我爱看《红楼梦》，喜欢书里的尤三姐，赞扬她那种刚强不屈的性格。”[①]从他的偏好看，也许正可以窥见他自己的性格中有与尤三姐的性格相近似的一面。

从舞台表现力来说，尤三姐这个人物，相对尤二姐，更易于表现，也更易于演员发挥，所以，纵观《红楼二尤》整出戏，前半部较后半部更有张力，人物也极具层次，故事也更精彩，而后半部则略显单薄。于是，有人认为：“一人分饰两角”，既是该剧的最成功之处，也是最大弊病所在。从荀慧生的喜好来看，他偏爱尤三姐，很自然地将主要精力和创作热情集中在这个人物身上，而忽略了对尤二姐这个人物的心理探究。在有限的表演时间内，对尤三姐，特别是尤二姐的故事情节，未能完全展开，影响到主题的深化和人物的刻画。

因此，著名剧作家阿英曾经建议，还是将二尤的故事一分为二的好，这样才能从根本上解决问题。或许正是听取了这个建议，荀慧生之后，他的弟子童芷苓创排了《尤三姐》和根据尤二姐故事改编的《王熙凤大闹宁国府》，便被认为是吸取了《红楼二尤》的教训。

实际上，此乃一孔之见。将二尤的故事一分为二，或许从故事性上来说，比《红楼二尤》更单纯一些，更容易展开表现，但同时，也因此失掉了将二尤作对比的机会，而这本是《红楼梦》原著中所突出表现、也是荀慧生编《红楼二尤》的原意，艺术价值和社会意义逊色了许多。

荀慧生创作《红楼二尤》，论思想意义，在于提倡妇女解放、婚姻自由，与其他大多数荀派剧目一样，具有极强的反封建意识。荀慧生很想通过二尤的故事，反映男女不平等的社会制度的黑暗和在旧式婚姻束缚下，妇女们不幸和悲惨的命运。他一人分饰两角的目的，并不只是在于单纯地显示自己的多才多艺和“全才”的表演功力，更在于集中揭露封建社会对妇女的残害。尤二姐的软弱和顺从、尤三姐的率真和反抗，并没有使她俩的结局有所不同，而是殊途同归，双双成为封建制度的牺牲品。

在一出戏里，同时展示两个不同性格但却同一命运的人物，冲击力是显而易见的。如果将二尤的故事分开叙述，人们看到的，或者是尤二姐，或者是尤三姐的悲惨命运，从思想性来说，肯定是有所削弱的。荀慧生自己也曾经对他“一人分饰两角”的行为，作过注解：“我以为合两人的不同遭遇于同一戏中，彼此呼应，两相对照，更能全面而有力地抨击旧礼教、旧制度。”②

除此之外，《红楼二尤》的艺术特色，还表现在如下几个方面：

一、尤三姐对柳湘莲一见倾心。于是，《红楼二尤》中，不可避免地有一段表现尤三姐思春的戏。花旦戏，以表现男女爱情者居多，表达女子内心情窦的也为数不少。要描摹女子闺中秘不可宣的心情，

①荀慧生：《且说尤三姐》，《荀慧生演剧散论》上海文艺出版社1980年8月版，第156页。

②荀慧生：《荀慧生演出剧本选》，上海文艺出版社1982年2月版，第347页。

是一种很难把握恰当的表演。这种表演，被称为“思春”。“思春”戏，过了，流于肉麻、黄色；不够，则无法表现出女主人公的内心情感。荀派剧目中，有不少戏都涉及到思春。如，《战宛城》中的邹氏，《东方夫人》中的东方氏，《辛安驿》中的周凤英，以及《红楼二尤》中的尤三姐等。同样是思春，又因各人的年龄、性格、身份和所处环境的不同，而有所不同。

尤三姐与《辛安驿》中的周凤英，有相似之处：都是未婚少女，都是情窦初开，都是性格开朗，都对婚姻充满向往。但是，荀慧生很注意演出她俩的不同。周凤英的思春，因为没有明确的对象，显现出来的“想”，是空想；尤三姐则不同，她有明确的爱慕对象（柳湘莲）。同时，她的思春，受性格影响，是明朗的，无所顾忌的，而不是躲躲闪闪、遮遮掩掩的。表现在表演上，则是连唱带做、唱做结合，唱词和念白也直截了当。比如，她有这样几句唱词：“那一日看戏文把人恋爱”、“你看他雄赳赳一表人才”、“回家来引得我春云叆叇，女儿家心腹事不能解开”、“也只好耐心情机缘等待”等。

如果将邹氏、东方氏、周凤英、尤三姐四个人的思春进行对比，可以发现，荀慧生的表演极其细腻，分寸感极强。比如，邹氏的思春，偏向于沉稳、含蓄，以忧郁、苦闷为主，表现在形体上，动作少、幅度小，但内在情感比较强烈，形体动作中透出一种压抑；东方氏的思春，偏向直率，但又与周凤英、尤三姐有所不同，更透出武将特有的干脆；周凤英、尤三姐的思春，含有典型的闺中女孩的天真，虽然少了些内敛，但也没有轻浮。荀慧生总结道，应该是“半含忧怨，半露痴娇”。周凤英与尤三姐又有所不同，相对而言，周凤英静中求动，而尤三姐则是动上加动。

二、在某些唱腔上，荀慧生吸收和借鉴了梆子腔。比如，当尤二姐问尤三姐意中人是谁时，尤三姐在唱“他名唤那湘……”时，特别在“湘”字上顿了一下，表现出一个少女思春时特有的羞涩。

然后，尤母问："湘什么？"尤三姐接唱："哎呀，儿的娘啊！"这个唱腔，便采用了梆子低音的唱法，充分显现尤三姐娇媚之态。

三、在念白方面，在某些场合，荀慧生借用了话剧的表演手法。比如，尤二姐哀求王熙凤："大娘啊！我与你往日无仇近日无恨，方才我儿一死，分明是你——我儿一死也就罢了，你为何苦苦要害我的性命，大娘你——你……饶了我吧！"这段念白，他以话剧腔念出，非常具有舞台效果。

四、荀慧生有一个很重要的戏曲理论，那就是："熟戏三分生"。他认为，熟，能生流，生油。一出戏，既不能熟，也不能流，不能油，更不能卖弄，而要保持"生"，但又不能全生，也不能半生，而是三分生。也就是说，无论多么熟的戏，首先不能从熟上着眼，哪怕这出戏刚刚唱过，也要当它三分生。这与前辈艺人"存着点"的表演观点，是一个道理，即，不能因为熟而直、露、满。只有当一出戏还有三分生，才能始终保持创作热情和欲望，才能始终在演员和人物之间隔着一道屏障，你还是你，人物还是人物，才不至于丢弃对人物的理解和体验。这样才能不断给予人物以新的开掘，不断给予这出戏以新的创造。

《红楼二尤》很好地体现了他的这一戏曲观。他自己曾说，这出戏"都是随演随修改的"。比如，按照原先的剧本要求，王熙凤将尤二姐的孩子害死一场戏，荀慧生是以明场表现的。后来，欧阳予倩提了意见，认为以暗场处理，场上只听见婴儿的惨哭声，随即哭声断了，表明已被害死，反而更有冲击力。荀慧生对这两种表演方式进行了细细比较，觉得欧阳予倩的意见果然更好一些。之后，熟悉这出戏的观众发现，荀慧生的表演，有了新改变。

有一次又演《红楼二尤》，演到最后一场，其中有一段尤二姐的唱词："贤姐姐你怎知我心头悔恨……"最后一句是："望姐姐可怜我薄命之人"。这是一个极度软弱的人在向强势妥协和哀求。也许是

⊙ 荀慧生饰尤二姐。

荀慧生很痛恨这样的行为，潜意识里拒绝这样没有骨气的表现，刚唱了第一句，就忘词了，而且苦思不得。他赶紧加做了几个身段，还是想不起来。他急了，趁着胡琴拉过门的空隙，随手将已经死去的婴儿抱了起来，左看右看，一方面表明尤二姐极度想念孩子，一方面他是在想对策。看着孩子的脸，他突然有了灵感，临时编了一句唱词："想必是我的儿他……又要复生！"紧接着，他又加了一句念白："啊，姐姐，你看，我的儿子，他活转过来了！"

饰演王熙凤的赵桐珊也是相当有临场经验的名角儿，他一听荀慧生改了戏词，知道他是忘词了，只能现编现演。于是，他也就顺着荀慧生的话头，编了一句："你的儿子，他死就了，活不了啦！"这一句词，极大地刺伤了幻想着儿子复活的母亲的心，将悲剧气氛推向高潮。

下场之后，荀慧生深为忘词而感到愧疚，但细细想想他俩刚才临时"篡改"的戏词，觉得虽然是偶然得来，但却很符合剧情，也很契合尤二姐当时因爱儿惨死而处于半疯癫的人物形象和心理，更

⊙ 《红娘》剧作者 陈水钟。

逼真地展示了一个悲痛到极致的母亲的失常状态。对于忘掉的那部分戏词，荀慧生认为，也许正可以说明它们很肤浅呢。于是，从此，他保留了这部分戏词，抛弃了那部分被忘记的戏词。当年，百代唱片公司为《红楼二尤》录制了唱片。这段灵光闪现的经典之作，被永久地保存了下来。

11.永远的《红娘》

有这样一种说法：在所有的传统京剧剧目中，包括四大名旦在内创作的新戏，留传至今、仍然活跃在京剧舞台、演出场次最多的，

不是尚小云的旦角代表作《失子惊疯》，也不是程砚秋的经典之作《锁麟囊》，甚至不是梅兰芳的不朽之作《霸王别姬》，而是荀慧生的《红娘》（1952年，文化主管部门曾组织过一次京剧剧目演出情况的调查，结果是，《红娘》上演率，在所有的京剧剧目中居第二位）。还有一种说法，《红娘》问世以来，几乎成为每一位京剧花旦演员必备的剧目，久演不衰，演到哪里红到哪里。直到现在，仍然有荀派青年演员在演《红娘》。

荀派研究者王家熙说：“《红娘》不仅对于旦角行当的艺术发展作出了重大贡献，在改编古典名作方面也走出了新的路子。”

《红娘》取材于中国古典文学名著、王实甫的《西厢记》。剧情大意，几乎人所皆知：书生张生（即张君瑞，又名张珙）与崔相国的女儿崔莺莺一见倾心，遭到崔母崔夫人的极力反对。崔府丫环红娘在张生、莺莺之间牵线搭桥、传书递柬，又在崔夫人面前据理力争，最终促成了这桩美满姻缘。它共分八场，分别是“惊艳”、“许婚”、“悔婚”、“琴心”、“传柬”、“逾墙”、“佳期”、“拷红”。其中《佳期》

和《拷红》长期以来一直是昆曲名剧，始终活跃在昆曲舞台上。

尽管陈墨香为荀慧生编的戏有数十部之多，其中不乏京剧名剧，但是，《红娘》这出戏，却不是由他编剧，而是出自青岛剧作家陈水钟之手。它首演于1936年10月22日。初演此剧，为荀慧生配演的演员有：何佩华饰崔莺莺，高维廉饰张生，何盛清饰崔夫人，陈喜兴饰白马将军，蒋少奎饰惠明。

京剧以《西厢记》为题材的剧目有两个，一个就是陈水钟编剧、荀慧生主演的《红娘》，一个是田汉于1959年编剧，“四小名旦”之一的张君秋演的《西厢记》。这两出戏的不同，在于前者以丫环红娘为主要人物，后者以小姐莺莺为主要人物。正因为如此，《红娘》的故事，虽然与《西厢记》大致相同，但特别突出了红娘这个人物，以她为主线串穿全剧，刻画了她的活泼、可爱、善良、机智、正义、不畏权势的形象。与荀派其他剧目一样，也突显了反封建思想。

这里牵涉到两个问题：

一、荀慧生为什么会以红娘为主要描写对象呢？这实际上透露出他的审美取向和他的性格特质。对于《西厢记》，他最喜爱的人物，就是红娘。他说他喜爱她的爽朗、热情和强烈的反抗性。其实，荀派戏中，有不少人物与红娘形象相似，这让我们可以感受到荀慧生个人的喜好和偏向，也可以窥知他性格中的某些方面。

⊙ 《红娘》修改本。

二、荀慧生的《红娘》为什么会超越田汉的《西厢记》而长演不衰呢？这首先应当从荀派艺术特点去考量。已知，荀派剧目的显著特点之一，是极具生活化和通俗化。甚至因此可以说，荀派是俗文化的代表。这里的“俗”，不是低级、无聊、下作，而是充满生活情趣，与普通民众的生

⊙ 荀慧生饰红娘。

活很接近。荀戏展现了他们的普通生活，也在一定程度上表达了普通人的心声。

红娘这个人物，身份是个丫环，因为是显贵人家的丫环，所以被称为“大家丫环”。因为身份卑微，她的身上自然有着与普通贫苦人家的女儿相似的脾性习惯，比如，率真而不扭捏，直爽而不造作，识字不多而有些傻乎乎的，但傻得可爱，因少了礼教束缚而有些不拘小节、大大咧咧，甚至还有些粗鄙。这么一个邻家女孩般极具生活化的人物形象，当然很能讨得普通百姓的喜欢。

另一方面，红娘又不是普通人家的丫环，而是显贵人家的丫环，不可避免地介入到大家庭的重大事件，甚至是不可告人的私事中。富贵人家的秘闻丑事，是普通百姓津津乐道、乐意看到的。这一切，通过大家丫环表现出来。这个时候，她便成为事实上的揭秘者。这样的人物形象，也就深得观众喜欢。与此同时，红娘反抗着崔母的干涉，为张生、崔莺莺牵红线，又成为事实上的争取婚姻自主的代言人。这与普通市民“有情人终成眷属”的价值取向相一致。最后一场“拷红”中，红娘与崔夫人的“斗争”，就很精彩：

崔夫人：红娘！你快与我滚了出来！打死了这贱人也不能罢休。

红娘：老夫人！

崔夫人：你与我跪下！

红娘：好端端地干吗要我跪下呀！

崔夫人：你还敢不跪么？

红娘：要跪，我就跪！

……

崔夫人：我好好的女儿却被你这小贱人引诱坏了，难道你还无有罪么？

⊙ 左起，沈曼华饰张珙，荀慧生饰红娘，费文艺饰崔莺莺。

红娘：我倒不是这等看法。

崔夫人：你是怎么看法？讲！

红娘：依我看来，既不怨红娘，难怪张生，休怪小姐。

崔夫人：怨着哪个？

红娘：都是老夫人一人之过。

崔夫人：怎么是我一人之过？

……

崔夫人：我女儿若是许配张生，岂不玷辱崔家门庭？

红娘：当日孙飞虎若将小姐抢去，请问老夫人，小姐的贞节何在？难道说就不怕玷辱你们崔家门庭了吗？

崔夫人：依你之见呢？

红娘：依我之见，莫若恕其小过，完其大事，木已成舟，

就把小姐许配那张生，我想此事倒落得个干干净净。

崔夫人：你这小贱人说的倒也干净。

红娘：不干净我还不说哪！

很明显，这主仆二人的一来一往，很形象地再现了红娘不畏强势而极具反抗性的性格。崔夫人实际上是封建家长制、封建婚姻制的代表，与崔夫人的针锋相对，红娘于是又成了反抗封建旧思想的代表。尽管在真实生活中，面对强势，普通百姓是怯懦的、畏缩的，但这并不妨碍他们对不畏强势甚至战胜强势行为的赞赏和向往。红娘的反抗和斗争，道出了他们的心声，也就成了他们心目中的“英雄”。

还有一个事实不容忽视，它也是《红娘》符合生活化的艺术特点而备受欢迎的原因之一。红娘为张生、崔莺莺牵红线，实际上充当了媒人的作用。为他人做媒，是平民百姓非常热衷的一件事情，也是被认为是积德行善的行为。看着舞台上的红娘如何巧言善辩地说服崔夫人，想着身边的佳偶如何在媒人的说合下成双成对，一个似乎是发生在身边的做媒的故事，自然很吸引人。日后，“红娘”便成了媒人的代名词。

相比于尚小云《失子惊疯》中被迫害而痛失爱子疯癫了的胡氏、程砚秋《锁麟囊》中受命运捉弄由富贵沦为赤贫的薛湘灵、梅兰芳《霸王别姬》中舞剑自刎的虞姬，红娘的故事更加生活化，红娘这个人物，也更具群众基础。《红娘》这出戏，所以长盛不衰。

红娘这个人物，无疑是爽朗的、热情的、活泼的，为此，荀慧生决定废除他最擅长的跷功。当时有人对他说：“跷功是你的专长，不能轻易抛弃。”他却不以为然。有人甚至骂他破坏“国粹”，他也不介意。他为红娘特别设计了大步圆场的出场步法。随着一声唤：“小姐，随我来！”只见他大步流星地几步“冲”到台口，一个亮相，

⊙ 荀慧生饰柳如是。

明亮的眼睛四处一扫，那活泼可爱机灵劲儿，显现无疑。难怪有人赞叹红娘的出场，“像一只色彩斑斓的大蝴蝶，驾着一股得意的春风，突然出现在舞台上”，因此引得满堂喝彩。

无疑地，在当时的社会环境下，《红娘》这出戏，无论从哪方面说，它都不失为一出好剧。从内容上说，它是新颖的；从思想性说，它反对包办婚姻，主张自由婚姻，也是进步的；从艺术上说，它有大量新腔新调、身段动作，具有创新性。但是，在解放初期的“戏改”环境下，戏里的某些因素就不合时宜了。荀慧生对它进行了修改，而在艺术上，使之更趋完美。

12.荀戏及荀派艺术

列举的这十一部荀派新戏，只是冰山一角。其他新改编新创作的戏还有：

《柳如是》（首演于1929年1月22日，在北平开明戏院），由陈墨香编剧。故事说的是，秦淮名妓柳如是嫁给了名士钱谦益。清兵入关后，钱降清，被柳痛骂致死。显然，故事内容是虚构的。荀慧生演出该戏的本意，是借柳如是之口痛骂汉奸和降臣，表达了他的爱国情操。当月，蓓开唱片公司将其录制成唱片。

《埋香幻》（首演于1929年3月5日，在北平开明戏院），由陈墨香编剧，被列为荀派六大喜剧之一。名士樊樊山曾经特别为这出戏赋诗一首：“人鬼琴堂一笔勾，仳离双美合鸾俦。返生不待香

⊙ 袁寒云为宣传《柳如是》所提供的铜制名章。
⊙ 《埋香幻》中荀慧生饰张盈盈。

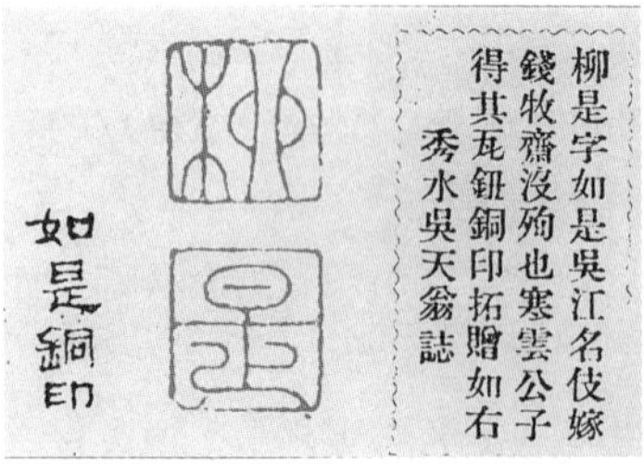

三日，铸错应黴铁六州。蛙闹正因无理取，鸠媒也算有情不。判来清献鸳鸯谱，儿女终然听自由。”

《得意缘》(首演于1929年8月10日)，也是一出首尾相连、情节完整的大戏。被列为荀派六大传统剧。

《东吴女丈夫》(首演于1930年10月3日)，由陈墨香编剧。恐怕因为戏名有“女丈夫”几个字，所以被想当然地划归为荀派六大跌扑剧之一，实则不然。该剧原本名《丹阳恨》，是王瑶卿的秘本。大约在1924年的时候，罗瘿公一度有意将其改编后，给爱徒程砚秋演出来，但因种种原因，未能如愿。戏里的“女丈夫”，指的是三国时期孙权的弟弟孙翊的夫人徐氏。《东吴女丈夫》说的是有智有谋的徐氏为屈死的丈夫报仇的故事。不过，全剧并没有跌扑的表演，所以算不上是跌扑剧。徐氏这个人物，只是花衫应工，以唱为主。该戏虽然来自于《丹阳恨》，但两出戏的结尾有所不同。显然，陈墨香进行了重新改编。

《美人一丈青》(首演于1931年3月)，由陈墨香编剧，被列为荀派六大武剧之一。该戏又名《战濮州》，说的是扈三娘为丈夫王英报仇，亲自征战，最后被陈丽卿扼死的故事。在传统观念中，包括扈三娘在内的梁山好汉，一直是被定性为反官府的反面人物。在《荡

⊙《得意缘》中荀慧生饰狄云鸾。

寇志》小说中，杀死扈山娘的陈丽卿，就是被作为正面人物歌颂的。荀慧生的《美人一丈青》，却反其道而行之，将扈三娘作为女英雄来

⊙ 《美人一丈青》中荀慧生饰扈三娘。

塑造。

《婚姻魔障》（首演于1934年11月9日），又名《三请樊梨花》，也是荀派六大武剧之一。

除此之外，还有《窃兵符》、《陈丽卿》、《江天雪》、《荆钗记》、《窦桂娘》、《秦娘》、《还珠吟》、《妒妇诀》、《狮吼记》、《慎鸾交》、《双妻鉴》、《护花铃》、《梨雨村》、《侠骨香》、《扬州梦》等。曾经有人将荀戏剧名作诗一首：

平儿荆钗钗头凤，灌娘河伯娶妇归。
慎鸾交友双妻鉴，十三妹也代夫媒。
诓妻嫁妹还珠吟，香罗带绾护花铃。
埋香幻如扬州梦，红娘狮吼记香菱。

粗略统计，荀慧生一生演过的戏多达三百多部，其中仅陈墨香为他编剧的新戏（也被称为个人本戏）就有四五十部之多，除了舒舍予、杨怀白、陈水钟外，其他还有樊樊山、寿石工、胡冷庵等都曾为他编过戏。不过，这十几部代表作品，足以涵盖荀派的艺术特点和表演风格。

一、从荀派剧目中的人物来看，荀慧生着力刻画的范围很广，有大家闺秀、小家碧玉、宫廷妃子、江湖侠妇、山林姑娘、巾帼英雄、家庭少妇、青楼女子、使女丫环、红楼丫头、寻常百姓、乞丐女儿、半老徐娘、才女画家、仙女鬼狐等。其中涉及的行当有花旦、青衣、刀马旦、玩笑旦、泼辣旦、花衫等。

有时，荀慧生根据剧情的需要，对一个人物进行不同行当的表演；有时，他又在一个人物身上将数个行当的表演方式融合在一起；有时，在一个戏中，他一人分饰两个性格迥异的角色，这是他的创造。因剧情故事不同，角色身份不同，人物命运不同，他的戏，有喜剧、悲剧、武剧，也就有文戏、武戏。他专工花旦，擅长表演，而他的唱工戏也不少。这一切，只说明一个问题，那就是：他是个全才。

荀慧生演的人物，大多数是挣扎在社会底层的普通妇女，即便是宫廷妃子，也是处于被欺凌被迫害的状态。正如作家萧军在《悼荀慧生》一文中所说："他所擅演的诸剧中，是更接近于平民百姓生活，《金玉奴》、《玉堂春》、《红楼二尤》、《红娘》、《杜十娘》等，多是平民中被侮辱与被损害的女性。"

他表现她们低贱的身份、痛苦的生活、悲惨的命运，以此揭示封建社会制度对妇女的残害，也体现他的反封建意识。同时，他更将关注的焦点集中在她们的反抗性上，含蓄地表达了他"哀其不幸，怒其不争"，呼吁妇女们起来反抗的斗争思想。这种反封建意识和反抗斗争思想，在当时，具有相当的进步意义。

然而，他的这些先进意识和思想，只源于前辈艺人朴素的教诲："戏是劝人方"。因此，在谈到排演新戏的动机时，他说："当年编写这些剧本时，大都是有为而发的，总都代表着自己对当时当地某件具体事情、某种具体思想的态度，或者要抨击什么，或者要赞美什么，一定意义上，无妨说这是一种借别人的酒杯浇自己块垒的做法。这种做法好不好，我不敢说，当时自己在剧本中所表达的那些爱憎之情对不对，更成问题。但是，这些戏在它问世之初，都有它程度不同的现实意义，因为它确确实实是反映了我在当时的一些思想状况。这些思想状况又是来自当时的那种现实生活，只不过我把它改头换面地放在戏里就是了。"①

二、具体到表演方面，从他撰写过的几篇理论文章中，就可以窥见他的主要表演理念，即：一切表演都要从角色内心出发，都是为了表现人物的思想感情。比如，《演人别演"行"》、《熟戏三分生》、《演戏演人物》、《要努力塑造人物》等。他对花旦表演方法的概括，尤为经典：活泼不等于风骚，爽朗不等于泼辣，细致不等于繁琐、含蓄不等于粗率，端庄不等于痴呆，沉静不等于平板。

他在有意无意间创造性地构建了自己的表演艺术风格，也就是“三化”和“三感”。其中的“生活化”，可以说是荀派表演艺术的精髓，也是“十旦九荀”、“无旦不荀”、“有旦必荀”、荀派剧目至今仍然活跃在京剧舞台上的主要原因之一。

再具体点儿说，关于演，一般旦角演员在演法上有一个习惯，即上身不乱动，甚至连脖子也是僵僵的。之所以如此，恐怕是因为在传统眼光中，无论是小姑娘还是小媳妇，都应该是稳重的、端庄的、笑不露齿。荀慧生则不同，他在表演中，有挺胸、吸肚、梗脖、垂肩等，仅上身而言，就有伸、摇、晃、展、拔肋、坦腰、斜侧、拧转等根据人物不同需要而表现出来的各种姿态。

关于唱腔。早期，他的唱和念并不为人所关注，大家以为他是花旦出身，偏重于表演。实际上，表演的确是他擅长的，但因此否认他的唱，是不客观的。他的唱腔也别具风味：柔媚婉转，却又不失铿锵；低腔更多一些，又掺杂了梆子腔。除了唱的技巧，他更注重唱情，喜剧的唱，娇柔妩媚；悲剧的唱，缠绵凄楚；武剧的唱，刚劲有力。同时，他敢于标新立异，大胆创腔。他在《勘玉钏》中，创造了二黄快板；在《红娘》中，创造了反四平调和反汉调等。“四小名旦”之一的张君秋曾说：“我尽捋‘二大爷’（即荀慧生）的叶子，您[2]的唱片我尽听，用了不少您的玩意儿。”[3]

关于念白。京剧的音乐性很强，所谓“舞台上无声不歌”。这里的“歌”，并非仅指歌曲，而是音乐旋律的总称。唱，自然是“歌”的一种；“念”，也是其中之一。他的念白，除了追求一般意义上的字正腔圆外，也强调韵律感、节奏感。在节奏感上，他吸收了梆子

① 荀慧生：《有为而发　潜移默化》，《荀慧生演剧散论》上海文艺出版社1980年8月版，第247页。

② 您：北京话“他”的敬称。音tan。

③ 孙毓敏：《我的师傅荀慧生》，《名旦风采》北京燕山出版社1996年6月版，第13页。

的节奏。除此之外，他更强调生活化的语气感。比如，有的时候，为了表现小姑娘的娇嗔可爱，他的念白，是噘着嘴念出来的，既符合角色身份，生活化气息也很浓重。花旦戏，念京白的居多，有时也念韵白。无论京白、韵白，他的风格是圆润轻柔、轻松明快、清新自然。有的时候，他的念白中，还含有话剧味道。

关于扮相。他演的花旦角色居多，为使人物看上去更年轻一些，他习惯用比正红颜色稍浅的“荷花胭脂”。在化装方面的创造，体现在画眉和抹口红上。他将传统的一字眉改画为仕女图中的弯月蛾眉；将传统的画嘴唇只点三个小樱桃点改为用口红涂抹整个嘴唇，而且时浓时淡，时深时浅。嘴唇因此时大时小，时性感时普通。根据所饰演角色的不同进行化装，是他的原则。

一般而言，旦角发式是一种“古装头”。这种发式，借鉴了古代仕女图的造型，由梅兰芳首创。荀慧生根据角色的需要，做了一些改良：在梅式古装头的基础上，创造了一种“歪形的偏饰古装头”（又名“古装坠马式偏凤髻发型”），以显示角色的活泼。比如，《红娘》中的红娘、《红楼二尤》中的尤三姐等，都是这样的发型。这种发型，被称为“留香髻”。

在服装方面，那时演女性的多是男旦，服装以宽大肥厚为主，甚至一服多用。荀慧生很大胆，敢于设计凸显女性娇美身材的紧紧包裹着身体的服装。他年轻时，身材修长，穿上特别合身的小袄小褂，女人味十足。他将裙子改成筒形，下口略大，两边为百褶，以显女性的亭亭玉立；又把圆形底襟改成双角形，略似西服背心的底襟，以显女性的轻盈体态。他还将原先长长的袄子改革成短款，甚至缩短袖子的长度，特地让粉白鲜嫩的手腕露出来。这一切，在当时，都是相当超前和大胆的行为。这被称为“留香装”。

除此之外，他还为特别的角色设计特别的服饰。比如，为《红楼二尤》中的尤三姐设计了包身小坎肩，灵感来自于西装马甲；为

《红娘》中的红娘设计了大披肩，这是如何得来的灵感？他笑说："我年轻时在上海看见俄国妇女的大披肩非常美，所以把它用在台上了。"他还在红娘的头上系着大红蝴蝶绸，以显人物的可爱俏皮；为《丹青引》中的女画家设计的是"工作服"，即一件对襟大翻领的长坎肩，长及鞋面，外翻的领子借鉴了西服翻驳领的样式。为《勘玉钏》中的韩玉姐设计了喇叭口短袖花边袖子，圆形下摆的特色光片裙、袄等。

这所有的种种，便构成了只属于荀慧生的"荀派"。从他创排新戏集中于二三十年代来看，荀派，是在这个时期形成。从荀派的确立和发展来看，荀慧生能够跻身四大名旦，并非偶然。即便"四大名旦"的称谓，是白党为捧荀慧生而创造出来的，如果荀慧生能力不够、艺术不精，又何以被大众与同行认可与接受？因此，荀慧生作为四大名旦之一，乃实至名归。

四大名旦排座次

爆出白党为捧荀慧生而创出"四大名旦"口号的剧评家梅花馆主（郑子褒）曾经说"四大名旦初步成功于1928年"，原因是在那一年，上海的《戏剧月刊》准备推出"四大名旦特号"。在梅花馆主的提议下，该刊物在创办"特号"之前，举办了一个关于"四大名旦"的征文活动，这个活动的全称是"现代四大名旦之比较"。在一系列的筹备后，征文活动正式起始于1930年8月。为此，主编刘豁公在《戏剧月刊》第2卷第12期的"卷头语"中，刊发了一则征文启事，首次以文字形式明确了梅兰芳、尚小云、程砚秋、荀慧生为"四大名旦"。

所谓"之比较"，说穿了，就是一个论高低、排座次的问题。《戏剧月刊》的那则征文启事，因为是第一次以白纸黑字的形式公开称呼“四大名旦”，因此“梅、尚、程、荀”被认为是最早的排序。其实并非如此，最早为他们四人排序的，是剧评家舒舍予。1928年，他在《戏剧月刊》上发表了一篇文章，名《梅荀尚程之我见》。这里，他没有用“四大名旦”这个词，但实际上已经为大众提供了“四大名旦”的信息。这也就从侧面验证了梅花馆主“四大名旦初步成功于1928年”的说法。

从舒舍予的那篇文章题目中，可以发现，他的排序是：梅、荀、尚、程。但是，这不是他的最终排序结果。他实际上是以不同的情况，进行了多种排序：

以年龄大小论，就是梅、荀、尚、程；

以成名先后论，改为梅、尚、荀、程；

以声誉名望论，又成梅、程、尚、荀。

这也就意味着，《戏剧月刊》的“梅、尚、程、荀”就属于第四种排序。那么，他们这么排序的理由是什么呢？首先要明确的是，

⊙ “四大名旦”梅兰芳、程砚秋、荀慧生、尚小云合影。

梅花馆主提议策划这次征文活动的目的，按照他自己的说法，是为了“试试各界对留香（即荀慧生）的印象”。这是不是意味着，此时，外界对梅、尚、程的名旦地位，是没有质疑的，而对荀慧生能否位列名旦，则是有争议的？或许正因为如此，白党才创出了“四大名旦”的称谓，才又会极力怂恿刘豁公刊发“四大名旦特号”。

既然是为了“试试各界对留香的印象”，那么，自然也就将荀慧生排在最后。至于前三人的排序，梅兰芳排第一，无论从哪方面考虑，都是理所当然的。从年龄上说，尚小云比程砚秋年长；从成名先后来说，尚小云又比程砚秋先成名，而且一度还有超越梅兰芳之势，因此，尚小云理应排在程砚秋之前。

无论是舒舍予，还是《戏剧月刊》，他们对四大名旦的排序，有一厢情愿的意思，都是出于个人的理解，比较主观。“征文活动”之后，四大名旦的排序发生了变化。这种变化是在理性分析之后产生的，因此多了些科学性。

征文活动历时数月，1931年1月，刘豁公在《戏剧月刊》第3卷第4期的“卷头语”中，这样写道：“梅、程、荀、尚四大名旦的声色技艺，究竟高下若何，那是一般的顾曲周郎都很愿意知道的。我们编者本可以按着平时观剧的心得，做一个忠实的报告，但恐个人的见解不能代表群众的心理，为此悬赏征文，应集诸家的评论，择优刊布，以示大公。本期刊布的共计三篇……”细心一些的话，可以发现，《戏剧月刊》对四人的排序已经由征文前的“梅、尚、程、荀”转变为“梅、程、荀、尚”了。这新的排序，来源于什么呢？

《戏剧月刊》是研究性很强的京剧专业理论刊物，读者群并不广泛。“研究之比较”这样的征文，带有研究论文的性质，所以参与的读者也不多。杂志社共收到70余篇应征稿件，热闹程度远不如三年前，即1927年《顺天时报》主办的“五大名伶新剧投票活动”。

经过戏剧评论名家的审阅，最终确定了10位获奖者，分别是苏少卿、张肖伧、苏老蚕、丁成之、朱子卿、王之礼、朱家宝、陈少梅、张容卿、黄子英。刘豁公对前三位作者的作品，尤为喜爱，说它们“言论持平、文笔老练为最佳”。1931年1月，《戏剧月刊》公布了获奖名单，并全文刊发了前三名，即苏少卿、张肖伧、苏老蚕的获奖文章。

实际上，苏、张、苏三人的排序方法，与舒舍予相似，即从不同方面，按照不同情况，在进行分析比较之后，得出结论。与舒舍予只从“年龄、成名先后、声誉名望”这三个方面分析不同，他们的分类更为细致，评论得也更加详细。

一、以荀慧生为例，苏少卿从七个方面，对他的艺术进行了全面评述。

从唱工来说，荀慧生的嗓音属羽，若吹玉笙，清而且润，柔而且刚，舍短取长，刻意于柔媚用工，其唱似弱不胜衣，别有风神，京音白口效法（王）瑶卿之爽脆，不及其刚，反觉恰到好处。

从做工来说，荀慧生的表情不但细腻，其柔媚之处甚至胜于（梅）兰芳，咬唇低头风骚异常……稍稍能怒，未能到泼辣程度。

从扮相来说，荀慧生的扮相“如牡丹占尽春光”。

从白口来说，荀慧生偏重柔婉，只略逊于梅兰芳。

从武工来说，荀慧生以秦腔花旦出身，刀马见长，独擅跷工。

从新剧来说，荀慧生的资质，演新戏最宜，以其娇媚绝伦也。演义烈、武侠、哀艳诸路戏，亦复头头是道，加以编剧之陈墨香，以名票兼擅文学，所排各剧，大有意思。他又擅演新剧，故相得益彰。他所以能侪于四大名旦之列，新戏功也。

从师友来说，荀慧生的师友有十余人，如陈、舒、杨、张为之编剧、宣传，故成功甚速。

如此比较评论之后，苏少卿得出这样的结论：

嗓音：首推梅兰芳，其次是尚小云；

唱工：首推程砚秋，其次是梅兰芳；

扮相：首推梅兰芳，其次是荀慧生；

做工：首推梅兰芳，其次是荀慧生；

白口：首推梅兰芳，其次是荀慧生；

武工：首推荀慧生，其次是尚小云；

新剧之多：首推梅兰芳，其次是荀慧生；

成名之早：首推梅兰芳，其次是尚小云；

辅佐之盛：首推梅兰芳，其次是荀慧生。

从这份列表来看，梅兰芳被"首推"得最多，在九项中占有七项，他位列第一，当无异议；"其次"得最多的是荀慧生，在九项中占有五项。依常理，荀慧生应该位列第二。但是，苏少卿却说，程砚秋以唱工见长，又以青衣为正统，而荀慧生在唱工上略逊于程砚秋，又主工花旦，所以，荀应让于程，程列第二。

这里，便产生这样一个疑问。程砚秋除了被"首推"了一次之外，没有一项"其次"，而尚小云除了没有"首推"之外，却被"其次"了三次。从这个角度说，综合而论，尚小云应该高于程砚秋。也就是说，这时的排序应该是梅、荀、尚、程。可事实上，尚小云被排在了最后。这是为什么呢？据推测，很可能还是那个原因，苏少卿更看中程砚秋的"唱"。也许在他看来，旦角演员，以唱为主，论唱工，程砚秋首屈一指，所以，他应该排在尚小云之前，也应该排在荀慧生之前。这样说来，他的这个排列有欠公平。既然是综合比较，那就不能以某一项"特别突出"作为依据。

不管怎么说，苏少卿为四大名旦的排序是：梅、程、荀、尚。这是继舒舍予、《戏剧月刊》之后的第五种排序。

这样的排序，最大受益者，便是荀慧生，他一跃而上，不但超越了尚小云，甚至与程砚秋争夺第二名的位置。这样的结果，自然令白党欢呼雀跃，却令梅花馆主倍感意外，因为他知道此次征文活动的目的，只是想试试各界对留香的印象。

许多年以后（大约在40年代初期），他这样回忆说：“征文揭晓了，苏少卿的大文录取第一，留香的大名，居然列在尚小云之上。”“居然”二字，表明他对荀慧生位列尚小云之上的不以为然。他又说：“苏（少卿）老师是……先知先觉者，说出话来，没有人敢反对，经此品评下来，四大名旦的口号，就此叫响，‘梅程荀尚’的次序，亦于焉定局。”

当苏少卿看到梅花馆主的这篇文章后，很不满。他撰文表示：首先，他的那篇文章，并非应征之作，而是应刘豁公的约稿写的。他这样写道：“一日刘豁公来访，约我写一篇四大名旦论，预备登载在《戏剧月刊》上。梅花馆主所说，我是应征，被录取第一，非事实。”他强调，他这个人不是“条子”，又一向不参加任何征文活动，也就不存在为谁说话的问题。其次，他否认四大名旦“梅程荀尚”的排序，是由他的这篇“征文”开始被叫响的。为此，他写道：“我真不敢承认……我说句开玩笑的话，我不是专制时代的皇帝，能册封后妃……民国十六七年之交，‘四大名旦’已然喧传众口，他们四位的次序，亦是公论……”

“四大名旦”的名称或许的确是在“民国十六七年”在民间流传开来的，但是，除了梅兰芳位列第一外，另外三人的排序一直存在争议，所以舒舍予才以“具体情况具体分析”的态度，做出几种不同的排序。因此，苏少卿所说“……次序，亦是公论”，不确。另外，他在无意之中透露出这样一个信息：他的那篇被选为“第一”的文章，实际上不是应征作品，而是应刘豁公的约稿。这是不是意味着，那所谓的“征文活动”，不过是一次作秀而已？真正的目的，也许正如梅花馆主所说，就是为了荀慧生，既为了“试试各界对于留香的印象如何”，又为日后名正言顺地刊发“四大名旦特号”做准备。

此时，距“征文活动”已过去了将近十年，苏少卿一方面反驳梅花馆主所说，一方面似乎仍然坚持着他的“梅程荀尚”的排序。因为为了说明他的观点，他又对他们四人的艺术，按照“梅程荀尚”的顺序再次分别做了评点。在说到荀慧生时，有这样几段：

“慧生知唱工不能胜彼三人，乃利用一己专长，独于花旦戏，三致意焉，咬嘴唇耍手绢，低头浅笑，皆精心揣摩之姿态也。”

“荀则独以花旦之媚态见长，故吾谓慧生之转变，在其嗓音近稍变低，纯粹之唱工戏，殆难胜任，然其《十三妹》、头本《虹霓关》、《战宛城》等戏，犹非余子所能企及，研究有素，风情独胜故也。”

苏少卿否认他当时的那篇文章是应征之作，更不是为了配合白党捧荀。他甚至公开“四大名旦”称号的来历，是白党（不包括他）创造的。他说：“四大名旦口号，其先盖出于白党。当时兰芳之下，小云艳秋名相埒，鼎足而三，驰骋艺苑。慧生时名白牡丹，犹在创业。白党遂提出四大口号，加三为四，不久遂为世所公认。”尽管如此，在客观上，他的确帮了主办方的大忙，也达到了主办方所期望的目的。也许正因为如此，他的文章被“选”为第一。另外两篇获奖文章，获奖原因可能也源于此。因为他们对于四大名旦的排序，与苏少卿的相一致，也是“梅、程、荀、尚”。

二、征文的亚军获得者是张肖伧。与苏少卿的比较方式相似，张肖伧也是从多个方面入手，全面地评价了四旦的艺术。与苏少卿不同的是，他以列表量化的方式，按照主办方公布的“梅、尚、程、荀”的排序，分别给四人打分，然后按照总分，重新排序。这样的方式，当然更直观更清晰：

	梅兰芳	尚小云	程砚秋	荀慧生
天资：	上 （90分）	中 （80分）	上 （90分）	上 （90分）
嗓音：	上上（100分）	上上（100分）	中 （80分）	上 （90分）
字眼：	上上（100分）	上 （90分）	中 （80分）	上 （90分）

唱腔：	上上（100分）	上（90分）	上上（100分）	上（90分）
台容：	上上（100分）	上上（100分）	上（90分）	上（90分）
身段：	上上（100分）	上（90分）	上上（100分）	上上（100分）
台步：	上上（100分）	下（70分）	上上（100分）	上上（100分）
表情：	上上（100分）	上上（100分）	上上（100分）	上上（100分）
武艺：	中（80分）	中（80分）	中（80分）	上上（100分）
新剧：	上（90分）	中（80分）	上上（100分）	中（80分）
旧剧：	上上（100分）	上上（100分）	上上（100分）	上上（100分）
昆戏：	中（80分）	中（80分）	中（80分）	中（80分）
品格：	上（90分）	中（80分）	上上（100分）	上（90分）
总分：	1230分	1140分	1200分	1200分

真是太巧了。分数出来以后，人们发现，这个结果与苏少卿的极为相似，都是尚小云被排在了最后，而荀慧生和程砚秋因为分数完全一致，不得不放在一起进行二次比较。苏少卿是以“唱工”为依据，最终将程砚秋排在荀慧生之前的。张肖伧则以“程砚秋有六个‘上上’，而荀慧生却只有五个‘上上’，程砚秋的‘上上’多于‘荀慧生’”为由，也将程砚秋排在荀慧生之前。所以，他的排序结论也是：梅、程、荀、尚。

三、征文季军的作者是苏老蚕。他的比较方式，与张肖伧相似，也是列表，只不过他只是从扮相、嗓音、表情、身段、唱工、新剧这六个方面进行了打分。

	梅兰芳	尚小云	程砚秋	荀慧生
扮相	90分	80分	80分	85分
嗓音	95分	90分	85分	80分
表情	110分	80分	90分	90分

身段	95 分	80 分	85 分	90 分
唱工	90 分	90 分	100 分	85 分
新剧	95 分	85 分	90 分	100 分
总分	575 分	505 分	530 分	530 分

又是一个巧合。除了梅兰芳得分最高，尚小云得分最低外，荀慧生和程砚秋的分数又完全一致。不过，苏老蚕并没有将他俩进行二次比较，而是取“具体问题具体分析”的客观态度，说：“程之唱工绝佳，哀情独步；荀之多才多艺，新剧优，平衡论之不可轩轾，好在第二第三差别有限，姑作悬案可也。”

除了这三大获奖征文外，上海剧评家怡翁也有类似比较。他在《荀慧生面面观》一文中说：“慧生在四大名旦中成名最晚，而进步极速，以资质论，慧生花旦人才，跻身名旦之班，差有微词，然其艺术之博，探讨之深，新剧之名贵，令誉之孟晋，致造成独帜一军之机，亦自有其必然也……四大名旦中，色以兰芳，唱推小云，格属玉霜，做则推慧生。”

对于四大名旦的排序，北方、南方也有所不同。北京观众比较理性，习惯上以成名先后排序，即梅、尚、程、荀。后来，又有所变化，即梅、程、尚、荀。为什么有这样的变化？剧评家丁秉鐩这样解释：“……后来程砚秋超越尚小云，臻于与梅并驾齐驱的地位。因为梅、程肯研究，肯革新、改进，肯倚重外行的文人朋友，于是新剧迭出，名重一时，而程尤较梅以新戏取胜，这也是奠定他地位的重要因素。尚小云、荀慧生就逐渐瞠乎其后。”[①]

上海观众更感性一些，他们的排序，以苏少卿、怡翁等为代表，更多地从观感出发进行排序，即梅、程、荀、尚。他们之所以将荀慧生排到尚小云之前，其实与荀慧生成名于上海不无关系。尚小云成名虽早，但在上海观众的眼里，无甚惊喜之处，似乎也不见突飞

① 转引自徐城北：《京剧与中国文化》，人民出版社1999年1月版。

猛进的进步，而荀慧生则不同，虽然成名晚于尚小云，但他趋向于“表演”的表演风格，令人耳目一新，况且他很懂得适应上海观众的口味，求新求变的意识很强，其新其变又符合上海观众的审美心理。可以说，他是由上海观众“捧”出来的。上海是他艺术事业的转折地，他对上海的感情很深。哪怕从“先入为主”的角度，也不难理解，相对于尚小云，上海观众似乎更偏爱荀慧生。

这里所说的“表演”，实际上是京剧行话中的“做”。京剧发展到20世纪30年代，对京剧艺术的审美和观念已经有所变化，不再单纯地讲究唱，反而是第一讲究行头，第二讲究做派，第三才讲究唱工。显然，“做”的地位已经超越了“唱”。在这种情况下，会做的旦角，也有了大红的可能。有人对比花旦筱翠花、老生时慧宝，说筱翠花能做不能唱，却照样大红，而时慧宝能唱不能做，反而名声渐弱。能唱又能做的，自然成名走红的可能性就更大了。比如，生行的余叔岩、高庆奎、王又宸、马连良等；旦行的四大名旦，莫不如此。

荀慧生的“做”，又更有其独到之处，以“出神入化”形容之，并不为过。评论家怡翁分析说：“他演悲剧时，声泪俱下；演喜剧时，骀荡春风；演惊逃则柔丝风袅，演忿恨则玉历珠棱……他若描摹处女，则俨然春水；描摹少妇，则绝肖东风；描摹歌女，则曲壮流莺；描摹寡女，则如对晓月。一人有一人身份，一剧有一剧特征。”所以，他断言：“荀非‘做’独到，绝无成名之机。”

实际上，无论怎样排序，将梅、程、荀、尚四大名旦进行硬性比较，并不妥当，也不公平。客观地说，他们四人各有所长，也各有所短。比如，荀慧生、尚小云的跷工就比梅兰芳、程砚秋强，但梅兰芳、程砚秋的舞剑要比尚小云、荀慧生出色。在身段方面，梅兰芳玲珑，尚小云粗实。尚小云的嗓音高亢，程砚秋的嗓子有“鬼音”之称，梅兰芳的嗓子亮，荀慧生的嗓音气力弱。

重要的是，他们都能扬长避短，于是表演各有特色。比如，梅兰芳面目娇媚，气质雍容华贵，被誉为“钻石”，宜饰贵族妇女，又擅演不食人间烟火的神仙女子；程砚秋丰姿婉转、贞肃悲壮，被誉为“美玉”，宜饰悲情女子；荀慧生幽怨缠绵，更妙曼轻倩，被誉为“翡翠”，宜饰小家碧玉；尚小云刚毅豪侠，被誉为“宝珠”，宜饰女中豪杰和巾帼英雄。

四大名旦共同的老师王瑶卿曾经有一个很形象的“一字评”：梅兰芳的“相”（一说“样”，又一说“像”），程砚秋的“唱”，尚小云的“棒”，荀慧生的“浪”。据说他说这四个字的时间，是在上世纪20年代末30年代初，也就是社会上广泛为四大名旦排序的时候。按道理，他对四人是相当了解的，也可以为他们排出一个他心目中的顺序，但他没有这么做，而是用一个字分别概括出他们各人的特点。这种客观理性的态度，最值得称道。

对于“相”或“像”或“样”、“唱”、“棒”，从文字上，人们便可以理解王瑶卿的本意，也能明了梅、程、尚的艺术特质。但是，就荀慧生的“浪”字，很多人的理解有所偏差，总以为它含有“浪荡”、“放浪”之意。实际上，王瑶卿所说的“浪”，并无贬义。据说，当时，荀慧生在听到这样的评价后，不但没有生气，反而笑吟吟地回了一句：“还有您的‘臧’。”

那么，王瑶卿何以用这个“浪”字来概括荀慧生的表演呢？他没有做过详细解释，可以推测，荀慧生唱的是花旦，以“演”为主，而不似青衣以“唱”为主。之前，花旦角色，往往难脱“色”和“淫”。荀慧生的花旦戏，也未免“思春”等情爱戏。但是，他的表演，已冲出单纯追求感官刺激的窠臼，而是从人物心理出发，着意表达人物内心情怀。因此，他的情爱戏，恰如其分地、艺术地展现了女性特征，既性感但不色情更不下流，是雅的、美的。

除了“浪”这个字，还可以用“媚”形容之。当时的剧评家胡子野就曾经这样评论："……慧生之色之艺，有非别人所能者，如一流波，一投眸，一凝盼，一曼睐，一侧睇，一眯视，靡不用情，当者辟易，此视之媚也。欲前仍却，将进还退，或如惊鸿掠影，或若游龙潜踪，此亦之媚也。唱白则兼擅吞吐、颤咽、曳摇、呦嘤诸长，尤声之至媚者也，亦既毕刺激之能事矣。"

梅兰芳也好，荀慧生也好，都是旦角演员，简单地说，都是男扮女。那么，他俩的"男扮女"又有什么不同呢？有人认为，梅兰芳的特点是"兼两性之长"，也就是说，表面上看，他演的是女性，但观众并没有因此被迷惑，而是很清醒地意识到，实际上，他是男性。于是，男性观众看梅兰芳演戏，看到的是一个美丽绝伦的女人；女性观众看梅兰芳演戏，所感觉到的，又是一个英俊挺拔的男性。换句话说，在任何人的心目中，他都是个气质非凡的异性。

荀慧生与梅兰芳的最大区别，就是迷惑了观众对他性别的认识。人们对梅兰芳，可以说"男人扮女人"，而对荀慧生，则总是错误地理解为"女人扮女人"。这就如某剧评家所说，造成这样一个后果："看兰芳的戏照，至多只想和他握一握手；看慧生的戏照，油然产生爱慕之心，恨不能去抚摸他一番，甚或竟想将他搂而抱之。"这是不是可以解释王瑶卿的那个"浪"字呢？

从"四大名旦"称谓的来历，到"四大名旦比较"征文活动的举办，都可以看出，白党对荀慧生最终崛起所起的作用，是很大的。也可以发现，在当时，宣传攻势强大与否，对演员能否暴得大名，有很大影响。

苏少卿在他那篇"征文"中，以"五大名伶"中的另一位徐碧云，以及"芙蓉草"赵桐珊为例，也强调了"宣传"的重要。他认为，若论年龄，徐碧云与程、荀、尚相近；若论嗓音、唱法、刀马功夫，他可以和荀慧生媲美。但是，他却未能入选四大名旦，"扮相

⊙ 荀慧生与白社朋友研究剧本。

不媚固也”是原因之一，更为关键的是，“幕中无人为之宣传”。然后，他这样写道：“碧云若有人焉，为之提携鼓吹，未必不能与四旦分庭抗礼。又芙蓉草，冰雪聪明，唱做念打行行出色，而名不彰，殆亦由于幕中无人欤。”也就是说，他一方面肯定荀慧生的艺术——将他的排序列于尚小云之前，一方面不讳言荀慧生入选“四大名旦”，有白党宣传之功。

白党宣传荀慧生，的确费尽心思。由沙大风编辑、袁寒云审校的《白牡丹》，又名《留香集》，是历史上第一本研究荀慧生艺术的诗文集，于1927年2月由北京京华书局编印出版。书中内容，主要有：

1.“常熟宗威”、“疑始居士”、“燕山冯小隐”、梅花馆主、严独鹤写的序。其中梅花馆主在序中这样评价荀慧生：“冰肌玉骨，国色天香，风流富贵，魏紫姚黄，金相琼质，艳斗群芳。”严独鹤在序中，说荀慧生是“风流蕴藉，乐而不淫，刚健婀娜，顽艳哀感。貌之丽，嗓之醇，则又得天赋独厚，此其具惊人之色艺，乃能有惊人之声誉也”。他还以“恂恂如儒人，彬彬如处子”概括荀慧生这个人给予外人的印象。

⊙ 袁寒云（1889－）夫妇。袁寒云即袁克文，民国四公子之一，为上海白社主要成员。

2.沙大风、袁寒云、樊樊山、步林屋、吴昌硕、胡佩衡、徐凌霄、冯小隐、舒舍予等白社成员撰写的文章、诗词，以及绘画。特别是吴昌硕亲书的“小留香馆”几个大字，尤为醒目和珍贵。

3.另外，还有荀慧生小传、小留香馆日记、小留香馆剧目、小留香馆新剧考，以及荀慧生的剧照，亲撰的书法绘画等。

为应和北京的《留香集》，同年11月，上海出版了一本大型画册《荀慧生》，由张振宇编辑，舒舍予审校，刘豁公和郑过宜作序。书中共收录了荀慧生照片52幅，荀慧生亲笔画的山水画6幅，还选收了吴昌硕的遗墨“小留香馆”、“仙乐风飘”，吴昌硕遗画，胡佩衡、钱瘦铁、张光宇等名家赠荀的书画作品，还有荀派几出戏的介绍，以及“荀慧生六次南来赞语录”等，内容较《留香集》更为丰富。

在“四大名旦比较”征文活动之后，《戏剧月刊》适时在第3卷第8期推出了《荀慧生专号》，收录了求幸福斋主、海上漱石生、冯小隐、张次溪、张肖伧、怡翁、林老拙、杨怀白、舒舍予、施病鸠等的评论文章，共16篇。

1941年，上海黄金出版社又出版了一本《荀慧生专集》，由白社成员舒舍予、吴江枫等四人编辑。专集中有对其人其艺的评论、

⊙ 1932年1月11日长城唱片公司为梅兰芳、尚小云、荀慧生、程砚秋灌制的《四五花洞》唱片。
⊙ 1932年首次出版发行《四五花洞》唱片时的说明。

夸赞文字与诗赋，还有荀慧生的生活相片、剧照等，以及荀派戏目的故事及唱词，内容相当丰富。

因为苏少卿、张肖伧、苏老蚕的结论完全一致，加上《戏剧月刊》和白党的大力宣传，梅、程、荀、尚的排序逐渐流传开来。然而，这样的排序仍然只是“一家之言”，终难成定论。不过，可以肯定的是，从此，荀慧生由一个被讥笑被排挤的“唱梆子的”跃身为“四大名旦”之一。

四大名旦合作灌片

梅花馆主说，“‘四大名旦’这个专名词的初步成功，是在民国十七年（即1928年），而正式成立，是在民国二十一年（1932年）的春天”，即“现代四大名旦之比较”征文活动一年以后。也就是说，此次征文活动虽然已经明确了“四大名旦”这一称号，但按照梅花馆主的说法，此名称并非就此正式成立。那么，他的“1932年”说，又是从何而来呢？原来，在那一年，梅、程、荀、尚应邀合作灌制了一张唱片《四五花洞》。在梅花馆主看来，这次合作，标志着“四大名旦”的称号从此确立。

京剧《五花洞》演的是武大郎与其妻潘金莲因家乡久旱成灾而同赴阳谷县投奔武松途经五花洞时的

故事。这是一出有神话色彩的公案戏，也是以花旦为主的玩笑戏。在戏里，潘金莲被妖魔化，可以一变四、一变六、一变八，于是便需要有四个、六个、八个旦角演员合作演出，也就有了《四五花洞》、《六五花洞》、《八五花洞》等。

四大名旦合作灌制唱片《四五花洞》，是他们四人在“四大名旦”的称谓“初步成功”之后首次合录唱片，也是他们合作灌制的唯一一张唱片，因此弥足珍贵。这张唱片的出品方是上海的长城唱片公司。该公司成立于1928年，由中德双方商人共同投资，中方老板是上海三大亨之一的张啸林，中方经理是天津票友叶庸方。1930年，公司开始录音，以录制传统京剧剧目为主。正式出版唱片，是在1931年。唱片片心大多是红色，片心文字用银白色书写。

目前可确知的是，长城唱片公司录制的最著名的唱片，有梅兰芳、杨小楼合作的12面《霸王别姬》，王瑶卿、程继先合作的6面《悦来店·能仁寺》，以及四大名旦合作的《四五花洞》。该唱片正式录制完毕的时间，目前说法不一：一说来源于荀慧生自己，他说：“第二天就是我32岁的生日”。他的生日是在1月5日，按他的说法，录制工作应该是在1月4日晚。第二种说法是在1932年1月11日晚。第三种说法是在程砚秋赴欧游学出发前一天。他是在1月13日下午离开北平的，这样说来，录制工作应该是在1月12日晚。

究竟是谁促成四大名旦合录《四五花洞》的，目前有两种说法：一说由张啸林提议，由沙大风应唱片公司之邀为这次灌片做主持人并排定四人演唱顺序；一说是兼任唱片公司经理的梅花馆主出面，邀来四大名旦，最终促成了此事。

其实，无论哪种说法，让四大名旦合录《四五花洞》的灵感，都来源于一件大事。那是在1931年6月，上海闻人杜月笙为庆祝“杜氏祠堂”建成，遍邀包括四大名旦在内的全国京剧名伶汇聚上海，举办了一次规模盛大的堂会。

杜氏祠堂建于上海浦东高桥，建筑十分考究。杜月笙极尽奢华，不仅大摆宴席，更点名南北各行名角儿齐聚上海，大办场面浩大、持续时间长达三天的堂会戏。当时，杜月笙是法租界的帮会组织“青帮”头目，在上海广收门徒，势力很大，约角儿的邀请书直接由门徒送到角儿的手上。除了余叔岩称病未参加外，其他人无一缺席。

杜家堂会戏的戏提调是麒麟童（周信芳）、赵如泉、常云恒。在堂会正式开幕的前一天，即6月8日，上海伶界联合会（上海的梨园自治组织，相当于北京的梨园公会）开了一个特别会议。会上，周信芳等人又为“跳加官”节目拟定了四条新的加官条子。可见，此次堂会前的准备工作，何等细致。

除了三位戏提调，还有三位总管，即虞洽卿、袁履登、王晓籁。他们都与杜月笙交谊深厚，所以大小事宜，事必躬亲。

另外，洪雁宾、乌崖臣任总务主任，张啸林、朱联馥任剧务主任，孙兰亭、周信芳、常云恒、俞叶封、金廷荪等都是剧务部成员。

那段时期，所有人员无不竭尽所能，卖力工作，甚至到了废寝忘食的地步。

因为祠堂建在浦东，参演的演员、看热闹的百姓和众戏迷都得由浦西赶往浦东，而通往浦东的交通工具只有渡轮。渡轮不够用，一时间，码头上等待过江的有近千人之多。人太多，包括荀慧生、梅兰芳、杨小楼、程砚秋、姜妙香、王又宸等在内的名角儿，很多人竟险些过不了江。

9日中午11点40分，荀慧生、舒舍予、言菊朋、马富禄等十余人分乘三辆汽车抵达码头。等了一会儿，等来了渡轮，可是人太多，又都争先恐后，拥挤不堪，根本上不了船。混乱中，只有言菊朋捷足先登，先走了。荀慧生等其他人见渡轮已无立足之地，便决定等待下一班次。等了约半小时，仍不见渡轮来。又等，直到2点15分，小轮仍未来，大家都觉饥不能耐，只能返回。

荀慧生刚刚回到所租公寓约十分钟，友人追踪而来，说已代为雇得小轮。他又赶紧重新出门，乘车疾驶至码头。这时，时间已是2点40分了。这次，他终于乘上了小轮。55分钟之后，渡轮驶入彼岸。下了渡轮，他们在码头又等汽车。15分钟后，一辆公共汽车方才姗姗而来。登车购票，每人大洋一角。20分钟后，终于抵达高桥。因为人山人海，汽车无法继续往前开。荀慧生只得下车，雇了一辆人力车，刚走了不远，巧遇杜月笙派来接他们的小汽车。又一个20分钟之后，时间已经到了下午4点45分，一番折腾后，荀慧生这才抵达杜氏祠堂。

这时，他才听说，像他这样历经“千辛万苦”方才抵达杜氏祠堂的名角儿，比比皆是。比如，梅兰芳遍寻汽车不得，最后不得不坐上小独轮车，由一个老汉推着来到杜氏祠堂。程砚秋、姜妙香都是乘人力车而来。杨小楼、王又宸连人力车、独轮车都没有机会乘坐，只有步行。他还听说，因为路太窄，一辆汽车竟翻入江中，落水一人，还有人被汽车撞伤了腿。有一艘渡轮因为挤上了太多的乘客，行至江中，竟不堪重力，翻了，等等，荀慧生闻之，想自己好歹乘上了汽车，不由感叹“实是万幸”。

不过，因为如此，原本下午3点开演的戏，不得不延迟。

杜家祠堂的内外都设有一个戏台。9日，祠内的戏正式上演。10日、11日两天，祠内、祠外的戏同时上演。祠外戏，以小杨月楼、林树森、赵君玉、王虎辰、高雪樵等上海本地演员担纲，浦东农民和一般上海市民都可进入。

祠内有三进，第三进门前有巨型石狮子两座，内即神龛所在。右边的十余间房子，陈列着各界所送贺礼，多达数千件。因来宾众多，祠内四周搭席棚百余间。西首便是祠内戏台。戏台异常宽大，台下设席二百余，用以招待上海工商界巨子、帮会中人及各界贵宾代表。之后的会场，可容纳数千人，但那天实际进场的戏迷，达至万人。从荀慧生花了几个小时方由浦西到浦东，就可以感受到那天拥入杜氏祠堂的人，多到什么程度了。就连舞台两侧，也站满了观众，有些观众甚至站到了戏台上，维持秩序的张啸林、王晓籁百般规劝、驱赶，正值初暑，忙活得汗流浃背气喘如牛。

据资料记载，6月9日的戏码，按照演出顺序排列，分别是：

徐碧云、言菊朋、“芙蓉草”赵桐珊的《金榜题名》，荀慧生、姜妙香、马富禄的《鸿鸾禧》，雪艳琴的《百花亭》（即《贵妃醉酒》），尚小云、张藻宸（票友）的《桑园会》，华慧麟、萧长华、马富禄的《打花鼓》，李吉瑞、小桂元的《落马湖》，程砚秋、王少楼的《汾河湾》，梅兰芳、杨小楼、高庆奎、谭小培、龚云甫、金少山、萧长华的《龙凤呈祥》。

对于荀慧生来说，这天，他除了演杜家堂会戏外，在上海市内的戏院还有一场营业戏。由于他由浦西赶往浦东耽误了太多时间，所以，他赶到杜氏祠堂，急急忙忙唱了一出《鸿鸾禧》之后，不得不又匆忙往回赶。幸好他巧遇友人，得以借得友人的一辆汽车，然后急驰至码头，也幸好码头正好有渡轮。这个时候，时间已是傍晚6点45分了。又是一个55分钟，渡轮驶入浦西码头。他再乘汽车返回公寓，与舒舍予等人吃了晚饭，9点30分赶到了戏院，终于如约唱了一出《妒妇诀》。那一天的紧张赶路、紧张演出，让他疲惫不堪。

第二天下午，荀慧生又从浦西赶回浦东，参加杜氏堂会戏第二天的演出。这天的戏码，按演出顺序排列，分别是：

“麒麟童”周信芳、赵如泉合作的《富贵长春》，刘宗扬的《安天会》，谭富英的《定军山》，李万春和蓝月春合作的《两将军》，李吉瑞的《独木关》，王又宸的《卖马》，杨小楼、雪艳琴、高庆奎合作的《长坂坡》，程砚秋、贯大元合作的《贺后骂殿》。最后一出大轴是全本《红鬃烈马》，其中，徐碧云唱《彩楼配》，尚小云唱《三击掌》，周信芳和王芸芳唱《投军别窑》，郭仲衡和赵桐珊唱《赶三关》，梅兰芳、谭富英、言菊朋合唱《武家坡》，谭小培和雪艳琴合唱《算军粮》，谭小培、荀慧生、姜妙香合唱《银空山》，梅兰芳、荀慧生、龚云甫、马连良合唱《大登殿》。那天观看的观众，据荀慧生自己说，“约近万人”。演出时间也从傍晚一直演到第二天早上六七点钟。

第三天的戏，最轰动的便是四大名旦以及高庆奎、金少山等合作的《四五花洞》。有人说，这出戏是杜家堂会最精彩的剧目。也许正因为如此，当天，上海明星电影公司派专人前来拍摄戏照，其他剧目，他们只拍摄一两个片段，却将《四五花洞》的末场完整地拍摄了下来。荀慧生回忆说：当时，“台上置炭精灯八座，摄片时八灯全启，光线射人不能逼视”。

据推测，这次合作《四五花洞》极有可能是他们四人第一次以“四大名旦”的身份合作演出一出剧目。也许正因为如此，使长城唱片公司的老板张啸林从中看到了商机，决定请他们合灌《四五花洞》的唱片。没有想到的是，这张唱片的产生过程却并不顺利，至今说法多多，疑窦重重，莫衷一是，尚无定论。

在征得四大名旦的同意后，唱片灌制立即进入实质操作阶段。但是，一开始，大家就遇到了难题。首先是四人名字如何排列的问题。按一般人理解，似乎可以按照梅、程、荀、尚的顺序。然而，这样的排序，并不是人人认可的，特别是尚派戏迷，一直很反对。他们认为，尚小云无论是从年龄上来说，还是从成名先后来说，或者是从名望声誉上来说，无论如何都不应该排在最后。

“梅、程、荀、尚”的排序只限于民间、口头，如果将此排序明确印行在唱片上，岂不有“确认”的意思？那么必会引起更大的矛盾。为此，唱片公司颇为踌躇。还是梅花馆主机智，他想了一个好

⊙ 左起：荀慧生与张伟君夫妇、梅兰芳与福芝芳夫妇、尚小云与王蕊芳夫妇合影。

法子，成功解决了这个问题，那就是特别制作了一轮轴形名牌，使得四人的排序不分先后。

第二个是唱词如何处理的问题。该唱片直径为15英寸，每面仅3分15秒。唱西皮慢板，只能容纳两句，而需要录制的《四五花洞》却有四句。按照在舞台上通常的演法，真假潘金莲分别有两个，两人合唱上一句，两人合唱下一句。因前后唱词唱腔没有太大变化，这样唱法，自无不妥。

但是，如果就此录制成唱片，听者无法判别哪两人唱的第一句，哪两人唱的第二句。再说，既然请四大名旦合作，那就应该突出他们各自的特点，合唱，怎么能够体现这个特色呢？于是，大家经过商量后，决定灌录两面，每人独唱一句，唱词各异，唱腔自谱，最后合唱“十三嗨”。这样的安排，不可谓不圆满，但如此却又引出新的问题。

这便是第三个问题，谁唱第一句，谁唱最后一句。这与第一个问题很相似，又牵涉到如何排序。如同四大名旦的排序难有定论，四人的演唱顺序也就让大家犯了难。不过，有一点是肯定的，那就是梅兰芳唱第一句。对此，大家都没意见，因为无论从哪方面说，梅兰芳排第一，都毋庸置疑。可下面三句，该怎么办呢？关于之后发生的故事，目前有几种不同的说法：

一、在正式灌录唱片之前，沙大风就预感到在谁唱首句、谁唱末句的问题上会有一场争执。那天，他与荀慧生一同前往录制地，途中，他说服荀慧生唱第三句。到了现场，梅兰芳唱首句应该是理所当然的，尚小云提出唱第二句。这就意味着程砚秋必须唱末一句。这让沙大风有些为难。正不知如何处理时，程砚秋主动提出唱末句，这才解决了问题。

二、此说来源于长期与程砚秋合作的伙伴吴富琴。他这样回忆，那次在北平南池子欧美同学会灌音。尚小云头一个报到，但他说了一声："我唱第三句。"然后就走了。意思是等你们灌好第一面我再来。他虽没有抢"头功"，但谁在他之后唱第四句呢？还是一个问题。事后程砚秋为了顾全大局，毅然主动提出："我年纪最轻，应当由我来唱末一句。"①

三、此说来源于程砚秋的弟子刘迎秋。他这样回忆，程砚秋曾经对他说过这件事，而且还详细解释了他当时为什么选择唱末句。程砚秋说："原因是，录制前在一起共同研究怎么安排，第一句自然是梅先生唱；谁唱第二句，便发生争执，尚坚持唱这句，荀不让。荀说：'我不会第三句。'双方僵持不下，公司方面很为难。我便对荀说：'你唱第三句，我给你说这句的腔。'荀见我这样顾全大局，便依从了。我便给他说了这句的腔，我唱的第四句，算是灌完了。"②

四、此说来源于梅花馆主的记述。据他说，为四大名旦灌录《四五花洞》，是公司董事会议决案之一，有相当重大的意义。他作为公司负责代表之一，专门由沪北上到北平，接洽联系经办此事。起初，对于这件事，他认为是很简单的。令他意外的是，此事非但不简单，而且“一步难似一步，一天难似一天”，甚至一度陷入僵局，差一点就事成不了了。

初到北平，照规矩，他当然得登门拜访。一一拜见过后，他又在煤市街丰泽园设宴招待。对于这天的饭局，梅兰芳因有事而无法脱身，一再道谢后婉拒了。到得最早的是程砚秋，随后，荀慧生也来了。尚小云坐了片刻，也说有事先走了。于是，四大名旦只剩了两人。

提到四人合灌唱片，程砚秋、尚小云、荀慧生都没有表示反对。不过，程砚秋说的一句话，意味深长：“这事有些不大好办吧。”尚小云临走前，对梅花馆主说：“您老兄的事，尽管吩咐好了。”也就是说，他是同意的。他走了之后，荀慧生也表态说：“长城公司的负责人，不是我的尊长，就是我的好友，叫我怎么办就怎么办好了。”他所说的“负责人”，当然包括张啸林。他称张啸林为“老师”，不就是他的“尊长”吗。“负责人”中，有梅花馆主，他虽然不承认是白党，但与白党的关系非同寻常，自然也就是荀慧生的“好友”了。

至于梅兰芳，饭局次日，梅花馆主特地到位于东城无量大人胡同的梅宅，征询梅兰芳的意见，同时将唱片公司三位董事李徵五、张啸林、杜月笙写的信递过去。梅兰芳看了信，和缓地说：“郑先生，我们不是共过好几次事了吗？这次的事，当然是没有说的啦，请您放心，并且请转达各位，大家安心好了。”这也意味着，梅兰芳也同意了。

第一关，很顺利地过去了。接下来，就涉及到如何处理唱段，以及谁唱哪句的问题。关于究竟是两人合唱一句，还是每人唱一句的问题，梅兰芳主张各人各唱一句。当梅花馆主就此事征询尚小云的意见时，性情直爽的尚小云说：“我无主张，您要怎样灌，我就怎

① 江上行：《六十年京剧见闻录》，学林出版社1986年12月版，第137页。

② 刘迎秋：《我的老师程砚秋》，《京剧谈往录》北京出版社1985年2月版，第197页。

样唱好了，反正是玩儿，还有什么别的话可说呢？”至于程砚秋，他因为正计划出访欧洲，时间很紧，只一味催促事情快些进行。那么，是谁首先提出谁唱哪句的呢？是荀慧生。

就在饭局后第二天的下午，荀慧生首先给梅花馆主打了电话，请他去一趟，说是有话要谈。梅花馆主立刻应约前往。两人一见面，荀慧生便笑嘻嘻地问：“名次打算怎么排列啊？您预备把我搁在第几？”也就是说，荀慧生很敏感，率先提出了这个棘手的问题。梅花馆主这时还沉浸在没有费口舌就说服四人同意灌片的喜悦之中，还没有来得及想那么多。如今被荀慧生这么一问，如梦初醒，不禁有些发愣。他只好说：“此刻正在商量，还没有决定。”荀慧生又说：“不管谁前谁后，反正总要得罪几位吧。”然后，他又说：“看您的高见吧。”这个时候，梅花馆主想起了程砚秋前一日说的那句话。他的心，不由往下一沉。

权衡再三，梅花馆主自作主张排定的演唱顺序是：梅兰芳唱第一句：“不由得潘金莲怒上眉梢”；程砚秋唱第二句：“自幼儿配武大他的身量矮小”；尚小云唱第三句：“年方早夫妻们受尽煎熬”；荀慧生唱第四句：“因此上阳谷县把兄弟来找”。他认为，这样的排列符合大众心理。实际上，这是他自己的一厢情愿。他始终觉得，“四大名旦”专名词是白党为捧荀慧生而创造出来，正因为如此，荀慧生应该排在最后。但是，他的这个打算，不仅引起荀慧生的不满，也遭到尚小云的反对。于是，事情越来越复杂了。

为了不影响程砚秋如期出国，录音工作定在程砚秋出国前一天的晚上进行。录音地点，确如吴富琴所说，在南池子欧美同学会。当天下午，程砚秋电话通知梅花馆主，说他当晚7点以后，有三处宴会，都是老友为他饯行而举办的，不能不参加，因此，录音必须在7点以前结束。这样的要求，合情合理。

放下电话，梅花馆主立即跑着去找梅兰芳，向他说明这个情况。

梅兰芳笑言："御霜三个宴会中，还有一个是我做东呢，为他饯行嘛。"程砚秋曾经拜梅兰芳为师，虽然同样位列"四大名旦"，但两人还有师徒名分。弟子出国，师傅做东饯行，那是自然的。也就是说，对程砚秋的要求，梅兰芳没有意见。随后，梅花馆主又去面见尚小云和荀慧生，告知一切，并再三强调要准时。两人也同意了。

当晚6点不到，梅花馆主和工作人员就已经齐聚欧美同学会，做好了录音前的一切准备。四大名旦中，第一个到达现场的，是荀慧生。正当梅花馆主为他的准时而暗自赞许时，不想荀慧生开口第一句话就是："我的嗓子不如别人，唱上句比较合适，所以预备的是唱第三句。"单从嗓子的条件来说，如果安排荀慧生唱第三是比较适宜的。虽然四人所唱共仅四句，但也形成了相对完整的一段，自然存在一个开头要好、结尾要强的问题；所剩二三，第二也不能太弱，以免与第一落差过大，荀慧生唱第三，也有谦让第二之意，而他也是从嗓子的角度来要求唱第三的，所以他的要求应是合情合理的。

但是，按照梅花馆主原先的计划，荀慧生是唱第四句的，尚小云才唱第三句。如果荀慧生要求唱第三句，那么岂不是要让尚小云改唱第四句，那尚小云会乐意吗？但是，既然荀慧生开了口，梅花馆主又不便拒绝，也就默许了。

很快，程砚秋也到了，他没有提出唱第几句的问题，只是一个劲儿地催促：快点儿，快点儿，时候不早了，第一个宴会就要开席了。可是，这时，梅兰芳、尚小云都还没有影子呢。一直等到7点半，他俩还没有来。程砚秋的脸色越来越难看，也开始有了些怨言。梅花馆主将电话分别打到梅家、尚家，都说"不在家，早已经出门了"。无奈，他只能百般劝慰程砚秋耐心等待，同时，他四处打电话寻找梅、尚二人。事后，他回忆说："我们急坏了。越是心急，自鸣钟的长短针，越是像赛跑似的往前直奔。"

8点的钟声敲响，程砚秋霍地站起身，披上大衣，就要走。他边穿大衣，边说："这不能怪我，我是预先声明7点要走的，现在已经多等了一个小时了。这一个小时的消耗，我倒无所谓，三处宴会的主人和许多的宾客，试问如何受得了呢？"梅花馆主哪里肯让他走，赶忙阻挡、再劝，还不停地道歉。程砚秋不好再坚持，但又眼睁睁地看着时间还在一分一秒地过去，心中焦急不堪。

终于，8点15分的时候，梅兰芳匆匆赶到。可是，录音工作还是无法进行，因为尚小云仍然不见踪影，又四处遍寻不得。既然梅兰芳已经来了，看在梅师的面子上，程砚秋也不再坚持要走，重新坐下，继续等待。9点钟，尚小云来了。他进门后的第一句话是"来迟来迟"，表示道歉，第二句话是："我唱第二句。"他的这句话刚刚出口，梅花馆主和其他工作人员都僵住了。原本他们计划是想让尚小云由第三句改唱第四句的，没想到，他直接要求唱第二句，也就是"抢"了程砚秋的那一句。这岂不是意味着，程砚秋只能唱第四句了？

四人都是名旦，各人有自己的跟班、伙计、友好。大家各为其主，进言的进言，建议的建议，总之，都出于自身利益，不肯让步。一时间，室内气氛紧张到极点。梅花馆主本就已经为等待梅、尚二人有焦头烂额之感，如今，面对这种"有生以来未曾遇着过的"尴尬局面，他又有了山穷水尽的绝望感觉。

眼看矛盾无法调和，程砚秋自动退让，说由他唱第四句。这样一来，事情一下子柳暗花明。于是，演唱顺序由梅、程、尚、荀，改变为梅、尚、荀、程。程砚秋苦等两个半小时，又主动提出唱末句，其宽容大度之品格，可见一斑。梅花馆主由衷感叹："倘使御霜坚执己见，不肯转圜的话，那么这张四大名旦合作的《四五花洞》，亦就无法流传了。"他又说："幸而程玉霜（'玉霜'是程砚秋的字，后改为'御霜'）大度包涵，不计小节，经奔走数十天，费尽唇舌，用尽脑汁，挖空心思……居然得告成功，玉霜之功劳，真不可磨灭焉。"

解决了演唱顺序问题，录音正式开始。可是，又遇到了麻烦。原来，四人都带来了自己的场面。习惯上，别种乐器可以通用，唯有胡琴，是难以串用的。因为每人有每人的调门，每人有每人的习惯。这次录制《四五花洞》，是每人唱一句，难道唱一句换一个胡琴师？这不现实，如果这样，每句之间缺少衔接，又有调门高低的矛盾。怎么办？梅花馆主的心，又提到了嗓子眼。他以为，又要出现争执了。

也许是之前的争执让大家心生愧疚，又也许是程砚秋的大度感染了大家，梅花馆主所担心的局面并没有出现。每个人都心平气和，并耐心协商、讨论和交换意见，最终达成一致：由梅兰芳的胡琴师徐兰沅、二胡王少卿负责全部的伴奏工作。因为他俩不但熟悉梅派唱腔，对程派、尚派、荀派唱腔都有研究。果然，他们三人对他俩的伴奏，都很满意。这个问题也解决了。

接下来的录音工作，就很顺利了。荀慧生、尚小云、梅兰芳、程砚秋自右而左并肩而立。录音师一声令下，四人同声念白："咳，这是从哪里说起……"接拉过门之后，梅兰芳、尚小云、荀慧生、程砚秋按事先确定的顺序，每个人唱一句，最后合唱"十三嗨"。录制工作完成后，四人每人获得报酬五百元，唱片公司方面又设宴招待。

一张由四大名旦合作的唱片，在经过种种"磨难"后，大功告成。长城唱片公司为这张唱片设计的广告词是："空前绝后千古不朽之佳作"。不能说这样的广告有夸大之嫌，事实的确如此。

与陈墨香的恩恩怨怨

"我们情同手足。"这是荀慧生对他和陈墨香之间关系的评价。严格说来，这句话应该是"我们曾经情同手足"。"曾经"两个字，是要强调的。从他俩经王瑶卿介绍相识，然后合作创排了数十部足以

◎《嫦娥奔月》荀慧生饰嫦娥。

代表荀派艺术特点的新戏，到最后不得不黯然分手，历时约十二年。开始的时候，他俩的确情同手足。

那时，荀家位于宣外南半截胡同，陈家位于烂缦胡同。两家的后门，正好相对。荀家当时有前后两院，后院通往外面的门，就是后门。荀慧生的长子荀令香清楚地记得：那个时候，每天早晨，陈墨香由自家的后门出来，走不了几步，就入了荀家后门，穿过后院，来到前院，就进了荀慧生的书房。

不知从什么时候开始，荀慧生的书房斋名，取名“小留香馆”，他自号“小留香馆主”。他的书房壁上，就挂着“小留香馆”的横幅。当年，名流绅士、角儿艺人，都时兴自取书房斋名。比如，梅兰芳的是“梅华诗屋”，程砚秋的起初叫“玉霜移”在改名“艳秋”为“砚秋”、改字“玉霜”为“御霜”后，书斋名也随之改为“玉霜移”，尚小云的叫“芳信斋”等。

荀慧生自号为“留香”。20世纪40年代初，他将自组的班社庆生社进行改组，新取名留香社。从此，他为角色创造的发型，叫“留香髻”，设计的服装，叫“留香装”。后来在抗战期间，他开了家饭店，名“留香大饭店”。他的儿子荀令香成年后，被人称作“小留香”，他自组的班社便被称为小留香社。

至于“留香”的来历，目前有三种不同说法。其一，源自于汉代荀彧——人称“荀令君”每至人家坐三日，香气不歇，故有“荀令留香” 的典故。荀慧生为长子取名“荀令香”，也是源自于此。其二，源自于荀慧生演过的一出戏《荀灌娘》里的一句戏词：“莫负荀家姓氏香”。其三，此名为陈墨香所取，取“千古留芳”之意。

荀派新戏，大多数诞生于“小留香馆”。在这里，荀慧生和陈墨香确定剧目、讨论剧情、争论戏理、设计唱腔、安排身段、排练演习。不仅如此，也在这里，荀慧生随陈墨香学习文化。常常地，两人见面后，首先由陈墨香给荀慧生讲述古典文学和中国历史。荀慧

生往往就在陈墨香的谈古论今中，找寻创作线索、产生创作灵感。可以说，荀派新戏的产生，陈墨香所起的作用显而易见；荀慧生文学素养的提高，以及对文化的理解和认识，也得益于陈墨香。所以，荀慧生视陈墨香为良师益友，更将其尊为兄长。在荀慧生的日记中，有很多地方，提到陈墨香时，都用了“敬余兄”这样的尊称。

有人曾经这样说：“荀慧生的大多本戏，出于陈墨香之手。20世纪40年代，陈墨香病逝后，荀慧生的个人新戏也就戛然而止。”[①]前一句说的是事实，后一句则不免主观。言下之意是失去了陈墨香，荀慧生的艺术创新也就到了终点。于是，戏界内外便产生了这样一系列的疑问：究竟是陈墨香促成荀慧生创立了荀派，还是荀慧生成就了陈墨香？更简单地说，没有陈墨香，就没有荀慧生吗？京剧舞台上可以没有荀慧生，而不能没有陈墨香吗？

很明显，陈墨香对荀慧生的帮助，主要体现在为荀派贡献了大量新戏。那么，没有陈墨香，荀慧生就不会有如此丰富的新戏吗？纵观荀慧生的艺术经历，可以发现，其实他早在1924年结识陈墨香之前，就已经开始了改旧戏为新戏，也在白社的辅佐下，创编了新戏。比如，《花田错》、《东方夫人》、《蝴蝶梦》、《九曲桥》、《陶三春》、《宝蟾送酒》、《荀灌娘》、《白牡丹》、《西湖主》等，数目已经不少。

对于创排新戏的起因，荀慧生说：“1924年，我从沪、杭等处返还北京，在环境影响之下，同程砚秋先生、尚小云先生，各与剧作家们紧密合作，在新剧目的竞赛中，都创编了新剧。”[②]也就是说，他并不是在认识陈墨香以后，才有创新戏的想法和举动，而是受戏曲改革的社会环境和同业积极进取、改革戏曲的诸多影响，才刻意选择与陈墨香合作的。换句话说，如果没有陈墨香，他也会效仿梅兰芳、程砚秋、尚小云，和其他像齐如山、罗瘿公、清逸居士那样的文化人合作。从这个角度说，是荀慧生给了陈墨香施展才华的机会。

当然，也不能说，没有陈墨香，荀慧生一样能够创作出如此众多的新戏。陈墨香所起的作用，客观地说，确是巨大的，是不应该抹煞的。但是，那么多新戏的创作，也非陈墨香一人之功，而是汇集了众人的智慧，其中也包含了荀慧生很多的创作理念和编剧思想。

荀慧生第三位夫人张伟君在一篇回忆文章中这样写道："对于演出剧目，慧生从'打本子'(即编剧)到排练演出，都事必躬亲，不厌其烦地进行修改增删，精雕细琢，反复推敲，字斟句酌，一直到满意为止，有时甚至到通宵达旦、废寝忘食的程度。"

这就提供了这样一个事实：荀派新戏，并非只是陈墨香编剧、荀慧生照本演出而已，而是在共同研究、讨论，甚至争论后产生的。甚至于，对于每一出戏，无论是与陈墨香，还是与其他剧作家合作，荀慧生都有自己的构想，也要求他们按照他的构想进行创作。因为他对于什么样的剧本是好剧本，有自己的理解；对于如何结构一部好剧本，也有自己的认识。

怎样才算好剧本呢？他说："好的剧本是思想内容好，结构严谨，情节动人，有感情，有趣味，既能给人思想教育，又能给人以美的感受。另外，还应该场场有戏，人人有戏，即所谓'满台都是戏'。"如何结构剧本呢？他说："要丝丝入扣，不能前紧后松，虎头蛇尾。布局讲究曲折委婉。在剧情发展上，不要叫人一望而知，一看即破。人物的行动不可出乎常情，剧情的发展也要合乎情理。"那么，演员对于一个好剧本的产生，是否应该起作用呢？荀慧生的回答是肯定的。他说："演员自己虽然不见得要亲自动手写，但总要有一定的鉴赏力和个人见解才好。"具体地说，就是"演员对剧本也应采取'碎修'办法"[3]。所谓"碎修"，即将剧本中的一些情节、场

① 叶志良：《"四大名旦"的由来及个人本戏》。

② 荀慧生：《我对艺术流派的一些看法》，《荀慧生演剧散论》上海文艺出版社1980年8月版，第251页。

③ 荀慧生：《编剧琐谈》，《荀慧生演剧散论》上海文艺出版社1980年8月版。

面、台词等，根据演出实践经验进行修改，使之更加符合表演需要并合乎情理。

因为有这样的认识和思想，荀慧生实际上也参与了每出戏的编剧工作。他在提到与陈墨香合作的方式时，这样说："他和我合作剧本，总是由他先打出全部的提纲，做好初步设计，然后我们逐一研究剧本中人物的性格，以及重要的场子和唱、做、念的安排。经过一再研究、修补，算作初稿。在排演和演出中，继续修订不妥之处，才算定稿。"①

对于"修补"，荀慧生是有自己的具体要求的。比如，在唱词方面，他要求"不要艰深古奥"；在情节方面，他要求首尾相连、曲折动人。在表演方面，他要求应该按照取演员之长补演员之短的原则安排唱、念、做、打，以使演员能够充分发挥。同时，他还要求注重理解观众的心理，探寻他们喜欢什么、讨厌什么等等。

更多的时候，荀慧生和陈墨香，以及班社里的主要演员，比如"四大金刚"时期与金仲仁、马富禄、张春彦、赵桐珊等一起互相切磋、互相商研。荀令香回忆，他小的时候，时常看到他们在小留香馆内，谈论一出新戏。一个说："二哥，这地方应该这样。"一个说："大哥，您还是这样好。"一个说："敬余先生，这段应该这样。"一个说："咱哥儿俩应该这么来（演）比较合适。"至于如何上场，如何下场，用什么锣鼓，用哪种扮相，等等，就更需要大家的智慧了。陈墨香往往会根据大家讨论的内容，对剧本进行重新修正。

对于这样的合作方式，荀慧生认为"很好"。他觉得，这样做的目的，可以使剧作家和演员都能发挥所长。剧作家为演员提供文学底本，创作含有文学性的唱词和念白，而演员参与编剧，会弥补剧作家对舞台实践比较陌生的缺陷，使他们能够写出适合于舞台表演的剧本。两人合作初期，都感觉很愉快，甚至感叹"真像刀对鞘一样，彼此知心，相互启发"。

说起来，一出戏的编剧是陈墨香，荀慧生似乎只参与讨论。同时，荀慧生与陈墨香经常发生艺术上的争执，在很多时候，陈墨香似乎并不赞同荀慧生的意见。但是，在实践中，对于剧本的最终裁决权，在荀慧生的手上。比如，对于《钗头凤》里“病房”一场戏，最后结果，还是按照荀慧生的方式演出了。是荀慧生说服了陈墨香，实际上的确如此。

又比如，他俩合作的第一出新戏《玉堂春》。荀慧生初演这出戏，是在上海。当时，陈墨香并未一同前往。在演出时，荀慧生发现演出时间过长，就擅自将“关王庙”一场删掉了。可以看出，他是可以不与陈墨香商量而任意处置剧本的。这就意味着，他实际上也是编剧之一，对一出新戏所起的作用并不逊于陈墨香。

还有一个事实，也很重要。每排演一出新戏，荀慧生和陈墨香都要往位于大马神庙“通天教主”王瑶卿的家跑许多趟，以聆听王大爷的教诲和指点。从荀慧生首次赴沪有幸得到王瑶卿的《荀灌娘》本子，以及首编新戏《荀灌娘》开始，他虽然没有拜师，但实际上已经成了王瑶卿的弟子。

他自己说，只要他在北京，总是王宅的常客，甚至有时散步，都会不知不觉地走到大马神庙。如果到开明戏院、三乐园、华乐园、广和楼等地演出或听戏，他也一定会顺道到王家坐一坐，与王师谈一谈，听听意见或建议。他回忆，有的时候，他明明知道王瑶卿正在休息，也忍不住过去转一圈。虽然见不到人，就这样在王宅转一转，他似乎也能通过空气，通过王宅特有的气氛与大师心灵交流，可见他对王瑶卿的仰仗和依赖。

在和陈墨香合作后，特别是每排演一部新戏，他必要请教王大爷的习惯，始终没有改变。在日记里，他透露，他常带着新创意的新戏本子，和陈墨香一起去求教王瑶卿。其中有这样一段话：“为了一出新戏，我们不知要熬过多少通宵，跑多少趟大马神庙。”王瑶卿

① 荀慧生：《编剧琐谈》，《荀慧生演剧散论》上海文艺出版社1980年8月版，第236页。

从来都是毫无保留地、不厌其烦地给予悉心指导。很多同行都知道他的这个习惯，以至于一看到他和陈墨香频繁地往王家跑，就知道，他又要有新戏问世了。从这个角度说，王瑶卿是荀派新戏的总编剧，似乎也不为过。

这一切，只说明一个问题，那就是，荀派新戏的产生，有陈墨香的功劳，但绝非其一人之功。荀慧生不仅参与了编剧工作，而且在其中所起的作用，也是很明显的。这就难怪在荀派新戏的戏本上，“编剧”一栏，既有陈墨香的名字，也有荀慧生的名字。著名剧作家翁偶虹曾经对此表示疑惑：“陈墨香本身就是编剧，为什么还要在剧本上写上荀慧生的名字？”弄清楚荀派新戏的产生过程，对此，也就不难理解了。

⊙ 《扬州梦》荀慧生饰徐紫云。

陈墨香去世后，荀派新戏就戛然而止了吗？非也。荀慧生与陈墨香分手后，继续编排新戏，有《扬州梦》、《双妻鉴》、《护花铃》、《侠骨香》等，据推测，《晴雯》、《香菱》、《平儿》也是在这个时候创排的。最重要的是，荀慧生和陈水钟合作，创排了荀派名剧《红娘》。这出戏，可以说，承继了荀派特点，也继续了荀派的辉煌。之后，他编排新戏的步伐果然有所停滞，但那不是因为失去陈墨香所致，而是因为时局的转变。抗战爆发，不仅是荀慧生，包括梅兰芳、程砚秋、尚小云等，艺术之途都被中断了。

解放以后，荀慧生根据时代要求，对《金玉奴》、《荀灌娘》、《香罗带》、《红娘》等都做了很重要的修改，从而完善了荀派艺术。那时，陈墨香早已作古。在1959年第三次修改《荀灌娘》时，辅佐他的剧作家周桓曾说，他为修改本编写了许多台词，但那都是根据荀慧生提出的方案编写的。

那么，这又说明什么呢？说明“没有陈墨香，就没有荀慧生”的论断，过于夸大了陈墨香的功绩，而忽略了荀慧生本身对荀派新戏所起的作用。然而，很多人看不到这点，甚至连陈墨香自己，似乎也在有意无意间予以回避。随着荀派剧目的不断推出，荀戏日渐受追捧，陈墨香在梨园的名声也日益扩大，荀慧生呢，名旦地位也得到了确立。可是，也就在这个时候，这对“金牌组合”，矛盾多了起来，裂隙也在悄然产生。

也许正应了那句话，“合久必分，分久必合”。很难说得清谁是谁非。总之，荀慧生和陈墨香由亲如兄弟，到最后不得不分手，着实令人扼腕。那么，他俩的矛盾是从什么时候开始显现的呢？据荀慧生自己说，是由创排《红楼二尤》而来。其实，在荀慧生于1931年春创编《赛金花》时，两人就已经不太合拍了。

《赛金花》这出戏，最早的编剧，并不是陈墨香，而是别号“还珠楼主”的李寿民（1902—1961）。他原名李善基，后名李寿民，祖籍四川长寿县，出生于书香门第，自小在父亲的安排下，遍读文史典籍，有比较坚实的中国传统文化基础。《蜀山剑侠传》是他的代表作品，他也因此闻名于文坛。由于他擅长撰写武侠戏，而在四大名旦中，尚小云最具“侠”气，又擅长表现侠女，因此，他俩合作最

⊙ 荀慧生与北京白社朋友以及同人合影。前排左起：贾保生、陈墨香、沙游天；后排左起：荀慧生、王松龄、郑剑西、孙学谦。

为默契。李寿民曾为尚小云编过《花蕊夫人》、《绿衣女侠》、《青城十九侠》等尚派戏，他也曾辅助尚小云将《昭君出塞》改编成《汉明妃》。因此，他对尚派艺术流派的形成，有很大贡献。他与尚小云的关系，也相当于齐如山与梅兰芳、罗瘿公与程砚秋、陈墨香与荀慧生。

荀慧生得以结识李寿民，源于白党之一沙大风的介绍。荀慧生说是他邀请李寿民为他编写《赛金花》的。这个时候，荀慧生正在和陈墨香合作。那么，他为什么会舍弃陈墨香，而要请李寿民为他编《赛金花》呢？其中原因，他没有明说。也许他看中了李寿民的编剧才能，很想尝试和陈墨香以外的编剧合作，意在拓宽戏路，打破与陈墨香长期合作而形成的固定模式。

荀慧生的做法，本很正常。像梅兰芳，他的身边虽然有齐如山，但这并不妨碍他也和其他剧作家合作。比如，黄秋岳、李释戡、吴震修等，也都曾参与为他编戏。而剧作家们，也往往并不只为一个演员服务。比如，齐如山就曾为程砚秋编过戏，罗瘿公也曾为梅兰芳编过戏。荀慧生另请编剧编戏的行为，当在情理之中。

但是，也许荀慧生“另请高明”之前，未与陈墨香做好沟通工作，在陈墨香看来，荀慧生如此行为，是小看了他，是对他的不尊重。对于沙大风将李寿民介绍给荀慧生，便十分恼火。李寿民在编好《赛金花》后，好心且诚恳地请他修改，请他指教，也没有能够让他消气。按照荀慧生的说法，陈墨香“大发醋意，时常大骂沙、李二人，并把剧本（指《赛金花》）骂得一无是处。从一年前骂到第二年，依然怒气不息”。[①]他的“骂”，就是不断地挑《赛金花》的所谓“毛病”。

在一般人看来，是李寿民的介入，使陈墨香有了危机感。因为客观地说，陈墨香的确是由为荀慧生编剧而在戏界奠定了“著名剧作家”的地位。在某种程度上说，荀慧生是他的“大树”，他不能失去这棵“大树”，也不能忍受“大树”被其他人倚靠。

实际上，20世纪30年代初期的陈墨香，已然成大名，被许多角儿邀请为他们编剧。中国戏曲音乐院成立后附设的戏曲研究所，聘他为研究员。另一个附设机构《剧学月刊》，也邀他作为主要撰稿人。同时，他还兼任音乐院下属的中华戏曲专科学校戏曲改良委员会主任。可以说，他已经由一个编戏本的普通编剧，“升格”为戏曲理论研究者了。如果此时，荀慧生放弃与他合作，他并非无路可走。

的确，在他与荀慧生分手后，就将主要精力放在戏曲音乐院的戏曲研究工作中。因为程砚秋是音乐院南京分院的副院长，所以两人有了比较多的接触，他转为程砚秋编剧，写了一出《费宫人》。据《中国京剧史》介绍，除了程砚秋，他还为尚小云、王玉蓉、章遏云，以及评剧名演员喜彩莲等编写过剧本。

从这个角度说，陈墨香对李寿民和《赛金花》的“骂”，是不是真的只是难于容人的“心胸狭窄”呢？其实，早在李寿民出现之前，也有其他文人和友人给荀慧生推荐戏本。有的本子，荀慧生认为不错，值得考虑，陈墨香却总说不好，总能挑出无数的毛病。那时，荀慧生很器重他，也就信任他。

如今，在李寿民和《赛金花》事件中，陈墨香表现出来的过于强烈的反应和态度，荀慧生就不能理解了。在他看来，此时的陈墨香每月有三四百元的收入，与当初和他刚刚开始合作时的窘困已有天壤之别，又何必“自己有饭吃，却不能给别人留碗饭吃呢”。他百

① 和宝堂整理：《戏苑宗师荀慧生》，辽宁美术出版社1999年12月版，第85页。

思不得其解，也对陈墨香的“自视颇高”生出些许不快。不过，他还是请陈墨香在李寿民本子的基础上，对《赛金花》进行修改。这才有他俩一同前往天津，访问赛金花本人和知情老观众吴颂平的后续故事。

两人在《红楼二尤》上产生矛盾的原因，与《赛金花》相似。这出荀派名剧是受到《鸳鸯剑》和《尤三姐》的启发，以《鸳鸯剑》为模本，并且吸取了《尤三姐》的精华，重新编写而成的。《鸳鸯剑》这出戏的编剧，名叫丁士修。将剧本推荐给荀慧生，并亲自送去给荀慧生的，是丁士修辅仁大学的同学张益谦。

之前，荀慧生接到辅仁大学248号宿舍署名张益谦的来信，说是他的同学丁士修编了一出取材于《红楼梦》中尤三姐自刎殉情故事的《鸳鸯剑》，觉得很适合荀慧生演，特地写信给荀慧生，问他有无此意愿。虽然没有看到剧本，但荀慧生一是出于礼貌，一是被此题材所吸引，想看看故事内容，便让陈墨香代笔给张益谦回信，表示很愿意先看看剧本，再决定是否排演。

但是，陈墨香给张益谦回信的内容，不知是有意还是无意，总之是与荀慧生的本意相左。信的大意是：程砚秋早有此剧本，出于不损害同业利益考虑，如果程砚秋放弃排演此戏，荀慧生就演；反之，则放弃。他所说的“程砚秋早有此剧本”，指的是程砚秋手中有一个戏本，说的也是尤三姐的故事，戏名就叫《尤三姐》。

严格说来，陈墨香的这番顾虑，并非毫无道理。过去有句俗话“戏子无义”，是指一些戏曲演员勾心斗角、与人无诚而言，而四大名旦，都对自己不但有文化素养方面的要求，更有道德品质、人格操守方面的要求，所以对拆人台、挖人墙脚的事情，是不屑为之的。尽管《尤三姐》之事属于正当的艺术竞争，与“抢戏”不是一回事，但当荀慧生听陈墨香对他说“我们为同业义气，最好不唱这个戏”时，还是听取了，虽然他还是有些舍不得放弃《鸳鸯剑》。陈墨香看出他的心思，想出一个自以为周全的法子，说他次日先去探探程砚秋的口风，看他到底还演不演《尤三姐》，如果决定演，那他们就不能演《鸳鸯剑》；如果决定不演，那他们就没有什么可顾忌的了。

这又让荀慧生感到一丝不快：陈墨香过于迎合程砚秋了，甚至将《鸳鸯剑》是否上马，完全取决于程砚秋及其《尤三姐》。他不由得联想到一段时期以来，陈墨香经常在他面前提及程砚秋。他知道，陈墨香已经不再是一个普通的文人了，而是“研究员”了，又是戏曲音乐院南京分院副院长程砚秋手下的研究员，所以他和程砚秋的感情，也就与日俱增了。

陈墨香也多次在荀慧生面前毫不隐瞒地表示，程砚秋曾经再三邀请他帮忙编剧，又说程砚秋的为人如何谦和诚恳，他与程砚秋相处如何融洽等等。当时，荀慧生就暗自产生了这样的疑问：“他与砚秋不过只有一年多的交情，却反而厚于我们这许多年，这是为什么？”这让他有莫名其妙的感觉，他的心情，也复杂起来了。

试想，荀慧生和程砚秋虽然私交不错，更没有私人恩怨，但两人毕竟同为四大名旦，在艺术上难免存在竞争。即便他们自己也许并没有一比高低的意思，但外界是要对他们孰高孰低进行品头论足的，客观上也就让他们总是处于竞争状态。在这种情况下，陈墨香在荀慧生的面前老是夸赞程砚秋，无异于贬低自己而抬高竞争对手，自然让荀慧生感觉不舒服；陈墨香又说程砚秋也在邀请他编剧，就更让荀慧生恼火。

不过，荀慧生对程砚秋并无不满，他不高兴的，是陈墨香语气中透露出的一点得意。在他看来，陈墨香有炫耀的成分。他暗自揣测，陈墨香是在提醒他不可小看他。他自认为对陈墨香从来不薄，因此他不明白陈墨香何以如此。

于是，他不断地反省自己。他是不是平时的确对陈墨香比较严苛呢？他们之间存在艺术争论，是正常的，没有谁对谁错的问题。

但是，当分歧出现后，他是不是坚持已见，而很难接受陈墨香的意见呢？当他有意邀请李寿民或者其他编剧为他编新戏时，是不是对陈墨香的感受考虑不够呢？平时，他的态度、语气等，是不是不太注意而直来直去，因此伤了陈墨香的自尊心呢？等等。他终究理不出个头绪。

反省归反省，气，并未因此消散。也许正是反感于陈墨香对程砚秋的态度，荀慧生“擅自”又托他人给张益谦写了封回信，表示很愿意立即能看到《鸳鸯剑》的剧本，尽快决定是否排演。几天后，张益谦送来了剧本。与此同时，程砚秋也将他的《尤三姐》剧本送来了。显然，程砚秋知道荀慧生有意排演尤三姐的故事，却又顾及他可能演出《尤三姐》，便直接带着剧本找上门来，对荀慧生说："二哥，我不适宜排这出戏。我看，还是由你排出，比较好。”对程砚秋的大度，荀慧生自然感激不尽，连声道谢。既然程砚秋已经明确表示他放弃《尤三姐》，那么，事情也就毫无障碍了。

接下来，荀慧生和陈墨香在《鸳鸯剑》的基础上，又参考了《尤三姐》，创编了《红楼二尤》。虽然荀慧生的《红娘》流传最广，演出场次也最多，但论艺术价值，《红楼二尤》胜于《红娘》。

可是，正当荀慧生、陈墨香紧锣密鼓地创作排练《红楼二尤》时，又生枝节。原来，《鸳鸯剑》剧本的编剧丁士修给荀慧生写了封信，对他们将他的《鸳鸯剑》“篡改”成了《红楼二尤》表现出相当的不满。他从报纸刊登的关于《红楼二尤》的消息判断，《红楼二尤》完全颠覆了《鸳鸯剑》，他认为这是对他的创作劳动的极大不尊重，因此索要《鸳鸯剑》原本，并不允许他们就《鸳鸯剑》的故事进行排演。

眼看《红楼二尤》即将公演，出现这样的问题，荀慧生当然十分焦急，于是赶紧委托陈墨香给丁士修写信，再三解释：所谓《红楼二尤》与《鸳鸯剑》完全不同，乃报界为宣传需要而夸大其辞，从而使他产生误会，实在冤枉，并请他谅解等等。这才消了丁士修的怨气。

终于，《红楼二尤》如期公演，大受好评。可是，这出戏的巨大成功，并没有弥合荀慧生和陈墨香渐渐扩大的裂隙，他俩的矛盾，更加激化了。

荀、陈二人都是文化人，都有很强的自尊心，尽管都知道对方心里有气，却谁也不愿意先捅破这层窗户纸，来好好谈一谈，而是勉强维持着已经不太融洽的关系。特别是在外人面前，就更加小心谨慎了。对于他俩而言，有一个相同的顾虑，那就是，不能授人以"背信弃义"、"忘恩负义"之类的把柄。

站在陈墨香这一边，是荀慧生给了他机会，没有荀慧生，他一肚子的才学无从表现，满脑子的戏曲观也无从表达。他在编剧方面，再有能力才华，但最终还得依靠荀慧生出众的表演。正因为荀慧生能够充分地将他的戏本内容转化为舞台艺术，将冰冷的文字转化为生动的动作，才能使他的编剧的价值得以实现。

站在荀慧生这一边，荀慧生自己也知道，过去演员要找一个合适的剧本是不容易的。那时的戏曲界没有职业剧作家，写剧本的多是文人墨客，一时兴趣所至，不见得都懂得戏剧。即使出现一些优秀的剧本，也不见得都适合每一个演员。陈墨香便是难得的好编剧，他有文化知识，也懂戏剧。他的剧本既有思想，又有内容，故事好看，情节曲折，文学性也很强。更重要的是，他特别注重因人编戏，也就是根据演员的特点编戏。演出他编的戏，荀慧生更能扬自己所长，从而将花旦表演艺术发挥到极致。

虽然不能说"没有荀慧生，就没有陈墨香"，也不能说"没有陈墨香，就没有荀慧生"，但在他俩的关系中，的确有互相依存的成分。甚至对于任何一个人来说，对方都有恩于自己。所以，一旦谁先“抛弃”对方，都将不免背负“忘恩负义”之名而遭人诟病。

很难想象，矛盾激化的导火索，竟是由荀慧生的儿子、年仅11岁的荀令香于无意之中点燃的。据荀慧生说，事情发生在《红楼二尤》首演后次日。那天是星期天，天气阴晴不定，怪风阵阵。中午，荀慧生照例在卧室睡午觉。演员的演出多在晚上，下午总是要休息的。正睡得香甜，突然就被一阵吵嚷声惊醒了。他还没有来得及坐起身，就见陈墨香黑着脸、气乎乎地闯进卧室，站在他的床前，厉声说：“你快去看看你的宝贝儿子吧。”荀慧生一边起身穿衣，一边随口问了一句：“怎么了？出什么事了？”陈墨香并不回答他，而是气哼哼地说：“如果你今天不打令香，我将从此与你绝交。我实在是忍无可忍了。”

陈墨香忍无可忍的对象，就是荀令香。荀令香是荀慧生的长子，深得荀慧生宠爱。这是其一。

其二，荀慧生自己自小被父母卖了学戏，受尽苦难，即使后来出师回到父母身边，也未能得到父母更多的关爱。这给他很深的刺激。也许就是从那个时候开始，他发誓如果自己有了孩子，一定不能让他们像自己一样，他要让他们充分感受到父母之爱。因此，他格外疼爱孩子，无论是儿子还是女儿，似乎期望以此弥补自己幼年的缺失。

其三，令香还有一个姐姐爱喜，一个妹妹爱顺，一个弟弟令文。大约是在1927年的时候，也就是最小的儿子荀令文出生前一年，北京城突然爆发猩红热。那时，这个病传染得很厉害，属于不治之症。一时间，死亡无数。不幸的是，灾难也波及了荀家。在一周之内，荀慧生的两个女儿爱喜和爱顺、侄女荀爱秋（还有一种说法也包括荀慧生哥哥荀慧荣）先后被感染，相继死亡。荀慧生永远也忘不了当时的惨状，好不容易抓来的汤药，刚刚煎好，还未及服下，人就没了。前一天还活蹦乱跳，大声叫着爸爸的两个漂亮女儿，转眼间就成了两具冰冷的小尸体。许多年后，荀令香回忆说：“这一灾祸使先父受到精神上的创痛，真是目瞪神痴。”

为什么荀令香能够逃过一劫呢？还是沙大风有先见之明。当疾病蔓延到荀家时，他向荀慧生提议，赶紧将令香与家人隔离，以免也被传染。令香被送到了舅舅家，因此幸存了下来。这一来，在令文出生之前，令香便成了荀家唯一的独苗，荀慧生唯一的孩子，因此，他对令香不免溺爱。

身为父亲的心情，是可以理解的。但是，这么做的后果，便造成令香过于任性。荀慧生为爱儿请了一个又一个的家教，都被调皮的令香气跑了。荀慧生却从来不责怪令香，只是走了一个，再请一个罢了。对此，陈墨香非常看不惯。他一再要求荀慧生好好管教荀令香，但在他看来，荀慧生充耳不闻。

更令陈墨香不能容忍的是令香的“目中无人”。陈墨香受传统文化浸染很深，崇尚“长幼尊卑”、“君君臣臣父父子子”，对令香的行为，自然很不满意；又觉得荀慧生太纵容儿子，一直憋着一股气。

这天中午，就在荀慧生在卧室午睡时，令香在西厅廊下竹椅上躺着休息。陈墨香看见了，怕他受风着凉，好心唤他回屋去睡。可能是他在用手推移令香时，手重了一些，竟一下子就惹恼了令香。令香大叫一声：“你管不着！”一个孩子，对一个长辈，以这样一种口气说话（或者说叫唤），无论以传统眼光，还是现代眼光来看，都算是不敬的了。

陈墨香的心里本已聚集了对荀慧生的怨气，如今又被荀慧生的儿子、一个小毛孩子冲了一通，顿时大怒，责骂令香“太不懂事”。令香竟然回嘴。陈墨香气得几乎要抬手打人，令香毫不示弱：“看你敢打我？！”陈墨香自然不敢打，便去找荀慧生，想让他打。但他也知道荀慧生不会轻易动手，这才以“如果不打就绝交”的话来逼他。

了解了事情原委，荀慧生并没有立即按陈墨香的要求责打儿子。也许在他看来，这算不了什么大事，便想着和平解决，于是细声细语地劝慰陈墨香："令香年幼，说话不知轻重，请您息怒。一会儿，我一定责备他。"他这么说，本身并无不妥。在一般人看来，总不能陈墨香让他打儿子，他就真的打儿子吧。小孩子犯错，教育的方式，也不能就是非打即骂。

但是，在陈墨香看来，荀慧生是在袒护儿子，而他袒护儿子，是一贯的。他用了"责备"这个词，也就是说，他是不会打儿子的，只是责备而已。"不尊重长辈，和长辈顶撞"这样的错，是小错吗？难道不该打吗？而荀慧生不肯打，一是溺爱，二也是不给陈墨香面子，是不尊重他。这口气，他怎么能够咽得下？于是，他坚持荀慧生一定要打令香，并且要求荀慧生强迫令香向他赔礼磕头。

这下轮到荀慧生不乐意了。他在记述这件事时，其中有这样的文字：

"敬余依然怪声怪调，使我几乎惊吓得不知所措。"

"令香不过12岁的幼童，说话不知深浅，敬余已是50岁的人了，何故与幼童生此火气？可笑。"

"50岁的老叟，太无大人之才。"

"敬余……又怪声喊叫。"

"敬余进到卧室催促我起身，又勒逼我责备令香，已太不客气。孩童说你一句'管不着'也不太重要，何必如此呢？他也太无大人之量。"①

对于陈墨香，荀慧生用了"怪声怪调"、"怪声喊叫"、"无大人之才"、"无大人之量"这样含有贬义的词语；对于犯了错的儿子，他却无一语怪罪，反而以"不过是幼童"袒护；对于儿子犯的错，他也轻描淡写。很明显，他的确是偏袒儿子的。事实上，荀慧生也承认他对爱儿实在下不了手。

越是如此，陈墨香就越不依不饶。据荀慧生说，他再三劝说，陈墨香却愈加恼怒，最后竟“跪在地下大磕其头”，并指责荀慧生太娇生惯养自己的儿子。荀慧生又说，在这种情况下，他没有办法，只好责打令香。不过，他的这个“打”，并非出于教育的目的，也不是为了管教顽劣幼儿，而是“与敬余出气”。

所以，荀慧生的巴掌打在令香的身上，却将账记在了陈墨香的头上。他将这件事的发生归结为“敬余近年来脾气大变，与初交时的情形大不一样，可叹”。尔后，他又说：“敬余在戏剧界是我一手提拔，现在各角请他编剧，出风头于戏界，皆我之功力也。他既要钱，又要面子，我只能尽一切可能来照顾他。”看得出来，他对陈墨香的为人，颇有看法。

客观地说，不论之前发生过什么，也不论两人孰是孰非，仅就“责打令香”这件事而言，荀慧生确有不妥之处。虽然陈墨香强令他责打令香是有些过激，但是，令香的行为，毕竟对长辈不礼貌不尊重，而这恰恰是乃父多年来疏于管教造成的，可他非但没有趁此机会好好教育儿子，反而责怪陈墨香“无大人之量”，从这点来看，荀慧生与普通的父亲并无二致。

也许不能说在此之后，两人彻底翻脸分手，因为在《红楼二尤》之后，他俩又继续合作了几部戏，其中比较著名的，是《霍小玉》（1932年）和《勘玉钏》（1934年）。但是，这件事让他俩的关系更如风中游丝。他俩是从什么时候开始正式分道扬镳、从此形同陌路，已经无法考证了。有人说是在1935年，也有人说在1936年。日期也许并不重要，引人注目的是，在陈墨香于1942年5月去世后，荀慧生没有前往吊唁。

关于陈墨香去世后，荀慧生的所言所行，目前，比较普遍的说法是：荀慧生悲痛欲绝、痛哭失声，感叹“梨园可以没有荀慧生，不能没有陈墨香”。同时，他连演两场《钗头凤》，将全部演出所得悉

① 和宝堂整理：《戏苑宗师荀慧生》，辽宁美术出版社1999年12月版，第86页。

数作为奠仪，送给了陈家。另外还有一种说法：当时，梨园艺人们自发捐资为陈墨香操办后事。荀慧生一次性捐出五百大洋，并亲自送到陈家，交到陈家后人手上。这样他还嫌不够，于是又演了两场《钗头凤》。众说纷纭中，有些说法与事实有出入。大家之所以这么说，除了以讹传讹外，多半出于希望看到朋友复和、为菊坛平添佳话的心理，当然也有维护荀慧生形象的心理，但尊重事实实际上是对荀慧生最大的尊重。

荀慧生是从陈墨香儿子那里得到陈墨香去世消息的。当时，他的确很伤心。他不可能不伤心。他和陈墨香之间，只是有些矛盾，没有深仇大恨，况且他俩曾经亲如兄弟。无论生前两人的矛盾如何难以调和，如今面对已经消亡的生命，还有什么不能放下的呢？但是，荀慧生没有到陈家去吊唁，是因为他仍然有顾虑，还是别的什么原因，恐怕连他自己都难以解释得清楚。

偏偏在这个时候，一些不怀好意的报刊大量刊登了攻击荀慧生的文章。其中《晨报》更口无遮拦地对他横加指责，说他的钱财都是在陈墨香的帮助下得来的，没有陈墨香，他荀慧生哪能过得上如此丰衣足食的生活？不仅如此，还“揭秘”说：荀慧生在结识陈墨香之前，只能在天桥大棚演出。事实上，荀慧生从来没有在所谓“天桥大棚”演出过。总而言之，荀慧生被他们概括为“以怨报德”。这让荀慧生十分气愤，认为这是对他的侮辱和伤害。同时，这些无稽之谈也在他和陈家之间建筑了一道屏障。

尽管事隔已久，在他的日记中，仍然能够感受到他当时的愤怒：

“我与敬余情意已绝，外人不知道实情，均属胡乱猜疑。辅仁大学有人送《鸳鸯剑》剧本，陈先生不愿意让我演，就把人家说得一无是处。天津友人送《赛金花》剧本，他也大发脾气。陈先生几次无名怒火，都不知道是为什么，竟然有人说我荀慧生是唱陈敬余的剧本才有今天。岂不知，在我认识陈墨香之前就已经有荀慧生了。当时他正在穷困之际，跟随我之后，才开始发展，并得到我的朋友的关照。程砚秋和尚小云以及中国戏校现在都用他，一个月可有四五百大洋的收入了，就跟我随便发火。我看在他和我近十年的交情，几次忍让，他仍不改，反而变本加厉地与我作对。有些人不了解情况，倒以为是我排挤他。”

如果说之前，他对是否去陈家吊唁还有些犹豫的话，那么，在谣言满天飞从而对他的名誉造成极大损害的情况下，吊唁的念头，就彻底断了。这是出于怎样的心理？是自我保护？是维护自尊？更可能是倔强的一种表现。

僵持了一个月。荀慧生的好友、医生汪逢春和画家胡佩衡来找荀慧生。实际上，他们是作为中间人，前来劝说荀慧生的。据说，他们是受了陈家后人的委托，意思是请荀先生出于照顾陈墨香面子考虑，出个面，表示一下。汪、胡二人还加了一条理由，即也照顾到陈家的经济困难。以荀慧生当时在梨园的声望，如果他能够出面，事情的确好办得多。荀慧生应允了。应允的关键，恐怕不只是看在汪、胡两位老友的份上，更因为陈家明确表示：报刊上刊登的所有攻击荀慧生的言论，与陈家毫无关系。这样一来，荀慧生反而有些不好意思了。

原本荀慧生打算往陈家跑一趟，送些钱，以表心意。但结果，他没有那么做，一来因为他自己在当时欠有不少外债，经济上也很拮据；二来他考虑到无论送多少，都显小气。于是，他和同行们商量后，决定于6月7日在长安戏院演出一场。荀慧生唱的，就是《钗头凤》。

那天的演出，主要目的当然是为陈墨香操办后事筹款。荀慧生选择唱《钗头凤》，则是以此方式表达他对陈墨香与他合作十来年的感激之情。毕竟，他俩有过那么一段愉快合作的日子，毕竟陈墨香为荀派艺术做出过巨大贡献，对于他俩在艺术上深入、默契合作的成果，他难以忘怀。其实，在他的心底，也不是没有后悔，后悔于他的意气用事、任性褊狭、倔强固执。“两个人如果能够善始善终，那该多好。”他常常这么想。于是，他对《钗头凤》词中的“错、错、错”和“悔、悔、悔”便有了更深的理解。

一场《钗头凤》的演出净收入是413元大洋，全部交给了陈家。颇有意味的是，并不是由荀慧生亲自交到陈家后人手上的，而是先由他交给汪逢春和在报社工作的朋友陈逸云，由他们送去陈家的。不管怎么说，荀慧生以行动表达了他的真心，对逝去的陈墨香，也算是有了交代。

第四章

国家有难，天昏地暗

"我在后台演说呢"

戏界陷于萧条，梨园艺人的生活陷于困顿，并非起始于"七七"事变之后，其实早在1931年"九一八"事变之后，就已经显现了。在这之前，艺人们的生活似乎与时代、与政治、与社会环境联系得并不十分紧密。对于一般艺人而言，演戏，只是谋生的手段而已，和普通手工业者并无不同。因此，相当一部分艺人认为，无论哪朝哪代，无论风云如何变幻，作为娱乐的一种，唱戏，只是唱戏，可以不受任何环境影响。

然而，"九一八" 事变的爆发，惊醒了所有中国人，包括艺人们。他们身不由己地被卷入民族危亡的风暴之中，与民族的命运一起沉浮。这是他们之前万万没有想到的，也是他们今后不得不面对的残酷现实。

这个时候，"现代四大名旦之比较"的活动刚刚尘埃落定，"四大名旦"的称谓已经深入人心。这意味着，他们正步入事业的巅峰。当他们雄心勃勃，计划着走向更加辉煌的时候，无情的现实打碎了他们的梦想，也扼杀了他们的创造力。特别是，几年之后抗战的全面爆发，截断了他们的艺术生命，而将一切定格。

"九一八"事变本身，对于梅兰芳、程砚秋和荀慧生，都有不同程度的影响，对此，他们也有各自不同的反应。9月18日那天晚上，梅兰芳正在中和戏院演出《宇宙锋》。那晚，有一个特殊的观众，他就是陆海空副司令兼东北边防司令长官的少帅张学良。随同他一起欣赏梅戏的，有赵四小姐、他的随行警卫、医院护士等，因为当时他正发着高烧，是从医院"跑"出来的。舞台上的梅兰芳看到了包厢中的张学良和赵四小姐正悠闲地边打拍子边听戏。不久之后，他看到一个警卫匆匆走进包厢，伏在张的耳边嘀咕了几句。他听不见他们说什么，也看不见张学良当时脸上的表情，他只看到，张学良猛地站起身，转过身大踏步地离开了包厢。接着，随行人员呼啦啦地全都走了。

第二天，梅兰芳看新闻，得知一切。他意识到，此时他已经和所有中国人一道站在了国家民族存亡的十字路口。他敏感地预见到日本在侵吞了东三省后，将很快将魔爪伸向华北大平原。这样说来，北平是很难待得下去了。1932年春，也就是四大名旦合作灌录了唱片《四五花洞》后不久，他为“一·二八”抗战受伤战士筹集医药费而在北平义演了三天后，离平迁居上海。

从9月17日开始，程砚秋在中和戏院演出。9月20日，他突然宣布，惟因国难当前，既然挽救之不及，何忍再粉墨登场，于是决定当日停演。他以这样的方式，表达他对“九一八”事变的震惊和对民族危难的忧愤。1932年1月，也就是四大名旦合作灌录了唱片《四五花洞》后第二天，他远赴欧洲，以“游学”之名参观学习考察研究欧洲戏曲音乐，时间长达一年零三个月。也就是说，他暂别舞台一年多。

也是从9月17日开始，荀慧生按计划在第一舞台连续三天赈灾义演。9月19日，他在《北京晨报》上看到这样的“号外”：“国难来临！昨夜10点，日军突然攻击，侵入我沈阳。今晨日军侵入我沈阳城，沿途焚杀，惨无人道。我军取不抵抗主义。19日上午一时四十分又袭击我北大营地……炮声尚未停止，我农民死于乱枪之下者数目未详……我军已经退向沈海线，避免冲突……北宁路皇姑屯站附近已完全由日军占领，我农民往来该地者均遭射击，无一幸免。日本关东军第二团纷纷向沈阳移动，沿途寻衅焚烧极惨……”

他将这则号外全文抄录在当天的日记上，然后，他感叹道：“国家有难，匹夫有责；国家有难，天昏地暗。”

当天晚上的演出，他没有取消，如期演出《十三妹》，为他配

⊙ 《十三妹》中，荀慧生饰何玉凤，马富禄饰包成功。

演的有马富禄等。之所以照常演出，是因为他考虑到这几天的演出，都是为赈灾筹款，不便临时取消。因为“九一八”事变，这天的演出还是受到了很大影响。原先，张学良也是有计划来看戏的，还购买了四百多张戏票。18 日，张学良只看了半场梅戏，就因“事变”而提前退场了。19 日的荀戏，他连半场也没有机会看了。那四百多张戏票全部被退了回来，造成当晚的观众只有五百余人。

面临这样少有的票房惨败，荀慧生并不在意自己演出的上座率，而是哀叹灾民的不幸。灾民们本就因自然灾害而生活无着，如今这当头的国难，无疑给他们的生活雪上加霜。想到这些，荀慧生叹息不已。

之后连续数日，荀慧生都很明显地感觉到时局动荡给梨园造成的影响。首先他听说富连成开始回戏[1]了。要知道，作为京城规模大、名声响、声誉隆的大科班，富连成以往是从来不会回戏的，如今破天荒地回戏不演，可见局势何等危急。其次他自己于21日在开明戏院演出《荆钗记》时，上座很不好，观众寥寥，戏院门口也没有往日的喧嚣和热闹，一派门前冷落车马稀的寂寥。数日后，他在开明戏院演出《盘丝洞》，状况依旧。

荀慧生心情沉重，还不完全是因为演出市场的萧条，更是在国难面前，当局表现出来的消极，军方表现出来的无能，以及无能之外的粗鄙和卑劣。"九一八"事变一个月后，前方兵败如山倒，万余士兵像潮水般涌向北平城。当地警察挨家挨户地敲门，强行安排借宿，不问百姓是否愿意，也不问家中几口人几间房能否挤得下。胆小怕事的，不敢怒更不敢言。胆子稍大一些的，刚要开口拒绝，就招来破口大骂："老子为国为民打了败仗，无处安身，你们倒安安稳稳地过自己的小日子。告诉你们，不管你们人多人少，哪怕是十几口人，也得挤在一间屋里，其余的都得让给我们住。"如果还想再申辩两句，他们会露出凶相，把居民赶出去。入住后，他们要吃要喝，强拿强要。

士兵们欺软怕硬，强行借宿的都是小家小户，因此，荀慧生的家没有被骚扰。不过，他本人，却被骚扰了。有一天，他演出《埋香幻》。戏散后，他从戏院出来，准备登车返家。有四五十个军人将他堵在戏院门口，叫嚷着要看"张盈盈"（戏中女主人公）。看到他卸了女装改着男装的模样，不怀好意地一哄而上，将他团团围住，嘻

[1] 回戏：梨园俗语，即临时宣布取消演出。

⊙《盘丝洞》中，荀慧生饰月霞仙子。

笑中充斥着淫荡，更有甚者，口出污言秽语，甚至有人还想动手动脚。这一切，都被荀慧生厉声喝止。

依他的本性，真想操起什物朝他们砸过去，哪怕怒斥他们一顿也好，他想说的话是：“当国难之时，不能效命疆场，反而蓄意欺侮良善，不觉得可耻，不觉得可悲？”但是，他却一个字也说不出来。所谓“哀莫大于心死”，便是他当时的心境。面对这样的军队，他不由感叹：如此国家，如此社会，如此军队，如此趋势，可恶又可怕。

普通士兵如此，官员们也好不到哪儿去。那天荀慧生在开明戏院准备演出《盘丝洞》，正式演出前，市党部一帮政府官员前呼后拥来到戏院，说是要发表重要演说，演出因此延迟。一沈姓高官走上舞台，开始演说，内容当然涉及到“九一八”事变以及日本人如何侵占东三省，如何又在觊觎平、津等地，“我民众，当同心齐力，投身于抗日保家之洪流”，他说得口沫飞溅，可是一来毫无逻辑性，显得混乱不堪，令人不知所云；二来他的普通话很不标准，有相当浓重的地方口音，有观众戏言，听他说话，像听一个外国人在说中国话，很可笑。尽管他慷慨陈词，似乎要将他的演讲演化为吹起战斗号角，鼓起人们的抗战斗志，但适得其反。观众不是因为听不懂他在说什么而大声喧哗，就是因为他的像唱戏一样的可笑腔调而忍不

住哄堂大笑。

见状，荀慧生班社的小生演员金仲仁自告奋勇，上台义务做了一回“翻译”。可是，因为此时，他正等着演出，早已化装停当，扮成了唐僧模样。于是，人们看到的是“唐僧”，而不是金仲仁在舞台上耐心解释着沈官员的演说。有时，他为了表达得更清楚，干脆借题发挥起来。“唐僧演说”这样的情景，无形中削弱了演讲的严肃性，所期望达到的效果也就打了折扣。尽管金仲仁是好意，但结果反而更让人发笑。原本应该是一场群情激愤的政治演讲，却极具戏剧性，观众像是看了一场戏外戏。荀慧生因此说：“这种举动似乎对救国抗日毫无效力，兵来将挡，水来土掩，面对日本人的枪炮，岂能说说而已。”

但是，政府官员们都热衷于“说说”，却又总是“说”不到实质问题。1932 年 2 月 4 日，农历腊月二十八日，又是在荀慧生准备登台时，南京党部官员前来演说，通报日本人的种种暴行。说着说着，就转了话题，竟然指责起观众来了，“义正严词”地“批评”他们，在目前中国人死亡无数的国难之际，却还有心思坐在戏院里听戏看戏，“还有良知吗？”他说。当然，他对演员还在演出也表示不满，质问道：“你们居然还有心思唱戏，唱得出来吗？”

殊不知，当天的演出是赈灾义演，前来观戏的观众都是愿为灾民捐款的；演员们唱戏，也是义务的，不取报酬的。这位官员事先不了解情况，就胡乱指责，演员们当然不高兴了，想自己分文不得卖力献演用以赈济灾民，却无缘无故被骂了一顿；观众们也不乐意了，想自己好心好意节衣缩食为灾民捐款，却被指责为“没有良知”。

起初，大家都忍住不发作。可是，那官员越说越来劲儿，口若悬河滔滔不绝。终于，观众们首先忍不住了。有人大喝一声：“不要说了！”又有人跟着喊了一声：“不要胡说了！”随着一声“滚下去”，果皮瓜核，甚至毛巾、茶碗等，一齐飞向舞台。有的正中演说官员的脸上、身上，他怒不可遏，但也奈何不了，只能匆匆结束演说，下了台。

戏，这才正常开演。戏码是荀慧生和“筱翠花”于连泉合作的《双摇会》。荀慧生扮演的是二娘，剧中大娘有一句台词是：“你在后头做什么呢？”当于连泉饰演的大娘按剧本说出这句台词后，荀慧生临时改词，脱口而出：“我在后头演说呢。”台下顿时掌声掀顶伴以如雷彩声，观众无不捧腹大笑。荀慧生固然是开了一个玩笑，但这个玩笑，却极其辛辣地嘲笑了当局官员的无能又无知。

又一天，荀慧生在街上看见男女老少手持铜盆、茶盘、破鼓等物，敲打得震天响。他不明就里，上前打听。原来，当晚有月食，所谓“月食”，按民间说法，就是“天狗吃月亮”。民间习俗，敲打响器，可以驱赶天狗以免月亮被天狗吃掉。荀慧生对此行为感觉十分可笑，也为百姓的迷信感到可悲。

他想的是，如果敲打响器就能驱赶天狗，那么，地下的“狗”怎么还会跑到我们国家来呢？难道也可以通过敲打响器加以驱逐吗？他本不是个悲观的人，但是此时，他却不禁悲观起来，对当局的抵抗能力表示怀疑而产生悲观，也对民众面对国难却仍然沉迷于陋俗之中的愚昧无知表示悲哀而产生悲观。

也因为有这样的心理，在程砚秋远赴欧洲游学后，在梅兰芳离平避走上海后，即便天津、上海的朋友三番五次给他写信，让他去避难，他却哪儿也不愿意去。“九一八”事变后如此，“七七”事变后，也是如此。特别是之后发生的两件事，让他更加觉得在国破山河碎的情况下，无一净土。

第一件事是他听说梅兰芳到上海后，应邀在天蟾舞台演出，有一天在演出时被冲进戏院的匪徒敲诈财物，强行抢去了金钱物品达二十万元之多，就连当天看戏的观众也未能幸免。这样公开抢掠，实在令人震惊。也可知，表面上看，上海一时半会儿也许不会受到日本人的骚扰，但也不是世外桃源。

第二件事是1932年9月，荀慧生应邀参加在梨园新馆举行的欢迎周信芳大会。大会之后的茶话会上，周信芳说的一番话，让荀慧生很受震动。他说的大意是，上海本是中国最先进最繁华的城市，因此吸引着京角儿频繁南下，在上海，他们名利双收，特别是利，更是成千上万的大洋带回北平。可如今，国难当头，上海虽然没有沦陷，但也已成了苦海。他此次离沪北上，就是有意愿在平、津一带谋求稳定的生活和发展，但恐怕事与愿违。

通过这两件事，荀慧生得出这样的结论：国家当局无能，反抗力量羸弱，北平、天津、上海，甚至中国的每一座城市，都一样被侵略者虎视眈眈盯着，都一样面临着可能随时爆发的侵略战争。这样说来，到哪里不都一样吗？所以，他哪儿也不去，就待在北平，也没有息演。

义务戏、合作戏

从“九一八”到“七七”事变，在将近六年的时间内，荀慧生继续着他的演艺生活，也没有停止新戏的创作。只不过，受环境影响，荀派新戏的数量急剧减少，比较著名的戏，只有1932年的《霍小玉》，1934年的《勘玉钏》，1936年的《红娘》，1937年3月的《晴雯》。他虽然没有停止演出，但演的大多是义务戏、“搭桌戏”、合作戏。他是以此方式，对社会尽责任。这时，他已经不再是一个简单地以唱戏为生存手段的普通艺人，而在自觉肩负起社会责任。

荀慧生出身贫寒，自幼受尽磨难。身为艺人，他又不得不面临社会政治地位低下的窘困，始终有生活在底层的屈辱感，因此对底层贫民，总是怀有深切的同情和关注。这从他编演的大量为底层妇

⊙ 荀慧生饰晴雯。

女鸣不平的新戏中，可见一斑。他在日记中，曾经这样记述道："关注贫穷同仁，乃是吾等应尽之责。"这是他一贯的态度。在"四大名旦"称谓确立后，他们四人曾共同参加了一些义务戏的演出。如：

1927年的一场义务戏，荀慧生与朱琴心合作《虹霓关》，尚小云和王又宸合作《汾河湾》，程砚秋演出个人本戏《红拂传》，压轴戏是梅兰芳演出的个人本戏《天女散花》。

1928年一场义务戏，四大名旦共同合作全本《红鬃烈马》，荀慧生演其中的《算军粮》，尚小云和梅兰芳合演《大登殿》，程砚秋演《武家坡》。

著名编剧翁偶虹这样说："从1928年以后，义务戏即由四大名旦、三大须生（即余叔岩、高庆奎、马连良）共撑局面。"比如：

1929年11月，天津市对俄外交后援会举办慰劳东北将士义务戏，四大名旦和杨小楼、陈德霖、筱翠花等应邀演出了三天。

在国难当头，民众更陷苦难之际，荀慧生的拯救之心，就更加迫切了。在他的日记里，记载了他在30年代初参加的几场义务戏，其中有：

1930年8月29日，在吉祥戏院，为赈济陕西灾民，他演出《十三妹》，所售票款共一千余元，悉数捐出。当天，戏演毕，他未及卸装，就重登台演说，代表灾民向捐款捐物的观众致谢。朱庆澜将军当场赠他一匾，上书："艺精仁至"。这给了他极大鼓舞。从此，他积极投身为抗战将士的义务演出之中。

⊙《红鬃烈马》的“武家坡”中，荀慧生饰王宝钏。

1932年2月2日，也就是“九一八”事变之后，为援助抗日将士，他演出了《双沙河》。这天的义务戏，另外两大名旦也都参加了。尚小云和高庆奎合作了《刺巴杰》，梅兰芳和杨小楼合作了《霸王别姬》。

1932年2月13日，为慰问抗日将士，应王琴侬之邀，他南下上海，与高庆奎合作演出了《翠屏山》。

1932年5月10日，在第一舞台，为救济贫苦儿童，他与筱翠花合作演出了《双沙河》。

1933年2月11日，为慰劳前方将士，他演出了《荀灌娘》。

1933年4月4日，在哈尔飞戏院，为抗日前方将士购买飞机，他演出了《红鬃烈马》。

所谓“搭桌戏”，也是义务戏的一种，指的是用于救助同业的演出。参加演出的演员，也是不取任何报酬，所售票款全部捐给该同业。该名称起始于清朝末年，来源于庙宇寺院等为修建斋堂塑画佛像，邀请演员义演筹款，演出时临时搭桌子当戏台，故取“搭桌戏”。

1932年初，年关将近，荀慧生听马富禄、赵桐珊说，同班社的徐德增以及前后台的几位管事经济困难，恐怕连年都过不了了，有意请他帮个忙，演场“搭桌戏”。他当即应允，并立即与他俩商定戏码。数日后，在开明戏院，他演了一场“搭桌戏”，戏码是《得意缘》。因受战事影响，当天的观众虽然谈不上“满坑满谷”，但也算不错，所得扣除必要的成本外，盈余不少。徐德增等人共得大洋二百余元，足以过个好年了，因此大家都很开心，当然也很感激荀慧生。

也在1932年，荀慧生和另外三大名旦，以及杨小楼等名角儿，各自捐款300块大洋，在北平樱桃斜街34号购地12亩，作为梨园自治组织梨园公会的会址，取名“梨园新馆”[①]。之所以取名“新馆”，其中还有一段梨园辛酸往事。

早年的梨园公会会址被称为梨园会馆。后来，会馆被一富商强行霸占，开了家天寿堂饭庄。梨园人士到官府控告，要求饭庄撤出，恢复梨园会馆。但因为艺人的社会地位低下，这样事实清楚证据确凿的官司居然打输了。这件事，被戏界视为耻辱。

当时，各大饭庄都设有戏台，在喜庆宴会时，常邀请演员来唱戏。天寿堂饭庄的官司打输后，梨园人士达成默契，坚决不到天寿堂唱戏。这样的默契后来被写进了梨园行规：“天寿堂不得进箱演戏。”因为如此，天寿堂的生意日渐衰落。直到20世纪30年代，天寿堂邀请到一个进北平演戏的评剧戏班，天寿堂内没有皮黄声的尴尬才被打破。不过，北平的戏班，仍然不进天寿堂。在新的梨园公会会址确定后，即以“新馆”之名区别于原先的梨园会馆，更是对天寿堂以及社会歧视的一种抗议。

说到演义务戏，就不能不提及荀慧生的“义”。1924年，他和金仲仁、马富禄，以及名净王连浦同往上海演出。刚到上海，王连浦就病了，而且卧床不起，上不了台。按照惯例，他既然不能演出，就应当退回预支的包银。王连浦也有意将包银交还给班主荀慧生。

① 关于购地十二亩的用途，荀慧生在日记中的记载，有另外一种说法。他记述道：“购空地十二亩，辟梨园义地。作助洋三百元，余者梅兰芳、杨小楼、尚小云、余叔岩、程砚秋一人三百元，共用洋二千余元，方可购之。将来梨园子弟贫寒者，均有葬身之处。”

荀慧生不但不接受，反而自掏腰包为他请医诊病，并继续支付给他包银，直到他病愈回京。对此，王连浦一直铭记在心。

荀慧生收的第一个弟子叶寿梅是在20世纪20年代初拜的师，后来不知为什么，师徒断了联系。直到1956年，荀慧生到镇江演出，无意之中听说叶寿梅就在镇江，而且境况相当不好，身体差，两眼几近失明，爱人没有工作，孩子又多，一家数口人的生活，只靠他养猪维持。闻听此讯，荀慧生很震惊，连忙让剧场经理将叶寿梅找来。师徒重逢，百感交集。

那段日子，已别舞台的叶寿梅每天都要到剧场观看老师的演出，还端茶递水忙前忙后地尽弟子之谊。临别时，荀慧生给了叶寿梅一段毛料。一路上，他一想起叶寿梅，心里就有些酸酸的。车刚到常州，他就迫不及待地让人给叶寿梅寄去50元。实际上，他早就想当面给他钱了，只是顾及到他的自尊，这才改用邮寄的方式。从此，他一直在经济上接济叶寿梅，直到“文革”爆发。

“七七”事变后，北平、天津相继失陷，娱乐业更加萧条，戏院关门，演戏停滞，靠唱戏吃饭的艺人们没有戏唱，几乎断了生路，生活陷于极度贫困的境地。为了复苏演出市场，1938年，大合作戏应运而起。

大合作戏与义务戏的区别，首先在于性质不同，前者仍然属于营业性演出，后者则是义务的。其次，前者是由某一个班社或个别京剧爱好者发起组织，只将几位名角儿聚集在一起的演出；后者则是由梨园自治组织梨园公会出面，遍邀名角儿参加的演出。这样说来，演员演义务戏，没有报酬；演合作戏，不但有收益，而且酬劳相当高，甚至比日常营业戏的收入还要高不少。大合作戏之所以能够招徕看客，是因为被邀参加演出的，多是好角儿，而且在平时，这些好角儿很难得在一起演出，更难得合作一出大戏。最早的大合作戏，被人戏称为“丑角大会”，即那天的演出，集中了在北京（当时叫“北平”）的几乎所有名丑，如萧长华、马富禄、叶盛章、茹富蕙、慈瑞泉、曹二庚、郭春山、贾多才、朱斌仙、李四广等人。演出剧目有《打杠子》、《打砂锅》、《打城隍》、《小过年》、《一匹布》、《荡湖船》、《龙凤配》、《背娃入府》等。

随后，1939年，又有一场“花脸大会”，参加演出的花脸有金派代表金少山、郝派代表郝寿臣、侯派代表侯喜瑞。演出剧目有金少山的《御果园》、郝寿臣的《李七长亭》、侯喜瑞的《沂州府》。这三人是花脸的代表，这三出戏，分别是他们三人的代表作。这样的演出，十分难得，称得上是“盛事”。

著名剧作家翁偶虹于20世纪40年代组织过几场十分有趣的大合作戏，一是“旗装大会”。顾名思义，演出剧目中的主角都穿旗装，有《幽界关》、《探亲家》、《八郎坐宫》、《梅玉配》、《畅春图》等；二是“十二生肖戏”。这是他从拓画专家杨晓梦所绘的拓临汉瓦十二生肖扇面受到的启发。“十二生肖”，也就有十二出戏，戏目有《访鼠测字》、《小放牛》、《武松打虎》、《白兔记》、《拿飞龙》、《青蛇盗库》、《敬德洗马》（即《御果园》）、《苏武牧羊》、《白猿盗盒》、《时迁偷鸡》（又名《买雄鸡》，即《拾玉镯》）、《闹朝扑犬》（又名《杀狗劝妻》）、《猪八戒盗魂铃》。

荀慧生参加的大合作戏，有与尚小云、程继先合作的《得意缘》，与尚和玉、郝寿臣合作的《战宛城》等，最著名的便是被称为“巾帼十绝”的十大旦角戏，他演的是大轴《杜十娘》。

看得出来，大合作戏有两大优势：一是好角合作，或者是同台献艺，这是难得一见的；二是演出剧目虽然以老戏为主，但因为名目花样新颖繁多，所以很吸引人。这也说明，在当时的特殊环境下，戏曲已被逼入死胡同，不要说创作新戏，就连艺人们的基本生活都成了问题，而只好依靠名角合作，依靠别出心裁的噱头创意来招徕观众。这是戏曲的悲哀，是艺人的悲哀，更是时代的悲哀。

尽管大合作戏的出现是受环境所迫，但在一定程度上复苏了消沉已久的京剧艺术，也改善了艺人的生活，从客观上说，其推动京剧发展的作用，还是显而易见的。

谈到创排新戏，在抗战期间，荀慧生创编的新戏，在四大名旦中是最多的。梅兰芳只在“九一八”事变之后，创排了《抗金兵》和《生死恨》，从此便不再有新戏推出。程砚秋也只排演了两部新戏，一是《锁麟囊》，一是《女儿心》。尚小云将全部精力用于荣春社科班的管理工作之中，基本上也没有新戏问世。据不完全统计，荀慧生的新戏有《扬州梦》、《双妻鉴》、《护花铃》、《侠骨香》、《香菱》、《平儿》等。这说明，一来他在与陈墨香分手后，创编新戏的热情不减；二来他在抗战期间，基本上没有脱离舞台。

三次上海之行

在四大名旦中，脱离舞台最彻底的，是梅兰芳。他在“九一八”事变后，于1932年春离平赴沪；在“七七”事变后，于1938年春离沪赴港，从此过着近似于隐居的生活，直到抗战胜利才复出重登舞台。抗战初期，程砚秋没有停止演出，直到1943年，他才被环境所逼，不得不暂别舞台，到京郊青龙桥一带锄禾当农民。早在抗战前夕，尚小云就开始致力于戏曲教育，创办了荣春社科班，从此尽心竭力，几致倾家荡产。那段时期，他自己的演出很少，即使演出，也多半是为了提携荣春社的学员。

那么，荀慧生呢？最初，他也有意不演，或者少演。他这样说：“自卢沟桥事变起，我感慨国难之日深，痛民族之苦重，已无意于新戏的编制，确实有息影舞台的退隐之心。”但是，和大多数没有完全脱离舞台的艺人们一样，他们在抗战期间继续演出，确有万般无奈的成分，说到底，是为了生活，甚至是为了基本的生存。简单地说，

⊙ 荀慧生与张君秋合影。

不唱戏，就没有饭吃。

这里的“生活”，并非只是个人或家庭的生活，还有为班社同仁生计考虑的因素。他有自组的班社，一旦他弃演，不单他自己，连一班人就都没有了生活来源。程砚秋在给好友袁帅南的一封信中，曾经这样表露他的心迹，反映了荀慧生当时的想法：“惟同业生活极窘，又届严冬，势又不能坐视，终须出为维持耳。”他又说过：“为维持同仁生计，不得不复登台而献技，知我罪我，不能顾矣。”

实际上，梅兰芳也有自己的班社，也有“为同业生活着想”的顾虑，也似乎不能离开舞台。他不得不那么早地就离平赴沪，然后离沪赴港，是因为他与程、尚、荀在名声上是有差别的。在这之前，他曾分别于1919年、1924年两次到日本演出，在日本人眼里，他是个大艺术家。树大招风，当日本人侵入中华大地后，需要文化名流为他们粉饰太平，梅兰芳是首选，立即成为他们的“亲善”目标。事实上也是如此，上海沦陷时，正居上海的梅兰芳被邀请到电台去播音，虽然没有明说播什么音，但梅兰芳心里是清楚的，那明显含有政治色彩。于是，他借口要到香港演出而拒绝。随后，他真的去了香港，并从此滞留香港。

相比于梅兰芳，程、尚、荀虽然也是旦行名角儿，同为四大名旦，但对于日本人来说，他们还是比较陌生的，不至于如梅兰芳那样被骚扰、被胁迫。从这个角度说，他们的确也没有必要完全脱离舞台，何况还有生活和照顾同业的考虑。因此，抗战期间，荀慧生没有息演，反而因为正值盛年，又有较高的艺术造诣而成为那个时期京剧舞台上的主力之一。

荀慧生在这个时期的演出，值得一说的，是于上个世纪40年代的三次上海之行。自他于1919年“三小一白下江南”而在上海成名走红后，他从此与上海结缘，除了滞留上海长达五年之外，之后，他反复重回上海登台。抗战前夕，他最后一次到上海，是在1934年，于天蟾舞台，粗略算来，这是他第八次赴沪演出。抗战爆发后，他第一次到上海，是在1941年2月，这是他阔别上海七年之后，首次赴沪。这次演出，无论对于他来说，还是对于京剧界来说，都有两个方面的“首创”：

一、兼搭“两坛”，即先后在两个戏院登台，这是以往不曾有过的。

以前，北京的角儿南下演出，一般而言，是应某一个戏院之邀，按照合同约定在这个戏院演出一个周期或几个月。荀慧生此次赴沪兼搭“两坛”，自然是同时应两个戏院的邀请。其中原因，并不完全是因为他的叫座能力，使他成为众家戏院争聘的对象，也涉及到艺术之外的其他因素，甚至还比较复杂。

目前无法确知荀慧生何时在何种情况下拜张啸林为师的，但可以肯定的是，他称呼张啸林为“老师”。之前，荀慧生应约赴沪的一般方式是：由张啸林给北京荀慧生演戏的戏院写一封信，表示邀请荀慧生，凭着这封信，他就可以南下了。这并非是必定的程序，只是习惯而已，既显得邀约的慎重，也显示他对老师张啸林的尊重。

在荀慧生于1934年最后一次赴沪演出后，受战事影响，上海的戏界呈萧条之势，特别是“七七”事变之后。1938年冬天，黄金荣创办的黄金大戏院考虑到荀慧生离沪日久，而荀迷者期盼看荀日渴，便找中间人代探荀慧生有无南下之意。中间人遂代为电询荀慧生。荀慧生欣然首肯，要求只有一个，那就是请张啸林致邀请函。中间人答应了，随即与黄金大戏院的经理孙兰亭同往张宅，面请张啸林以黄金大戏院的名义，邀请荀慧生南来。张啸林并无异议，还请孙兰亭即刻前往北平接洽此事，而他也即刻发函。

可是时隔月余，荀慧生始终没有收到张啸林的邀请函。事后探知，张啸林贵人多忘事，竟然忘了此事。就在这期间，黄金大戏院又邀约了程砚秋，而且已经谈妥。于是，邀荀之事，暂且搁置。

次年夏，黄金大戏院又续前议，再邀荀慧生。荀慧生函复："得师信即行"，意即还是要请张啸林发出邀请函。黄金大戏院未及请求张啸林之时，上海另一家戏院更新舞台已经请张啸林致函荀慧生，请他南下。于是，荀慧生便面临"黄金"、"更新"两家戏院同时邀约的尴尬局面，这不免让他进退两难。

事实上，"黄金"先邀，但"更新"先办妥了手续。作为荀慧生来说，两家戏院他都不能得罪，也不愿得罪。但是，无论他选择哪一家，都会伤害另一家，这是他不愿意看到的。想来想去，他将"皮球"踢给了"张师"张啸林，于是致函张啸林，请他以在上海滩的声望，帮忙处理这样的麻烦。在信里，他明确表示，如果无法和平解决，他宁愿放弃上海，从此再不踏入上海土地。

几方反复磋商，逐渐达成一致，即先在"黄金"唱二十四天，再到"更新"唱一个月。大家以为事情就这样圆满解决，荀慧生可以随即南下时，又生变故：张啸林被刺身亡。荀慧生赴沪演出之事，不得不又被搁置。

1940年冬，黄金大戏院派人前往北平接洽荀慧生，第三次邀他南下。荀慧生未置可否。黄金大戏院代表看出了荀慧生的心思，他在回复老板时，称荀慧生"仍不愿反张师之初衷"。黄金大戏院感其师门风仪，便请上海工商界名流虞洽卿出面致函荀慧生，邀他南下。就这样，荀慧生的上海之行，历时三载，终于成行。又鉴于他早就应允"更新"之邀，与"更新"的约定也一直没有解除。于是，此

⊙ 荀慧生演出剧本。

次南下，他便兼搭“两坛”了。

这件事本身并无特别之处，不过就是邀约、搁置、再邀约、再搁置、又邀约而已，重要的是，从中可以看出荀慧生的为人。当时，上海有人这样评价他：“对于师门友道，面面兼顾，委曲求全，颇费苦心，绝非一般金钱主义者可比。”还说他“宁舍而不取，顺道义是尚，良足风世矣”。总之，评价甚高。

二、每个剧目连演两场，这种演出方式在各戏院的演出中，也属首创。

荀慧生此次到上海，坐的是飞机。他从北平西郊机场起飞，先飞到济南，休息10分钟后，又飞到青岛，再休息20分钟，飞到南京，停留片刻后，这才飞到上海。这是他第一次乘飞机，兴奋又紧张。在上海下机后，他自嘲道：“已是晕头转向了。”黄金大戏院经理孙兰亭和其他有关人员早在机场等候了。他受到众星捧月般的热情接待，被安排下榻沧州饭店。梅兰芳于“九一八”事变后迁居上海之初，也入住该饭店。

随后，按照习俗，荀慧生马不停蹄地到报馆、票房等地拜客，又应老友之邀四处赴宴。直到抵沪后的第五天，他方才得空坐下来与戏院商谈演出戏码，确定2月24日开演，三天打泡戏分别为第一天《鸿鸾禧》，第二天《得意缘》，第三天日场《荀灌娘》，晚场《花田错》。

有意思的是，在演出前五天的报纸宣传单上，只列出“荀慧生”的大名，却并不注明演出戏码。这让荀慧生很疑惑。戏院给他的解释是：“在登报前，订长期座位的已经难以分配戏票，恐怕门市无票可售，所以不敢早露戏码。”荀慧生有些怀疑：情况真的会有那么好吗？上座率真的会有那么高吗？他已经阔别上海七年了，对上海观众的欣赏口味是否有所变化，心中没底。事实上，抢购戏票的火爆程度大大出乎荀慧生的意料之外。由于长期订座的固定戏迷，对荀戏戏票的需求，超出黄金大戏院原有座位的一大半，这就造成黄金大戏院难以应付临时购票者的购票要求。

在这种情况下，黄金大戏院和荀慧生洽商，能否每个剧目连演两场。也就是说，尽最大可能满足所有荀迷看荀戏的心愿。荀慧生闻言大惊，他认为这是闻所未闻的。不过，大惊之余，当然也有欣喜。这意味着尽管他很久没有在上海露面了，但他在上海观众心目中，仍然有相当的地位。他自然不愿扫大家的兴，自然愿意满足大家的愿望。从来没有“一个剧目连演两场”的先例，由他首创这样的演出方式，不更好吗！

于是，荀慧生此次在黄金大戏院，总共演出了二十二天，却只演出了十一出戏，的确前所未有。他在回忆起这次的演出时，记述道：“每一出戏都是第二天比第一天上座还要好。头天演出，我按惯例先到剧场前台三楼的祖师爷像前敬香，晚上9点半登场时，掌声不息，但见台下人头攒动，座无虚席。”

这个时候，梅兰芳早已息演，尚小云只在1937年六七月间到上海黄金大戏院演出过，从此不曾再到上海。因此，上海观众只能看到四大名旦中的程砚秋和荀慧生两人的演出，而他俩又代表着京剧旦行艺术的最高水平，况且荀慧生又阔别上海长达七年之久，这一切都造成他此次沪上演出，备受关注与追捧。

荀慧生自己也说："因上海观众对我盼望已久，故而有此热烈盛况。"以至于他在舞台上的任何一个临时起意增加的小动作，任何一个随口创作的新腔，任何一个机智灵动的眼神，都能引来震天动地的掌声和喝彩声。之后，他在更新舞台演出，上座依然甚佳。在他演出《代夫媒》之后，有人特别赠给他四首诗：

掌声起处动春雷，此是承平供奉才。
容我偷闲听法曲，新歌初试代夫媒。

一颦一笑近人情，四座无言耳尽听。
演出贞淫搜野史，到头恩怨自分明。

剑合珠还信有之，无方疗妒我犹疑。
试看完璧同归日，狮吼河东太觉痴。

桃花人面认依稀，照彻华灯采欲飞。
借问阿谁真顾曲，空教皮相说环肥。

遗憾的是，荀慧生在上海演出的最后两天，因肠胃不适以致卧床不起实难支撑而不得不回戏了。原定计划中的最后两场告别演出，一是《玉堂春》，一是前演《战宛城》，后演反串戏《白水滩》，戏票全部售出，据说票款高达两万元，但他却不能登台了，令众戏迷备感失望，也让荀慧生始终有歉疚之心。这或许成为他之后又连续两次赴沪演出的原因之一。

1943年春，荀慧生再次应黄金大戏院之聘，乘飞机赴沪演出。与前次不同的是，此时的上海不再是"孤岛"，已经全面沦陷，完全为日本人所掌控。此次，他一共演了五十天。三天的打泡戏，分别是《鸿鸾禧》、《得意缘》、《十三妹》，上座一天好似一天，尤其是第二天，如注大雨仍然没有阻挡得了荀迷的观戏热情。每天的剧场内，都被挤得满满当当。

巧的是，就在他在黄金大戏院演出期间，天蟾舞台在经过整修后重新开张迎客。这就使得黄金大戏院和天蟾舞台打起了对台。有人担心荀戏因此会受到影响。不料，尽管天蟾舞台的确热闹非凡，有名角儿，也有很硬的戏码，但到黄金大戏院追看荀慧生的戏迷，却并不见减少，剧场内仍然日日无插足之地。这次，荀慧生唱得欢实，收入也丰厚。

一年后的1944年3月，他又一次赴上海，还是演出于黄金大戏院。这次赴沪，给他感受最深的，是他明显感觉到战争对于人们生活的影响。在他抵达上海不久，上海开始实行灯火管制，又于每晚10点起，开始戒严。当时，他并不知道日本人此时已是强弩之末，而距离抗战结束也只有短短的一年时间了。因为灯火管制，因为戒严，他的演出时间不得不相应进行调整，由原来晚上开锣提前到下午2点开演，至晚上8点，就散场了。

不知为什么，荀慧生此次赴沪，又病了，而且病得不轻，外界甚至谣传“荀慧生病死了”。因为生病，他原定计划演出40场，结果却只演了28场，按他自己的说法，“未能善始善终，不仅造成艺术上的损失，在经济上也造成不小的亏空，包括戏衣损失和治病共花费上海钱币二百余万，折合京钞20多万”。不过，在上海发生的两件事情，稍稍弥补了他的遗憾。

第一件事情是他在上海期间，不但观摩了大量的戏，包括京剧，以及绍兴戏《攀弓带》、话剧《文天祥》等，还看了不少电影，如《红楼梦》等。最大收获是向上海的舞蹈家学习了各种跳舞的步法。他欲以此丰富他的表演。尽管他此时已40多岁，已至中年，而且早已功成名就，但他仍有不断学习新鲜事物的强烈意识和行动。

第二件事情是他应邀参加位于同孚路的凤凰绸缎公司的揭幕典礼。当时，同孚路上人山人海，万头攒动，挤得水泄不通。那么多人，并非为了抢购绸缎公司的绸缎，而是为了一睹荀慧生舞台下的真面目。当荀慧生乘坐的汽车抵达公司门口，门刚开启，人们便一拥而上，将汽车团团围住。荀慧生根本下不了车。被堵在车里的他，开玩笑道："这哪儿是看人啊，简直就是看耍猴的嘛。"

他笑容可掬地朝围观者挥手招呼，可就是下不了车。不得已，绸缎公司紧急请求警察局派警察来维持秩序。在警察到达后，荀慧生这才得以下车，进入公司店堂。揭幕典礼之后，他又出不了门了，被"困"在了店内。大家想了很多办法，最终使出了障眼法，由工作人员护送他由后门悄悄潜出，登车而去。虽然经过这番折腾，荀慧生筋疲力尽，但他的心里，还是很愉快的。原因是他第一次看到大街上那么多的上海观众对他那么熟悉，那么崇拜。

荀慧生在抗战时期的三次南下上海演出，既有艺术意义，也有社会意义。从艺术意义上说，他的荀派艺术的展示，为抗战时期上海京剧艺坛增了色添了彩，同时也满足了上海观众对名旦演出名戏的渴望。因为到1943年、1944年的时候，四大名旦中，也只剩下他还在为上海观众献艺了。

从社会意义上说，在1941年"太平洋战争"爆发，上海彻底沦陷后，上海的京剧舞台随之发生变化。这个变化表现在两个方面，一是原来一些表现爱国抗敌内容的戏，不得不因时局的急转直下而完全退出舞台；二是从北平南下的角儿数量大幅度减少。这两个方面的变化，造成上海的京剧舞台商业化泛滥，以至于趋向低级、恶俗。

无论是黄金大戏院，还是更名为中国大戏院的原更新舞台，以

⊙ 荀慧生演出剧目海报。

及皇后戏院等，纷纷上演被称为“玩笑戏”的低级剧目，如，《纺棉花》、《大劈棺》、《戏迷传》、《新戏迷传》、《戏迷县官》、《火烧红莲寺》、《济公活佛》等。其中的《大劈棺》（即《蝴蝶梦》）专门以丑角扮演的滑稽纸糊人“二百五”、“标准二百五”、“特别二百五”等招徕观众；《火烧红莲寺》打出的广告是：“比四脱舞彻底、比四脱舞美妙”，“解衣诱夫，当众脱裤子”，“吹灯一幕，香艳无比”，“大胆牺牲色相”等，甚至以一个巨大的“骚”字吸引人。《济公活佛》的广告则是“男人怀胎，笑话奇谈”等。

荀慧生在上海演出时，在黄金大戏院也意外地看了一场由某著名坤角主演的《大劈棺》和《纺棉花》。在《大劈棺》里，演员完全摒弃了传统京剧技艺，信口开河，胡编乱造，大讲上海话，完全没有了“京”味。

《纺棉花》的剧情大意是：银匠张三娶妻三天便外出做生意，一走三年，音讯皆无。妻子王氏生了一个儿子，平常以纺棉花度日。这天天气晴和，她又纺起棉花来，一时高兴，便唱小曲以自遣。恰好张三结清账回家，在门外聆听妻子小唱，又扔银子过墙，冒充别人，以此试探妻子。王氏接到银子，心有所动，开门来见扔银子的人，没想到就是张三。夫妻俩于是半真半假，欢喜团圆。

这出戏只有旦、丑两个角色，原为清末民初以戏中串戏、插科打诨取胜的时装小戏。在40年代的上海京剧舞台，它又着实红火了一把，被认为是京剧不景气时代里的一个亮点，也可以说是京剧艺术的悲哀。很多旦角演员都演过《纺棉花》，连梅兰芳的学生言慧珠、荀慧生的学生童芷苓都曾饰演过。不过，据40年代后期主编上海《艺文画报》、与梅兰芳有很多交往的刘龙光说，梅兰芳曾不准言慧珠演出《纺棉花》。

对于这出戏，思想开放的人看见《纺棉花》敢于出新、善于借用时尚元素、强调艺术的娱乐性以增强舞台吸引力的勇气；艺术态度严肃的人则视《纺棉花》为歪门邪道；道德感强的人更斥《纺棉花》为低级趣味，甚至直斥其为“下流淫荡戏”。这几种人在戏中都不难找到支持自己观点的佐证。

比如，《纺棉花》角色身着时髦旗袍，或演唱《四季相思》、《九连环》、《十八摸》、《大沽调》等小调，或兼唱《二进宫》诸角色，或将议论社会新闻编进唱词，甚至学唱四大名旦唱段，总之随心所欲，花样百出。

荀慧生最不能忍受的，有两个方面，一是戏词的粗俗。比如，王氏这样介绍未归的丈夫：“是个小买卖人，也不是铜匠，也不是铁匠，是他妈个银匠。”王氏纺棉花，幼儿啼哭，她哄不住，心中烦躁而骂：“你哭你哭，滚你妈的蛋。”二是在《纺棉花》中，演员恶意模仿四大名旦的“短处”，极尽夸张，而且找话题与台下观众一问一答、调情逗乐。在扮相上，以“露”为主，衣服越穿越少。在他看来，这是对四大名旦的侮辱，对京剧艺术的糟蹋，对中国传统文化的亵渎。为此，他深恶痛绝，痛心疾首。

艺术上的蜕化，还是其次，更有不少新编戏，为侵略者的侵略行为大唱赞歌。这已经不是艺术，而是涉及到民族大义的问题了。不过，他知道，在江山易色，在不得不以亡国奴的身份屈辱地讨生活的情况下，个人的力量又怎能改变这种状况！既然如此，他唯有不看——提前退场。

这样的演出市场，这样的京剧舞台，反而使得荀慧生在上海的演出，更具艺术性和文化韵味。他坚持传统京剧艺术的展示，抗拒低级庸俗的恶搞，在一定程度上净化了舞台，其社会意义是显而易见的。

创办留香大饭店

在第二次到上海演出时，荀慧生又接到徐州、济南等地的邀请。结束上海的演出，他返平后，只休息了几个月，就又出发了，先后到徐州和济南演出。在那里，他吃了不少苦，受了不少罪。1943年年底，他返回北平，终于歇了下来。

有一天，他正在家中闲坐，程砚秋来了！

在他们四人当中，荀慧生与尚小云是三乐班的同学，可以说自小一块儿长大，感情很好。他与梅兰芳的关系，并不十分亲近。平时，他们私下交往得也不多，大多数情况下，在义务戏、堂会戏，以及梨园同仁聚会时相遇，这时，两人也会彼此问候，互相切磋。他俩关系一般的原因，据推测，从年龄上说，梅兰芳年长6岁，在四人当中最早成名，而荀慧生却是最晚成名的；从行当上说，他们虽然都是旦角演员，但梅兰芳专工青衣，而荀慧生以花旦为主，这些都于无形当中拉大了他俩的距离。

荀慧生与程砚秋的关系相当亲密。程砚秋夫人果素瑛曾在一封写给荀慧生夫人张伟君的信里，这样说："荀、程友情非一般，临场赠鞋，帮排《思凡》，令御霜于患难之中，知荀乃忠厚憨直之真朋友，自此结下手足之情谊。"

早在20世纪20年代初，当时还叫"程艳秋"的程砚秋初到上海演出，正在上海的荀慧生邀请程砚秋的和声社与上海的九个戏班同在共舞台演出大义务戏，救济贫困。程砚秋几乎没有犹豫，立即就答应了。从出身来看，程砚秋虽然出身于官宦之家，但早在他出生后不久，家道就中落了，随即沦落为城市贫民，之后因生活所迫

⊙ 1932年1月1日荀令香拜程砚秋为师（前排自右至左：刘守鹤、张体道、陈墨香、程玉霜、荀令香、荀慧生、金悔庐、徐凌霄。后排自右至左：许志平、王泊生、曹心泉、邵茗生、丁剑秋）。

不得不卖身学艺；荀慧生出身贫寒，也是卖身学艺。他俩的学艺过程，也极为相似，都是师傅家的“家奴”，饱受皮肉之苦与心灵创伤。这些，都使他俩对彼此有一种特别的亲切之感。

1932年年初，对于程砚秋来说，发生了两件意义重大的事情：一是改“艳秋”为“砚秋”，改字“玉霜”为“御霜”；二是收了生平第一个弟子，这个弟子，就是荀慧生的长子荀令香。荀令香因此成为程砚秋的开门弟子。梨园界向来有“易子而教”的传统，这是因为学戏极苦，对自己的子女往往很难做到严格要求，于是便寄希望于同行。

在收荀令香为徒之前，程砚秋对于收徒一事，向来很谨慎，从不轻言收徒，总是以自己“还年轻，技艺欠佳”为由拒绝他人的拜师请求。了解他性格的人，都认为这其实是他的托辞，更主要的原因是他不好为人师，而且性格孤僻。可以说，这次，他答应收令香为徒，算是破了戒。至于原因，在收徒仪式上，他说：“第一，因令香聪敏，习英文、算术，颇知勤学，所以我愿意为他之师；第二，因为慧生是我的前辈，艺术高明，我所教不到的地方，有他加以补正，所以我敢于为他的师。”

程砚秋将荀慧生视为“前辈”，的确很看重荀慧生，对他很尊重。同样地，荀慧生对程砚秋的为人、艺术也都充满敬佩。在这样的关系基础上，当荀慧生为儿子向程砚秋提出拜师要求时，程砚秋便欣然应允。

那天的拜师仪式，很热闹，应邀参加的大多数是《剧学月刊》的同仁，如徐凌霄、金仲苏、陈墨香、曹心泉、王泊生、邵茗生等，另外还有刘晓桑、许志平、马竞安、张体道等。他们纷纷致贺词、送贺联。其中的一副对联比较特别：

玉润霜青，辉映程门三尺雪；
砚池秋水，平添荀令三分香。

说它特别，是因为它将新名“砚秋”、旧字“玉霜”，以及“荀令香”的名字，一并嵌入其中，有趣又有意义。荀令香成为程砚秋的弟子，这也就使得荀慧生和程砚秋的关系，更多了亲密的成分。

收徒三年后，即1935年初夏，荀慧生携令香以及班社同仁马富禄、吴彦衡、李多奎、蒋少奎、王盛章、陈盛泰、李宝奎等同赴汉口演出。同行的，还有程

⊙ 少年荀令香扮演《女起解》的苏三。

砚秋和他的班社。抵达汉口后，两拨人马应当地名流之邀出席晚宴。宴席上，程砚秋将初来乍到的荀慧生一一介绍给汉口方面的各界人士。都说“同行相轻”，程砚秋却毫无顾忌地极力宣扬荀派艺术，不能不令人钦佩他的大度，也令荀慧生感慨不已。

听说程砚秋来访，荀慧生立即迎了出去。两人的话题，自然离不开戏、舞台、时局。说到上海京剧舞台的现状，荀慧生充满愤懑。早在这年年初，程砚秋就已经脱离舞台，到青龙桥务农去了。于是，他将他务农的情况说给荀慧生听。最后他说：“我的晚年，就以务农为主了，戏嘛，就不再唱了。”

荀慧生听出程砚秋在说这话的时候，语气中有不得已。他知道，唱了一辈子戏的程砚秋，像他和梅兰芳、尚小云一样，怎么舍得就此离开舞台？实在是无奈之举啊。眼见程砚秋一身农民装扮，从他的身上似乎已经很难找到曾经的名角儿那特有的超凡气质和绝世风仪，荀慧生不免感叹：在乱世之中，程砚秋的脱离舞台，甚至脱离尘世，未必不是好事。他自己，也不是没有此想。

梅兰芳在香港当隐士，吃老本，以积蓄为生；程砚秋在青龙桥当农民，以耕田种菜为生；尚小云埋首于荣春社科班，专心致志于戏曲人才的培养，以教戏育人为生。荀慧生走的路，与他们三人完全不同，他在进行不多的演出同时，“以商业为求”。也就是说，他走上了经商之路。

大约在1940的时候，在北平李铁拐斜街，新开张了一家饭店，名留香大饭店。明眼人一看便知，那是小留香馆主荀慧生创办的。在京城几大报刊上，接连刊出留香大饭店的广告：“建筑新颖 空气清朗 招待周到 布置堂皇 中西大菜 冬暖夏凉 旅平诸君 请住留香”。

抗战末期，有一阵子，过往行人看见，荀慧生公子荀令香抱着个孩子，坐在柜台内，一边哄着怀里的孩子，一边收银。人们对他

⊙ 荀令香和王同炎结婚照。

改行，并不为怪。在戏迷们的眼中，他的脸盘酷肖乃父，但在舞台上，他与年轻时的“白牡丹”尚有距离。没有练功的苦、唱戏的累，当然也听不到了喝彩和掌声。不过在那个非常时期，荀令香这样的日子过得倒也清闲自在。

在经营留香大饭店的同时，荀慧生又和友人顾才云、王九嵩合伙在东单三条口内 39 号创办了一家名为长茂义记的百货商店，专门销售棉毛织品和日用百货，由他任兼理，顾才云任经理，王九嵩任副经理。

无论是留香大饭店，还是长茂义记百货商店，初开张时，顾客盈门生意兴隆。荀慧生很高兴，并非只是有利润有盈余，而是他以为就此在唱戏之外，找到了另外一条生存之道。他甚至想得美美的：一旦商路走得通顺，他也可以不吃戏饭了，从此不再是“唱戏的”，而成为工商业者了。然而，现实很残酷，残酷的现实击碎了他的梦。几年后，饭店、商店先后倒闭。

至于两店的倒闭原因，荀慧生自己说是因为“用人不当，经营不善”。既然倒闭，经营不善是一定的，而经营不善，便是用人不当。荀慧生本来就是个思想单纯的人，尽管他之前也数次上过别人的当、吃过他人的亏，但他还是很单纯。对于艺人之间的勾心斗角、互挖墙脚、耍手腕、斗心眼，他非常不屑，也很厌恶。他从来没有害人之心，固然可贵，但在错综复杂的梨园界，没有防人之心，又很轻信他人，那就很容易吃亏上当了。

留香大饭店的创办，并非荀慧生自己的创意，而是经不住友人的撺掇。他们极力怂恿他拿出积蓄投资开饭店，说在动荡的时局中，只有投资，才没有风险，否则，一旦有个风吹草动，全部积蓄化作一堆废纸，也不是没有可能。“何况，将来老了，唱不动了，还有一家饭店可以依靠呢”。荀慧生听了这话，想想也确有道理。可是，他数十年与舞台、与艺术为伍，哪里有经商的头脑和本事？友人见他心存顾虑，便又说：“您放心，您只管当老板，经理的事，交给我们办好了，保管让您赚个盆满钵盈。”从不理财的荀慧生，就这样掏空了家底，投资办了饭店和商店。

荀慧生没有具体说如何地用人不当，如何地经营不善。事实是，留香大饭店和长茂义记百货店亏损严重，而他的友人、替他管事的人确实赚了个盆满钵盈，只不过那属于他们个人，与荀慧生无关。也就是说，荀慧生用自己的钱，“喂”饱了别人，自己落得个不赚反赔的可悲结局。

前后三次到上海演出，固然是应约而往，但荀慧生自己知道，他其实更多地是为了填补饭店的亏空。结束在上海的演出返回北平后，他下定决心重振饭店。那一阵子，人们常常看到两辆人力车频繁进出留香大饭店。人力车上，分别坐着荀慧生和荀令香。许是因病休养的缘故，荀慧生胖了不少，尽管饭店事务烦不胜烦，但荀慧生仍然像以前那样，气定神闲、笑容可掬，遇到路人追看他，对他指指点点、窃窃议论，或者高呼“荀老板”，他便点头招呼，或抱拳作揖。所以，外人并不知道留香大饭店正面临危机。

时时亲往饭店视察，是荀慧生整顿饭店的第一步，他觉得不能再做甩手掌柜了，而应当亲力亲为，否则既做了冤大头，还替别人数钱呢。接着，他抛出具体的整顿措施，即为严明财物纪律，特别书写了一张告示，写明："自即日起，凡饭店中同人，携物出外，均须经总账房认可……"这张告示，立即引起饭店经理的强烈不满。他当即大发牢骚，意思是辛苦操劳，却不被信任，反被当贼似的提防着云云。

荀慧生也不客气，反驳他："这不是信任不信任的问题，这是将规矩建立起来，没有规矩不成方圆。"

经理哪里能够听得进去，嘟囔着："这不是什么立规矩，这是人身侮辱。"

一听这话，荀慧生不免上火，话中有话道："若不是饭店日日亏空，我会这么做吗？我再不这么做，饭店眼看就成空壳了。"

经理更不高兴了，说："那依您荀老板的意思，这都是我的错？您也不看看这时局，都乱成什么样了，能够维持，已经不错了，难不成您还指着这饭店为您挣大钱？"

时局不好固然是事实，但荀慧生很看不惯经理中饱了私囊，却还煞有介事地将责任推给时局的态度。他的脸色更加难看，口气也更加强硬："这哪是您的错，都是我的错，错不该开这破饭店，错不该胡乱信了别人。"

"您什么意思？"

"我没什么意思。"

"您就是有意思。"

"我的意思，您明白。"

两人争执起来，如果不是一边由荀令香拉着，一边由饭店工作人员拦着，依荀慧生的脾气，他俩非打起来不可。正在这时，跑堂的不适时宜地过来送菜，大声吆喝着：

"荀老板，您要的煨牛肉、丸子氽冬瓜和一碗白米饭，都上齐了。”

荀慧生气哼哼地厉声说：“不吃了！哪还吃得下去！拿去喂猪吧！”说完，他掉转身，大踏步地走出饭店。经理随即也掉转身，进了内屋。跑堂的不明就里，愣在那里，半天回不过神来。就这样，荀慧生雄心勃勃的整顿之举，未及真正得以实施，就夭折了，而且还公开了与经理的矛盾。饭店的日子，就更不好过了。

经理有一句话说得在理，那就是“时局不好”。事实上，饭店和商店的先后倒闭，“用人不当，经营不善”只是其中的一个原因，更主要的原因，还是因为社会环境的恶劣。为此，荀慧生回忆道：

> 到底是多事之秋，尤其是日本人作恶，我自开办留香饭店，也无宁日。旅客不少，赚钱不少，却见不到钱，每月工资还要我演戏贴补。有欠账的，有赊账的，更有依权仗势不给钱的。还有一天的夜间，有一大连人借酒气冒充日本人，说是沙滩宪兵队的，带一妓女来到留香饭店就要住宿。因饭店没有闲房，他又非要强住，便上楼强行把房客轰走，口中大骂不绝。实在没有办法，只好用电话通知宪兵队，随即来人把这男女带走。饭店的招待王洁如同去述说理由。王洁如亲眼看见此人是中国大连人，借日本人的势力欺压中国商民。[①]

这样看来，两店的倒闭，便有了主观的、客观的双重原因。眼见情况越来越糟，荀慧生于匆忙之间，赶紧将饭店和商店都关了，也算是及时止损。

实际上，自从两店开业后，荀慧生就是想脱离舞台也不行了。经商需要投资，投资的资本哪儿来？还不得靠他唱戏挣得。那个时候，他唱得多，不见得挣得多。不管挣多少，他都不得不投入到两店之中。投得越多，亏得也越多；亏得越多，他越得继续唱。命运真的是天注定？荀慧生想不通，自己难道就是吃戏饭的命？事实是，在两店倒闭后，他还是得靠唱戏为生。

整个抗战时期，四大名旦选择了不同的生活方式：当隐士、做农民、办科班、开饭店。这个选择与各人的生活处境、生活态度、个性嗜好有关，与思想境界的高低、政治倾向无关，但有一点，是他们四人所共有的，那就是民族大义。尽管他们对于生活方式的选择不同，但却都拒绝为日伪唱戏。梅兰芳的蓄须明志，令人称颂，荀慧生也说“梅兰芳的思想是名垂后世”，而另外三人，程砚秋、尚小云和荀慧生，也以自己的行为捍卫了尊严，守住了气节。从性质上说，他们与梅兰芳，并无不同。

拒为日伪唱戏

抗战爆发后，北平京剧界鼎足而立的领军人物杨小楼、余叔岩、梅兰芳相继辍演。在艺术上，他们有“三大贤”之称；在民族气节上，他们也不愧为“三大贤”。在京剧界，他们是举足轻重的人物；在政治上，他们同是爱国志士。

梅兰芳蓄须明志，自不必说。早在北平、天津沦陷前，冀东24县就已经被汉奸所控制，距北平不远的通县就是伪冀东政府所在地。“七七”事变前，伪冀东长官殷汝耕为庆贺生日，在通县举行大规模的堂会。此时，梅兰芳已经去了上海，余叔岩有病在身。于是，杨小楼便成了他们的主要邀请对象。面对对方开出的天价，杨小楼还是拒绝了，而且拒绝得干脆彻底。当梅兰芳劝杨小楼“也往南挪一挪”时，杨小楼说：“很难说躲到哪去好，如果北平也怎么样的话，就不唱了，我这么大岁数，装病也能装个十年八年，还不就混到死了。”一年之后，北平沦陷，杨小楼果然称病从此不再登台。只可惜他没能“装个十年八年”，于第二年，即1938年春病逝。

① 和宝堂整理：《戏苑宗师荀慧生》，辽宁美术出版社1999年12月版，第125页。

从1936年起，余叔岩就因体弱多病，很少登台了。抗战后，他将更多的精力放在对戏曲音韵的研究上，以及收徒传艺、著书立说。1939年，某伪官员派人以10万两金子，邀他出山唱堂会，甚至许诺只要他应允，任何条件都在所不惜。就像当年杨小楼拒绝殷汝耕的堂会一样，余叔岩也毫不犹豫地拒绝了。对此，他的解释是："做人要有骨气。"他将这份骨气保持到了生命的终点。1943年，他因膀胱癌去世。

"三大贤"的民族气节，给予北平的梨园艺人以很大的精神鼓舞。之后，又有一些名角儿相继息演，比如，1939年，名净郝寿臣脱离舞台；1943年，程砚秋告别舞台。尽管荀慧生等人没有停止演戏，但他们始终坚守了一份原则，那就是，演戏，只演传统戏，绝不演媚敌戏，而且只演一般营业戏，绝不为日伪演任何名目的戏，诸如堂会戏、庆贺戏等，一律拒绝。

"九一八"事变之后，日伪在东北成立了"华北演艺协会"。该协会的一个很重要的工作职责，就是邀请北平、天津等地的名角去伪满洲国"国都"——"新京特别市"演出。这个"演出"，并非一般的商业演出，更多的含有政治意味。比如，为"庆祝盟邦日本纪元2600年纪念"、"纪念满洲帝国协和会成立八周年"、"庆祝满洲国建国十周年"、"庆贺满洲国皇帝溥仪生日"等。

"协会"人员常到北平邀角儿，为角儿们联系一切，包括组团、支付费用、发给"护照"等。荀慧生也曾经是他们邀约的对象，而且被许以高价。一直到抗战胜利，他两次被邀到伪满洲国演出，两次都让他以"使节团"的名义前往，其中一次是为庆贺溥仪登基。对于到伪满洲国演戏，荀慧生的态度很明确，"决不会去这个是非之地"。论及原因：

第一，他对汉奸是非常痛恨的。在日记里，他曾这样记述道：他们"借日本人之势力，欺压良善，素习恶劣甚深，小人之见可恨"。

对于到汉奸遍地的伪满洲国唱戏，他认为这是大是大非的问题，是民族大义的问题，是一个人气节的问题。这个时候的“唱戏”，决不是娱乐、艺术那么简单，而被赋予了政治色彩。这个“雷区”，碰不得。

第二，他身边同行到伪满洲国演出后的遭遇，更让他避“满”唯恐不及。那位同行没有能够抵挡住金钱和美女的诱惑。所谓“美女”，竟然是伪总理大臣的夫人。“拉皮条”的就是这位伪总理大臣，他不惜“牺牲”夫人，就是想在日本主子面前，显示自己有能耐有威望，能邀来名角儿。这位同行起先以为能够被伪总理大臣夫人看中，不免有些飘飘然，又以为占了夫人的便宜，暗自得意。他没有意识到他上了当。事后，他被要挟，不得不顺从，硬着头皮到“新京”，为侵略者的傀儡们歌功颂德。从此，他一蹶不振，再也不能抬起头来了。对于这件事，荀慧生的评价是“荒唐之极，可怕之极”。

当然，荀慧生是不能当面严词拒绝的，那样做的危险，是显而易见的。于是，他的对策是满口答应，坚决不干。第一次，直到临行前一天，他的嗓子突然失音了，别说唱，就连说话，都很困难。邀角儿的人明知有诈，但见荀慧生脸憋得通红，却说不出一个字来，也只好无奈地摇头而去。第二次，他也不拒绝，可一边答应着，一边却以养病为由跑去了天津，躲在英租界的友人、名票朱卓舟的家里，与名票吴颂平、杨慕兰、韩慎先等研讨戏曲和金石书画，过起了“隐士”的生活。躲了一段时间后，他才悄悄返回北平。事过境迁，也不再有人追究。

有一件事情很奇怪，荀慧生总是在关键时刻、危急时分，嗓子突然就坏了。邀他去伪满洲国演出，是如此。有一次国民党宣传部长张道藩到北平，有关部门要求京剧界演戏欢迎，特别点名荀慧生。荀慧生也是态度积极地答应得很爽快，可是临演出前一天，他的嗓子又坏了，一个音也发不出来。

荀慧生的次子荀令文就此说："我也不知道他是吃了什么药，用的是什么办法，也许是他装得太像了。"荀慧生究竟是吃了什么药，还是只是装得太像，荀慧生没有明说，他只对令文说了这样一句话："我能给这些东西唱吗？"

不过，抗战时期，去伪满洲国演戏的京角儿，还是有不少，但大多数还是为生活所迫。20世纪40年代初的一个夏天，同行赵某来找荀慧生，向他借钱。荀慧生以为他只是生活困难，家中揭不开锅而已，就借给他了。其实，他是应邀要去伪满洲国演出。因为如此，他向荀慧生借钱，想将早已当出去的行头给赎回来。

荀慧生很气愤，"怎么能用我的钱去给日伪唱戏呢？"赵某声泪俱下。原来，按梨园规矩，各戏院各戏班都歇夏了，他们无戏可唱。无戏可唱的结果，就是没有了收入来源，家中什物，能卖的都卖了，就连演戏的行头都当了，早已家徒四壁，如此也只能抛下尊严到伪满洲国去唱了。

听赵某如是说，荀慧生只能叹息了。艺人贫穷至此，演戏只为糊口而已，又能说什么呢？他将钱借给赵某的同时，明确表态："我荀某人是决不会到伪满洲国去演出的。"言下之意，即便穷死饿死，也不去。

坚决不为日伪唱戏的荀慧生，为了一家大小的生活，为了同班社同仁的生活，为了留香大饭店能够维持下去，不得不继续驰骋舞台。然而，乱世之中，哪有净土？即便荀慧生有心安分守纪，老老实实地生活，也还是不断地被欺凌而历经磨难，特别是到外地演出，因为人地生疏，遭遇的麻烦就更多了。让他记忆深刻的是1943年9月底的徐州、济南之行。

在到徐州之前，荀慧生就听说他的弟子许翰英不久前在这里演出，受到当地泼皮的百般刁难和羞辱，还被坑了三千大洋。幸亏有中间人说和，他又白唱了三天，这才脱身。许翰英直感叹，哪是去演出挣银子啊，简直就是落入了虎口。其实这样的事，荀慧生早年并非没有经历过，有心理准备。即便如此，在抵达徐州后，他才知道，环境原比想象的要复杂恶劣得多。

在徐州，荀慧生搭当地的一个戏班参加演出。这个戏班的管事，倚仗弟弟是公安局长，横行霸道、为非作歹、肆无忌惮到了无法无天的地步。起初，他并不给荀慧生安排住处，演出条件也很差。有一天，荀慧生唱到一半，电灯熄了，剧场内大乱。经人提醒，他方才明白，他“不懂规矩”。于是，他通过中间人给了管事不少好处，这才使演出顺利了，他也因此和妻小住进了后台的一个小房子。因为他的戏很受欢迎，上座率高，收入也丰，他又不断地给那管事好处，管事也就不再刁难他了。

可是，摆平了管事，又遇日本人的骚扰。10月8日那天，是所谓的“大东亚战争纪念日”，日本人强占戏院，说是要演出歌舞伎，并以安全为借口，戏院内的所有中国人都必须限时离开。一大早，住在后台小房子里的荀慧生一家就被突然闯入的日本人强行驱逐，他们的行李也被胡乱扔了出去。

很快，戏院前台后台、前院后院、前门后门，都被日本人把持了。荀慧生家小以及班社同仁顿时没了安身之处，三三两两徘徊在街头。荀慧生的妻子吴春生、小儿荀令文坐在地上，守着一堆棉被衣物，还有被损坏了的行头。母子俩又怕又急，不禁大哭起来，让荀慧生心酸不已。

之后，荀慧生将妻儿安置在附近的一家小旅社。可是，因为费用的原因，班社的其他同仁只能继续踯躅在街头。荀慧生说他自8岁开始跑码头，在全国各地演出，还从来没有过如此悲惨经历，也从来没有遭受到如此恶劣待遇。

然而，麻烦还在继续。13日的演出还未开场，日本宪兵队又来搜查抗日分子，将戏院上上下下搜了个遍，全部观众被堵在戏院外。最后，他们带走了三个“可疑分子”。其实，这三个人，不过就是戏班的普通演员而已。直到晚上10点，他们才被放了回来，也才被允许开戏。那天，荀慧生唱的是《鸿鸾禧》。唱的时候，他有些心不在焉，虽然知道是迷信，但他心里仍然期盼着“鸿鸾星”降临，驱妖降魔，还天地以干净。

好不容易熬过在徐州的演出，荀慧生一行又辗转济南。在火车上，他们遭到列车长的刁难；在济南火车站，又被日本宪兵队骚扰。刁难、骚扰，就是不断地被检查被搜查被盘问被敲诈，荀慧生也就不得不一路进行“金钱运动”。抵达济南，演到一半，荀慧生病倒了。他知道，那是因为持续一段时期的身体疲劳和精神折磨所致。支撑着勉强唱完一期，他立即决定哪儿也不去了，赶紧返回北平。

可是，就在他们准备出北平站时，站上警务段的人突然认出了他，有人突然高喝一声：“荀慧生！”。就这一声喊，忽啦啦围拢上来一群人。他们将他团团围住，说是要检查。荀慧生很清楚，他们不过是想敲他一笔而已，因为他是名角儿荀慧生嘛。对于火车站这帮人的恶行，荀慧生早有耳闻，他们成群结帮专门欺负中国人，见到日伪却点头哈腰。梨园中人，有不少人都被他们欺辱过。比如，坤伶吴素秋的妈妈曾被剥衣受辱，“金霸王”金少山被打，连眼镜都被打碎了，李凌枫和张君秋师徒也被莫名打过一顿。有的艺人的戏箱被损毁，甚至被泼上硫酸。前一年，程砚秋也曾经在这里遭遇一帮流氓打手，是凭了他的好武功，才奋勇脱险的。

荀慧生早被一拨接一拨的歹徒骚扰得烦不胜烦，又有病在身，这时又遇大雨，实在没有气力和这帮无赖纠缠，赶忙给钱了事。

当冒着大雨的荀慧生回到家里，将大门关上，以为将雨水与多日的烦恼一齐关在门外了，却不料家里还有坏消息。留守在家的荀令香告诉他，在他外出期间，家里曾经接到恐吓信和勒索电话，要价六千大洋，并限定三天内回复，否则一家人性命难保。令香没有别的法子，只好到辖区侦缉队报案。侦缉队派了六个保安蹲守了十天十夜，并派人内查外调，却终究没有查出结果。敲诈者许是听到了风声，一直没有露面。

荀慧生从令香那里接过那封恐吓信，仔细分辨笔迹，觉得眼熟，猜出是某弟子所为。数年前，师徒俩脱离了关系，或者说，是荀慧生将他赶出了师门。所以，他一直怀恨在心，以此方式吓唬吓唬曾经的师傅，不是没有可能。想到这里，荀慧生马上想去告发。可是转念又想，到了侦缉队，那人势必会遭到酷刑拷问。毕竟师徒一场，也就作罢了，但他心里却有一股悲凉。

荀慧生之所以遭遇这些麻烦，很大程度上缘于他的“不合作”。如果他从一开始就不拒绝为日伪唱戏，那么，以他“四大名旦”之一的身份，日子会好过许多。戏曲艺人，本就被世俗归于“下九流”，而在一个连民族尊严都丧失的时代背景下，艺人们就更沦落为社会底层，被欺辱就是难免的了。而荀慧生却偏偏又是一个有血性的人。他和梅兰芳、程砚秋、尚小云等爱国艺人一样，其民族气节，令人赞叹。

乔迁之累

在荀慧生和陈墨香创作新戏的过程中，流传着这样一个故事，在荀慧生的自述中，这样记述道：

> 我清楚地记得，有一天下午，我们俩在后花园的亭子里商讨一个新剧本，进展比较顺利，我们都兴致很高。内子吴春生几次来催促我们去吃饭，我们都感觉欲罢不能。后来天完全黑下来，本子上的字体已经看不出来了，才回到房间中。到屋里我们一看对方，都不禁哈哈大笑，原来外面早已是狂

风大作，漫天尘土飞扬，我们的身上和脸上都落了一层黄土，自己都成了“活土地爷”竟一点也没发觉……[1]

这里所说的“我们俩”，指的是荀慧生与陈墨香；这里所说的“后花园”，指的是位于椿树上三条北11号（后改为19号，今已拆除）荀宅内的花园。

然而，荀慧生的第三位夫人张伟君在撰写的回忆文章中，却这样记述道：

记得有一天狂风大作尘土飞扬，可他们照旧坐在后花园里编写剧本，直到我几次催他们吃饭才回到屋里。彼此面面相觑，不禁哈哈大笑起来：原来一个个全都成了“土地爷”！这些目前仍旧流传于世的剧本，都渗透着他们的心血。[2]

她所说的“他们”，根据前文内容，指的应该是荀慧生和几位编剧，即陈墨香、舒舍予、陈水钟。她所说的“后花园”，与荀慧生所说一致。这个故事中有一个事实是肯定的，那就是荀派戏的产生，是大家讨论出来的。但是，张伟君所说是她“催促他们吃饭”，应是记忆有误。

首先，荀慧生与张伟君结合，是在解放初期，而陈墨香早在1942年就去世了，她不可能亲眼目睹荀慧生与陈墨香等人讨论剧本，并“催促他们吃饭”。最重要的是，她所说的“故事”发生在椿树上三条的后花园。既然她与荀慧生结合是在解放以后，而椿树上三条的房子，早在1942年冬天就被一个伪县长强买走了。那么，她不可能在椿树上三条的后花园中出现，也不可能“催促他们吃饭”。

卖掉椿树上三条的房子，荀慧生是不得已的，因此一直耿耿于怀。

⊙ 荀慧生父子在北京家中与朋友合影。

荀慧生随师傅庞启发由天津到北京之初，居住在前门外鸾庆胡同，之后又在长巷二条住过一段时间，又先后在南半截胡同、香炉营二条居住过。1930年前后，他已成大名，更荣膺“四大名旦”，经济状况大有好转。那个时候，艺人们挣了钱，热衷于置地购房，荀慧生也不例外。这时，他住在棉花胡同，房子不是买的，而是租的。房东很精明，也很苛刻，总是以各种奇怪的理由提高房租。荀慧生不是个斤斤计较的人，房租一次次往上涨，他也一次次地忍受了。这使他下决心要购买一套属于自己的房子。他以为有了自己的房子，不再看房东的脸色，从此便不再受气了。可是，他没有想到，在乱世之中，有了自己的房子，还是得受气，甚至更厉害。

新买的房子，位于荀慧生和张伟君所说的“椿树上三条北11号”。这是荀慧生一生所居住过的最好的宅第，共有四层院落，后门

① 和宝堂整理：《戏苑宗师荀慧生》，辽宁美术出版社1999年12月版，第80页。
② 张伟君：《荀慧生传略》，《京剧谈往录》北京出版社1985年2月版，第321页。

可直通椿树上二条。院内有游廊、凉亭、假山等，非常气派豪华。

荀慧生很喜欢这所大宅，花了不少心思进行改造修饰。他的改建工程可谓浩大：将东跨院的南北楼房拆掉，改建为坐西朝东的东西楼；将厨房与正院东厢房后游廊相连；将南楼改为瓦房，也是坐西朝东；添建长游廊；将东跨院北房套为正院上房的暗阁；将下房拆去改为便道，然后接游廊直通后跨院，又通后照房；将前后院与后花园相连；将马号原来的三间半北房改建为高大瓦房，马号剩余的五间西房、三间半南房全部拆除，改建成花园；在花园西南角，建凉亭一座，还有游廊，与东院正院相通等。

这巨大的改建工程，耗时费力，虽然具体事务由工程队担任，但涉及到的所有手续，还得由荀慧生亲力亲为。仅税契手续一项，就已经让他劳民伤财了。尽管如此，一想到即将建成的大宅如何豪华舒适，他顿时又神清气爽了。好不容易办妥了所有手续，工程终于可以上马了。然而，大宅在建期间，麻烦不断。

承建全部工程的是上海生记木厂的沈某，他是由荀慧生的朋友王树臣介绍来的，因此他与荀慧生之间，并无直接关系，更谈不上关系亲密，也就对荀慧生不太客气了，偷工减料、营私舞弊，一样也不少。尽管荀慧生一家人几乎每天轮流派人去监工，但如此浩大的工程，总还是防不胜防。一个在明，一个在暗，又没有当场抓到证据，荀慧生也只能吃哑巴亏了。

从 1931 年 6 月到 1932 年 9 月底，房屋改造工程在历经一年多时间后，即将大功告成。可就在这个时候，又有人来捣乱。10 月 4 日那天，荀家突然闯进来两个人，自称是公务局长派来调查改建工程的。两人一进门，就高声喝斥："荀慧生，你好大的胆子！你的改造工程与之前的申请报告，完全不符，必须立即停工！"显然他们并不认识荀慧生，荀慧生明明在场，他们仍然指指这个，指指那个，将屋里的人指了个遍，不断地问："哪个是荀慧生？跟我们走一趟吧。”

既然他们不知道谁是荀慧生，荀慧生也就不吱声。荀家人也非等闲之辈，也都见过大世面，并未被吓住，反而义正词言地向他们索要公务局的有关文件。两人拿不出文件，便威胁道：“好个荀慧生，我们这就去叫警察来抓你，到时候，你后悔都来不及。”说完，就走了。

两人刚走，荀慧生随即给公务局长汪森打电话询问。汪森说，并无此事。荀慧生明白了，那两个人不过是想来敲诈的。家人和朋友为此都很担心，担心那两人肯定不死心，一定还会来纠缠，还担心除了那两人，还会有其他人也来骚扰。荀慧生是名角儿，目标本来就很大，此时大兴土木，更易被人视为可以从中榨取油水的对象。

于是，大家都劝荀慧生，不如设宴招待公务局的各位局长、处长、科长，拉一拉和他们的关系，以免后患，也算是破财消灾吧。荀慧生犹豫过后，决定一方面找一找有权势的人，至于那些“长”官，当然也宴请。

在京城，荀慧生是社会名流，总还是有些不同寻常的关系。事情的解决，除了那一顿宴请之外，更有赖于公务局长汪森和张学良的弟弟张学铭的出面干预。第二天，公务局的一个陶姓科长就找上门来，向荀慧生赔礼道歉，并承认手下人为非作歹，今后一定要严加管束等等。

说着，他掏出荀慧生新房改建图纸，一再表示工程完全符合要求。他甚至殷勤巴结道：“您就是再往外扩展，都没有问题，也都符合要求。”闻听此言，荀慧生真是万分感慨。想到自己还算是个有名气的人，都遇到如此多的麻烦，那么，普通老百姓呢？

陶科长又说，梅兰芳几年前购买无量大人胡同的房子时，也遇到许多琐碎的麻烦，“还是请荀老板大事化小，小事化无吧。”荀慧生听出陶科长的意思是希望他不要再追究了，点头应允，心里却对那黑暗的现实、人性的丑恶生出一阵悲愤与鄙视。

终于，荀慧生搬进了自家的新房，以为从此安枕无忧。对于这所大宅，荀慧生的感情很复杂，它给予他生活上的便利和舒适、精神上的自由和安逸。在这里，诞生了很多荀派新戏，留下他与陈墨香等人的交谊。但是，也是在这里，他与陈墨香黯然分手。就在陈墨香于1942年5月去世半年后，大宅被人强买走了，荀慧生一家被迫搬离。

强买椿树上三条北11号荀宅的，是伪河北抚陵县郭姓县长。实际上，在他之前，觊觎这所大宅的，有日本人，有汉奸，其中日本人曾经有意强占，汉奸曾经闯入威胁荀慧生尽快搬家。有一阵子，为这所房子，荀慧生几乎无一日安宁。他之所以暂时保住了房子，还是因为他的名角儿身份和在梨园界举足轻重的地位及显赫名声。日本人扬言要“亲善”，有意拉拢社会名流、文化名人，因此对荀慧生，才一时没有随便下手。然而最终，房子还是落入他人之手。

郭县长的强横，是因为他在北平城有一个好朋友吴宁靖。吴宁靖的职务是警察局督察，专门负责管辖区内的饭店和娱乐场所。荀慧生是梨园艺人，常进出戏院，而戏院作为娱乐场所，属于吴宁靖的管辖权限；荀慧生一度也做了“商人”，他创办了留香大饭店，而饭店也在吴宁靖的管辖范围之内。这意味着，无论从哪方面说，荀慧生都不能得罪吴宁靖。正因为如此，郭县长觉得荀慧生是在他的手心里，便扬言无论荀慧生是否同意，他一定要购买荀慧生的大宅。也就是说，你卖也得卖，不卖也得卖，没有商量的余地。

作为荀慧生来说，他将房子卖给郭县长，并不完全是因为吴宁靖的关系，很大程度上是因为这所大宅早已使他心力交瘁。同时，他也知道郭县长是无赖，既如此，他一个堂堂的有身份的文化名人，与一个无赖，有理讲得通吗？与其日后不断地被纠缠被骚扰被威胁，还不如将它当作累赘甩了拉倒，图个清静。就这样，他同意卖房，并很快办好了手续，带着一家老小迁居西单白庙胡同南22号院。

可是，房子卖掉了，麻烦却卖不掉。荀慧生搬走都已经一个半月了，郭县长又来找麻烦。原来，他突然想起早已被荀慧生带走的房檐下的“水蛤蜊”，想要回去，便派人到荀家索要。荀慧生不由火冒八丈高。在他与郭县长签订的房屋买卖契约中，白纸黑字注明“水蛤蜊”不在其中。依契约，他是可以带走“水蛤蜊”的。他当然不肯给。郭县长又哪肯罢休？双方僵持了很长时间。

起初，郭县长以为一个唱戏的好对付，却没有想到荀慧生的态度如此强硬。在他看来，荀慧生太不把他放在眼里，太不给他面子，便更加蛮横，诬陷荀慧生犯有盗窃罪，“盗窃”了属于他的“水蛤蜊”。通过中间人，他给荀慧生提出四点要求：一、承认盗窃；二、全额赔偿；三、亲自将“水蛤蜊”给他送上门去，并磕头赔罪；四、摆酒席一桌，宴请他和他的手下。如果荀慧生不能答应这些要求，他将会同抚陵县地方长官和日本宪兵队把他抓起来，让他吃官司。

荀慧生也没有想到，一个县官，竟然如此胡作非为、蛮不讲理。他这才认识到，闭门家中坐，祸也会从天降。照理，到衙门打官司，他本该求之不得，因为证据对他有利，但他有顾虑：郭县长来头不小，神通广大，法律能给予自己公正吗？他不敢抱希望，只能四处托人，请求友人从中调解。

调解未成，郭县长有一天真的带着日本宪兵队和伪警察冲进了荀宅，一进门就大骂荀慧生是“小偷”，犯了“盗窃罪”，更不顾荀家人的阻拦，强行闯入每个房间，大肆搜寻他们所说的“赃物”。荀慧生怒不可遏，打电话到所属警察局二区当局报警。二区当局随即来人，斥责郭县长“不可在民宅胡为”，又以“荀慧生乃艺术界知名人士，在社会上亦有相当地位”为由，告诫郭县长“此举违法”。郭县长却还在喋喋不休地申辩。

郭县长随后去搬救兵——督察吴宁靖。他没想到，荀慧生也没想到，吴宁靖居然非常公正。他得闻详情，对郭县长说：“我出面调解，无非是出于友谊。可是，你强索‘水蛤蝲’的行为，是很不妥的。你和荀老板签的房屋买卖契约上，明明写着‘水蛤蝲’不在买卖之内，况且又有中间人作证，你又有什么理由向荀老板要回‘水蛤蝲’呢？你这不是明抢吗？”

郭县长不甘心，还想继续申辩，吴宁靖又说：“再说了，荀老板已经搬离椿树上三条的房子快有两个月了，可那房里的电话、电灯、自来水等费用，你仍向他索要，有道理吗？荀老板手上可都有这些单据，你还要抵赖吗？外人说你一直在刁难荀老板，你不认，行吗？这其中谁是谁非，还不是清清楚楚？”

吴宁靖的一番话，虽然说得郭县长无言以对，但他并不因此善罢甘休，仍然坚持让荀慧生将“水蛤蝲”还给他，而且向他赔礼道歉。吴宁靖不耐烦道：“要道歉，可以，那就由我代荀老板道歉好了。”在这种情况下，郭县长悻悻地走了。然而，事情还没有结束。

第二天一大早，郭县长又带了一帮人闯到荀家，不但强行拆除“水蛤蝲”，而且强行拆除洋炉子和烟囱。面对如此强盗行径，荀慧生却无可奈何，只能眼睁睁地看着他们强拆强拿。隔了几天，郭县长的弟弟受其唆使，又到荀宅大吵大闹，声称他们自行拆走的“水蛤蝲”数量只有原先的一小半，剩余的部分，他“严令”荀慧生立即购买然后给他们送去，否则，还将带人来抓捕荀慧生。也许他们知道吴宁靖并不向着他们，也知道荀慧生恐怕还会去找吴宁靖出面调停，便特别“提醒”荀慧生：“找什么人都没有用，什么人来调解，都不给面子。”临走前，郭县长的弟弟恶狠狠地扔下一句话：“记住，少一个铁钉都不行。”

荀慧生一而再地托人求人，所托所求之人无不对郭县长的蛮横义愤填膺，但却又都害怕郭县长的霸道和顾虑他背后的强恶势力而明哲保身，不敢出面为荀慧生伸张正义，就连区署的官员也劝荀慧生忍耐，甚至表示愿意承担荀慧生的任何物质损失。区署署长还给荀慧生打电话，让他息事宁人，“就买几个‘水蛤蟆’给他送去就是了，事情不就解决了，也省得荀老板您费脑伤神。您或真需要，我们就送您几个‘水蛤蟆’不就行了。”

荀慧生闻言，啼笑皆非。“水蛤蟆”之争，并非单纯几个钱的问题。他其实也明白，郭县长之所以无理又蛮横，并不只是因为他为人的卑劣，也因为社会环境的恶劣。这样的土壤，也造就这样的官员。这样的官员，谁都拿他没办法，他一个演员，如何与他讲理、斗争？为了保全身家性命，他只有妥协。这不仅是他身为艺人的悲哀，更是社会的悲哀。

⊙ 荀慧生先生故居门楼。

荀慧生在新居西单白庙胡同路南22号院又生活了十余年。他的元配妻子吴春生病逝于此。他和第二位夫人苏昭信在这里成婚，并生活于此，一直到离婚。他第三次结婚，也是在这里。上世纪50年代中后

⊙ 荀令香演《鱼藻宫》。

期，他搬离此地，迁居到位于宣武门外西草厂街西口内路北的山西街13号。一生乔迁之累，也终止于此。“文革”期间，他被迫害致死，死于此。这里便成为唯一幸存的“荀慧生故居”。

四个女人，三位荀夫人

自荀慧生于18岁时和吴春生结婚，两人共同生活了二十七年，生育了两儿两女四个孩子，抚养长大了两个儿子令香和令文。20世纪40年代初，子承父业也学京剧的令香成家了，少夫人名叫王同炎，之后诞下麟儿荀皓。“升格”为爷爷奶奶的荀慧生和吴春生，喜不自禁。然而，乱世之中的喜悦，又怎能长久？

首先荀慧生出外跑码头，受尽欺凌，接着是留香大饭店和长茂义记商店的不断亏损而惨淡经营，这一切都让吴春生郁结在心，难以排遣而抑郁不堪。椿树上三条的房子一波三折最终易主，几乎将她仅存的精神意志完全击垮。要知道，这所大宅，也是她最钟爱的。

她气伪县长的欺人太甚，也有些怨丈夫的忍气吞声。但是，想到二十年前在上海时，因为她，荀慧生含辱拜黄金荣为干爹，她

⊙ 荀令文演出《一捧雪》饰莫成。

也就对丈夫所谓的软弱，多了一份理解。可是，她自己心中的结，却怎么也无法解开。有人说，她就是在这样的心理状态下，染上鸦片瘾的。事实上也许并非如此，不过可以肯定的是，她的烟瘾越来越大了。

1945年初，荀令香到青龙桥程砚秋的住处给师傅拜年。言谈中，程砚秋问令香家中境况如何，令香叹口气，告诉师傅，家中每月开支足有六七万，留香大饭店的开支一万元左右，而他的母亲每月的烟钱，也要有一万多元。实际上，荀慧生自己也是抽鸦片的，但令香却只提及母亲每月要抽掉一万多元。显然，吴春生此时的烟瘾远远大于荀慧生。闻言，程砚秋也不免叹气，他想的是：慧生上台辛苦所得，春生卧而吸之，不知她作何感想。程砚秋之所以这么想，也许是他对吴春生内心的苦楚不够理解。

难以控制的巨大烟瘾渐渐吞噬了吴春生，身体上，她越来越瘦，皮包骨头，极度虚弱；精神上，她越来越委靡，神情恍惚。没有人能够与鸦片争夺吴春生，即使争夺，也会败下阵来。家人只能眼睁睁地看着吴春生的生命之火，渐渐黯淡，直至熄灭。在她病危时，荀慧生正在天津演出。与其说他在演出，不如说他在为妻子挣烟钱。

当他接到家里拍来的电报，急匆匆赶回家中时，相濡以沫数十载的妻子，已近似骷髅。他不免悲从中来，却又一句话也说不出来。吴春生的双眼凹陷，形似空洞。不过，当她面对丈夫时，眼神中坚强地透出一抹亮色。荀慧生在这亮色中，看到了许多，有款款深情，有深深愧疚，有无限感激。

在丈夫和孩子们的陪伴下，吴春生安然辞世。

吴春生“选择”在这个时候去世，似乎是刻意的，那就是再不愿在乱世中挣扎求生存，再不想看到之后发生的种种不幸。尽管在她去世后不久，抗战结束了，但苦难的生活却仍然在继续。首先，荀家的留香大饭店和长茂义记商店终于无力维持，先后倒闭了。处理饭店、商店的倒闭事宜，已经让荀慧生元气大伤，可屋漏偏逢连阴雨，不久，荀慧生的母亲也病故了。

按照传统的孝子标准，父母健在，每逢寿辰，要大事庆贺；父母去世，丧事也要大操大办。荀慧生不是不知道这个理儿，但他在母亲去世后，却并不想依从旧制，一来他认为没有那个必要，他认为“孝”应当是发自内心地对长辈的敬重，而不应当流于形式；二来他此时的经济能力已十分有限，再也经不起铺张浪费了。

但是，他身边的人不赞同他的想法，而极力鼓动他丧事从繁，甚至出主意，让他将丧事宴席一路铺排到坟头。也许他们并不是有意识地设计让荀慧生负债、破产，但也不完全是出于一个“孝”字，以助荀慧生成为千古留名的大孝子。但在荀慧生的面前，却以“孝”之名劝说。也就是这个“孝”字，让荀慧生不能后退。

于是，原本只想买一口材质上好的棺材，将母亲体面地掩埋，然后请人做次法事为亡母超度即可的荀慧生，经不住友人们

⊙《留香集》和《白牡丹》剧本。

的怂恿，也不愿背负“不孝”之名，搭棚、摆席、大办丧事。停灵七日，他守灵七日。丧事宴席虽然不至于铺排到坟头，但也像流水席一般，无休无止。这一切，都使他劳神又伤财。眼见银子像关不住水龙头的水一样，哗哗流淌出去，又眼见债台日渐隆起成山丘，更眼见帮助他操办丧事的所谓友人的腰包渐渐鼓胀起来，他忍不住想哭。外人哪知他心中的苦，一致赞他为孝子。

抗战胜利后，梅兰芳、程砚秋先后复出舞台，荀慧生也以为京剧艺术的春天重新来临，他大唱《红娘》、《绣襦记》等荀派名剧，他满腔热情地筹划着重塑荀派辉煌，也热切企盼着苦难的国家“一统山河久承平”，并且“国泰民安、繁荣昌盛”。

但是，现实却又让他失望。局势依旧动荡，戏曲环境依旧恶劣，演出市场依旧充斥着低俗，艺人们依旧被当作玩物遭欺凌。丧妻的荀慧生，更被一股暧昧的气氛所包围。他在台上演唱，台下的接收大员夫人、姨太太、阔太太、浪荡小姐们纷纷向他抛媚眼，将珠宝首饰、胭脂水粉扔给他，放肆地来勾引他。

在这些女人之中，有一个人很特别，她姓吴。之所以说她特别，是因为她的身份很复杂，有人说她是国民党特务头子戴笠的女秘书，也就是说，她是个女特务；也有人说，她本身并非女特务，她有个叔叔是特务；还有人说她是大学生，曾经就读师范大学；更有人说她来头不小，与政界大人物交往甚密，等等。无论她的身份如何，在外人眼里，她艳光四射、气质不凡；在荀慧生眼里，她似乎是一个忠实的荀迷，按照白牡丹时代对荀迷们的称谓，她也是一个“白痴”。

“白痴”吴某，一路追着荀慧生，凡有荀慧生的戏，观众席上，必有打扮得花枝招展的她。如果日日有荀戏，就日日有她，而且她每天穿着不同，但无一例外地色彩夺目明艳，佩饰也不同，但也无一例外地夸张抢眼。日久天长，连外人都知道，她之所以如此，目的就是为了引起荀慧生对她的注意。荀慧生的确注意到了她，但却毫不动心，只是客客气气、彬彬有礼待之。

吴某不甘心，每次荀慧生散了戏，她都要到后台，名为“道乏”，实则献殷勤送秋波。几次数番，荀慧生烦不胜烦，但他总是要给女人面子的，既不拒绝她的好意，更不说绝情话，他怕伤了她。不管怎么说，她不过感性一些，主动一些罢了。但是，也许正因为如此，让吴某产生误会，让她以为有希望。她更加大胆了，不仅四下散布她如何爱荀戏，尊荀慧生为师，更无所顾忌地宣称她如何爱慕荀慧生，荀慧生又如何视她为知己，又在荀慧生面前撒娇发嗲。

这让荀慧生有些恼火。他开始变得不客气起来。有一次，他演完戏，回到后台，正要卸装，吴某又来了。荀慧生灵机一动，大声说：“对不起各位了，我要更衣了，特别请各位堂客（即女人）回避！”大家都知道荀慧生的扮戏习惯，即不穿内衣，只穿肥大的彩裤，为的是做起戏来，身体舒展自由，便于舞台动作。后台的同仁们知道荀慧生这么做，其实就是向吴某下逐客令，便起哄道：“荀老板要更衣了，他可是不穿内衣的呀，快回避快回避。”吴某一时有些尴尬，但也不能赖着不走，只好离开了。

无论如何，荀慧生总也不“上钩”，吴某着急起来，决定软的不行，就来硬的，设计试图让荀慧生于不知不觉中、无可奈何中与她拜堂成亲，以逼他就范。首先，她在北京饭店的三楼包了一套高级套房，里面有客厅、卧室、书房、卫生间，很像一个家。然后，她将每个房间都装饰一新。接着，她请人去请荀慧生，理由是请他参加她的生日宴。

不明真相的荀慧生来到北京饭店，上了三楼，敲开房间，映入其眼帘的是刺目耀眼的“中国红”：红色的帷幔，帷幔上红色的双“喜”字；红色的纱窗，纱窗上也是红色的双“喜”字；红色的双人大床，床上红色的苏绣被面、枕套，被面上红色的龙凤呈祥图，枕套上红色的鸳鸯图。大红的“喜”字，随处可见，门框上，门帘上、沙发靠背上，甚至杯子上、盘子上、镜子上、马桶盖上，都是大小不等的“喜”字。整个套房，被“喜”字充斥，被 “红”所覆盖。

荀慧生大惊，随即笑问：“哟，今儿个是吴小姐的生日，怎么弄得像吴小姐要出嫁一样？这不像小姐的闺房，倒像是小姐的新房啊。”

吴某说：“荀先生说得正是，今儿个是我的出嫁日，这就是我的新房。”

荀慧生于是又问：“那新郎呢？新娘在这儿，怎么不见新郎呢？”

吴某两颊绯红，上前挽住荀慧生的臂膀，轻声道：“新郎不就在这儿吗？”

荀慧生更加大惊，他一边说着“吴小姐怎能开这种玩笑”，一边就想挣脱。吴某早就防他这一手，牢牢拽住他的臂膀不松手，一边说“我可不是开玩笑，喜帖都发出去了，客人马上就到，连何市长都要来呢”，一边就将荀慧生拽到“新房”里。荀慧生心中叫苦：完了，上当了，中计了，落入圈套了。

正在此时，吴某所说的“客人”陆续来了。趁着吴某忙着招呼客人，荀慧生的脑子紧张地转动着，想着脱身之法。他想就此拔腿而逃，可吴某盯得很紧，只敷衍了客人几句，就又转身回来看着他。他想，看样子，硬跑，是跑不掉的，只能用计。于是，他笑对吴某说：

“你也不早说，既然办喜事，哪能如此草率简单，也不容我准备准备。”

吴某说：“我都准备好了，就连新郎行头，我都为你准备好了。”

就这一句话，提醒了荀慧生。他马上接口说：“那好，你去招呼客人，我去洗洗脸，换身衣服，这就出来。”

吴某以为荀慧生已经“就范”，稍稍放松了警惕，答应了。荀慧生躲进了卫生间，拧开水龙头，任由水哗哗流淌。过了一会儿，他悄悄将门打开一条缝，用一只眼睛朝外看，没有看到吴某。他又惊喜地发现，卫生间门口并没有他想象的有看守。他索性打开门，走出卫生间，走到大门口——这里有看守。他对看守说：

“你们好好给我看着我的大衣和帽子，它们可都是水獭皮的，值好几千块钱呢，丢了、坏了，可都不是闹着玩的。我到一楼去理个发，马上就回来。吴小姐来问，你们对她说，我一会儿就回来。”

看守起初不敢放行，但见荀慧生身上只穿着一件薄丝绵袄，既没有穿大衣，又没有戴帽子，想到此时正值数九寒冬，外面冷若冰窖，料荀慧生也不会穿成这样就离开饭店，于是就相信了他的话，让他走了。

从三楼到一楼，荀慧生很警觉地一路走一路四下张望，确定没有人监视他、跟踪他，便越走越快，迅急穿过大堂，朝饭店大门奔去，最后几乎是冲出了饭店。外面的寒冷，让他忍不住打了个冷颤，他本能地缩起脖子，双臂交叉抱在胸前。虽然从温暖的饭店猛地闯入呼啸的北风之中，一时难以忍受，但他却不敢将脚步稍为放缓。他没有丝毫犹豫，就顶着寒风一路急走。他不敢奔跑，冷天雪地里，一个衣着单薄的人在疯跑，肯定会引起路人的注意。他只是急急地走。走着走着，他忽然反应过来，他其实是不能回家的。他相信他前脚到家，吴小姐和她的人后脚就到。一时间，他有些茫然无措，既然不能回家，他又能上哪儿去呢？

说来也巧，就在这个时候，他遇到了一个熟人——人称“绿衣女郎”。他将事情简单地说了一下，绿衣女郎随即安排，将他“藏匿”了起来。很快，北平城各大报刊在显要位置刊出这样的消息：四大名旦之荀慧生和辅仁大学高材生绿衣女郎旅行结婚。这个消息

⊙ 荀令香、王同炎和孙毓敏合影。

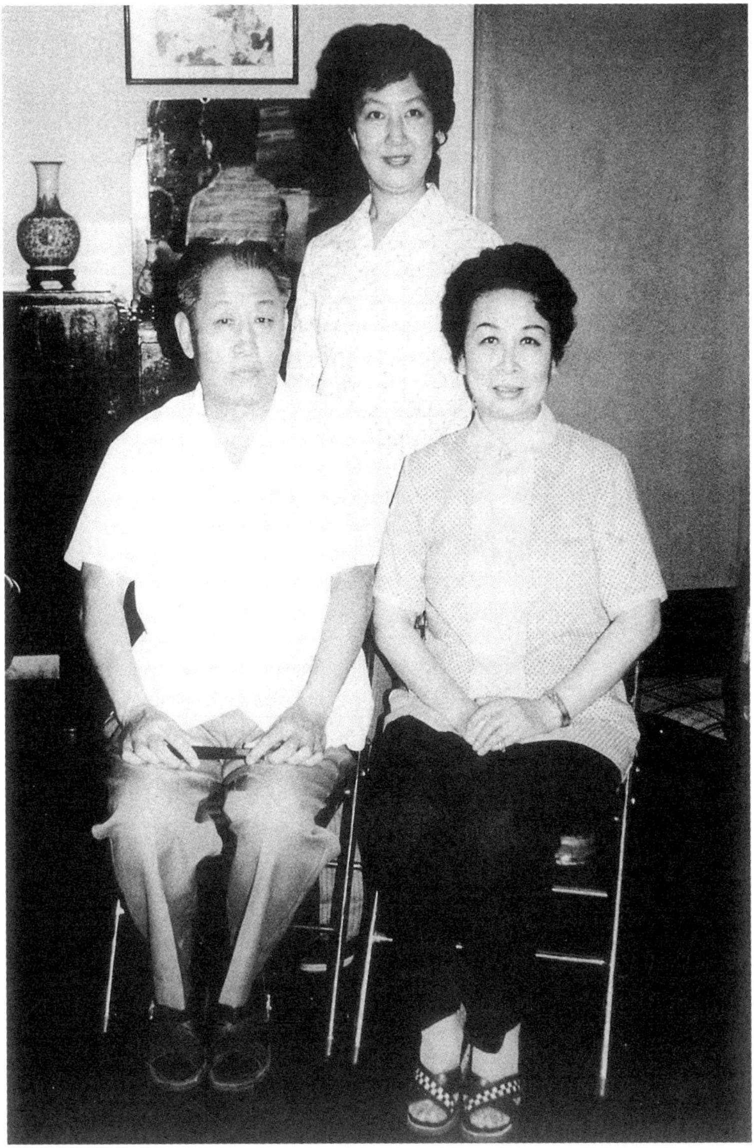

并未引起哗然一片，似乎早在众人的预料中，人们的反应很平静。唯一不平静的，是吴某。荀慧生的婚讯，彻底击碎了她的梦。她有些恼羞成怒，羞于她逼婚不成，怒于因为她的逼婚，反而促使荀慧生和绿衣女郎闪电成婚。可以说，她于无意中帮了绿衣女郎一把。

上世纪90年代，荀慧生的弟子孙毓敏举行了一次京、津、沪、汉四地巡演，轰动一时。在她于天津演出时，邀请了一位特殊的女观众。当这位年届八旬的老人出现在中国大戏院的门前时，接待人员一眼就认出了她——虽然他从来没有见过她。他迎上前去，问："您就是苏女士吧？"老人很惊诧，反问："你怎么知道的？"他笑道："您的绿衣裳'出卖'了您。您不就是当年辅仁大学赫赫有名的绿衣女郎吗。"老人低头看看身上的绿衣裳，笑了。

她的确就是绿衣女郎，毕业于辅仁大学，荀慧生的第二任夫人，本名苏昭信。过去了半个世纪，她却依然喜欢在看荀派戏时身着绿衣裳，依然保持着"绿衣女郎"的习惯。孙毓敏在天津演出了三天，苏昭信看了三天，三天里，她每天都穿着绿衣裳。她是以此作为对过去美好时光的追忆，还是对逝去的曾经的爱人永远的怀念？不得而知。

作为荀慧生曾经的爱人，在随后的座谈会上，谈到和荀慧生的结合，苏昭信说了这样一段话："我从学生时代就喜欢荀派艺术，凡是荀慧生的戏我就一定去看，后来荀慧生就到学校来找我。我说这样影响不好，后来他就提出和我结婚，我一直喜欢荀派戏，他也教了我九年荀派戏。我学会了，但从来不教。后来我们就分开了。"

她说得虽然很含糊，但也提供了三点信息：一、她常看荀慧生演出；二、荀慧生常去找她，并向她求婚；三、后来，他们分开了。从这段话中，无法判断他俩的结合，是否真的与"女特务"吴某"逼婚"事件有关，也无法得知他俩最终分开，真实的原因是什么。肯定的是，荀慧生和苏昭信，共同生活了将近七年。

在台上演出的荀慧生注意到台下观众席中的苏昭信，是因为她的一身绿：衣服、鞋子、首饰。尽管衣服时常变化，有时穿旗袍，有时穿裙子，有时穿大衣，但颜色总是一成不变。如果说吴某以亮丽明艳夺目刺眼、色彩斑斓吸引了荀慧生的注意力的话，那么，苏昭信则以单纯的绿色引起了荀慧生对她的好奇与注意。从这个方面说，这两个女人有相同之处，大胆，又有心计，而且都是大学生，只不过来自于不同的学校罢了，一个是辅仁大学，一个是师范大学。

荀慧生之所以偏好苏昭信，冷淡吴某，很重要的原因恐怕是因为两人性格的不同，以及为人处世的不同。苏昭信出身于青岛的一个富商家庭，自幼受过良好教育，气质不俗，性格文雅大方、冷静理智、善解人意。相对而言，吴某果敢一些，也冷酷一些，更独立，更自我。简单地说，苏昭信女人味重，而吴某更多男人气。

除此之外，苏昭信的父母是戏迷，她耳濡目染，对戏也有特别的好感，而且有相当的鉴赏能力。她看了荀慧生的戏，然后给荀慧生写信，只谈戏，不涉及其他，更不论感情。同时，她提出向他学戏，尊称他为“老师”。这一切，很能打动荀慧生。吴某却直来直去，爱了就不顾一切，甚至设计要心眼，以强迫手段逼其就范，这让荀慧生很反感。

也许一开始，荀慧生虽然对苏昭信有好感，愿意和她交往，听她谈戏，谈文化，但他并没有和她结婚的念头。此时，他的身边，还有另外一个红颜知己。要不是“逼婚”事件的突然发生，荀慧生急于摆脱吴某的纠缠，又恰好在“逃亡”过程中遇到苏昭信，新娘可能就不是苏昭信了。可见荀慧生和苏昭信的结合，可以说是缘分。只不过，有缘分的婚姻，未必能够长久。

苏昭信说她和荀慧生“分开”了。荀慧生的长子荀令香说：“后来，先父曾续娶苏昭信，但又离婚。”[1]也就是说，他们是以离婚的

① 荀令香：《艺林留香》(一)，《戏曲艺术》1987年第10期，第39页。

形式分开的。这就不得不涉及到离婚原因。夫妻离婚，最常见的说辞是“性格不合”。荀慧生和苏昭信，在性格方面，也有许多不合。

据说，苏昭信出手阔绰，好面子，讲排场；荀慧生崇尚节俭，谨慎生活。这恐怕是双方不同的家庭背景造成的。苏出身豪门，荀出身贫寒。另外，苏昭信喜欢热闹，热衷交际；荀慧生喜欢安静，不愿意抛头露面，更厌恶应酬三教九流。再有，苏昭信本身有知识有文化，对知识分子对文化人，就不似荀慧生那样特别有好感特别尊重，有时候反而表现出看不起他们而爱理不理。这是最让荀慧生不满的。

比如，解放初期的一天，田汉上门拜访荀慧生，荀慧生正好不在家，苏昭信接待了他。说是“接待”，其实也就是她站在门口，敷衍了田汉几句，并没有让他进门。为此，荀慧生大发了一通脾气，斥责苏昭信怠慢了他最尊敬的文化界朋友。

荀慧生尊崇文化，敬重文化人，这与他小时候没有机会读书学文化有关，与白社是由大学生创立的有关，与他和白社成员频繁交往、受他们影响有关。这其实也是他娶大学生苏昭信为妻的很重要的原因。但是，婚后他却发现妻子是大学生，并不比妻子是普通家庭妇女，更利于家庭温暖和睦。

他的前妻吴春生就是一个普通的家庭妇女，具有传统妇女所特有的温良敦厚，无甚心计，也不要强，温柔顺从。苏昭信独立现代，有思想有主见，有掌控他人的意识和能力。在与荀慧生结婚后，她有意无意地控制着荀慧生。当然，这也与荀慧生自身不愿意和外界接触，客观上与外界打交道的能力稍显欠缺有很大关系。

久而久之，荀慧生发现，他几乎没有了自由，就连接个电话，也不需要他动手。至于家里的经济大权，更由苏昭信执掌，他甚至连家里到底有多少钱，都不是很清楚。她认为荀慧生既没有能力、也没有必要操心这一切，他只要唱好他的戏就行。荀慧生又发现，他与苏昭信之间的话题越来越少，她只和他谈论演出，只有在商定演什么戏时，她的话才多一些。在这个时候，她也只关心是营业性演出还是义务性演出，抑或是政治性演出；她还关心观众是谁，是普通百姓，是懂行的戏迷，还是达官贵人、政商界高层人士。

此时，荀慧生的心里不免感到悲哀。过去，在社会上，身为“唱戏的”，地位低下；如今，在家里，他感觉他在妻子眼里，仍然不过是一个“唱戏的”。这让他难以容忍。

离婚的念头，荀慧生早就有了。不过，对于离婚，他有顾虑。在他们那一代人的心目中，离婚，总是不光彩、不名誉的、难以启齿的。解放初期《新婚姻法》的颁布，给了他法律上的理由和精神上的勇气。同时，他的想法，也得到了解内情的同行、亲友、弟子的支持。有人甚至偏激地认为，荀慧生如果继续被苏昭信控制，他就完了——无论是艺术上还是生活上，因此不但积极支持，而且还极力鼓动。终于，荀慧生下定了离婚的决心。

苏昭信到底是个知识女性，没有旧式女人面临“被抛弃”时的一哭二闹三上吊，她很平静地接受了离婚的现实。或许她自己也早就觉得她和荀慧生其实是两个世界的人，荀慧生于她而言，在舞台上是流光溢彩、撩人心魄的名角儿，在日常生活中却无异于常人，他有血肉有脾气，有时还有些孩子气。当初她选择嫁给荀慧生，嫁的似乎不是荀慧生这个人，而是无数女人的偶像、她心中最美好的神。这时，她才明白，与偶像结合，其实是冒着巨大风险的。

对于荀慧生来说，只要能够离婚，其他一切都不是问题，包括经济上的。苏昭信也明事理，知道没有爱情的婚姻是不道德的，也就不多纠缠。加之他俩没有一儿半女，也就少了许多牵绊。离婚手续办得很顺利，也很快。转眼之间，荀慧生又自由了，心情为之大好，精神为之大振。

从此，苏昭信退出了荀慧生的生活。正如她自己所说，她虽然随荀慧生学过荀派戏，荀慧生教过她九年，但她却从来没有以发扬、传承荀派戏为己任。“从来不教”这句话，也许可以透露出她恐怕从来没有真正地成为荀迷、“白痴”。不过，当她于八旬高龄出席荀派弟子孙毓敏的演出座谈会时，却明确表明她对“从来不教”的后悔，以及她对荀派的关注。当时，她这样说：

“看了孙毓敏这两出新戏（指《陈三两》和《狮吼记》）非常好，使我看到了荀派的希望。荀慧生的《狮吼记》是苏东坡出主意把陈季常给打死了，你现在是自己觉悟了，这样演更好。真够得上‘精品工程’了。看到孙毓敏唱荀派唱得这么好，这十八个徒弟也教得这么好，我知道我不教荀派是错误的，今后我要向她学习，遗憾的是我已经80岁了，教不动了。”

所谓“悔之晚矣”，80高龄的苏昭信的确“教不动了”。2003年，她去世于天津。此时距离荀慧生去世，已经过去了整整三十五年。她是荀慧生曾经的夫人，也是荀慧生生命中的一个匆匆过客。尽管在提到荀慧生的婚姻生活时，不能不提到她，人们对她又颇多非议，但是她毕竟点缀过荀慧生的生活，使他的人生更具色彩。

荀慧生第三位，也是他最后一任夫人，是张伟君，两人相差十八岁。他俩于1953年结婚，在荀慧生于1968年去世时，两人共同生活了十五年。其实，早在吴春生健在时，两人就已经相识了。随着接触次数的增加，彼此渐生情愫，只不过那时，荀慧生是有家室的人，不可逾矩，对这份感情只能克制。

张伟君第一次看荀慧生的戏，是《埋香幻》。这出戏说的是张盈盈与一位书生起伏波折的爱情故事。当时，她没有想到，她与荀慧生的爱情，也像张盈盈和书生，一波三折。吴春生去世后，荀慧生本可以顺理成章地迎娶张伟君，但凭空又“杀”出一个吴某，一个绿衣女郎。意外地，荀慧生与绿衣女郎成了婚，张伟君黯然退出。

⊙ 左起：荀令莱、张伟君、李玉茹、荀慧生、费文艺。

在历经相识、相爱、离别、重逢、再离别、再重逢等种种周折后，直到荀慧生与苏昭信办妥了离婚手续，两人这才修成了正果。

起初，张伟君并不知道《埋香幻》里张盈盈的扮演者是个男人，当时，她只觉得“她”长相俊美，而且性格爽朗，很招人喜爱。那时，她还是个学生。几年后，她从家乡来到北平，在前门大栅栏的一家蒙疆银行谋到了一份职业，任总务。那个时候，最常见的娱乐就是看戏。她自小就是个戏迷，有了工作，还算不错的收入足以应付日常开支，剩余的，她都“贡献”给戏院了。

和女友看戏是为了捧角儿不同，张伟君看戏，就是看戏而已。她的女友姓徐，她与荀慧生相识，得益于这位朋友。有一天，看完了戏，徐某邀她一块儿到后台。就在后台，她恍然，原来“张盈盈”居然是个男的，他的名字叫荀慧生，而且是四大名旦之一。她一下子就激动起来。荀慧生初识张伟君，对她落落大方的气质，以及职业女性特有的端庄，很有好感。况且张伟君也懂戏，对一出戏的优劣，有自己的独特见地。

据说后来，是荀慧生先给张伟君打了电话，邀她对他的戏进行点评。张伟君曾经这样回忆说："他就是想听意见，那时还没有'请您提意见'这种说法。我看得出，他的一颗心都在戏上。那时他是很忙的，应酬太多，有人请吃饭，有人请消夜，还有学生等着他给说戏。他以为我是能给他提意见的人，所以愿意和我接触。"[①]于是，两人便有了初次的单独约会。

以戏为媒介，荀慧生和张伟君开始了交往。两人看戏、看电影，然后谈戏、谈电影。更多的时候，他们的谈话内容漫无边际，海阔天空什么都聊。就目前资料显示，荀慧生之所以看中张伟君，很大程度上缘于他和张伟君在一起，很舒服，很放松，他既愿意听张伟君说话，也愿意向张伟君倾诉，甚至无所顾忌地展示他心底深处的隐秘世界。

比如，他在她面前发牢骚：很多人表面上对他很恭敬，但骨子里却看不起他们这些"唱戏的"；他身边的人平时捧着他、哄着他，其实还不是当他是摇钱树？总之，他痛斥他们"势利"。他还和她谈他的家庭，他的妻子吴春生，他的两个儿子。在张伟君面前，他从不隐瞒对妻子既有爱情，又有恩情的多重感情。这个时候，张伟君是他忠实的听众。

一般来说，荀慧生先给张伟君打电话，约定见面地点、时间，常常是在早晨7点以前，或者是晚上散戏之后。艺人的生活规律是晨昏颠倒的，因为晚上有戏，戏后又要消夜，往往要到凌晨才睡，早晨自然是起不来的。但是，为了赶在张伟君上班前和她见面，荀慧生一改早晨不起的习惯。

更多的时候，荀慧生早早起床，站在家门口的胡同口，等待着张伟君的出现。他知道，张伟君每天都会准时骑着自行车从这儿经过。当她经过时，并不停留，只是冲他浅浅一笑，他回报以淡淡一笑。一晃而过，他望着她的背影，渐行渐远，直到消失在路的尽头。

然后，他才转身回家。那一天的心情，会因为早晨的“相视一笑”而变得明媚起来。

很多很多年以后，荀慧生早已作古，张伟君这样回忆当时的那条胡同，和他俩平淡但意味深长的见面：“那条胡同毫无特别之处，但对于荀先生和我，胡同中的每一个大门以及每一处墙壁，甚至是墙壁上凸露在外的破砖头儿，都变得那么温馨和那么多情。这是我俩，尤其是我生活的转折点，但不是拐硬弯儿，每见一面，都会在心头荡起涟漪，随后就是默默地想。荀先生去世后我又去到那儿，想找回点什么，可惜景象全变了，因为解放不久，为了扩宽西长安街，把南面临街的那条胡同整个拆了。这使原来胡同北面的墙壁陡然临了街，于是刻意翻修，样子阔气了，可完全不是当年那温馨和多情了。”

选择或早或晚这两个时间见面，从某种程度上说，也是为了避人耳目，毕竟这个时候，荀慧生有妻室，不便公开和别的女人交往。

但世上哪有不透风的墙？他俩的关系终于为外人所察觉。有一天，某杂志刊登了一条他俩在小树林中散步的消息。当然，消息中隐去了他俩的姓名，只以“某银行职员”、“四大名旦之一”代之。这个消息“逼使”他俩更加小心谨慎，更不敢在公开场合出双入对。但是，有一次两人一起在戏院看戏，看的是荀慧生弟子童芷苓演的《红娘》，不幸的是，又被人发现了。

在那样的时代背景下，舆论的压力自然偏向张伟君。张伟君不堪重负，迅急从荀慧生的生活中消失。之后，吴春生去世。再之后，抗战胜利了。意外地，荀慧生与张伟君重逢。在张伟君的鼓励和帮助下，荀慧生戒掉了大烟。他原本以为戒了烟，又在抗战之后的新的社会环境下，可以重新开始新的人生，更可以光明正当地迎娶张伟君。据说，他也的确向张伟君求过婚。张伟君虽然没有拒绝，但也没有爽快地答应，其中原因，很复杂。

① 谭志湘：《荀慧生传》，河北教育出版社1996年12月版，第272页。

公开的说法是，一、张伟君不愿意在吴春生去世后不多久就嫁给荀慧生，怕被人说闲话；二、之前，关于她和荀慧生的关系，曾被小报极尽渲染，她已经被“塑造”成了破坏别人家庭的“第三者”，如果此时嫁给荀慧生，岂不印证了小报的传闻？三、很多人都知道她和荀慧生不寻常的关系，“女特务”吴某也不例外，她为了扫清障碍从而顺利地达到与荀慧生结合的目的，曾经找过张伟君，半警告半规劝让她放手；四、此时，荀慧生身边还有一个绿衣女郎，张伟君也不想卷入其中参与“混战”，成为旁人的笑柄。

除了这些之外，张伟君应该还有不为人所知的隐秘原因。据分析推测，其实在她与荀慧生开始交往的时候，身边已经有了一个女儿。无法确定的是，当时的她是成婚以后已经离了婚，还是仍在婚姻存续期间？这个女儿是婚生的，还是非婚生？当她被外界发现与荀慧生交往后，迅速消失，除了不愿意背负“第三者”的“罪名”外，是否与她也有家庭有丈夫有孩子有关？不得而知。

吴春生去世后，荀慧生选择再婚，是理所当然的，无可非议。如果此时的张伟君也是单身，又何必顾虑重重呢？那些公开的原因，可能只是托辞。真正的原因，似乎应该是她还没有解决好自己的感情问题，还没有处理好自己的家庭问题。这也就可以解释荀慧生为什么意属张伟君，却突然与苏昭信结婚的原因。

这样的分析推测，并非空穴来风，而是来源于张伟君身边的那个女儿。众所周知，这个日后成为荀慧生继女的女儿，名叫荀令莱，是荀派艺术最忠实的承继者。在她随母亲改嫁之前，本名张丽丽。很明显，她随母亲姓。于是，关于她的亲生父亲、张伟君的前夫，姓甚名谁，就不是很清楚了。

关于荀令莱的年龄，荀令香回忆说：“先父1953年续娶张伟君。令莱妹来我家时已16岁。”[①]也就是说，荀令莱1953年的时候16岁。即使荀令香依从习俗，说的是虚岁，即使虚两岁，那么她实足年龄

⊙ 荀慧生和继女荀令莱合影。

也有14岁了。这样算来，她应该出生于1938年或者1939年。也就是说，在20世纪40年代中期，张伟君与荀慧生初识时，她的女儿张丽丽已经好几岁了。

这种种公开的、不公开的原因，使得张伟君选择第二次从荀慧生身边逃离。然后，荀慧生与苏昭信结了婚，从此也没有再和张伟君联系，直到1953年。有关资料显示，在这个时候，张伟君公开了自己"结婚又离婚"、"独自带着一个女儿"的现实状况。这个"结婚"，发生在她和荀慧生初识之前，还是离开荀慧生之后？她没有说。她的女儿张丽丽就是这个"结婚"的结晶，还是……？她也没有说。至于她的结婚对象是谁，是否就是张丽丽的父亲，她还是没有说。

总之，荀慧生没有计较一切的一切，甚至大度地明确表示，他将视张丽丽为亲生女儿。这不是荀慧生的虚言。他曾经有两个女儿，都不幸夭折了，他巴不得多个女儿呢。爱人的女儿，视若亲女，也在情理之中。张伟君自然很感动，终于答应了婚事。两人成婚后，张丽丽更名为荀令莱。

客观地说，在荀慧生的三任夫人中，张伟君对于荀派艺术的推广，贡献最大，比如整理出版了《荀慧生演剧散论》、《荀慧生演出剧本选》等。在她和荀慧生结婚后，便将全部精力用于辅佐丈夫。

① 荀令香：《艺林留香》（一），《戏曲艺术》1987年第10期，第39页。

⊙ 荀令莱主演《勘玉钏》饰俞素秋。

可以这样说，她将丈夫的事业当作自己的事业，将宣扬荀派艺术视作己任。为了让荀派艺术很好地传承下去，她让女儿荀令莱改学京剧旦角，专工荀派。

张伟君有意愿将女儿培养成荀派艺术的执牛耳者，尽管荀令莱很用功很努力，学荀派也有板有眼，但她为天分所限；她模仿能力很强，却灵气稍缺，与荀慧生最好的弟子相比，稍逊一筹，比如孙毓敏。同时面对亲人与弟子，张伟君不免有所偏心，她有意无意地阻碍荀慧生亲授孙毓敏。孙毓敏在随荀师学习了五年之后，突然发现师傅似乎很怕与她接触，更不要说教戏了。那时，她并不清楚其中缘由，只能黯然转入梅兰芳剧团，改学梅派。

“文革”结束后，包括孙毓敏在内的荀派弟子和师娘张伟君重聚。席间，张伟君突然走到孙毓敏的面前，郑重其事地向她道歉，还向她鞠了一躬。她承认她当时有私心杂念，“我为培养女儿，阻挡你与师傅学艺，影响了你和你师傅的关系。”她这样说，也算坦诚。

那么，她为什么会如此幡然悔悟，由一直不承认孙毓敏是荀派传人，转而认可她是最有前途的荀派传人呢？她当时对孙说的一段话，可以用来解释其中原因：“我相信真正的艺术是不会泯灭的，但是我也许等不到那一天了。所以想把你师傅的重要资料都转移到你们这里，荀派艺术一定要保留下来，而你一定会发挥重要作用的。”[①]

可以感知，张伟君当时为保留荀派艺术的迫切心情。她不惜屈尊，以长辈的身份向晚辈鞠躬认错，目的也就是为了让新一代荀派艺术家将荀派艺术很好地传承下去。

孙毓敏重新被承认被认可，自然十分激动。随即，她频繁出入荀家，与张伟君商讨传承事宜，与荀令莱切磋荀派技艺，又频繁登台演出荀派剧目。有一年，她意外获知文化部长黄镇要接见她。她应张伟君要求将《荀慧生演剧散论》和《荀慧生演出剧本选》转交给黄镇，并极力向他宣扬荀派艺术。之后，她在参加文化部演出时，又将张伟君、荀令莱介绍给黄镇。当时，黄镇握着张伟君的手，说：“祝贺你呀，培养了这么一个好徒弟。”

然而，风云再变。张伟君又一次与孙毓敏交恶。孙毓敏说：“我被师母以莫名其妙的罪名赶出了荀家大门，我和令莱师姐互相切磋荀派剧目的进程也被迫中断了。”其中原因，无人能说得清。

1981年，四川人民出版社出版了一本《纪念荀慧生先生》，收录了荀慧生追悼会上的悼词和师友、弟子、家属撰写的纪念文章，共21篇，却恰恰没有被荀慧生之子荀令香、荀令文称之为得到过乃父真传、荀派最优秀的传人的孙毓敏写的文章。人们只在最后一页摘选的挽词中，看到了她的名字和她写的十二个字的挽词：“无才空负雨露 有生永念音容”。

① 孙毓敏：《我这两辈子》，花山文艺出版社2003年7月版，第262页。

戒烟成功了

抗战胜利之初，上海京剧舞台重现斑斓色彩，退隐的、息演的，纷纷回流；一直没有停演的，唱得更欢了。一时间，名角云集，群芳争艳。1945年秋，“伶界大王”梅兰芳在上海复出，先后在“南京”、“皇后”、“中国”等剧场演出，被誉为“盛况空前”。接着，程砚秋重登舞台，赴上海参加宋庆龄组织的义务戏，又与梅兰芳、马连良等合作演出《红鬃烈马》，被誉为“举世无双”。1946年10月，为庆祝蒋介石六十寿辰，在天蟾舞举办了“全沪名伶盛大京剧会串”，梅兰芳、谭富英、杨宝森、周信芳等演出了《龙凤呈祥》、《蟠桃盛会》、《九龙杯》、《双姣奇缘》等剧目。

重大的义演活动是于1947年9月在上海为杜月笙庆贺花甲。当时，南北名伶在中国大戏院连演五天，梅兰芳、孟小冬、筱翠花、姜妙香、马富禄、裘盛戎、张君秋、杨宝森、刘斌昆、芙蓉草、李少春、马连良、袁世海、周信芳等都参加了演出。梅兰芳更在十天之内连演八场大轴。

然而，在这一系列的演出中，却未见荀慧生的身影。抗战期间，他曾先后三次到上海演出。抗战胜利后，他却反而远离了上海。事实上，这期间，他参加的演出不多。有人猜测这与他的心情有关。妻子吴春生去世不久，留香大饭店也倒闭了，又与张伟君有情人难成眷属，还被“女特务”吴某纠缠，与苏昭信的婚姻，似乎也不太顺心。这一切都让他郁闷。

如果说荀慧生在抗战之后参加的比较重要的一场演出，那应该是1946年6月1日于北平怀仁堂，由北平市长特地为从南京到北平处理国事的委员长蒋介石和夫人宋美龄，以及二百名美国官员举办的京剧晚会。

关于北平怀仁堂为蒋氏夫妇举办的京剧晚会,《中国京剧史》这样记载:“1945年12月,蒋介石到北平,当局曾在怀仁堂召集了一批著名的京剧演员演出了一场欢迎戏。程砚秋、孟小冬、李世芳、谭富英、马连良等登台献艺,为北平多年来所仅见。剧目有谭富英的《空城计》,孟小冬、李世芳的《武家坡》,程砚秋的《红拂传》,马连良、李万春的《八大锤》。这天随蒋介石一起观看演出的还有宋美龄、国民党其他官员及盟军数百人。”

准确地说,“怀仁堂演出”是在1946年6月1日。参加演出的名角儿,是荀慧生、筱翠花、谭富英等。据陪同看戏的当时的外交部长顾维钧回忆:“委员长像是非常认真地欣赏着这次演出,并不时对不同的演员加以评价。这些评价似乎相当贴切,说明委员长对京剧有很好的素养,不仅对剧情而且对各个著名演员的优缺点都很熟悉。”可惜的是,在这段回忆中,他没有提到当晚的演出都有哪些“著名演员”、哪些剧目,蒋介石又是如何评价的。

演出后第二天,《大公报》刊出消息,大标题是“蒋主席在北平”,小标题是“怀仁堂昨有欢迎晚会”,内容是:“当日九时半,北平各界在怀仁堂举行欢迎主席晚会,戏码有谭富英之《打渔杀家》;荀慧生、筱翠花之《樊江关》……”

除了这次政治性演出外,荀慧生比较重要的营业性演出,是1947年年底到1948年年初的时候,率留香社在西安的演出。那次演出,可以称得上他在那个时期最成功圆满的演出。

在留香社到西安之前,西安方面还没有接待过京戏“大班儿”,虽然也有零星京角儿去演出,但像留香社这样规模大、角儿齐的大班社,还是首次。所以,人未到先火,戏未演先热,西安戏迷兴奋极了。也许这是荀慧生演出成功的一个原因。在他们抵达后,被戏迷们围着问三问四,问得多的,还是关于角儿,比如马连良、杨宝森。这一生一净,在那个时候,是最受欢迎的。对于四大名旦之荀慧生，他们戏称他为“老红娘”。

“老红娘”在西安一唱就是一个多月，几乎场场爆满，特别是《红娘》，更受欢迎。破天荒的是，他的票价卖到每张20万元（国民党时期钱币），而且还一票难求。其实，荀慧生原本打算结束在西安的演出后，转战甘肃兰州，但西安戏院老板万般不舍放行，一再挽留，演期一再延长。荀慧生也就只好放弃到兰州，继续留在西安。他重新计划在过年前结束演出，返回北平过年。但是，戏院老板仍然不肯放行。就这样，留香社一口气在西安唱到腊月十三，这才封箱。然而，因为春节后还要继续演，所以，他们一行人只能留在西安过年了。

不能回家过年，大家多少有些失落。不过，之后发生的一个故事，充满喜剧色彩，在一定程度上消散了愁绪。当时，包括荀慧生、荀令香在内，同赴西安的，共有26人之多，有李绍亭、何佩华、李金泉、贯盛吉等。他们演戏的戏院管事，姓崔，也是伶人出身，早年搭班俞振庭的斌庆社。所以他对京角儿，有一种特别的亲切感，一下子就与留香社的管事李绍亭成为好友。

大年三十那天，崔管事盛邀李管事到他家去吃年夜饭。过年了，李绍亭自然也想家，就答应了。既然是年夜饭，自然少不了喝酒。李绍亭吃着饺子，喝着老酒，惬意极了。不知不觉中，就喝多了。晚上11点前，也就是在西安城戒严前，崔管事包了一辆车将李绍亭送了回去。

李绍亭迷迷糊糊回到住处，遇到荀令香，顿时眼泪汪汪地说：“我瞧见你我就难过。”荀令香知道他喝多了，也就不问他为什么瞧见他就难过，只顾着搀扶他回房。李绍亭不肯走，问荀令香：“二爷（即荀慧生）回来了没有？”荀令香随口应答：“没有。”一听“没有”，李绍亭就吵嚷着要到大街上去找二爷。此时大街上已经戒严，荀令香担心他出事，就拉着不让他到大街上，只好说：“二爷早就回来

⊙《白水滩》荀慧生反串十一郎。(年底封箱或告别演出的反串节目)

了。”然后问他：“找二爷什么事？”他说：“祭祖。”

哪有人大半夜祭祖的？李绍亭不管那么多，他一方面叫荀令香将荀慧生叫出来，一方面取了个酒瓶，又找了个旧罐头盒子，装上炉灰，当香炉，然后插上两把香，点燃，拽过荀令香，逼着他和自己一起磕头祭祖。荀令香无奈，只好跟着磕头。折腾到下半夜，他才回房休息。第二天酒醒后，却什么也记不得了。荀慧生笑言：“幸好我早早睡下了，不然也被逼着大半夜焚香磕头了。”大家就在这哈哈大笑声中过了一个特别的新年。

作为荀慧生个人而言，他在这个时期最大的成功，并不是艺术上的，也不是生活上的重组家庭，而是戒除了缠绕他多年、有“夺妻”之仇的鸦片烟。

在过去的梨园界，伶人抽大烟，是普遍现象，普遍到大多数伶人与鸦片有染。四大名旦中的尚小云的母亲、妻子都抽鸦片，作为孝子的尚小云，每晚都会给母亲烧烟，但他身在烟中却不沾一口，意志力之强令人难以置信。

那么，伶人为什么会迷恋鸦片呢？除了社会环境的影响、个人毅力的强弱外，更多的是出于演戏需要。梨园盛传，鸦片这个东西，能够定心、降火、预防中年发福，还能助气，帮助思维，减轻压力。

从“定心”这个方面说，伶人身处娱乐漩涡之中，难免风花雪月、灯红酒绿，特别是男旦，更容易招惹是非，正当红的伶人们多半年轻，很难抵御诱惑。既然自己定力不够，便需要借助外力。这个“外力”，他们认为，就是鸦片。吸上几口鸦片烟，恍恍惚惚、飘飘欲仙，其他的念想便少了，醇酒、美人，也就渐渐远了，于是也就不会有绯闻、丑闻、是非了。

从“降火”这个方面说，很多伶人年轻气盛，好胜心又强，按照行话说，“一身野火”。但是在演戏时，最忌过火。北方伶界前辈授徒，总是要求弟子“与其火，毋宁瘟”。于是，降火，就显得尤为重要了。何物能够降火？他们认为，还是鸦片。事实上，吸上几口鸦片烟，不要说“野火”即刻褪去，就是想火，也火不起来了。这样上台，火候正好。

从“助气”这个方面说，伶人们普遍认为，鸦片能够降低过于高亢的调门，助其运气，使得嗓音既亮且柔，恰到好处。

另外，伶人的压力都很大，新人层出不穷，观众的欣赏口味、审美趋向不断变化发展，这使演员时刻处于不进则退的激流中，也使他们往往思虑过多，一边演着旧戏，一边想着如何编新戏；演完一出戏，想着哪句腔唱破了，哪个身段做坏了，又想着来日再演，应当如何如何。用脑、费脑，精神紧张，回到家，躺在烟榻上，吸上几口鸦片，再喝上几口浓茶，倚枕假寐片刻，是一种享受，也是一种解压，而后才能再打精神、重聚气力投入到编排新戏、设计新腔、安插身段，以及练功、喊嗓中去。

也正因为如此，谭鑫培授艺时，拿烟枪当把子；王瑶卿编新腔时，必以抽烟帮助活跃思维；余叔岩研究戏曲音韵，一定是在过足烟瘾之后；芙蓉草揣摩剧情，也要在烟膏烧热时；金少山的烟瘾大得必须要在戏院一角装烟灯烟榻，吸上几口是他登台前的必经程序，否则他就唱得不痛快。

不过，伶人们对鸦片的害处，并非没有清醒的认识，他们也认为可以将鸦片归为“害人的东西”。被鸦片侵害断送艺术前途的卓有成就的老艺人，不在少数，比如，杨宝森、金少山等人，甚至有人不无偏激地说，如若不是鸦片害了杨宝森，哪还会有马连良、谭富英？实际上，马连良、谭富英也是抽大烟的，只不过在程度上，没有陷得那么深而已。尽管伶人们承认鸦片可以降火，但是，有些抽大烟的演员，在舞台上，火是没有了，但神气委顿了，显得没精打采、有气无力，真正是瘟了、蔫了、懈了、颓了，让人看了乏味、生厌。

尽管大家都知道烟是毒草，应当戒除，却都缺少戒除的决心和毅力。特别是在抗战时期，人心惶惶，前途茫茫，精神无所倚托，沉溺于袅袅烟雾之中，精神可以暂时麻醉一下。抗战胜利后，政府下决心根治抽烟恶习，下达了“禁烟令”。实际上，由政府颁布“禁烟令”，这不是第一次，只是从未落到实处，从而使禁令成为一纸空文。这次，政府似乎加大了力度，严令“立刻戒绝”。伶人们早有此意，也就乐于借助外力、强力使自己从鸦片中挣脱出来，便纷纷加入戒烟大军之中。荀慧生就是其中之一。

鸦片这个东西，一旦沾上，很难戒掉。戒烟，便成为一件很痛苦的事。如何能够成功戒除，又不用忍受哈欠连天、涕泪横流、骨头酸痛的痛苦？有关戒烟良方、秘方应运而生，并层出不穷。比如，有人将烟灰混合牡蛎、陈皮、龙骨等26种食材煎透，然后去渣与黄酒同煎，再兑以红糖、蜂蜜，喝之；有人则将鸦片烟熬成汁，然后与粳米同蒸，蒸熟后晒干，此时的米就成了咖啡色。在烟瘾发作时，抓起一把米嚼食，据说不但能治烟瘾，而且还能使脸色红润；更有人别出心裁，将一件新的白粗布小褂，浸在鸦片烟汁里，泡上十天半月，然后取出晾干，穿在身上。当烟瘾发作时，就揪着小褂，放在嘴里嚼一嚼。诸如此类，令人好奇又好笑。更多的人，还是相信医院相信医生，而入院戒烟。

当时，有人为伶人戒烟，撰写了这样一首打油诗《仿清明》：

胜利时节闹纷纷，
路上行人全兴奋，
借问名伶何处有，
医生笑指自家门。

梨园艺人，大多数生活贫困，有心入院戒烟，却又付不起医疗费。马连良、孟小冬等几位名角儿自发组织起来，筹募资金，假市立第三医院的地方，开办了“北平国剧人戒烟会”，动员需要戒烟的伶人入会戒烟。很快，戒烟会聚集了百余号伶人，其中三十多人有经济能力的，自费；其余七十多人，全部免费。戒烟会的条件很不错，共有八间房，每人每天都吃白米饭、一菜一汤。每天定时有医生上门打针喂药，监督戒烟成效。

一段时间以后，第一批成功戒除了烟瘾的出会了。其中有金少山、谭小培、王瑶卿、马连良、叶龙章、刘砚芳、谭富英、杨宝忠、徐兰沅等；紧接着，第二批、第三批先后出会，其中有万子和、茹富兰、茹富蕙、王连平、方宝泉、张子寿、李玉泰等。最后，“戒烟会”里只剩下四五个人。也就是说，该会的戒烟成功率，还是非常高的。

荀慧生似乎没有入“戒烟会”，而是进入长安街上的某大医院进行戒烟。当时，他戒烟的决心很大，对成功戒烟也充满信心。某报特别为他入院戒烟刊出消息，说“他那一种坚决肯定的精神，可以表现他的前途，今后还是光明的”。尽管戒烟的过程很痛苦，很难以忍受，但他最终还是咬紧牙关挺了过来。走出医院，重新呼吸着新鲜空气，他自觉已经脱胎换骨。

荀门弟子

无论是否好为人师，作为京剧旦行的风云人物，四大名旦都不可避免地当起了师傅，广收弟子授课传艺。作为他们个人来说，自然希望一身的玩意儿能够传续下去，就像生儿育女延续自己的生命一样。作为中国京剧来说，也需要将他们一生的艺术实践经验和表演理论作为培养新一代艺术人才的模本，发扬光大中国传统戏曲艺

⊙ 荀慧生与尚明珠师徒合影。

术。解放前的收徒，更具个体性质；解放后的收徒，则带有政治性、组织性，而且非一对一，多的是一对十，甚至一对几十。这也就造成他们究竟收了多少个弟子，连他们自己也说不清。

1955年，经部力子介绍，梅兰芳收湖南京剧名旦李湘芬为徒。当时，他说："我已收弟子49人，湘芬排行第50，就算封顶吧。"外人便误以为梅兰芳一生收徒，一共50人。实际数字远远不止，但准确数字没有定论，有人说102人，有人说109人，还有人说112人。之所以如此，其中一个很重要的原因是，据说，唱旦角的大多拜过梅兰芳，不论他（她）是什么流派，也不论是否举行过拜师仪式，行过拜师礼。

尚小云一生收徒，也相当多，特别是他解放以后的收徒，几乎是成批成群的，因此，尚门弟子更难统计。比如在20世纪60年代初，他有三次大规模的收徒，一次是在陕西西安，一次是在山东济南，一次是在贵州贵阳。西安那次，他一共收了35人；济南那次，他一共收了40人；贵阳那次，他一共收了50人。这几次收徒，有一个共同点，那就是所收弟子，并非都是尚派旦角，甚至并非都是京剧演员，秦腔、评剧、越剧、川剧、豫剧、湘剧、黔剧、花灯戏、弦板腔、碗碗腔、阿宫腔等各种地方戏种的演员都有。

程砚秋对于收徒，一向很谨慎，也因为他的性格比较孤僻，轻易不答应收徒，又因为他为人拘谨，非同寻常地洁身自好，为此坚决不收女弟子。所以，相对来说，程门弟子便于统计，大约不过数

⊙ 荀慧生与弟子许翰英、毛世来合影。

人。解放后，由周恩来亲自安排，他打破“不收女徒”的旧习，收了一个江新蓉。其实，说程砚秋只收了数个弟子，并不准确。在三四十年代，他曾经是中华戏曲专科学校的校长兼教员，传授程派艺术。从这个角度说，戏校的孩子，都应该算是程门弟子。这样说来，程门弟子究竟多少，也是不易统计清楚的。

同样的问题，在荀慧生的身上，也是如此。自从他于1923年收了第一个徒弟、票友叶寿梅之后，直到60年代“文革”前夕，有记载的，其中京剧演员有：

童芷苓、吴素秋、赵燕侠、宋德珠、许翰英、毛世来、董玉龄、虞俊芳、吕慧君、李玉茹、尚明珠、白玉薇、吴绛秋、李玉芝、李香君、冯素莲、魏翠痕、梁韵秋、董惠宝、徐东霞、刘燕云、丁云兰、张丽君、秦家班、戴绮霞、吴梅魂、魏效荀、梁秀娟、姜月玲、李微华、陆正红、陆正梅、厉慧敏、孙毓敏、宋长荣、刘长瑜、刘秀荣、岳惠玲、李雅兰、沈健瑾、陈和平、曾慕洁、王紫苓、徐凌云、刘琴心、胡惠兰、董金凤、任岫云、小白玉艳等。

除此之外，还有其他戏种的评剧演员新凤霞，豫剧演员陈素贞，川剧演员陈书舫、许倩云，秦腔演员马兰鱼，越剧演员傅全香，桂剧演员尹羲，蒲剧演员王秀兰，河北梆子演员齐花坦，话剧演员肖驰。

据荀慧生自己说，1963年，他收了最后一个弟子，来自贵州的李妙春。

这样算下来，荀慧生的弟子，一共60人。实际上，这只是不完全统计，就连荀慧生自己也说：“当然这是不可能那么完整的统计，因为将近半个世纪的蹉跎岁

⊙ 荀慧生的弟子毛世来在《花田八错》中饰春兰。

月，尽管有日记可以记录得比较仔细，也难免有个疏漏。”

不论他们四人各自收徒有多少，在授徒方式上，却都十分近似，无不遵循言传身教、因材施教的原则，鼓励广学博采，鼓励创新，注重道德、文化修养。特别对于荀慧生来说，他曾因门户之见而受排挤，因此特别要打破门户之见，不拘于本门派，不反对弟子在学习荀派同时，向别的门派讨教，也不反对弟子在学习其他流派之后，转投荀派门下。

有人以为李玉茹是梅派，其实她也是荀派弟子。严格说来，吴素秋并非荀派弟子，因为她并没有正式向荀慧生行过拜师礼，她其实拜的是尚小云。但是，当她向荀慧生请求也学荀派时，荀慧生并不因为她是尚派就拒绝她。京剧演员梁秀娟、董玉龄，秦腔演员马兰鱼也都是既学荀派，也学尚派。花旦演员毛世来，先拜筱翠花，又拜荀慧生。童芷苓在学习了荀派之后，也转学梅派，得荀派、梅派艺术真传之后，又学程派名剧，集众家之长，而形成自己的风格。

在鼓励创新方面，荀慧生有一句名言：你演的是红娘、金玉奴、杜十娘……你演的不是荀慧生。你是红娘、金玉奴、杜十娘……你不是荀慧生。也就是说，他要求学生按自己对人物的理解，按自己的特长，演出自己的红娘、金玉奴、杜十娘……并有所创新，而不是一味地模仿荀慧生。演得像荀慧生，不算本事，演得既像荀慧生，又在荀慧生基础上有所创新有所突破，才是本事。荀慧生非常赞同画家齐白石说过的一

⊙ 荀慧生弟子吴素秋在《拾玉镯》中饰孙玉姣。

句话："学我者生，似我者死。"他在授艺时，以此为教学宗旨，处处体现这个思想。

弟子童芷苓的模仿能力很强，学什么像什么，学荀派，自然也很有荀慧生的样子，但她不满足于模仿，而常常即兴发挥，将自己的创见加入戏中。有人指责她这是背叛，有人痛骂她"欺师灭祖"，但是，荀慧生却不这么认为，他甚至赞许道："她改得有分寸，是在人物之中，把自己的理解融进了人物，又适合她自己的条件。"

对于许多弟子只停留在外形的模仿、单纯动作身段的模仿，甚至以为荀派的俏丽活泼就是挤眉弄眼、乱抖肩乱晃膀子，因此不论演什么戏，都作大大咧咧、满不在乎状，以及满场乱抛媚眼，像花蝴蝶一样满场乱飞，荀慧生对此深恶痛绝。他明确地说："那不是在学荀派，那是在糟蹋荀派。"

弟子吴素秋的荀派戏演得比较拘谨，似乎不大能放得开。有人就说她演得不像荀派。他们认为的荀派是火爆炽热的。荀慧生却不以为然，他解释说，火爆炽热只是荀派特点之一，并非唯一特点。某些戏的确需要火爆炽热，但某些戏恰恰不能火爆炽热。他进一步说：相对而言，荀派的动作比较夸张，但也不是所有人物的台步都是“大步量”，有的时候，根据人物需要，也需要文雅一点、安静一点。

重视基本功，也是荀慧生授徒的特点之一。他不反对改革创新，但他反对没有基础的改革创新，他坚持在坚实的基础之上的改革创新。他主张：“先学会了，然后再根据自己的条件改革。学会了，是打好了基础。在这个基础上，自己发展变化，形成自己的东西。这样才能站得住，才能被观众承认。学还没有学好，就去改革，改出来的，不可能是站得住的、被观众承认的。这就如同地基还没有砸好，就盖上房了，盖出来的房不会牢靠，也如同小孩子学走路，路还没走好，就要跑，非摔跟头不可。”

虽然他鼓励学生创新，但在练基本功时，却严令不得随意自由发挥，而是严格按照程式，一招一式一板一眼，都不能违规逾矩。在练基本功时，他主张不怕让弟子吃苦，吃练功的苦。他经常说的一句话是：“不苦，是学不好的。”继女荀令莱初学戏时，荀慧生对她的要求就是：“你得从基本功练起。”他让她师从赵德勋学武功、学身段；师从周长泰、陈世鼐、赵绮霞学青衣、花旦、刀马旦。待她打好了基础，具备了扎实的功底之后，他才开始传授荀派戏。荀令莱曾说：“父亲无数次地对我学艺的严格要求，如果没有长期打下的基本功，在停止舞台生活十余年后，还能演出《红娘》等荀派戏，是不可想象的。”

一个好的师傅，应该是既教演戏，也教做人。荀慧生是个好师傅。他对弟子在做人方面的要求是：一个演员，首先必须是正直、老实的人。他常常向弟子展示“老乡亲”孙菊仙赠给他的条幅：“艺高不如德高”，告诫他们认真做戏固然重要，更可贵的是认真做人。对于“尊师”，他的要求尤为严格。他曾对荀令莱说：“要学习，就得有人指教，凡是能指教我们的人，就是我们的老师，我们要尊敬他们，要虚心地踏踏实实地向他们学习。当然，我们所求教的老师，

⊙ 荀慧生弟子孙毓敏便照。
⊙ 《红娘》孙毓敏饰红娘。

不一定都是名师，不一定样样都很高明，但是，无论哪一位老师，都有他的可学之处。”他自己，一直对教过自己的老师尊重有加，从不敢怠慢。

荀令莱学艺期间，荀慧生就要求她每天都要在老师上门前做好一切准备，包括沏好茶水等，老师进门，必须迎上前去，态度要谦卑恭敬。有一次，荀令莱因为前晚的演出太过劳累，早晨睡过了头。周长泰老师已经登门，她却还没有起床。荀慧生代替女儿接待了周老师，一直陪着他。那一天，他的脸色很难看，甚至对令莱不大理睬。看得出来，他对女儿的疏忽，非常不满。荀令莱在送走周长泰之后，在父亲面前深刻检讨，这才取得谅解。

在梨园界，最能体现“一日为师，终身为父”、“师徒如父子”这样的传统。早年，荀慧生对自己的师傅，是不敢有反抗的，甚至不敢有不敬之举。当他成了别人的师傅后，却并没有承袭旧传统，以师傅自居训斥、苛待弟子，而是温和可亲、平易近人的，建立起了一种新型的、文明的师徒关系。

孙毓敏在成为荀门弟子前，在北京戏校读书。有一次，她在女生宿舍模仿荀慧生的唱腔和念白，逗得其他学生哈哈大笑。显然，她的模仿，虽然谈不上恶意，不过是开玩笑。如果以传统观念来看，拿前辈开玩笑，有“大不敬”之嫌。有人将此事转告荀慧生时，就忿忿不平地指责道：“这样的学生闹得太不像话了。”荀慧生却没有当回事，他认为，好奇之心，人人有之，不足为奇。

不仅如此，他对这个“善于”模仿的学生产生了

⊙ 《游园惊梦》，宋德珠饰春香。

浓厚的兴趣。几天后，他的琴师郎富润告诉他，戏校有个叫孙毓敏的学生，很聪明，能唱出全部《荀灌娘》，而且模仿能力相当强。提到“孙毓敏”这个名字，他想起来了，在戏校第一届毕业生汇报演出时，他应邀去看戏，就曾看过孙毓敏演出的《断桥》。当时，他对戏校校长郝寿臣和花旦老师赵绮霞说：“这个胖姑娘挺开窍。”这个时候，他终于弄清楚了，那个“拿他开玩笑”的姑娘，就是孙毓敏。

也许正是因为他说过“这个胖姑娘挺开窍”，所以不久之后，孙毓敏被分配到了荀剧团。刚入校，荀慧生就安排她排练《荀灌娘》的“兄妹射箭”一场。有人对孙说，荀慧生听说了她曾拿他开玩笑，很生气，准备好好惩罚她。她慌了。荀慧生当然没有这样的念头，他只想试试她的能力，看看她到底是不是像外界所说的那样能唱《荀灌娘》。当孙毓敏真的圆满应付下来后，他由衷地夸赞：“想不到，你这丫头比谁都机灵。”至于“开玩笑”的事，他提都没提。

孙毓敏就这样成为了荀慧生的弟子。她常上门求教，有时遇到荀慧生正在画画，她就帮忙抻纸。有一次不小心将画纸抻破了，她吓坏了。荀慧生从她诚惶诚恐的样子里看到了自己小时候在师傅面前战战兢兢的样子，也就不责备她了，反而安慰道：“不碍事，我再画一张，你别那么紧张。”

在荀门弟子中，孙毓敏算是比较聪明的。但是，荀慧生并不偏爱聪明的弟子。他说：“我喜欢笨学生，不喜欢过于聪明的学生。笨学生，我教他一遍两遍，他不会，我可以教他三遍五遍、十遍二十遍。只要他学会了，就再不会变样儿。过于聪明的学生，一说就明，一点就透，一会儿工夫就全

⊙ 赵燕侠便照。

学会了，但是过不了两三天，就全变样儿了，加进去自己好些东西……”

这里的“笨”和“聪明”，其实是有所指的。荀慧生之所以不喜欢“过于聪明的学生”，是因为这样的学生往往因为悟性高学得快演得熟而流于“油”。在他的表演理论中，有一个方面就是针对“油”的，那就是“保持三分生”。

四小名旦之一的毛世来，表演就不免有点“油”。对于他的评价，也有“聪明”、“精灵”、“刁钻”之类。他是科班出身，出科于富连成科班。在科班时，富连成一度难以为继，尚小云侠胆义肠，贡献出自己的本戏，帮助富连成排演尚派戏，重振了富连成。毛世来就是在这个时候，拜尚小云为师。之后，梅兰芳自沪北上，他又拜梅兰芳为师。

毛世来毕竟专工花旦，而尚小云、梅兰芳都以青衣正工见长，于是，他又拜花旦筱翠花为师。筱翠花一度也有意培养他，甚至将传承衣钵的希望寄托在他的身上。然而，1939年，他却改弦更张，拜到了另一位花旦荀慧生门下，成为荀门弟子。荀慧生夫人张伟君曾经这样评价毛世来：“身兼荀筱两门，但论荀派，则成色不足。”不过，与他拜梅只是挂名不同，他拜荀慧生后，还是很认真地学了一段时间的荀派。因此，他的唱腔中，多少也有些荀味。

荀门弟子中，除了毛世来，还有一位入选四小名旦，他就是唱武旦的宋德珠。他是程砚秋任校长的中华戏曲专科学校的毕业生，是该校“德”字辈学员。他随荀慧生学习了《大英杰烈》等花旦戏。因为他专工武旦，荀慧生在教授时，也就将精力更多地放在武打上，着意传授表现巾帼英雄的戏。

荀慧生早期的弟子，比较出名的除了毛世来、宋德珠以外，还有赵燕侠、李玉茹、吴素秋、许翰英、童芷苓等。赵燕侠的荀派戏，

⊙《香罗带》许翰英（右）饰林慧娘、白玉依饰春莺。
⊙《红娘》童芷苓饰红娘。

据说荀慧生实授得比较少，师从的是何佩华。李玉茹也是中华戏曲专科学校的毕业生，在戏校时就有“小荀慧生”之称。吴素秋早年与童芷苓齐名，以后略逊于童芷苓。在这批弟子中，许翰英、童芷苓最为突出。过去的戏迷说早年荀派传人代表，首推许翰英。可惜的是，许在1970年离世，只给后人留下两段唱段和寥寥数张照片。因此，按目前的说法，早期荀派第一人，是童芷苓。

童芷苓17岁时由天津到北京，拜在荀慧生门下。荀慧生教她的第一课，是《霍小玉》。据她回忆，那时候，荀慧生除了每天都亲自教她唱腔外，还让荀令香带着她拜访王瑶卿，向他求教请他指点。荀慧生将自己的弟子介绍到自己的师傅那里，很像当年他的师傅庞启发将他介绍到“老十三旦”侯俊山那里一样，都体现了为师对弟子的器重和充满希望。

荀慧生这样评价童芷苓：“学戏学得最好。”他用了“最好”，而没有用“最快”两个字，表明童芷苓是聪明的，但又不是那种荀慧生不喜欢的“聪明”，即一学就会，一会就油。童芷苓的聪明，体现在无论唱腔、念白、做表都能恰如其分地显示荀派韵味，而不是一味追求表象的“像”。

荀慧生后期的弟子，比较出名的除了孙毓敏外，还有尚明珠、宋长荣、徐凌云、李薇华，以及继女荀令莱。宋长荣的圆场，据说无人能比。作为男旦，到了中年以后，身体不免发硬发僵，圆场跑起来，也就不那么好看了，但宋长荣的圆场，柔媚如前，这是难能可贵的。李薇华的做表，堪称一绝。徐凌云的唱腔，荀味十足，但欠

⊙ 许翰英便照。

缺个人风格。他对荀派的贡献不在于唱荀派戏唱得如何，而是对于荀派的教育理论研究。

荀慧生对于荀令莱这个并非亲生的女儿，十分疼爱，给她取了个昵称："小布人儿"。关于他给令莱说戏，流传着这样的故事："由于白天事忙，只得在晚上10点后才认真传授。方法也不拘一格，一出《玉堂春》竟是躺在大床上给令莱'说'的。那是冬夜，西北风刮得山响。令莱胆小，便挤到爸妈的大床来睡。那床实在宽大，父母脚下还富裕很宽的一溜。于是令莱的被窝就横置在那里。令莱十分调皮，见父亲说戏来了兴致，就装着打起呼噜，慧生捅了她两脚也不见醒，便笑道：得，我这儿又'卖'不出去了……"[①]

这样的场面，着实温馨。但是，有人质疑：按照荀令香所说，荀令莱随其母张伟君1953年到荀家时，已经15岁了。荀令莱自己也说，她学戏之初，并非由父亲亲授，而是师从其他师傅练习基本功，然后才由荀慧生给她具体传授荀派戏。那么此时，她应该不止15岁了。这个时候，她还能躺在父母的大床上吗？何况她还不是荀慧生亲生女儿。

于是，又有人对荀令香所说令莱"15岁"表示怀疑，认为张伟君嫁给荀慧生时，其女令莱不过三四岁。但是，可以确定的是，荀令莱1965年结的婚。如果1953年时三四岁，那么，结婚时只有十四五岁，是不可能的；如果1953年时15岁，那么，结婚时二十六七岁，则是完全可能的。

然而，不管荀慧生以何种方式为令莱说戏，总之，令莱因为有得天独厚的条件，得到荀慧生真传，是可以肯定的。因此，她的唱腔荀味十足，表演也颇具乃父风采，连荀慧生都说她"学自己没走样的"。但是，她的表演稍显"板"，略欠灵巧，个人创新也不多。不

① 徐城北：《荀宅花树与"小布人儿"》，《人物》2000年1月，第129页。

⊙ 荀派弟子与学生（左起）李蔷华、曾慕洁、李玉茹、童芷苓、（后排左起）李维康、刘长瑜、孙毓敏。

过反过来说，因为“板”，也就没有了“油”，反而是好事。荀慧生这样评价：“令莱演戏不一定是好样的，但教戏一定是把好手儿。”事实上，她也确实将教授荀派戏视为己任。

有一个现象很令人费解，在提到梅兰芳时，有“无旦不梅”、“十旦九梅”的说法；提到程砚秋时，有“无旦不程”、“十旦九程”的说法；提到尚小云时，有“无旦不尚”、“十旦九尚”的说法；提到荀慧生时，则又有“无旦不荀”、“十旦九荀”的说法。这不免让人疑惑，难道四大名旦之后的旦角演员，人人都兼跨梅派、程派、尚派、荀派？显然，“无旦不×”、“十旦九×”的说法，是一种夸张的形容。不过，学荀派的旦角演员，相对而言，的确非常多，也几乎达到“无旦不荀”、“十旦九荀”的地步，特别是在解放以后，更是如此。

都说梅派博大精深。因为梅派难学，也就成为事实。尚派偏向武、侠，没有相当的武功和侠气，难以胜任。于是，学梅、学尚的旦角演员，相对少一些，特别是精通尚派戏的，就更少了。程派以唱闻名，曾经被视作“鬼音”的程氏唱腔风靡一时，有相当广泛的群众基础。旦角演员本身就以唱见长，因此特别注重唱腔。从这个角度说，学程派的，也就多一些。荀派戏生活气息浓厚，又擅长表演，连唱带演，又更多地反映现实生活，与老百姓的普通生活贴得很近，自然容易引起共鸣，而受到观众欢迎。所以，“无旦不×”、“十旦九×”，放在荀派身上，更恰如其分。

第五章

孤云独去

传说“打倒四大名旦”

戏是什么？既是单纯的娱乐，也可以用来慰藉人们脆弱的心灵，更在特殊的环境下成为华彩乐章中的一个亮音。因为需要而增色添彩，以锣鼓喧天的形式表达社会气氛、反映人们的精神世界和思想感情。作为艺人、名角儿，也就不可避免地在重大场合，既为特殊人群，也为特殊事件歌唱舞蹈。艺人是艺术艺人，有的时候却也不得不成为政治艺人。抗战中的筹款义演、慰问抗日将士是如此，抗战胜利后的庆祝演出也是如此。

荀慧生一生远离政治，却也参加过多次所谓的政治演出。当北平经过长达数月围城，守城将军傅作义最终起义，北平和平解放后，荀慧生随即就参加了一次政治演出。在傅作义将他的部队撤出北平后，1949年1月31日，解放军第四纵队四个师开入北平市内接管防务，随即，四野前线指挥部也陆续进入北平。

随军入城的有林彪、罗荣桓等高级将领。2月3日，解放军举行了大规模的入城仪式。当天晚上，为庆祝北平解放，在北京饭店举行了盛大的晚宴。随后，林彪等人前往长安大戏院观看了一场京剧演出，其中就有荀慧生演出的折子戏。①

客观地说，荀慧生对这次演出的性质，并没有超出以往的认识。他经历过辛亥革命、北洋政府、国民政府、抗日战争，对政权更迭、时代变迁，有过切身感受。作为以唱为生的艺人而言，无论时代如何变幻，唱戏是永恒的职业，一份谋生的手段。因此，他对这次演出，心态上并没有多少改变。其中原因，当归于他于此时对解放军、对共产党，还没有太多的认识和理解。

尽管荀慧生曾说“凡是经过日本时期，当过亡国奴，又看到国民党的官僚腐败、横行霸道的过来人，对于1949年中国共产党建立新中国的兴奋心情都是不难理解的。所以我从1949年以后，精神面貌有了很大的变化”，但是，可以想象，他的这种“兴奋心情”并不是一开始就有的，他的“兴奋心情”的产生，有一个过程。事实上，他最初心里是充满疑虑的。

他最初的疑虑来自于戏班里的“闹翻身”运动。“翻身”？怎么翻？普通下层艺人要翻身，他这个名旦、名角儿，难道也要翻身？翻身成什么？他不清楚。接着，在一片“打倒”声中，他突然听说要打倒“四大名旦”。他吓了一跳，难道四大名旦，也和地主老财、国民党贪官污吏的性质一样？他想不通。一个唱戏的，怎么就成了要被打倒的对象呢？他自忖几十年来，从来没有做过坏事，也没有害过人，无论哪朝哪代，他都本本分分地唱戏，以血汗换生活，如今共产党得了天下，怎么就容不下四大名旦了呢？

正在他百般不解又万般痛苦的时候，他突然得知，错了，不是他听说错了，而是因为艺人们大多人心惶惶，七传八传传错了，由打倒“四大家族”，传成了打倒“四大名旦”。虚惊一场，这下他放了心。

早在北平解放之初的3月份，程砚秋作为社会名流，应邀到北京饭店，参加周恩来主办的招待会。荀慧生听说，那天白天，周恩来亲自到程宅拜访，只可惜两人失之交臂。招待会当晚，程砚秋为毛泽东、周恩来等中央首长演出了程派名剧《锁麟囊》。紧接着，4月份，程砚秋作为京剧界的唯一代表，和另外12名文艺界代表，如郭沫若、田汉等作为中国代表团成员赴布拉格参加了世界拥护和平大会。这又让荀慧生如同吃了定心丸。

四大名旦不但没有被打倒，相反，都不同程度地被重用而参与到政治当中，以国家主人的身份参政议政。首届“文代会”，梅兰

① 据当时担任林彪秘书的忆征途回忆，当时参加演出的演员还有四大名旦中的另外三位。实际上，梅兰芳此时还在上海，而上海还未解放，是不太可能出现在北平的。关于荀慧生当日演出的剧目，不详。忆征途只记得程砚秋演出的是《荒山泪》。

芳、程砚秋、尚小云都参加了；首届政协会议，戏曲界代表只有四人，其中就有梅兰芳、程砚秋。对于艺人而言，政治地位的巨大转变，最能体现“翻身”的含义。梅兰芳感慨道：“我在旧社会是没有地位的，今天能在国家最高权力机关讨论国家大事，又做了中央机构的领导人，这是我们戏曲界空前未有的事情，也是我的祖先们和我自己都梦想不到的事情。”

作为荀慧生个人来说，他虽然在政治地位上不如梅兰芳、程砚秋，但他对于艺人社会地位的提高，还是有切身感受的。在抗战胜利初期，他的长子荀令香一度担任中央银行的接收大员。但是，有人对此表现出了相当的不满，甚至群起而攻之。理由便是“荀令香是戏子出身”，他们认为，“戏子”怎么能担任接收大员呢？这是万万使不得的。迫于压力，荀令香不得不离职。当时，这件事给予荀慧生很大的刺激。不是因为儿子当不了接收大员，而是身为“戏子”始终处于极其低下的社会地位，而被歧视被排斥甚至被侮辱。

也正因为如此，在解放初期戏曲艺人的社会地位有不同程度的提高时，荀慧生对于新政权，对于共产党，也就自然而然产生了好感。在“文代会”之后，报纸刊登了周恩来的工作报告，其中一段话，特别引起荀慧生的注意：“旧社会对于旧文艺的态度是又爱又侮辱。他们爱好的是旧内容、旧形式的艺术，但是他们又瞧不起旧艺人，总是侮辱他们。现在是社会主义新时代了，我们应当尊重一切受群众爱好的旧艺人，尊重他们……”

荀慧生觉得，这段话简直说到艺人们的心里去了。他自己，多年以来，何尝不是如此感觉呢？一方面，他们是角儿，是名旦，走到哪里都是前呼后拥、众星捧月一般，始终被鲜花、掌声、喝彩所包围，住着大房、开着大车、吃着大餐，表面上是很风光。但是，他们却从来没有感受过真正意义上的尊重。他们被带有侮辱性地称为“戏子”、“小友”、“×郎”，只能作为达官贵人的“玩物”、俗人的

“宠儿”，没有社会地位，更没有参政议政的资格。

在看了周恩来的那段话后，荀慧生大发感慨，说：“我是唱戏的，是从旧社会走过来的人，我也算得上是好角儿了，是群众欢迎的艺人，别看我红得发紫，有头有脸的，但我是受苦的艺人，小时候苦，成名后还是苦，受侮辱是平常事，我们只能隐忍，真正尊重我们的能有几人？在大庭广众之下，提出尊重我们的，周恩来是第一人。”

被尊重，可能是荀慧生感知共产党的第一步。之后发生的一系列事情，更让他对共产党建立新中国，产生了“兴奋心情”。

北平解放后，随即对城里的文化、风气进行社会改造。有一天，叶剑英宣布当晚要在全城采取行动取缔娼妓。包括荀慧生在内的许多人对此都有些怀疑：妓院在京城已经存在了几十年，早已遍地开花、根深蒂固，一夜之间就能取缔？共产党有这个决心，但有这个能力吗？他们怀着各种复杂的心情，拭目以待。

事实上，当夜大规模的行动之后，京城所有妓院全部关闭了，娼妓全部被集中了起来，要么接受改造，要么参加学习。对这样的办事效率，荀慧生惊讶极了，也佩服极了。随后，赌馆被关闭了，烟馆也被关闭了。荀慧生感受到古老的京城转瞬间变得干净清爽时，也对共产党，渐渐有了清晰的认识。

不久，为筹办第一届全国人民代表大会而选举代表，在中山公园设了一个投票点。荀慧生意外获知，他被选定为“监票员”。对于“监票员”这个新称谓，“监票”这个新工作，他从来没有听说过，更没有干过。该怎样做一个监票员，该怎么监票，他很迷惑。不过，他本能地以为那一定是个神圣的工作。

果然，在经过一段时间的培训后，他明白了，所谓监票，就是站在票箱旁边，监督他人往投票箱里投票。投票干什么？选举人代会代表。代表“代表”什么？代表普通百姓。这让荀慧生感觉新鲜。

百姓有了自己的代表，代表为自己说话争取权利，这在过去，是不可想象的。

更使荀慧生惊异的是，在他这个投票点，国家最高领导人毛泽东、周恩来等也都将来投票。这个时候，他们像普通人一样，排着队，往投票箱里投入一票，选举出他们认可的代表。这个消息，让他激动又紧张。投票那天，作为监票员的荀慧生真的看见毛泽东、周恩来、朱德、刘少奇、陈毅、邓小平等国家领导人从身边走过，在他的监督下，将手中的票投入票箱。

如此近距离地与“大官”面对面，荀慧生不是头一次，不同的是，他在他们的脸上看不到趾高气扬的跋扈神情，看到的只是温和平静亲切。这就是共产党？他对他们，有了直观认识。

参与戏改

荀慧生坦率承认，他到底是从旧社会走过来的人，对新社会的新鲜事物，并非完全接受。他有一个适应的过程。他对艺人逐渐被尊重，社会地位有所提高，是极其兴奋的；但同时，他对政府在尊重艺人的同时，也要对艺人进行改造，起初是不太理解的。那时，他认为的“改造”对象，应该是反人民的敌对分子，而他自认为一生为人清白，即便在抗战时期，也没有失却民族气节。他不明白像他这样的人，为什么也要被改造。

长期以来，因为戏曲形式的传统，戏曲剧目中又大量充斥着传统的内容和思想，因此一直以来都被视为落后的、封建元素的载体。每逢社会变革，戏曲总是要被拿出来进行改良或革命。比如辛亥革命后的戏曲改良，“五四”新文化运动时的戏曲革命等。戏曲在被改良、被革命的同时，戏曲艺人，也就成为被教育、被改造的对象。当新时代来临之际，戏曲和戏曲艺人不可避免地又一次被作为了改造

⊙ 荀慧生为荀令香说戏。

对象。与之前雷声大雨点小的改良、改革相比，这一次的改造，规模大、范围广、程度深，称得上是一次彻底的改造。

荀慧生事后才知道，简称“戏改”的戏曲改革工作，早在建国之前，甚至早在北平解放之前的1948年就已经开始了。当然，那时的戏改主要阵地在解放区，而戏改的目的就是为我党统一意识形态做技术上、思想上的准备。这年的11月23日，解放区的《人民日报》发表了一篇社论，题目是《有计划有步骤地进行旧剧改革工作》。同时，文化领域官员周扬委托田汉开列了一份应予“禁演”和“准演”的旧戏戏目名单。

转眼间，北平和平解放了。随即，第一届“文代会”召开。也就在“文代会”开幕前，即1949年6月26日，周恩来在中南海约见了周扬、田汉、马少波等人，就戏曲改革与他们进行了交流。他们建议中央应该成立戏曲改革的领导机构，以领导全国各地的戏曲改革，同时成立研究、实验机构。成立“实验机构”的原因，恐怕是因为连他们自己，也未必清楚地知道戏曲应该如何改革。他们的这个建议，得到毛泽东的赞同。

“文代会”后，“全国戏剧工作者协会”和“全国文学工作者协会”[①]同时成立。“剧协”主席是田汉。这之后，他又发起成立了“中

① “全国戏剧工作者协会”于1953年更名为“中国戏剧家协会”。“全国文学工作者协会”后来更名为“中国作家协会”。

国戏曲改进会”，与梅兰芳、周扬、阿英、欧阳予倩、周信芳等31人担任筹备委员。朱德亲自为改进会书题了“开展平剧改革运动”。同时，中共中央决定成立“中华全国戏曲改革委员会”筹备委员会，欧阳予倩任主任。该委员会于建国典礼后次日，正式宣告成立，由田汉接替转调中央戏剧学院任院长的欧阳予倩，担任主任、副主任的是杨绍萱、马少波。马少波同时任秘书长。“中国戏曲改进会”随即并入“中华全国戏曲改革委员会”（简称“戏改委”）。

这之后，“戏改委”又更名为“中央文化部戏曲改进局（简称‘戏改局’）”，田汉任局长，杨绍萱、马彦祥任副局长，马少波任党总支书记、办公室主任。无论是“戏改委”，还是“戏改局”，它的工作宗旨都是“在周恩来的指导下，负责进行以京剧为中心，以点带面，带动全国地方戏曲的改革，并发动新文艺工作者关注和参与戏曲改革工作”。它的方针和任务被明确为这么几点：

1.进行戏曲剧目和演出情况的调查研究；

2.制定戏曲工作政策；

3.拟订全国上演戏曲剧目审定标准；

4.组织力量整理、改编、创作戏曲剧目；

5.团结、改造、关心戏曲艺人，培养新生力量；

6.改革戏曲班社制度，辅导演出团体排演新戏。

也就是说，所谓戏改，就是“改人”、“改戏”、“改制”（简称“三改”）。

一、改制，也就是改革旧戏班社中的不合理制度。徒弟制、养女制、“经励科”制等旧制，因为存在着严重侵害人权和艺人福利现象而被彻底废除。比较极端的改造，在于取消了班社头牌制，废除了灯光、布景、乐器等一切围着主角转的被视作“不良倾向”的习惯做法，更强调集体的力量和艺术的整体性。

二、改人方面。在北平解放初期、中央人民政府正式成立前，北平一度处于军事管制期。北平戏曲界，由军管会文化接管委员会文艺部旧剧处负责接管领导。他们对戏班和从业人员进行了重新登记，以便统一管理。军管期过后，旧剧处划归华北文化艺术工作委员会。华北地区的戏改工作，由该委员会负责。北平市的旧剧改革工作，则转由北平市文化工作委员会下属的旧剧科负责。

举办各种识字班、讲习班、艺人学校等，是改造艺人的主要方式。特别是举办了三期、每期两个月的北平戏曲艺人讲习班。这个讲习班在对艺人进行政治、艺术改革等启蒙教育方面，贡献尤为突出，先后有3000多人参加了讲习班的学习，包括四大名旦之尚小云等。荀慧生和其他艺人一样，就是在不断地学习、座谈、讨论、听报告、读文件中，接受改造，转变思想。

三、在“三改”中，改戏，是最重要的。它主要表现在两个方面：首先，对传统戏曲本身的改造，包括剧本的主题思想和文学性、舞台表演；其次，国家意识形态全面介入戏曲活动之中，简单地说，就是戏曲中的政治性。从这两个方面可以看出，改戏，所要达到的目的，是用新的意识形态颠覆旧戏曲，以重建民众的审美结构，引导民众新的审美情趣，洗脱民众思想深处的旧传统旧观念，而灌以新思想新道德，从而塑造符合时代要

⊙ 荀慧生在吉林省戏曲学校讲课。

⊙ 荀慧生在南京为董金凤等学生上课。

求的新主体。所以，在戏改期间，《逼上梁山》、《三打祝家庄》一类的水浒戏被推上了前台。

那么，什么样的旧戏曲需要改呢？没有量化的标准，也没有可供参照的典范，人们的思想一片混乱。这时，有人搬出毛泽东写于1944年的一段话："在旧戏舞台上（在一切离开人民的旧文学旧艺术上）人民却成了渣滓，由老爷太太少爷小姐们统治着舞台。"①也就是说，"由老爷太太少爷小姐们统治着舞台"的戏，就是旧戏，就是需要改的。另一方面，早在1948年《人民日报》社论《有计划有步骤地进行旧剧改革工作》中，曾经说过，提倡迷信愚昧的戏（如舞台上出现鬼神，宣传神仙是人生主宰者等等）是旧戏中的有害部分，应该加以否定。

在不知所措之下，改戏，实际上成为禁戏。大批传统戏曲被作为"旧"戏而被禁演。就京剧而言，官方明确宣布禁演的，大约在

五十多部。实际上，远不止这些。在中央一级的戏曲改进局成立后，各大行政区及各省、市也陆续设立了戏改处、戏改科。为了积极响应号召，各地文化部门大刀阔斧地进行戏改（即禁戏）。有的地方，甚至将"两三年内消灭旧剧毒素"，作为改戏目标。

于是，荀慧生的《红娘》未能幸免，一度被禁演了。这让他想不通，很苦恼，思量再三，他也不明白《红娘》被禁原因。他当时的心理状态是：自从《红娘》于1936年问世以来，始终是荀派中最受欢迎的剧目之一，也是他的代表作之一，更关键的是，这是广大观众喜闻乐见的一出戏。符合观众审美情趣的戏，难道也会有问题吗，难道也要被禁演吗？不仅是《红娘》，程砚秋的《锁麟囊》也被禁了。可以想象得到，连这样的戏都被禁了，还有什么戏能够保留下来呢？大规模禁戏的后果，是显而易见的。

为此，1950年7月，文化部邀请著名戏曲家、戏剧专家、历史学家和戏曲工作负责干部，组成了以周扬为主任委员的全国戏曲改革工作的最高顾问机构：文化部戏曲改进委员会（简称"戏改委"）。委员共有43人，他们是：周扬、田汉、欧阳予倩、洪深、杨绍萱、马彦祥、李伯钊、赵树理、阿英、翦伯赞、老舍、艾青、曹禺、马少波、阿甲、刘芝明、李纶、马健翎、张梦庚、王亚平、伊兵、郑振铎、周贻白、焦菊隐、王瑶卿、尚和玉、萧长华、王凤卿、马德成、梅兰芳、周信芳、程砚秋、尚小云、荀慧生、谭小培、金仲仁、鲍吉祥、高百岁、袁雪芬、刘南薇、龚啸岚、韩世昌、连阔如。"戏改委"的任务是：一、审定戏曲改进局所提出的修改与改编的剧本；二、对戏曲改进工作的计划、政策及有关事项向中央文化部提出建议。

荀慧生入选 "戏改委"委员，预示着他也参与到了戏改的建议和指导工作之中。"戏改委"对全国的戏改工作中的戏曲剧目，制定了新的审定标准，明确了有的剧目可以在修改后允许演出，有的

① 1944年1月，毛泽东就新平剧《逼上梁山》写给杨绍萱、齐燕铭的信。

则予以彻底停演。停演的标准是：

1.宣扬麻醉与恐吓人民的封建奴隶道德与迷信的；

2.宣传淫毒奸杀的；

3.有丑化和侮辱劳动人民的语言和动作的等。

很明显，《红娘》这出戏，不属于彻底停演的一类。有一天，北京市长彭真亲登荀宅，与荀慧生交心。他似乎早已洞悉荀慧生的心思，在鼓励荀慧生多创作反映现实生活的新戏之后，很自然地将话题扯到关于《红娘》的禁演问题上。他对荀慧生说，《红娘》这出戏，完全可以在经过修改后重新演出。《红娘》之所以被禁演，是因为在某些地方，还存在着与新的社会环境不相符的不健康因素。如果有针对性地加以修改，使它在艺术上有更进一步的提高，它仍然不失为一出荀派名剧、一出好戏。荀慧生的心，一下子敞亮了许多。

1.改《红娘》

要对《红娘》进行修改，首先必须弄明白它的问题到底出在哪儿。如何弄明白它的问题？当时最常见的做法是，由他人提意见。在听意见之前，荀慧生是坦然的，也抱着虚心接受的想法。然而真正到了听意见时，随着《红娘》的问题一个一个“暴露”出来，他的心渐渐沉重起来，甚至有了很强烈的排斥心理。《红娘》真有那么多的问题吗？这些问题能称之为“问题”吗？有的时候，他几乎要跳起来反驳了。好在他的克制力还不错，总算没有惹祸。

负责为《红娘》“挑刺”的，按照荀慧生的说法，“是一位女干部”，她叫袁韵宜。之所以说袁韵宜是“女干部”，是因为她毕业于华北大学三部戏剧专业，属于进步戏剧工作者。解放初期，她进入北京市文化事业管理处，负责管理戏曲艺人讲习班的工作，对旧艺人进行思想文化教育。她在戏曲方面的成就，主要有两个：第一，是在1959年以中国京剧院专职编剧的身份，由组织安排，和另一位编剧陆静岩将豫剧艺术家马金凤演出的《穆桂英挂帅》移植为京剧。这出戏由梅兰芳演出，并成为他一生最后一部代表作品，也是梅派经典剧目。第二，就是配合荀慧生重新整理修改《红娘》。

很明显，袁韵宜是代表组织负责对《红娘》进行修改的，她当时对荀慧生说的第一句话就是："我是奉领导的指示来找你。"因此，她给《红娘》提的意见，并非是她个人的偏见，更多的是组织的意见。对于《红娘》的主题，袁韵宜说，没有什么问题。《红娘》来自于古典名剧《西厢记》，主题是宣扬婚姻自由，反对包办婚姻。这样的主题，在当时的政治环境下，不但没有问题，相反还有积极进步的意义。也就是说，《红娘》的问题，不在"大处"，而在"小处"。

（1）红娘为崔小姐和张生的婚姻自由，热心奔忙，这是应当肯定的。但是，全剧始终贯串了这样一个细节：红娘为两人争取婚姻自由的其中一个原因是她一心想做张生的二房。这就涉及到封建的"一夫二妻制"，这样的细节，削弱了反封建的主题，也破坏了红娘助人为乐的形象。

对于这个意见，荀慧生表示赞同。其实，原本中红娘想做二房的情节，并非荀慧生有意识地在宣扬"一夫二妻"，而是为了突出红娘这个人物的可爱，增加她丰富的心理活动，使全剧更具可看性。何况，这也符合当时的观众审美。当然，在时代发生变迁后，保留这样的安排，就不太合适了。荀慧生也愿意加以修改。经过修改后的《红娘》，取消了红娘争做偏房和陪嫁的情节，使红娘见义勇为、成人之美的性格更为突出，人物形象也更"正"。

（2）某些场次的安排，显得多余而无趣。比如，原来有一场白马将军杜确的过场戏，表现杜确接到张生信后，立即发兵解普救寺之围的所谓大义之举。袁韵宜认为，这样的情节，在其他场次中，实际上已经做了暗场处理，也就是说做了交代，这时再加一场明场，显然是没有必要的。

荀慧生也接受了这个意见，改掉了。

（3）传统戏曲之所以总是被激进分子认为是传统的、落后的、封建的，为迎合观众而情节低俗，是其中一个方面的原因。《西厢记》里就有一些不健康的因子。这些“不健康的因子”，有时反而会成为噱头、看点。因此，《红娘》不但加以保留，而且在某些方面，甚至添油加醋。比如，“逾墙”一场戏中，张生错将红娘当作崔小姐，一把搂在怀里。又比如，书童的隔墙插话，粗鄙又暧昧。这样的安排和台词，尽管格调不高，但却最能博观众一笑，增加了戏剧性。

荀慧生对这方面的意见，起初是不太能够接受的。一来，张生错搂红娘，是剧情需要，也更增加了喜剧性；二来，书童的戏词，虽然有些不雅，但并非不符合他的身份。最主要的是，这些都很受观众欢迎。每次演到这些地方，气氛总是很热烈，达到了所期望的剧场效果。

然而，细细琢磨，他也发现这样一个问题：艺术性和思想性，并非总是与观众的审美取向成正比。观众欢迎的，未必就具有艺术性和思想性；艺术性和思想性强的，也未必受观众欢迎。但是不可否认，这样的戏能够引导观众的审美，抬升观众的品位，提高观众的文化水平。

于是，他认为：“改编这样的作品，我们应该以批判的精神，发扬精华，去除糟粕，特别在安插笑科的地方，更要环绕主题思想，许多昔日觉得有趣味的地方，却是今天应删除的部分，不少传统剧目中书童与丫环的插科打诨，常常有混乱与猥亵的语言动作，如一味因袭是会产生不良效果的。”有了这样的思想，他在对《红娘》进行修改时，取消了这些“不健康的因子”。

（4）《红娘》的戏词，可能是这次着意修改的地方。无论是华丽雅致的辞藻，还是粗俗低级的语言，都被列入修改之列。这也是最

⊙ 荀慧生为川剧演员许倩云教授《红娘》。

让荀慧生不能接受的地方。他对戏词，一贯讲究不能艰深古奥，要通俗易懂，但也要文雅精致。《红娘》中原有“淡云笼月华”、“红颜护银烛”这样的雅词儿，它来源于《西厢记》原著。《红娘》中“闹寺”一场戏中，还有红娘所说的“放屁”一词。

对于太雅的戏词，荀慧生认为没有什么不好。试想，《西厢记》本身就是古典名剧，戏词自然古典高雅。可是，袁韵宜认为，高雅不能以不通俗不易懂作为代价，而且通俗易懂也是荀慧生自己一直以来都认真追求的。

对于太俗的，诸如“放屁”一类的戏词，荀慧生反驳的理由是：我本人就是个俗人，我的戏也是演给俗人看的。红娘之所以说出这样一个词来，是因为当时情势紧急，面对贼兵围困寺庙，张生说，只需一封书信即可逼退贼兵。红娘嫌张生语不惊人、虚有其表，一时心急，便脱口而出“放屁”，也算是符合人物性格符合剧情。可是，袁韵宜认为，通俗不能等同于粗俗和庸俗。

“戏是劝人什么？”她问。

“戏是劝人方。”荀慧生答。

“方又是什么？”她再问。

荀慧生不吱声了。袁韵宜又说：“戏曲，是来源于生活的，但是，它得高于生活。来源于生活，并非照搬生活，特别不能照搬生活中的俗和‘不雅’。”

最终，荀慧生都做了修改。前者，他进行了一系列的通俗化改造，比如增加了“将张生隐藏在棋盘之下……”的唱段，伴以既歌且舞的表演；将

红娘责备张生的语言改为:“见了小姐,连个大气儿也不敢出?你看今天是多么好的机会呀,你怎么一点儿勇气都没有啊?”显然,戏词通俗了很多,更加生活化。

对于“放屁”一词,他也渐渐感觉实在不雅,便改为红娘斥责张生:“你这哪是退兵之计呀?我看你真有点儿泄气。”改过之后,他自己也觉得舒服多了,虽然只改动了两个字,但格调明显有了变化,由粗鄙转而成为率真,也符合红娘这个人物的身份,而且更显红娘可爱的一面。

通过对《红娘》的重新整理修改,荀慧生对“取其精华,弃其糟粕”这个改戏原则,有了更进一步的认识和理解。在“弃其糟粕”的同时,他也坚持保留下来他认为的“精华”。比如,有一场戏,张生央求红娘为他送信给崔小姐。红娘说:“若是我们小姐不爱你,冒冒失失把这封信送去,岂不是教我挨顿打吗?”她在说这句话的同时,耸了耸肩膀。这是一个非常生活化的动作,配合红娘的语气,表示她无能为力,非常恰如其分。但是,有人却质疑这样的动作,不是戏曲动作,而是电影动作,将电影动作运用于戏曲,不合适。

那么戏曲动作应该是什么呢?荀慧生其实是知道的,那就是:双手反转,手心向上,将右腿别于左腿之后。这是传统戏曲中的固定程式。京剧的表演特点之一,就是程式化。但是,他认为,程式化的表演特点,并不意味着京剧表演非程式化不可,如果一味地追求程式,那么,京剧何以能够发展?

于是,他坚持耸肩动作,因为他就是觉得这里的这个动作,比传统程式更具表现力。何况,艺术是相通的,电影表演手法,又为什么不能“拿来”为我所用呢?是否借用其他艺术表现手段,关键是看它与人物能否相配,是否合戏情合戏理。这个动作,最终被保留了下来,而且流传了下来,成为荀派表演特征之一。

除了“弃其糟粕”,荀慧生对《红娘》这出戏,又有一些新创造。

体现在具体的艺术细节方面，比如：

第四场“琴心”，是他新增加的一场戏。其中的一段新腔反汉调“听琴吟”是他借鉴了汉剧及京韵大鼓的精华独创的，由红娘唱：“我小姐红晕上粉面，红娘心中这才了然。只道她守礼无邪念，款款的呀深情，她流露在眉间……” 这段唱腔，荀慧生自己说“在京剧的历史上还是从来没有过的”，因此被称为“新荀腔”，深受戏迷们的青睐，也被京剧艺人所赞赏和借鉴。著名净角裘盛戎就曾经将这段唱腔运用到他的《赵氏孤儿》中，效果奇佳。

在第五场“传柬”中，他设计了一段四平调：“看小姐作出来许多破绽……”，因为旋律优美、清新，别具特色，又朗朗上口，而脍炙人口。那个时候，几乎人人都能哼出来。

在第六场“逾墙”中，他设计了一段西皮流水：“叫张生隐藏在棋盘之下……”，他一边唱一边舞动棋盘，令观众耳目一新。这段唱日后也风靡一时。

在第七场“佳期”中，他又创造了反四平调“佳期颂”。由红娘唱：“小姐小姐多丰采，君瑞君瑞大雅才。风流不用千金买，月移花影玉人来……” 一时也风靡梨园内外。

经过整理改编的《红娘》，重见天日。它保留了反封建的思想性，在艺术上又更加完美，不仅受戏迷欢迎，也被政府高层所认可。仅在1952年，负责文化工作的周恩来总理一连看了三遍《红娘》。十年以后的1962年，荀慧生率荀慧生剧团巡回演出抵达辽宁沈阳，应省委邀请，给当地戏曲后辈人才演出并传授《红娘》。巧的是，周恩来当时正在辽宁视察，听说荀慧生演《红娘》，便在宋任穷、黄火青等人的陪同下，又一次前往剧场观看。

关于这次演出，荀慧生自己说：“我和我的学生孙毓敏、女儿令莱一起为周总理演出了这出《红娘》。”荀慧生夫人张伟君说：“敬爱的周总理……一连观看了慧生和我们的女儿令莱及慧生的学生三个人分别演出的《红娘》。”

可以肯定的是，尽管此时的荀慧生已六十多了，从生理上说，无论是身形，还是嗓音，都的确不太适合演出十几岁的小姑娘，但他演的红娘，依然活泼可爱充满情趣。当他侧身腆着早已发福的肚子上场时，场下不少观众非常惊异，他们纳闷：为什么不遮掩一下身材呢？然而随着剧情的发展，他们渐渐忽略了他的身材。红娘的一颦一笑，一个羞涩的转身，一个轻巧的耸肩，一瞪眼，一噘嘴，无不透出她的俏皮灵动。此时观众看到的，不是一个老人，而是一个小姑娘。

难怪川剧演员许倩云在看了他的演出后，感慨道："我感到自己老了，不能再演小姑娘了，看看荀先生的演出，我觉得是自己的心老了，是自己对艺术缺乏自信，也说明我的火候还欠点儿，真要好好地向荀先生学习。"

显然，对于一个艺术家来说，年龄不应成为艺术的障碍。从年龄上说，他完全没有了优势，但是在演出结束后，周恩来对荀慧生的表演，还是给予了很高评价。他反过来对孙毓敏说："你演得也不错，但是比起你的老师来，就不行了，你还要继续努力啊。"同时，他对荀慧生说："您还是要多培养一些学生，把你的艺术传承下去，让荀派艺术发扬光大。"

在荀慧生看来，周恩来这番赞许，不仅是对他、对荀派艺术的肯定，更是对他戏改工作的肯定。这给了他很大鼓舞，也让他重新认识了戏改的意义。他一方面表示"我这个老红娘，一定要多带出一些小红娘"，一方面也萌生了重新审视《红娘》以外其他荀派剧目的想法。

2.改《荀灌娘》《杜十娘》《金玉奴》

从对《红娘》被禁演的不理解、甚至有些埋怨，到听取《红娘》

意见时的不能接受，甚至稍许抵触，再到对《红娘》真心诚意地整理修改，可以发现荀慧生在戏改初期对改戏的心理轨迹和态度变化。当《红娘》修改成功，并获准重新公演，且大受好评后，他对戏改工作，也有了新的认识。正如他自己所说："通过《红娘》的修改过程，使我的艺术思想有了一定的变化。"

这种变化，体现在他对以往的荀派本戏，进行回顾之后，以新的眼光，对它们做出了新的评价。他发现，许多剧目，在当时"只不过是求其情节曲折、故事动人，能满足观众的娱乐要求"。当然，这其中不乏思想性强的，比如，《红楼二尤》，暴露了封建官僚贵族的内部黑暗；《杜十娘》，揭露了为富不仁、见利忘义的小人等。

他承认它们虽然有一定的进步意义，但是也存在着一些无味的噱头和不健康的台词。之所以如此，他说："因为在旧社会编戏、演戏，都是为了迎合观众心理，求名取利，有的以滑稽的情节和词句掩盖了正义和非正义的斗争，有的以欢乐的大团圆结局冲淡了真善美与假恶丑的原则斗争，甚至还宣扬了封建道德、礼教和色情。"

在重新审看荀派剧目时，荀慧生往往一边看一边自忖："我这出戏能告诉观众一个什么道理，受到什么启发？"看得出来，此时的他对一出戏的好坏，有了新的评价标准，即思想性超越了故事性。这是当时历史背景下的自然反应。最后，他以"鱼目混珠、瑕瑜参半、良莠不分"概括了荀派剧目。

因为如此，他也就要效仿《红娘》，对它们进行必要的修改。如果说之前修改《红娘》是在组织要求下的不得不为，有被迫成分的话，那么，之后他对其他剧目的修改，则来自于他内心的真实需要。其中这样几出戏的修改，意义重大：

一、对于《荀灌娘》这出戏，原本中有一个"柳无术"的人物，

⊙ 荀慧生曾使用过的剧本。

有一个“柳无术男扮女装诈城”的情节。这个情节和这出戏的主题无关，也和刻画荀灌娘这个巾帼英雄人物形象无关，纯粹是为了逗乐而增加笑料。在这次修改中，荀慧生取消了这个人物和有关无聊情节，突出了戏的主题。

二、对于《杜十娘》这出戏，荀慧生将修改的重点放在由单纯地揭露李甲和孙富这两个势利小人，转而斥责整个封建意识和丑恶的金钱观，更强调受害人和害人者的社会性质。他认为，原本《杜十娘》批判了李、孙两个小人的见利忘义，但只将杜十娘的悲剧根源归结于她的“有眼无珠”、“错看了人”，因此给予观众的冲击力有限，也减弱了观众对杜十娘的同情。最后一场戏中，甚至还出现了“孙富吃官司”的情节，有美化封建社会之嫌。为此，他进行了删改，特别在有些唱词方面，也做了较大改动，加强了思想性。

三、对于《金玉奴》这出戏的结局，荀慧生做了颠覆性修改。

解放前夕，《金玉奴》的结尾是：棒打过、怒斥过，莫稽认错道歉，二人重归于好，破镜重圆，典型的一个大团圆的结局。解放以后，特别是在1959年，荀慧生对结尾进行了大改动，即，棒打怒斥之后，林润等人都劝她原谅莫稽，夫妻团圆，但金玉奴指责大家都为无情无义的莫稽说好话，对她的痛苦遭遇和悲愤心情却不谅解、不理解。她的一番心理道白，激起了林润的正义感，命人摘去莫稽的乌纱帽，剥去他的官衣，命他回衙听参。莫稽不死心，向金松哀求。金松回他一句："你喝豆汁去吧。"莫稽这时双手抱肩。这个姿势与他当初行乞时一模一样，算是前后呼应、首尾关照。然后，金玉奴唱："多谢义父义母与我报仇雪恨，回去去做针凿勤操劳，我侍奉爹尊。"至此，全剧结束。

简单地说，荀慧生将原先的结局由大团圆改为了不团圆。

实际上，从《鸿鸾禧》到《金玉奴》，荀慧生最主要的改编，是删减了戏中诸如"鸿鸾星照命"之类的封建迷信情节和思想。所以，他才将戏名由《鸿鸾禧》改为《金玉奴》。同时，也为了突出金玉奴这个人物的反抗斗争性，他增加了、强调了"棒打"的一场戏。改变结局，是他最大的改动了，目的还是为了反封建。在他看来，莫稽忘恩负义、势利残忍，十足的反面人物。但是，在旧本中，却安排金玉奴不仅轻易地原谅了他，甚至还和他重修旧好，目的就是为了维护"一女不嫁二夫，必得从一而终"的封建礼教。

早年，每次演到这里，荀慧生都有很沉重的压抑感，为金玉奴感到不值，也为天下所有金玉奴们感到不平。同时，他也认为，金玉奴过于软弱。她的软弱，实际上反映了中国妇女的软弱。他有心要改，但是，在当时的社会环境中，这样的大团圆结局，这样一个忍辱负重、委曲求全，有着从一而终思想的妇女形象，是观众们乐意接受的，符合大众审美和社会主流思想。戏，在那时，娱乐性重于思想性。于是，他也就一直没能如愿加以修改。

主观上有改动的愿望，客观上，解放后的新形势使反抗性、革命性成为主流。这为荀慧生重新改编《金玉奴》的结局，提供了土壤。所以，不能说他这次的改编，是为了迎合些什么，而的确是他真实思想的自然表达。

不过，对于他的修改，还是有人表示反对，认为"还是以团圆结尾为好"，也许在他们看来，团圆，意味着喜庆。1959年，正是建国十周年，在这样一个欢乐的年份中，所有的都应当皆大欢喜。但是，荀慧生并不以为然，他和大多数人都认为“不团圆的收束，更为有力”。支持他的，有老舍、王昆仑、欧阳予倩等，他们直呼：“改得好。”他们甚至说：“又‘救’活了一出传统戏。”开始于解放初期的戏曲改革，一度走向歧路，旧式的、传统的，甚至成了“封建的”的代名词，而被压了箱底。拯救传统戏，让它们重见天日，便显得尤为重要和有意义。

当然，经荀慧生之手改编后的《金玉奴》，的确顺应了反封建的潮流，很有革命性，因此大大提高了思想性。正如他自己所说：“由过去那样一个站在文人墨客角度对莫稽的讥讽，一变而成为对莫稽那一阶层的人的阶级本质的批判，深刻揭露了莫稽灵魂的丑恶。由轻微的讽刺到尖刻地批判，正是这个戏在思想性上的极大飞跃。”[①]

另外一方面，从荀慧生不断地修改《金玉奴》，也可以看出他戏曲观的变化：由娱乐性转向思想性，从而赋予戏曲更多的教育功能。同时也可以看出他温和柔弱的外表下，有着怎样的反抗性格和不屈精神。

但是，事物总有两面性。过于强调思想性，不可避免地有些“左”的意味。

比如，还是以《金玉奴》为例，新《金玉奴》拔高了金玉奴的形象，有过于理想化的倾向。剧中的“林大人”其实是封建社会中少有的善良官吏的代表，而在新《金玉奴》中却也因为“封建官吏”的身份被全盘否定而进行了批判。

这一切，并非荀慧生的问题，是时代环境造成的。所以，他才会这样说：“我想，这只是我在党的‘百花齐放，推陈出新’文艺方针的指引下，在学习毛主席《在延安文艺座谈会上的讲话》等有关论述的教导下，所取得的一些微薄成绩吧。”[②]

---

① 荀慧生：《演戏——演人物》，《荀慧生演剧散论》，上海文艺出版社1980年8月版，第23—24页。

② 荀慧生：《演戏——演人物》，《荀慧生演剧散论》，上海文艺出版社1980年8月版，第24页。

无论如何，在经过戏改的洗礼之后，荀慧生的戏曲思想和政治环境越来越合拍了。他自己，又有了一次脱胎换骨之感。

巡回演出

对于包括四大名旦在内的所有戏曲艺人而言，在解放初期的社会环境中，面临着政治气候的巨大转变，以及完全陌生的戏曲观念的更新，都或多或少地在心底深处有过挣扎，也就有了一个艰难的适应过程。“戏改”是其中的一个方面，“文艺是为工农兵服务”的新文艺思想，也让他们感觉惊异和新奇。

早在第一届“文代会”上，荀慧生就在周恩来的政治报告中、郭沫若的大会总结报告中、茅盾和周扬分别总结国统区和解放区革命文艺运动的报告中，听到了这样一个问题：“文艺为谁服务？”他们强调，“文艺工作者要学习，要改造思想，要与新社会的主人——‘工农兵’相结合，要接受毛主席的指示，创造为人民服务的文艺”，“为人民服务，也就是要为工农兵服务”。

在这两段话中，有三点，荀慧生感触颇深，一是京剧、戏曲和其他艺术形式，有了一个全新的名词，“文艺”。二是京剧伶人、戏曲艺人有了一个全新的称谓，“文艺工作者”。这意味着什么？这不仅仅是称谓的问题，这是戏曲艺人的政治地位发生根本变化的重要标志。改变屈辱的“下三流”身份、争取应有的社会地位，是数代前辈艺人苦苦追求而不得的。三是“为工农兵服务”的新思想，改变了他以往对“观众群”的模糊认识。

随后，荀慧生和所有“文艺工作者”一样，认真学习了毛泽东的《在延安文艺座谈会上的讲话》，使他对戏曲（文艺）的功能，有了更进一步的理解。按照梅兰芳的话说，他们这些旧艺人，陡然觉得“自己的艺术生命找到了真正的归宿”。那么，如何体现“为人民

⊙ 荀慧生灌制的唱片。

服务”、“为工农兵服务”呢？荀慧生的理解是，一要看演出效果，二要看观众面。

从“演出效果”上说，他认为，演出效果的好坏，主要表现在戏曲的思想性和艺术性两个方面。也就是说，戏里要有宣传利于人民大众的思想内容，使观众在看了戏后思想上能够得到启发、教育和鼓舞。除了思想性外，也要注重艺术性，只有艺术性的表演，才能将戏里的内容和思想体现出来。对于这点，荀慧生在回顾了自己过去几十年的演出实践后，颇有些惭愧。他自我审视：“四十多年中，我不断钻研业务，搬演老戏，编写新戏，丰富表演，创造唱腔，一心一意把戏演好，但是演好了戏又为什么呢？”他坦然承认，演好了戏，就是为了“成名、露脸，让自己的生活过得好一些”。①

从“观众面”上说，他认为，应当让更多的人都能看到他演的戏，而不是有钱买票的能看，无钱买票的就不能看。也不是他在戏院演，观众进戏院看，而是走出戏院的窄小空间，走向广阔天地，将戏送到大众中去。他也坦然承认，这种想法，“在过去也是没有的”。

改《红娘》，改《荀灌娘》，改《杜

十娘》，改《金玉奴》，既是他贯彻戏改方针的主动行为，实际上也体现了他对“演出效果”的新的理解和认识。既然“演出效果”是“文艺为工农兵服务”的其中一个方面，那么，他在进行一系列改戏的时候，客观上就已经在为工农兵服务了。

荀慧生“为工农兵服务”的另外一种方式，是扩大“观众面”，送戏到工农兵当中去，也就是“巡回演出”。荀慧生夫人张伟君说：“慧生积极响应党的号召，主动带领剧团深入到偏僻的农村、山乡，边远的工矿、营房，不畏艰苦，送戏上门。”据不完全统计，荀慧生巡回演出的足迹，遍及长江南北，有东北的本溪、鞍山、伊春、哈尔滨、临江、通化等，西北的西安、宝鸡等，西南的重庆、成都、内江、湖北、湖南等，华东的上海、南京、芜湖、青岛、烟台、济南等，华北的天津、河北等。

曾经在荀剧团工作的朱锦华回忆，仅1956年3月到9月，在短短六个月里，荀慧生从北京出发，转战德州、济南、泰安、兖州、徐州、镇江、扬州、无锡、上海、杭州、南昌、九江、南京等大小城市23个，演出了204场。对于如此范围广、规模大的为工农兵服务，荀慧生说：“这是我十几年来最高兴做的事情。”他的这份高兴，很大程度上在于他的观众群，由过去的戏迷，扩展为更多的普通大众，也在于由过去的戏迷捧角儿，转为观众对艺术的真心热爱，对艺术家的真诚尊重。

有一件事情，很能体现他的高兴。那是有一年在上海的演出。当时，南方正值酷暑，上海热浪滚滚，据说是上海百年来少有的。因为奇热，荀慧生剧团里的两个演员都热得晕倒了。剧场里密密麻麻挤满了三千多名观众，更使得穿戴整齐、化着浓妆的演员们热得几乎喘不过气来。荀慧生此时已经是个近六旬的老人了，当然更加难受，何况他的身体也弱。随行人员都很担心，就连他自己，想到20世纪40年代他连续两次到上海演出，两次大发胃肠疾病，特别

① 荀慧生：《我找到了艺术创作的正确道路——学习毛主席〈在延安文艺座谈会上的讲话〉》，《荀慧生演剧散论》上海文艺出版社1980年8月版，第331页。

是后一次，还不得不提前结束演出时，也不免暗自担心。

然而，令人意外的是，就是在这种恶劣的气候条件下，他的演出，却非常顺利；他的身体，也无任何小毛小病，精神也奇佳，甚至还有人夸他的嗓子，“比以前还好”。大家都问他这是为什么，他也自问为什么。想来想去，他将此归结于“高兴”，是因为心情比以前轻松，不再担心有人找他麻烦，也不再为不得已的应酬、拜客而烦恼。于是，他这样解释说：“精神好了，思想放松了，戏也就唱得痛快。戏唱得痛快，身体也就无痛无灾了。”

在湖南湘潭演出时，当地政府邀请荀剧团到韶山毛泽东故居参观。参观完之后，剧团就在故居对面的小会堂演出《红娘》片段。可是开演前，鼓师刘耀曾突发脑病，竟至人事不省。这可把剧团副团长张伟君急坏了，她实在想不出办法，又知道荀慧生轻易不回戏，只好让荀慧生给出个主意。荀慧生果然不肯回戏，他说：“不能让毛主席故乡的群众失望，再说还有从几十里以外赶来的乡亲们呢。”有人提议清唱，荀慧生不愿意，他认为清唱的效果不好，不能满足群众的愿望。

想来想去，荀慧生毅然决定，由学徒工小祁负责打鼓。小祁从来没有正式上场打过鼓，况且京剧鼓师是音乐的指挥，他和琴师、演员必须配合默契，才能达到最佳演出效果。对于小祁能否胜任，大家都持怀疑态度。荀慧生却说：“不怕，让他听我的，再由孙志斌（跟随荀慧生多年的二路老生）打小锣，提个醒。”就这样，《红娘》在没有正式鼓师，只有学徒鼓师的情况下上演了。荀慧生一边扮演着红娘，在舞台上唱念做打，一边低声指挥小祁打鼓。

戏，演得很圆满。演出结束回到后台，荀慧生累得连卸装的力气都没有了。不过，他的精神却仍然很亢奋。老演员们啧啧感叹：“从有京戏那天起，没有鼓佬，叫角儿指挥能不洒汤漏水唱场大戏的，这大约是头一次。”之所以有这“头一次”，总归又是精神的力量。

事实上，荀慧生的全国巡演，最早起始于刚刚解放的1949年。那年，他去了山西、陕西等地。1951年春，他抵达河南郑州。随后，在抗美援朝的政治背景下，他又来到东北的临江和通化等地的医院、营房慰问志愿军的伤病员。从此，在他的巡回演出中，更多的是不计报酬的慰问演出。

1956年，荀慧生率剧团来到泰安。之前，这个消息让这里沸腾一片，就连泰安周边的小村小庄的男女老幼，都一起拥向泰安，奔向戏院。排队购票的队伍，从售票口延伸出很远很远，其中不乏手摇小车的、架着双拐的。这个现象，让荀慧生非常惊异，打听之后才知道，这些人都是从战场上下来的伤残军人，而且来自十多里远的偏僻山村。

当天晚上，荀慧生在剧团团务会上提议："不能让解放军同志再跑这么远的路来看戏啦，我们应当送戏上门。"第二天，他率剧团奔赴周边的山村医院，将戏送到了战士的病床旁边。有时候的演出，没有伴奏，不穿戏装，不化戏装，他就站在床头，为行动不便的战士一段段地清唱。

又一年，荀剧团演出到达江苏。在南通时，荀慧生听说距离市区几十里外的唐家闸有个大型棉纺厂，厂里的工人很想看戏，但路途遥远，很不方便，而且厂里的生产任务重时间紧，也不可能请假去看戏。荀慧生当即决定，在不影响晚上剧场演出的情况下，他和剧团其他演员利用白天的休息时间，将戏送到棉纺厂。

对于他们的义举，工人们高兴极了也感动极了。当他们到达厂里时，受到工人们欢迎的热烈隆重程度，自不难想象。反过来，工人们的热情与尊重，也让荀慧生感动不已。有个工人彻夜未眠，为他画了一幅巨幅"红娘"戏像。演出后，他在工人们的簇拥下参观了生产车间，看着工人们忙碌的身影，他感慨道："一个工人一天能为国家创造多少财富，相比之下，我感到自己为国家的贡献太少了。”看得出来，此时的他，已经不仅仅是一个只为了唱戏生活的京剧伶人、戏曲艺人，他将自己融入了社会主义建设之中，自视为一个劳动者。

也正因为如此，他的理想，也就更加“政治化”了。他这样立志：“多走几个地方，多编演好戏，丰富工农兵群众生活，让他们精神愉快，更好地为社会主义建设劳动。”于是，1958年腊月，在北京十三陵水库工地上，人们看见了荀慧生和他的剧团。当时，文化主管部门组织召集北京文艺界代表前往工地慰问。因为正值寒冬，考虑到荀慧生的年龄和身体，他是不在慰问团之列的。但是，他执意前往。

那天的风，刺骨凛冽，吹得人张不开口、睁不开眼。临时搭建起来的舞台，处处透风透沙。观众们都紧紧裹着厚实的棉衣，而荀慧生和演员们却只能身着单薄戏衣。嘴未张口，冷冷的风裹挟着硬硬的沙，扑向他的脸，他的手，让他感觉到刀割般冷痛。他坚持着，张口演唱，可是台词刚刚出口，就被风顶回了口腔。为此，他几乎使尽了全身的力气。

说来也怪，即便如此，他的演唱，并不比剧场效果差，观众普遍的反应是，荀大师的嗓音依然清亮甜润，身形是有些发福了，但依然柔韧，特别是表演，还有小姑娘般娇媚。何以如此？荀慧生所说，也许可以释由：“劳动大军不怕严寒，照样担土破石，演员唱一折戏不过是几十分钟的事，怕什么呢。”

从精神上来说，他是不怕的，但毕竟年龄不饶人。从工地返家后，他就倒卧在床，手脚寒冷冰凉，家人不断地用热水为他烫手烫脚，换了好几遍热水，他的手脚这才慢慢暖和过来。他却笑言：“你们别看我的手脚是冷的，我的心，热乎着呢。”

身体刚刚好转，他又出发了。这次去的地方是江苏清江市（今淮阴市）。原本，他和荀剧团是应邀来此地演出的，演出地点位于市区的和平剧场，三天的戏码分别是《红娘》、《玉堂春》、《红楼二尤》。在这三天里，能够容纳上千人的剧场，日日座无虚席。演出日程进行一半时，他听说淮阴地区位于洪泽湖的大型水利枢纽、二河闸工程正在紧张施工时，便要求前往慰问演出。当这意外的好消息传到工地时，上万工人欢呼雀跃，热火朝天的工地更加充满了喜气，更加热闹。

工地上的演出条件，自然是相当简陋的。不过，大礼堂尽管破旧，却也能容纳三千观众。可是，工地上的工人多达万人，如何能够一次性地满足那么多工人聆听荀戏的心愿呢？突击安装高音喇叭！

那天下午，荀慧生携荀剧团副团长、夫人张伟君，以及女儿荀令莱、名丑朱斌仙、鼓师和琴师等来到工地。见到工人们，荀慧生笑容可掬地说："我这次南下，主要还是为工农群众服务。"当晚，他饶有兴致地品尝了洪泽湖的特产鲜鱼和鲜虾包饺子。7点钟，在简短的开幕式后，利用荀慧生化装间隙，副团长张伟君代表荀慧生作了慰问讲话。工程指挥部的代表向荀剧团敬献了锦旗。

随后，荀慧生以58岁的高龄，再一次演出了《红娘》。那伶俐的口齿、柔润的嗓音、动人的表演、真挚的情感，打动了在场的所有观众。有一位老工人口诗一首："一曲凤求凰，红娘绝世容；迎风花影动，艺术献工农。"

这首诗既是对荀慧生艺术的赞美，也是对他服务于大众、服务于工农思想和行为的写照。他自己曾经说过这样一段话："解放以后，个人的思想水平比以前逐渐提高，了解了自己作为一个人民的戏剧工作者的职责和任务。"这种"职责和任务"，就是为工农兵服务。明确了这点，他自认为在戏曲艺术创作的道路上找到了正确的方向，也就自然而然地确定了前进的目标。

对于荀慧生延续数年的巡回演出，夫人张伟君的评价是："演出当中，慧生与全团同志一起住在后台，不住高级宾馆，不搞特殊化，对饭菜也从不挑剔，与大家同甘苦。"弟子徐凌云的评价是："他生活简朴可亲，与群众打成一片。"剧团同仁朱锦华的评价是："他一点儿名角儿的架子也没有。他喜欢给我们讲笑话、聊家常。"他不但没有架子，而且幽默、风趣，充满生活情趣。

有一次在天津演出，剧团下榻河北宾馆。那一天，刮了一夜的大风，直到清晨方才停歇。其他人都在梦中，荀慧生突然从床上爬起来，拉着妻子张伟君就往外跑。张伟君不明就里，问他干什么，他居然说："摸鱼去！"

初春时节，北方的清晨，冷冷的。荀慧生兴致很高，端着个脸盆，径直来到宾馆外不远处的一条河边。一番观察后，他脱掉鞋子、袜子，卷起裤脚，赤脚站在河边的泥水中，弯腰低头，将两手伸向水中，眼神专注，表情紧张。跟在他身后的张伟君，看着丈夫的背影，忍不住叹息：唉，这哪是一个名角儿啊，倒真的像是一个打鱼的。

突然，张伟君听见荀慧生惊叫一声，又见他猛地立起身子。此时，他的手里正牢牢抓着一条大鱼，回身朝向她，得意地炫耀着，咧着嘴大笑。张伟君一下子也来了兴致，凑上前去，想看个究竟。其实，荀慧生并没有高招、妙招，也就是伸着手在水里又捞又摸。但是，奇迹又出现了——他又摸到了一条鱼。紧接着，一条又一条。短短一会儿工夫，脸盆都装满了。看着满满一盆活蹦乱跳的鲜鱼，张伟君很诧异，荀慧生解释，刮了一夜的大风使河浪翻滚，鱼也就随着浪头冲到了河边，陷入泥沙之中，自然也就游不动了。

除了摸鱼，荀慧生还捉鸟。捉来小鸟，他又一本正经地传授如何吃鸟："带毛的，有带毛的吃法；不带毛的，有不带毛的吃法。带毛的，只要糊上些黄泥，往灶膛里一扔，烤一会儿，香气出来了，就能吃了。”他这么说，也这么做。一会儿，香喷喷的烤黄雀就出炉了。他招呼乡邻前来品尝，撕一条腿递给大爷，扯一只翅膀递给大娘，还教大家蘸着盐吃。村民们对这个名角儿都很好奇。在他们的想象中，这个名角儿过的是荣华富贵的生活，山珍海味、锦绣华服，却没有想到他会摸鱼，会捉鸟，懂得下层人民的生活知识。

对此，荀慧生说：“都是因为小时候太穷，没有东西吃，摸了鱼捉了鸟，才能见荤。那时候是为了生活，后来，那就成了生活经验。”

荀慧生只说了一层，还有一层是那段时期，他的精神很亢奋，心情很愉快，所以才会对生活那样有兴致。

巡回演出，也就意味着四处奔波，休息不好是肯定的。剧团成员上了火车，不是打牌吹牛，就是聊天喝酒，荀慧生却抓紧时间睡觉。临睡前，他交待妻子：“只要不到站，千万别叫醒我，就是开饭了，也别叫醒我。”然后，他就一路睡。一提“睡觉”，其他人都笑。他们都知道荀慧生的睡觉习惯：什么都不穿，光溜溜的。妻子曾经数次劝他：这不是在家里，这是在外面，而且是在火车上，这样不好，万一有女演员进来，多不好意思啊。其实，大家了解他的习惯，在他睡觉时，从来不会到他的包厢去。正因为如此，他的觉，也就能睡得很踏实。

对于脱光睡觉的习惯，荀慧生始终改不掉——他也不想改。说到这个习惯的养成，还得归结于小时候的“穷”。他说：“一个穷唱戏的，哪有什么睡衣睡裤啊，冬天是一套棉袄棉裤，夏天是一身单裤单褂，要是睡觉也穿在身上，那不没几天就穿烂了吗？衣裳得省着点穿，晚上脱光了睡觉就是省衣裳的一个法子。”听他这么说，张伟君的心里酸溜溜的，也就不强迫他改了。

因为睡得好，到了目的地后，他的精神也就特别好。精神好，唱得也就好。无论到哪儿演出，他总是最受欢迎。当地政府对他很照顾，总是想尽法子对他特别优待。有一阵子，他发现，不管他是在北方，还是在南方，饭桌上总是有炸酱面。北方有炸酱面，是可以理解的；南方也有炸酱面，显然就有些奇怪了。这不是南方的特色食品，他在南方吃的炸酱面的确不正宗。

一打听，他才知道，原来，他们每到一个地方，当地的主人都要向张伟君询问他爱吃什么。张伟君就告诉他们，他爱吃炸酱面，还爱吃水饺、馅饼。他虽然是北方人，但口味却偏甜，食物里都要放糖，连炸酱面、水饺中都要放糖。了解了事情原委，他很生气，指责妻子多事。然后他嘱咐说："以后如果有人问你我爱吃什么，就说什么都吃。"

事实上，他对食物的确不挑剔。他的苦出身和他小时候受过的苦，都使他对食物心存感恩之情而不会挑三拣四。他到各地演出，对各地的风味食物都很喜爱，尤爱南方的醉虾。他的酒量不错，但一般不喝白酒，偏好金奖白兰地和绍兴花雕。他喜欢一个人自饮自酌，下酒菜常常只是黄瓜、豆芽和青豆。

对于丈夫的责备，张伟君颇感委屈。荀慧生见了又赶紧打圆场，对她说："我一来不想搞特殊化，更不想劳师动众；二来嘛……"他故意卖起了关子。张伟君紧盯着他问"二来是什么"。他这才神秘兮兮地说："二来我也不想吃炸酱面了。"张伟君问他为什么，他说："你想啊，在家吃炸酱面，在外面还吃炸酱面，再好吃的东西，也架不住这样吃啊。全国各地有那么多好吃的东西，我一天换一样也吃不完啊。如果不是你告诉他们我爱吃炸酱面，他们一定会用当地的风味招待我。这样既满足了我的口腹之欲，又不给他们额外增添负担，岂不是一举两得。"张伟君被他的"诡计"逗乐了。

在巡回演出期间，荀慧生除了演出，还有一件非常热衷做的事，那就是观摩地方戏曲。在他于沈阳演出期间，曾经拉着妻子张伟君和女儿荀令莱一同去看“二人转”。张伟君和荀令莱无甚兴趣，看着看着就窃窃私语起来。荀慧生很生气，用严厉的目光制止她俩，又努了努嘴，“逼”她们继续耐心地看。一出“二人转”足足演了一两个小时，演出又不是在温暖的剧场里，而是在四面透风的大棚中，荀令莱又冷又饿，实在坚持不下去了，要走。她刚想站起身来，却被荀慧生拽住了衣角。他狠狠地说：“坐下，不准走。”荀令莱只好又坐了下来。

回家路上，荀慧生这样训女儿：“中途退场是对演员的极大不尊重。你自己也是演员，难道你愿意在你演到一半的时候，看别人退场？你不尊重别人，又怎么能让别人尊重你？何况别人的东西，总有值得你学习的地方。”一席话说得荀令莱无言以对。

目前，已经无法确切地统计荀慧生在解放后到去世前，巡回演出走过多少地方，演出过多少场。可以肯定的是，直到1963年，他63岁时，仍然奔波在全国各地。仅在这年，他率荀剧团到西安、成都、重庆等地演了上百场，仅他自己，就演了五十多场。按照他自己的说法，“可谓老骥伏枥，壮心不已”。

最后的《卓文君》

“戏改”出现的一时偏差，使得戏曲剧目大幅度减少。文化部于1952年10月间，举办了第一届全国戏曲观摩演出大会，很大程度上是为了重现戏曲的繁荣。参加观摩演出的有京剧、评剧、河北梆子、晋剧、豫剧、秦腔、眉户剧、越剧、淮剧、沪剧、闽剧、粤剧、江西采茶戏、湖南花鼓戏、湘剧、汉剧、楚剧、川剧、滇剧、曲剧、桂剧、蒲剧、昆曲共计23个戏曲剧种，37个剧团，1600多名演员，演出了82个剧目。以京剧而言，几乎所有的京剧名角儿都参加了会演，包括四大名旦。荀慧生演出的剧目，是和筱翠花合作的传统戏

《樊江关》。

在观摩演出之余，大会还设立了奖项，有荣誉奖、剧本奖、演出奖、演员奖。其中梅兰芳、周信芳、程砚秋、袁雪芬、常香玉、王瑶卿、盖叫天获得荣誉奖；演员奖中又分一、二、三等奖，共120人，其中主要的京剧演员有马连良、吴素秋、裘盛戎、谭富英等（一等奖），李万春、李洪春、张君秋、赵荣琛等（二等奖），徐和才、叶盛长等（三等奖）。除此之外，大会又奖励了46人，其中京剧演员有13人，包括筱翠花、尚和玉、姜妙香、尚小云、荀慧生等。

在这次观摩演出中，有两出戏引起了广泛关注，一是上海越剧团袁雪芬主演的越剧《梁山伯与祝英台》，一是川剧《柳荫记》，说的也是梁祝的爱情故事。这两出戏在这次会演中，都获得了剧本奖。荀慧生很受启发，决计将这个悲剧故事移植到京剧舞台上。巧的是，程砚秋也有此想法。

那么，他们为什么不约而同地都盯上了这个题材呢？当时，新《婚姻法》刚刚颁布不久。在新《婚姻法》中，开始倡导婚姻自由，反对包办婚姻。梁祝爱情悲剧的现实意义，是显而易见的。

当荀慧生拟定好了剧本大纲，设计好了唱腔身段，添置好了行头之后，才意外获知程砚秋也在着手准备这个戏。他几乎没有犹豫，立即就放弃了。他的理由是，他和程砚秋相比，程砚秋更擅长演悲剧。梁祝这出戏，是典型的悲剧，当然由程砚秋表演更合适。当年冬天，程砚秋公演了《祝英台》，随后他又将剧名改为《英台抗婚》。这是他在解放以后的首部新戏，也是他人生的最后一部戏。

四大名旦中，除了尚小云在解放初期创编了《墨黛》和《洪宣娇》（因故未能公演），1959年创编了《双阳公主》共三部新戏外，其他三个人，在解放以后都只有一部新戏问世：程砚秋的《祝英台》，梅兰芳的《穆桂英挂帅》，荀慧生的《卓文君》。之所以如此，与当

⊙ 左起：费文芝饰红箫，荀慧生饰卓文君，沈曼华饰司马相如，朱锦华饰竹影。

时的社会环境有相当大的关系。

首先，他们投身于戏改当中，对传统旧戏进行大刀阔斧地整理修改，没有心思编创新戏，何况戏改一度使人们的思想陷入混乱，分不清究竟什么是好戏什么是坏戏，也就不敢轻易编创新戏，以免误闯枪口。其次，为了贯彻“文艺为工农兵服务”的新文艺思想，他们又进行全国性的巡回演出，奔波于工厂、农村、兵营。这也使他们没有余力编创新戏。另外，他们还要课徒授艺，梅兰芳、程砚秋又被各种政治活动所牵绊，也就无暇编创新戏。

但是，他们编创新戏的念头，并未完全泯灭。只不过，他们编创新戏的思想，与以往有所不同，更注重契合政治气氛，以及和现实相结合。比如，当农民运动被热情讴歌、农民起义领袖被作为英雄而赞颂时，尚小云便赶排了反映太平天国运动的《洪宣娇》；当新《婚姻法》颁布后，程砚秋赶排了《祝英台》。那么，荀慧生的《卓文君》如何反映现实呢？其实，《卓文君》与《祝英台》有相似之处，主题都是反对封建婚姻，争取婚姻自由。

《卓文君》的故事来源于《孤本元明杂剧·私奔相如》、清朝袁于令的《肃霜裘》传奇、清朝黄燮清的《茂陵弦》（又名《当炉艳》、《文君当炉》）。故事大意：

汉司马相如不得志时，访临邛令王吉。王将其介绍在临邛富户卓王孙家操琴。才貌双全的卓女文君曾许婚窦家，未聘夫死，成望门新寡。司马相如仰慕文君，借琴音倾诉心曲，二人订盟，文君请父允婚，父不允，文君遂偕相如私逃，返回家乡当垆卖酒。后相如献《子虚赋》，汉武帝拜为中郎将，卓王孙献金相认。在历史上，卓文君被视为自由恋爱的先锋女性。因而，《卓文君》这出戏的思想意义当是宣扬自由恋爱、妇女解放。这恰好符合当时的社会潮流。

荀慧生何以会选择这出戏作为他在解放以后的首创新戏呢？他自己这样说：

> 还在很早以前，我读了史实中描写的司马相如、卓文君情事，很受感动，认为处于汉朝封建制度之下，卓文君敢于劈破樊笼，打开桎梏，寻求美满婚姻，颇具胆识，有意谱为戏曲，加以歌颂。因忙于演出，未即编成。此后，观摩了越剧和其他兄弟剧种所演关于卓文君和司马相如的戏：如《文君私奔》《文君当垆》及属于悲剧的《白头吟》等，继而又得到中国京剧院一位老友所赠京剧《卓文君》的本子，乃从这些本子之中吸取精华，与个人构思提纲合而为一，编成此剧。[1]

在这段话中，他提到他早就有心编排此戏，只是因为“忙于演出”而未能付诸实践。实际上，他未能付诸实践的真正原因，很可能与尚小云早在1929年就创排了《卓文君》有关。然而，他提到曾经观摩过越剧和其他剧种有关卓文君的戏，却没有提到尚小云的《卓文君》。“一位老友所赠京剧《卓文君》”的本子，是否就是尚小云曾经演过的《卓文君》本子呢？不得而知。

从这个角度说，《卓文君》这出戏，仅就内容而言，并无新意。当然，这并不是说荀慧生在这出戏中没有创新。在艺术上，它仍然有可圈可点之处。

首先，荀慧生理解的卓文君这个人物，是一个出身于封建贵族家庭、却敢于向旧礼教宣战的女子，一方面大胆泼辣，同时又不失大家闺秀的端庄娴淑，而且多才多艺。于是，这个人物独具魅力：在泼辣、勇敢、反抗性方面，她与《金玉奴》中的金玉奴、《红楼二尤》中的尤三姐很相像；在能诗会画、多才多艺方面，她又与《丹青引》中的杨云友、《钗头凤》中的唐琬很相像。

也就是说，这个人物兼具多重性格特质，表演难度很大。同时，它既需要青衣的唱工，又要有花旦的做工。仅有青衣功底，演不出卓文君泼辣的一面；仅有花旦底子，演不出卓文君端庄的一面。

其次，荀慧生在这出戏里，新创了一些唱腔。比如，在第三场“闺怨”中，卓文君听到未婚夫窦圭死去的消息时，很高兴，唱“窦圭一死把双眉展放”一句时，原先设计唱二六，但他觉得此时的二六腔调不足以表达卓文君的感情，而且稍嫌软弱，便大胆改用“碰板起句唱，同时不用叫头，从冷笑的表情中突出唱腔”[②]。这种新腔的灵感，来自于《辕门斩子》中传统老生唱腔，然后加以变化应用，很新颖别致。

又比如，在第八场“鸿飞”中，有两句二黄快板：“愿效鸿飞心意定”、“你只要带定了那绿绮琴”。他认为此处以二黄快板，不足以

① 荀慧生：《荀慧生演出剧本选》，上海文艺出版社1982年2月版，第597页。

② 荀慧生：《整理〈卓文君〉的一点体会》，《荀慧生演剧散论》上海文艺出版社1980年8月版，第227页。

表现卓文君当时的激动心情，因此，他把第一句的唱腔进行重新设计，吸收了汉调的一些顿挫唱法，使得腔调更加激越急促，更能体现卓文君决意出走的坚定心情，又把第二句的尾腔拖长，表达卓文君对爱情的向往。

最后，在身段上，荀慧生也有新变化。比如，他在表现卓文君离家私奔时，不用普通的跑圆场，他认为那样做，紧张气氛不够，而是改为将传统的绞丝穿舞步法——所谓“编辫子”加以变化，且歌且舞。

1956年1月7日，《卓文君》在天津首演，然后一边演出一边加工。同年，荀慧生以此剧参加了北京市艺术团体的年终汇演，颇受好评，欧阳予倩观戏后，在报纸上发表文章，称赞荀慧生是“喜剧能手”。

四大名旦在解放以后的六部新戏，只有梅兰芳的《穆桂英挂帅》作为经典一直流传至今，其余的五部作品，除了《洪宣娇》从未公演过以外，都未能流传下来。荀慧生的《卓文君》虽然被后人列为荀派六大喜剧之一，但是，提及荀派代表剧目，有《红娘》、《红楼二尤》、《金玉奴》、《荀灌娘》，却并没有《卓文君》。正如程砚秋的程派代表剧目，有《锁麟囊》，而没有《祝英台》，尚小云的尚派代表剧目，有《昭君出塞》、《失子惊疯》，而没有《双阳公主》一样。虽然令人遗憾，但这是客观存在的现实。

尽管有人对《卓文君》被排除在荀派代表剧目之外，表示出极大的不满，认为这是对荀派艺术的误解，但是，不可否认，《卓文君》确实不如《红娘》那样极具个人风格，卓文君的人物形象也不如红娘那样新颖饱满。从观众的接受度来看，他们更喜欢活泼俏丽亲切可人的红娘，因为这样的人物，更具生活化，离他们很近；他们不由自主地会对“才女”型的人物，如卓文君等敬而远之，因为这样

⊙ 荀慧生饰卓文君，费文芝饰红箫。

的人物，似乎“高高在上”，离他们较远。

如果以荀派艺术的完整性来说，《卓文君》不应被忽视；如果论及荀派艺术的风格，《卓文君》却不具有典型性。这或许就是《卓文君》未能流传至今、荀派弟子也少有人演唱的主要原因。

晚年的荀慧生，受生理条件的限制，似乎已经不能创排如花蝴蝶般满场飞的纯粹花旦戏了，也不适合再塑造红娘般天真烂漫的小姑娘形象了。也许正因为如此，他才创排了与《红娘》风格不同的《卓文君》。然而，在1959年欢庆国庆十周年时，他却出乎意料地改编整理了《荀灌娘》，作为对国庆的献礼。

梅兰芳的《穆桂英挂帅》、尚小云的《双阳公主》都是为国庆十周年献礼而新排的（此时，程砚秋已经去世），唯有荀慧生，没有创排新剧目，却改编了一出老戏。那么，他为什么会选择《荀灌娘》作为国庆献礼呢？他这样说：

“因为荀灌娘这个巾帼英雄的故事是颇为流传的历史事实，她的行为一直到今天还有一定的现实教育意义，值得我们歌颂……她的机智勇敢和不畏艰险的精神，对今天我们进行社会主义建设的青年一代，也会起到启发和鼓舞作用的。”[①]另外，他对一位报社记者说的一句话，也可以透出他当时的思想动机：“这出戏对轻视妇女和新生力量的社会偏见，无疑是一剂对症的良药。”[②]

在戏改运动中，荀慧生曾经修改过《荀灌娘》，取消了一些无聊的噱头。此次再改《荀灌娘》，他将重点放在突出人物性格上，由以往单纯强调主人公的勇敢而忽略主人公的机智，转为将其刻画成一个智勇双全的人物。对于其他人物，他也做了修改，比如，旧本中荀灌娘的父亲荀崧的性格过于懦弱、兄长荀常过于愚昧等，都不太合乎情理。在场次方面，他也做了调整，删削了繁冗枝节的场子，合并了碎场子，由原来的二十多场，精简成了十四场，使全剧更加紧凑。当然，对全剧的唱、念、做、打等纯艺术细节，他也进行了重新设计。

整修一新的新《荀灌娘》，作为国庆献礼，荀慧生连续演出了三场。之后，他将这出戏传授给了弟子，自己便不再唱了。荀灌娘这个人物，出场时毕竟只有13岁，而此时的荀慧生，已经60岁了。他以六旬高龄饰演13岁的小姑娘，又反串小生，着实不易，何况他此时肩负培养下一代戏曲人才的重任。弟子们得其亲授，能够承继荀派艺术，他很欣慰，便甘心退隐了。如果说，《卓文君》是最后一出荀派新戏的话，那么，这出新《荀灌娘》则成为荀慧生人生最后的一出戏了。

民营—国营—民营—国营

解放前，荀慧生始终坚守着一个原则，那就是，不和官府打交道，不和官员有深交。解放初期，在他对新社会共产党还不是十分了解的情况下，也习惯地与政府和政府官员保持着距离。他从来对政治不感兴趣，即便解放以后，戏曲艺人的社会地位、政治待遇都不同程度地得到提高，他仍然对政治无甚兴趣。他虽然对艺人有了一定的社会地位而高兴激动，从而对新政府充满感激，但他仍然无意于参与政治。然而，以他在戏曲界的名望和地位，他是不可能隐藏于政治之外的。不过，毕竟因为他对政治的淡然，使他在“文革”前风云变幻的政治运动中，无惊无险。

除了经常和政府官员们坐在一起参政议政外，荀慧生还经常进出中南海，为首长们演出。毛泽东非常喜欢听荀慧生的四平调和南梆子。据说，每次开演前，他都会将唱词写下来，然后一边对照着唱词，一边聆听荀慧生的演唱。有的时候，他沉浸在美妙动听的旋律之中，情不自禁地轻轻打起了拍子。那时的中南海文艺活动，常常是唱戏、跳舞间杂进行。比如1962年4月25日那天的活动，就是如此。大家先跳舞，之后荀慧生唱了《金玉奴》中的一段，接着又跳舞，然后荀慧生又唱了《红娘》中“听琴吟”一段。

荀慧生从来不跳舞。有一次，毛泽东走到他面前，劝他也跳跳舞，他的脸都红了，慌忙摆手，连说“我不会我不会”。毛泽东也没有勉强他，就说：“不跳舞，那就欣赏欣赏音乐吧，也算是一种休息嘛。”临了，他又特别嘱咐了一句：“唱完了戏，别忙着走，吃了夜宵再走。”不知道这是不是荀慧生第一次如此近距离地与政府首脑交谈。毛泽东的平和亲切，让他对“官员”有了新的认识，自然也使他对新政府的官员，陡生好感。在这之前，从来没有哪朝哪代的官员如此平等地对待被视为“戏子”的戏曲演员，这让他感慨不已。

1956年这一年，对于荀慧生来说，意义重大。首先，北京市出于关心艺人的考虑，经过慎重筛选，最终拟定了一份文化局系统的高级知识分子名录，京剧演员一共有18人，他们是马连良、谭富英、张君秋、吴素秋、赵燕侠、杨宝森、奚啸伯、李万春、孙毓堃、姜妙香、裘盛荣、侯喜瑞、马福禄、李多奎、孙甫亭、郝寿臣、尚小

① 荀慧生：《〈荀灌娘〉的删改》，《荀慧生演剧散论》上海文艺出版社1980年8月版，第223—224页。

② 和宝堂整理：《戏苑宗师荀慧生》，辽宁美术出版社1999年12月版，第164页。

云，另外就是荀慧生。这意味着，荀慧生他们从此不再属于“下九流”的“戏子”，而是高级知识分子了。

其次，也在这年，戏曲研究者、著名老生票友张伯驹邀请荀慧生合作创办一个京剧艺术方面的研究会。早在解放前，素有“才子”之称的张伯驹曾经联合梅兰芳、杨小楼、余叔岩、齐如山、傅芸子等人合作组建了“国剧学会”，率先将京剧研究纳入学术研究的范畴。之后，他又联合管平湖、溥雪斋等人在国子监成立专门研究戏曲音乐的研究所，并开办国乐传习所。解放初期的1952年，他又为保存昆曲、京剧两大剧种的精粹，邀请昆曲、京剧著名演员和票友、戏曲研究者二十多人组织成立了“北京市京剧基本艺术研究会”，同时他还组织了多场京剧艺术家杰作观摩演出，其中就有尚小云和荀慧生合作演出的《樊江关》。荀慧生与张伯驹相识，缘于此。

当时，荀慧生对于张伯驹提议成立“京剧艺术方面的研究会”的目的和用途，有些迷茫。尽管他在表演理论方面有不少总结，但他从来没有参加过任何性质的戏曲理论研究团体。梅兰芳参加过国剧学会，程砚秋曾任中华戏曲音乐院南京分院院长，更在分院下属的戏曲研究所担任研究员，还担任《剧学月刊》主编之一，并发表过多篇戏曲理论研究文章。相比而言，荀慧生在戏曲理论研究方面，要逊于梅、程。

据说当时，他问张伯驹：“成立个会干什么？”张伯驹阐明他的目的是抓紧抢救老艺人的艺术，包括剧目、绝活儿、绝招、绝技等。这下，荀慧生明白了，他对张伯驹的想法，很支持。其实，张伯驹拉荀慧生“入伙”，并不真的需要他出钱出力，需要的是他的名望和号召力。

然而，这个“研究会”最终没有成立。也许正因为如此，在随后的反右运动中，荀慧生得以幸免，而张伯驹却因为之前成立的“北京市京剧基本艺术研究会”，以及其他“问题”而被划为右派分子。

再次，在与张伯驹的交往中，由张伯驹和吴晗、李琦等民主党派人士的介绍，荀慧生生平第一次作出了一个政治上的选择，加入中国民主同盟会（简称“民盟”）。

之后，1957年如期而至。荀慧生正在东北巡回演出时，“大鸣大放”开始了。荀慧生应当地“民盟”之邀，参加了“鸣放”座谈会。会上，大家响应号召畅所欲言，积极“给党提意见”，帮助党“开门整风”。

从荀慧生本意上说，他有心说点什么，但却不知说什么好。他也想真心诚意地提些意见，却想不出有什么意见可提。就他在京剧界的地位，他又不能不发言。于是，他说了这样几句话：“我只觉得解放后咱们唱戏的在社会上、艺术上都翻了身，如鱼得水，我就知道唱戏说戏，不想做官，也没官瘾。这次实在是提不出什么意见，挺对不起党的，对不起。”①

以他的为人，他说这话，绝无敷衍之意，实乃真实意思表达。以他一贯以来远离政治的态度，他也不可能预感到日后政治风云将会发生突变而有祸从口出的担忧，所以才谨小慎微。不过，事实上，他没有“鸣”，也没有“放”，的确使他避开了随后而来的“反右”风暴。

当他从东北返回北京后不久，戏曲界的“右派”分子一个个被“揪”了出来。前一晚，他还和叶盛兰、奚啸伯在一起打牌玩笑，第二天，他们就成了“右派”分子。接着，李万春也成了“右派”。算一算，前一年才被确定为高级知识分子的18个京剧演员中，一下子就有了叶盛兰、奚啸伯、李万春三个“右派”分子。这让荀慧生很疑惑。

随后，他接到开会通知。开什么会，他事先并不知情。到了会场，他才知道，是批判“右派”分子张伯驹。他被吓得不轻，想到

① 谭志湘：《荀慧生传》，河北教育出版社1996年12月版，第373页。

他与张伯驹的交往，想到张伯驹介绍他加入民盟，想到张伯驹曾经邀请他一起创办“研究会”，他浑身冒冷汗。他无论如何也不相信张伯驹有反党言论、反党行为。但是，他又能说什么呢？他只有一个感觉，政治，真是太厉害了。原本就远离政治的他，如今，更视政治为畏途，避之唯恐不及。然而，即便如此，在十年以后的“文革”中，他还是没有逃掉政治运动的侵袭。

从解放以后到1968年去世前，荀慧生的政治头衔有：第一、二、三、四、五届全国人大代表，北京市人大代表，河北省政协委员，河北省河北梆子剧院院长，中国戏剧家协会艺委会副主任，北京市文联常务理事，北京市戏曲编导委员会主任，北京市戏曲研究所所长，北京市戏曲学校顾问，荀慧生剧团团长，北京京剧二团艺委会主任等。

早年，戏曲演出团体被称为“班社”，由名角儿挑班。比如，荀慧生在解放前曾先后自组了春生社、庆生社、留香社。戏改，是由改戏、改人、改制组成的。班社体制的改革，是改制的一个重要方面。随着体制的改变，“班社”的名称就被改为“剧团”了。解放初期的北京京剧界，有梅兰芳剧团、程砚秋剧团、尚小云剧团、荀慧生剧团，此外还有马连良剧团、谭富英剧团、裘盛戎剧团、张君秋剧团、赵燕侠剧团、李少春剧团、李万春剧团等众多剧团。

尽管解放前的留香社与解放后的荀慧生剧团在体制上有了一些变化，比如，留香社是班主制，而荀剧团属于民间职业剧团，是共和制，但是，从性质上来说，荀剧团与留香社有相似之处，都属于民营。也就是说，剧团自谋生路，自负盈亏，所有收入来源还得靠大量演出获得。

随着戏改的深入，有关方面在梅、程、尚、荀四大名旦的剧团基础上，成立了北京市京剧团；在谭富英、裘盛戎剧团的基础上，成立了北京市京剧二团；在张君秋剧团的基础上，成立了北京市京剧三团。之后，北京市京剧团分别成立了梅兰芳京剧团、程砚秋京剧团（在程砚秋于1958年3月去世后，改称为北京市青年京剧团）、尚小云京剧团、荀慧生京剧团。

之后，剧团结构又有新变化：马连良剧团与北京市京剧二团合并，组建了民营公助的北京京剧团，由马连良任团长，谭富英、裘盛戎任副团长。不久，张君秋剧团也加入其中，新成立了北京京剧团，此时是1956年11月。这个时候，全国范围内兴起的农业合作化、手工业、私营工商业社会主义改造，简称“公私合营”的热潮，也波及了戏曲界，剧团呼吁由私营改国营，演员们也呼吁由“艺人”变身为“国家干部”。事实上，北京京剧界由民营转国营，一直到1960年才普及开来。

准确地说，在国营之前，荀慧生京剧团的性质，是集体所有制民间职业剧团。在各个剧团纷纷转入国营之后，作为团长，荀慧生也向有关主管部门递交了将荀慧生京剧团由民营改为国营的申请。很快，申请得到了批准。从此，荀慧生京剧团成为国营剧团，荀慧生仍然担任团长。由于他的身份已是国家干部了，于是在政治地位上和生活待遇方面，重新做了调整，每月拿固定工资。

可是，荀慧生京剧团只“国营”了两年，荀慧生便又向组织请求将剧团分成两部分，他带其中一部分，另外成立一个演出单位，外出巡回演出，独立核算，自负盈亏。也就是说，这个分离出来的团体，由国营转回民营。他这么做的原因，很复杂。北京市文化局在一份报告中，有这样一段话，或许可以用来解释：“我们认为梅、尚、青年（即原来的程砚秋京剧团——引者注）、荀四个京剧团自国营以来，成绩当然是很大的，但由于客观条件不够成熟，也带来了不少问题。”这个“问题”可能就是荀慧生有意要将剧团改为民营的主要原因。

那么，具体问题是哪些呢？由于国营后的剧团成员拿固定薪酬，演多演少都一样，有人便产生了“干不干，二斤半”的思想，工作积极性不高，依赖思想严重，甚至认为剧团的一切问题，都应当由政府包下来。在这样的思想支配下，剧团没有了创造力，艺术发展受到极大限制。于是，荀慧生便提出，由他带一部分成员另外组成一个剧团，专演荀派戏，愿到哪里演出就到哪里演出，演出收入也只归该团所有，自行支配。他的目的，除了经济因素外，更多的则是出于艺术发展考虑，当然也为了荀派艺术能够得以流传下去。

正好，中央文化部有一个关于剧团精简和改制的精神，以精简国家人员编制的方式，减少国家财政开支。根据这个精神，北京市文化主管部门在报请北京市委、市人委和文化部艺术局同意以后，批准了荀慧生的请求，不过提出要求仍对该民营剧团予以领导、帮助。对此，荀慧生也乐意接受。

随后，荀慧生从原团共 86 个人中抽调了 58 人，其中除了部分是他留香社的老搭档之外，还有北京市戏曲学校毕业后分配到剧团的毕业生 9 人，以及补充到荀剧团的原中国京剧三团成员 2 人，重新组成了新“荀慧生京剧团”，性质仍然属于集体所有制的民间职业剧团，即“民营”。其余人员分别被安置到市属戏曲团体。除了人员安排外，组织上还暂借给剧团一万元作为周转金，原先由国家购置的服装道具等仍由他们使用，但适当收取折旧费。

如果说新“荀慧生京剧团”与国营之前的“荀慧生剧团”有什么不同的话，或许应该算得上组织上加强了对剧团的领导。这个“领导”，包括上级主管部门派驻剧团党支部书记一人，负责监督剧团贯彻执行党和政府的各项方针政策和文艺方针政策，组织成员政治学习和工作，以及监督剧团公积金和公益金的使用等。其次，由组织出面建立剧团团务委员会，负责领导管理剧目生产、演出计划、财务工资福利等重大问题。剧团人员增减，以及其他重大问题，还需报请上级主管部门批准。另外，通过剧团的党团组织，加强对剧团的政治思想领导，特别是加强对青年演员的政治思想工作。

简单地说，此时的荀慧生京剧团，虽然又回到了民营，但在体制上、管理上已远远不同于以往的“班社”。组织上加强对剧团的领导，也是防止剧团走回“班主制”的老路。荀慧生是团长，但也已不同于以往的“班主”，他是在党和政府的领导下，领导他的剧团，目的也不完全是演戏挣钱，而是走社会主义文艺道路。这一切，对已经历过国营的剧团来说，其实并不新鲜，对荀慧生个人来说，也是如此。

这样说来，荀慧生剧团经过了从民营到国营又回到民营的曲折过程。时间上，只用了三年的时间。根据档案显示，剧团最终完成改制工作，是在1963年2月9日。然而，仅仅半年以后，荀慧生又不得不再次面临剧团改制的现实。

这年（1963）初秋，北京市文化主管部门鉴于梅兰芳京剧团、尚小云京剧团、荀慧生京剧团、青年京剧团这四个京剧团体内部暴露出来的种种问题，决计对它们进行新一轮的整顿。这“种种问题”是什么呢？

就梅兰芳京剧团而言，它实际上是由原梅兰芳剧团和原中国京剧院三团共同组成国营“梅剧团”的。因为是两拨人马，彼此合作得并不愉快。1961年，梅兰芳去世后，双方矛盾更加突出。梅派演员总认为受三团成员的气，而三团成员又总觉得被梅派人员压着。造成的结果是，虽然是梅剧团，但实际上很少演出梅派戏。

类似的问题也在青年剧团显现。该团也有两拨人马，一是以李元春、李韵秋兄妹为首的“李家班”，一是以赵荣琛为首的程派弟子。青年剧团国营后，李元春和赵荣琛在以谁为主的问题上争论不休，“赵李并重”的工作方针，始终得不到落实。两人也明确表示不能再继续合作下去了。

“梅剧团”和“青年剧团”的问题，说到底，就是不同流派如何合作的问题。尽管组织上尽力协调，彼此的矛盾虽然没有激化，但也无法彻底融化。有人因此断言，将不同的流派硬性并在一起，是不明智的。

至于尚小云京剧团，它并不存在流派之间的矛盾、人员之间的不和。它的问题，关键在于尚小云的不在。尚小云早在1959年就已被借调去了陕西西安。按照北京市文化部门的说法，尚剧团其实已经“名存实亡”。

重新改回民营的“荀慧生京剧团”，也并非一帆风顺。

于是，北京市文化部门经慎重研究后，决定对这四个京剧团体进行彻底整顿。

整顿工作，分为两个部分，一是新建制，二是人员重新安排。

关于新建制：将梅剧团、尚剧团、青年剧团、荀剧团的牌子摘下，将此四个团合并成一个团，取名“北京京剧二团”，分成两个演出队，集中各团的骨干力量，建立一个领导核心。原属四个剧团的不动产，如中和排练场、吉祥剧场、中山公园音乐堂、圆恩寺影剧院，或做新团宿舍，或划归北京市属，或由新团使用；原属四个剧团的物资和演出器材，清点造册，上缴，封存，视需要交由新团使用。

关于人员安排：一、与四大名旦合作过多年的老艺人，能教戏的，安排到戏校教戏；不能教戏的，安排到戏曲研究所；符合退休条件的，退休。

二、对一些在继承流派方面有成就，又有后续发展前途的，如程派的赵荣琛、梅派的梅葆玖等，留在新团；对一些行政业务干部和少数业务人员，分别分配到北京京剧团、实验京剧团、市戏校，以及河北省、天津市、张家口等地剧团；对于其他不能演戏的，或者业务能力比较弱的，动员他们转行。

三、原四个剧团有行政职务的人员，包括团长、副团长、政治协理员等，按人事任免手续，将原职务免除。

四、对于最重要的两个人尚小云和荀慧生的工作，是这样安排的：尚小云正式调入陕西，任省京剧院筹备处主任，在京剧院正式成立后，任院长。荀慧生调任北京市戏曲研究所，任所长，级别是文艺1级，同时兼任新组建的北京京剧二团艺委会主任，每月兼薪250元，其夫人张伟君任艺委会委员。

也就是说，以流派创始人命名的京剧团，不复存在，包括荀慧生京剧团。荀慧生本人的行政职务，也由团长改为所长、主任了。这就意味着，他又回到了“国家”当中，重新成为国家干部。

在荀慧生京剧团的牌子被摘下之前，荀慧生还率领剧团在全国做巡回演出。1963年6月10日，他在重庆的北碚剧场演出了《勘玉钏》，这是他人生最后一场演出；一个月后的7月14日，他在全国政协礼堂的三楼，清唱了《红楼二尤》中的一段，这是他人生最后一次公开演唱。之后，他便告别了舞台，专事戏曲研究和戏曲教学，从此结束了长达半个多世纪的舞台生涯。

了却的、未了的心愿

20世纪50年代末的时候，荀慧生自订了一个“五年计划”。该计划包括：①全国巡回演出。②出版荀派剧本。③出版荀派唱腔。④灌录唱片。⑤拍摄戏曲艺术电影。看得出来，他雄心勃勃的依然是荀派艺术的发展。

关于巡回演出，他早在解放初期就已经开始了，此时又被列入“计划”，表明他有意继续巡回演出，似乎也有走遍全国的宏图大愿。

关于出版荀派剧本。1962年，两集《荀慧生演出剧本选集》顺利出版。他在序言中对自己的演艺做了总结，特别在提到他所塑造过的人物时，这样说："很难说我自己在五十年的艺术生活当中创造了什么风格，但根据我演出剧本里面的角色类型看来，如天真无邪的闺女、温柔善良的少妇、聪明伶俐而又泼辣刚毅的丫环使女以及刚毅勇敢的巾帼英雄……都是我历来着意刻画的人物。"

十八年后的1980年，在他的夫人张伟君的努力下，又重新出版了一本《荀慧生演出剧本选》，将所选收的剧本作了整理、校订，还为其中的《大英杰烈》、《玉堂春》、《绣襦记》、《霍小玉》、《晴雯》这五个剧本写了前记。此时，荀慧生已作古十来年了，如果他泉下有知，当可欣慰。

关于出版荀派唱腔的计划，直到现在，仍然没有能够实现。不过，1960年和1962年，先后出版了两次记录了荀慧生表演理论的《荀慧生的舞台艺术》；1963年，又一本表演理论专集《荀慧生演剧散论》得以出版，也算是弥补了荀派唱腔未能出版的遗憾。

在这本书的序言中，荀慧生这样解释出版这本书的动机和目的："解放前，我一直是为了个人生活而演戏，并没有认识到自己的艺术经验有什么可取之处，从没有过什么企图'传之后世'的打算。现在，经过学习，认识到自己的社会责任，也觉察到自己几十年艺术实践所得，如果认真加以整理总结，对于青年演员的艺术进修，还是可以多少起到一点借鉴作用的。"

依然是在1980年，仍然是在张伟君的努力之下，《荀慧生演剧散论》再版。著名剧作家曹禺为新版本作序，对荀慧生的为人、艺术造诣进行了总结，他说：荀慧生"六十年的演剧生涯，他在艺术实践中苦心孤诣地钻研，善于虚心地向前辈和同辈艺人学习。他突破原来旦角行当的程式框框和限制，打破陈规，大胆革新，在唱腔、表演上进行了大量的创造，塑造了许多天真、活泼、勇敢、泼辣，具

⊙ 《荀慧生老唱片全集》录音盒带。

有民族特色的妇女形象。在表演上荀先生具有生活化和性格化的特点，创造出长于表演、长于刻画人物、声情并茂的荀派艺术。在京剧旦角表演上独树一帜，为我国戏曲艺术的发展，特别是京剧艺术的发展，做了重大的贡献”。

关于灌录唱片。解放前，荀慧生最后一次灌录唱片，是在1939年3月，当时，国乐唱片公司为他个人灌录了《晴雯》，又为他和李少春、陈喜兴、朱斌仙、陆凤琴灌录了合作演唱的《翠屏山》。据考证，这是年仅20岁的生行后起之秀李少春（“小达子”李桂春之子）最早的声乐资料。荀慧生录制这张唱片，就是为提携李少春。当天，李少春个人还录制了他的师傅余叔岩亲授的《战太平》。

荀慧生解放后灌录唱片的计划，在1959年得以实现。这年，中国唱片社为他录制了18张、36面唱片，正式出版了13张、26面，包括7月30日录制的《红娘》5面、《勘玉钏》6面；8月5日录制的《卓文君》4面；8月7日录制的《钗头凤》4面、《霍小玉》7面。这些唱片都由刘耀曾司鼓、郎富润操琴。这是他在解放后的首批唱片，也是他最后一次的录音。细数之下，他一生一共灌录了56张、112面唱片，为后人留下了珍贵的音像资料。

关于拍摄戏曲艺术电影。不少人都知道，戏曲演员拍电影，谭鑫培是第一人。甚至可以说，中国电影就是从谭鑫培的《定军山》发端的。拍电影最多的戏曲演员是梅兰芳。早在1920年，他就拍了他的第一部电影《春香闹学》，随后又拍了《天女散花》、《上元夫人》等。在中国电影史上，梅兰芳占有数席“第一”：第一个拍有声电影（《刺虎》），第一个拍彩色电影（《生死恨》），第一个拍全景电影（《宝镜》），第一个拍个人纪录片（《梅兰芳的舞台艺术》）。他的最后一部电影，是与俞振飞合作的《游园惊梦》。

《梅兰芳的舞台艺术》也是新中国成立后的第一部彩色戏曲片，由吴祖光导演，苏联专家做艺术指导。除了生活记录之外，主要包括《霸王别姬》、《宇宙锋》、《贵妃醉酒》、《洛神》、《断桥》五部剧目。这部影片于1956年正式公映一年以后，周恩来亲自策划、指导，并亲自点名吴祖光，又拍摄了程砚秋的戏曲艺术电影《程砚秋的舞台艺术》，其中包括一部剧目《荒山泪》。两年以后，即1959年，尚小云自京入陕。在他到西安以后，受《梅兰芳的舞台艺术》和《程砚秋的舞台艺术》两部艺术纪录片的影响，陕西文化部门也有意为他拍摄一部这样的艺术片。这个拍摄计划在1961年得以实现。1963年，《尚小云舞台艺术》在全国公映，其中包括两部剧目《昭君出塞》和《失子惊疯》。

至此，四大名旦中有三位都拍摄了个人戏曲艺术电影，唯有荀慧生，一直没有这样的机会。在他的内心，非常渴望也能用电影记录下荀派的艺术风采，他做好了为拍摄电影而需要的一切准备，甚至还做了切除下眼袋的美容手术。据荀慧生的弟子、吴祖光夫人新凤霞回忆，1965年，他们夫妇应邀到荀家吃饭。席间，荀慧生说他看了新凤霞拍摄的电影《花为媒》，很满意。然后，他对吴祖光说：“你们搞电影的，应当给我也拍一部电影……”[①]

吴祖光虽然也想满足荀慧生的心愿，但他此时早已离开导演岗位了，着实无能为力。再说，无论是《梅兰芳的舞台艺术》、《程砚秋的舞台艺术》，还是《尚小云舞台艺术》，可以说，都是组织行为。就吴祖光个人而言，他又何尝不认为的确应该为荀派艺术留下影像资料呢？他也和荀慧生一样，在等待着机会。可是，荀慧生终究没有等到这个机会。他俩甚至没有想到，这次相聚吃饭、谈拍电影，竟是他们此生最后一次见面。

长期以来，一直存在着这样的误解：荀慧生从来没有一部影像资料。很多荀派后期弟子为无法观摩荀慧生的真实表演而无从吸取精髓遗憾不已；很多荀派爱好者为无法亲眼目睹荀慧生精彩绝伦的表演而惋惜。事实上，荀慧生是留下过影像资料的，只不过，拍摄者非专业人士，只是业余爱好者，因此拍摄技术稍嫌欠缺。然而，不管怎么说，这是荀慧生的唯一影像资料，弥足珍贵。

这部老电影是部无声黑白影片，片长22分钟，真实记录了荀慧生的生活和舞台形象。生活形象方面，影片是在一个十分宽敞的私家宅院拍摄的，荀慧生和几个老伙伴，即“四大金刚”中的赵桐珊、金仲仁、马富禄，身着不同服饰，有的穿长衫，有的着西装，但都手执折扇，在院子里随意走动，彼此似乎在开心地交谈。金仲仁还对着摄像机扮怪相。看得出来，大家都很随意，没有一本正经、煞有介事。有意思的是，在画面中，还看到一辆牌号为“327”的豪华轿车，只不过不知这部轿车的主人是谁，是这所大宅的主人，是影片拍摄者，是荀慧生他们中的某一个？

在舞台形象方面，影片中的舞台中央悬挂着守旧，守旧上绘有朵朵白牡丹花。看得出来，荀慧生此时虽然已经改“白牡丹”为“荀慧生”，但他仍然将白牡丹作为荀派戏的标志。荀慧生在这部片子中，演出了《埋香幻》和《钗头凤》两部戏的片段。凡是看过这段影像的人都认为，荀慧生身材修长优美，表情举止生动传神。因为是无声电影，所以只能看到动作，听不到唱腔。特别之处在于，片

① 新凤霞：《梨园旧影》，河北人民出版社1997年8月版，第548页。

中居然有一场夫妻拥抱的镜头，可以从中看出当时表演市场的开放程度。

这部片子得以保存至今，颇具传奇色彩。不知如何辗转，片子最终落在昆曲名家徐凌云的手中。1965年，也就是荀慧生去世前三年，小荀慧生15岁的徐凌云去世。他的儿子、京昆剧编导徐子权继承了父亲的遗物，包括这部片子。徐家世代酷爱京昆艺术，家中还另外留存有14部类似“荀慧生舞台艺术”的无声黑白老电影。“文革”抄家时，这些珍贵的影像资料不幸散失，只侥幸留下了两部片子，一部就是荀慧生演出的《埋香幻》和《钗头凤》，一部是梅兰芳和金少山合作演出的《霸王别姬》片段。

这两部片子之所以保留了下来，是因为在“文革”前，徐子权受挚友、在苏州戏曲研究所工作的昆曲名家顾笃璜所邀，让儿子徐希博带着这两部片子到苏州放映。之后，片子被暂存在苏州戏曲研究所。不久，“文革”爆发，研究所的资料全部被封存，这两部片子意外地逃过一劫。

“文革”后，该影片的持有人便是徐氏后代徐希博。他曾在上海小范围内公开放映过这两部片子，当时的国家总理朱镕基也看了。随后，在“孙毓敏舞台生活五十年展演座谈会”上，他又专门为孙门18名弟子放映了荀慧生演出的片子，使荀派再传弟子们形象地领略到荀派创始人的真实风采。

荀慧生并非毫无影像资料的事实，对于后人来说，是可以欣慰的。但是对于荀慧生来说，这段影像不能完整地、全面地展示荀派艺术精华，它毕竟只是非专业人士拍摄的非专业戏曲艺术电影片段，且不能公开发行而使更多的人观看，因此不足以让他满足。从这个角度说，他拍电影的愿望，终究还是没有得以实现。这成为他永远的遗憾。

日记——艺事日记

很多戏曲演员也都记日记，但恐怕没有哪一个人像荀慧生那样把记日记当作每天必不可少的工作，就像他每天都要吊嗓练功一样，成为了习惯。不夸张地说，他甚至将记日记当成了一项事业。他记日记的动机，目前已无法考证。解放后的某一天，当有人问他为什么要记日记时，他这样回答："先是记点事儿，怕忘了，后来觉得人活一辈子，酸、甜、苦、辣、咸都有，可事前都不知道，等知道了，事也过去了，不记下来，怪可惜的。"

或许是那天发生的某件事情，让他有记录下来的冲动，于是就这样开始了。"那天"，是1925年的某一天，那时他刚刚从上海载誉归来，回到他曾经饱受冷眼冷语和嘲笑歧视的北京。此时他面对的是阿谀奉承和谄媚巴结，这让他颇为感慨。有所思有所想，也许就产生了记日记的念头。

事实上，在写日记过程中，他又发现还有一个意想不到的功用，那就是，认字、练字。他没有上过学，但他一直坚持自学。记日记，既可以锻炼思维，更让他学会遣词造句。当他遇到不会写的字时，就查字典，也请教他人。天长日久，他的文字水平大为提高。同时，他习惯用毛笔写字，而且一笔一画，写得相当认真，从不马虎敷衍。这样，写了日记，又练了书法。

从记日记行为本身，就可以看出来荀慧生是个有思想的人；从他长年累月坚持不懈地记日记，也可以看出来他是个有毅力有恒心的人。自他于1925年开始记日记，直到1966年8月20日他记下最后一篇日记为止，他记日记的年头，长达四十三年。几十年来，无论工作多忙演出多累，他总是在记完日记后才休息。有的时候，夫人见他太疲劳，劝他早些休息，他说："不写完日记，心里总是不踏

⊙《艺事日记》原稿样张。
⊙ 荀慧生的部分《艺事日记》。

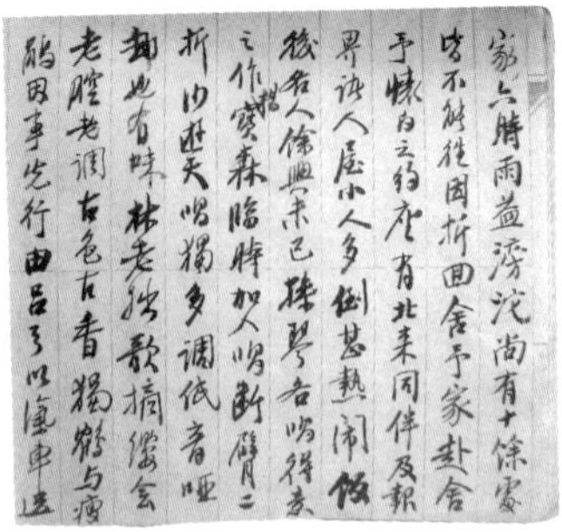

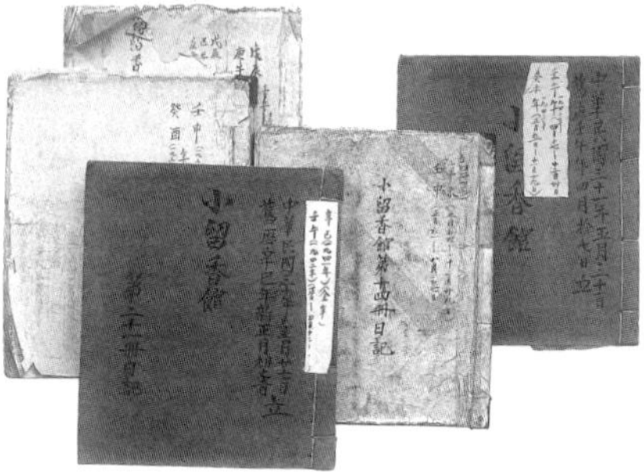

实，连觉也睡不好。”有时实在无力完成，他第二天一定会补记。如此坚持，便成就了厚厚一摞多达四十多本日记。

荀慧生的日记与通常意义上的日记，还是有区别的。它虽然也涉及生活、思想、交往，但更多的是记录了表演心得、体会，它并非心灵隐秘世界的自我剖析，说它是“艺事日记”似乎更加准确，以至于他后期的日记，似乎都不是他亲笔书写，而由他人“代笔”。曾在荀慧生剧团担任辅导员兼编导的张胤德这样回忆荀慧生日记的诞生过程。当然，他所说的只是解放以后的事情：

谁都知道，老艺人们的文化水平是不高的。过去许多京剧艺术名家都离不开秘书帮忙，说是“秘书”，确切一点就是“密友”。他们除处理有关文字事务外，还接待来客，也参与机要，宛如“高参”。荀慧生的秘书由于某种原因离去了，剧团一时难以找到合适的人，荀先生便亲口对我说：“你先帮几天忙如何？”我考虑再三说：“可以吧。”

第二天一早我来到小留香馆，桌上摆好了文房四宝，荀先生打开砚台，又翻开日记本（是接着昨天的那页），然后拿起笔，低着头，像是等着什么。我不明白了，既是他自己写，还要秘书干什么呢？我坐在荀先生旁边，跟他一样僵坐着。这时，张伟君先生看出我并不了解荀先生记日记的习惯，就过来笑嘻嘻地说：

“昨天欧阳（予倩）老打电话说什么来着？”

荀先生说：“对对，这应是头一笔，××演得不错，推荐我去看看，胤德，你说吧！”

这时我才如梦初醒，事情发生在荀先生身上，他说话，秘书措词，原来以往的日记都是这样写的。多难呀！旧社会过来的老艺人，想记下自己的事情，得先敞开心扉给人看，而且由别人措词，这是多么不便。[①]

张胤德所说，应该是实情。以梅兰芳为例，他在解放以后出版的《舞台生活四十年》就是由他的秘书许姬传代笔的。他甚至在申请入党时，最初的申请书都是由他人代写的。荀慧生日记的记录方式，也就预示它只能更多地谈论“艺事”，而少涉及“人事”，包括对他人的评价，他与他人之间的关系等，至于心灵深处的思想，自然更难表露在日记里了。

在1963年荀慧生剧团的牌子被摘下后，荀慧生基本上脱离了舞台。从此在他的日记里，便看不到了他的演出动态，更多的是他在日常生活中的君子之交、教学心得、演艺心得，当然也有一些对戏曲环境变化的看法。比如，1964年前后，应时代需要，京剧倾向表现生活反映现实，从而掀起了京剧现代戏的高潮。这年6月，在北京举行了全国京剧现代戏观摩演出大会。按照《中国京剧史》的

① 张胤德：《回忆荀慧生先生的几件事》，《京剧谈往录续编》北京出版社1988年6月版，第153页。

说法，“这是一次京剧编演现代戏的大检阅、大总结”。

此时，四大名旦已去世两位，只剩下尚小云和荀慧生。身为陕西省京剧院院长的尚小云组织排演了京剧现代戏《延安军民》，并担任艺术指导，还亲自率团进京，参加了观摩演出大会。又一年，陕西京剧院再排京剧现代戏《秦岭长虹》，尚小云参与排、导，并以陕西代表团团长的身份，率团赴兰州参加了西北五省现代戏会演，并以此剧参与第二次全国京剧现代戏观摩演出大会的选拔。

相对于尚小云的积极参与并有作品问世，荀慧生对于京剧现代戏，虽然非常关注，大量观摩，也很有想法，却没有进行实践尝试。他的1964年的日记内容，很多都是现代戏的观后感，以及对于以京剧反映现实的观点。张伟君曾经这样说："那阵子我的任务就是每场一定要买到说明书或是文字介绍材料，如果哪一出戏没有买到说明，那我就是‘罪莫大焉’了。”

尚小云有实践，恐怕是因为他是京剧院院长，京剧院必须排演新戏；荀慧生没有实践，只有思想，恐怕是因为他是戏曲研究所所长，工作要求注重理论研究。关于京剧现代戏，他在两篇文章中都有所提及，一篇是写于1964年1月的《明确方向 努力创新》，一篇是写于1964年6月的《深入生活 演好现代戏》。

前者是荀慧生以兼任河北梆子剧院院长的身份，从该剧种能否也排演现代戏的角度去看待现代戏。他这样写道："传统戏是旧社会的产物，它们适应旧的经济基础的要求，其中有一部分虽然来自民间，或是由当时进步的剧作家、演员所编演……但是它们程度不同地带有封建糟粕……因此，在社会主义时代的今天，这些戏已经不能直接为社会主义经济基础服务，必须从内容到形式进行改革，这是戏曲艺术的一次伟大的革命运动。”

后者是他专门谈论京剧现代戏的理论文章。在这篇文章中，他虽然一如既往地赞同京剧要表现生活反映现实，但他有更深层次的考虑，那就是如何处理新内容和旧形式的矛盾问题。为此，他这样写道："在目标上、政治意义上，我们都明确了现代戏演出是京剧改革的一条最正确、最广阔的路。可是在表现形式上，并不是一蹴而就的，须得经过一个长时间的探索、钻研，方可望成为一个完美无缺的形式。传统程式、传统技巧，我们不可能全部丢弃，一定要在旧基础上革新创造……"这其实和梅兰芳在解放初期提出的"移步不换形"戏曲理论有相似的一面。即，无论内容如何变化，都不能违背传统京剧规律。

这是荀慧生最后一次就京剧如何发展公开他的理论思想。1966年初夏，"文革"爆发，他的日记仍然在继续。然而，不过短短三个月以后，他坚持了数十年的日记，截止在8月20日那天。可惜的是，因为各种各样的原因，他的大部分日记都已不知去向，所以不知道他的最后一篇日记究竟记了什么。不过，从三天后发生的文坛"孔庙事件"，似乎可以推测，风暴已将他袭卷。他没有遭遇过解放以来的种种政治运动的洗礼，甚至连在大规模反右运动中都平安无事。这次，他却难以幸免，也就不得不中断了记日记。说"中断"，并不准确，应该是中止，或者是终结。

正因为荀慧生的日记应当归属于艺事日记，所以，它极具艺术史料价值，是研究中国戏曲，特别是京剧的重要资料。曹禺就曾这样评价道："荀慧生不愧是一代艺术大师。他的'艺事日记'从解放前写到'文化大革命'他不能再写为止，几十年坚持如一日，这样的第一手艺术资料，在中外艺术家来说，都是少有的，的确是太宝贵了。"

"孔庙事件"

"文革"前一年，荀慧生结识了著名作家萧军。当时，荀慧生是北京文化局下属的戏曲研究所所长，萧军是研究所研究员，专门负责修改旧剧本的工作。据萧军说，荀慧生只是名义上的所长。一个是名义上的所长，一个是普通研究员；一个是京剧名旦，一个是红色作家，起初，他俩并无太多的工作往来和私人交谊。

在不多的几次交谈后，两人竟都有了相见恨晚的感觉。萧军给荀慧生的印象是耿直率性坦荡又博学多才，荀慧生给萧军的印象是"为人天性殊淳厚"（萧军语）。萧军正打算撰写一部《中国戏曲史》，他发现荀慧生对于戏曲艺术很有见地，见解往往独到，更能为他提供第一手材料。于是，两人开始了频繁交往。

交往中，萧军了解了荀慧生的身世、学戏经过、个人奋斗过程，对他更生好感，又萌发了撰写一部《四大名旦比较观》的想法，也打算为荀慧生写一部传记。他连传记的题目都拟好了，叫《菊海云烟录》。对此，荀慧生很配合。按照张伟君的说法，萧军似乎在准备写传的同时，也一直在说服荀慧生写自传。她说："1966年初，萧军多次登门，鼓励荀慧生将自己的一生加以总结，写成自传。"

对于写自传一事，荀慧生考虑再三，最后才同意了。他在1966年3月14日的日记里，详细记述了他之所以同意撰写自传的思想动机：

> ……对一个老艺人说来，几十年的演出经验以及个人在艺术上所走过的探索、钻研的路程能够记录下来，使它对后来人有所启示，有些裨益，也是一个义务吧！我个人的这段经历有甘有苦，蕴藏着我的一生的喜怒哀乐。在这段漫长的探索、追求、创作的过程中有些小成就，可资采撷；有些失败的教训，也可作为借鉴。谈不到多大贡献，聊供未来戏剧工作者的参考吧。

……我回顾一下自己近六十年的舞台生活，无论就京剧本身来说，还是就社会而论，都是经历了若干变迁与变化的，我也可算作是个“识途老马”了吧。在演出的剧目中，从剧本直到一件小小道具的安排、使用，我都一丝不苟地做过思索与琢磨，这里也许有一得之愚，它对于京剧的发展、革新，也许会有或多或少的影响。如果说这是敝帚自珍，也未尝不可。至于这些东西对于现在和未来的京剧发展，还有多大的价值和积极作用，就不得而知了。

今天我是在尽我的所能，来发掘我的所有，作为自传云云。由于时代不同、环境不同，不见得有多少可以类比和效法的，然而对艺术的追求与探索，倒是人们都应当抱定的恒心吧。我的这些东西如真能在京剧史上具有某些参考价值，就是我最大的安慰了。所以我终于鼓起勇气撰写这篇自传。

无论是萧军的《菊海云烟录》，还是荀慧生的自传，都尚未来得及进入实质操作阶段，就不得不暂停了，因为“文革”爆发了。随后，在“孔庙事件”中，他俩一起“被两百人大武斗、毒打”(萧军语)，接着，又被囚禁在一起，再然后，一起被押解到北京北郊的沙河“农业劳动大学”关押、劳改。

震惊文坛的1966年“八·二三”孔庙事件，可以说，正是源起于萧军。之前一个月，北京市文化局局长赵鼎新被批斗。在批斗过程中，萧军突然被作为“牛鬼蛇神”之一并被命令“站起来”。萧军是个硬汉，人所共知。他拒不站起来，导致批斗会场一片大乱。8月23日上午，文化局命令萧军从此每天服半日劳役（据说是挖煤）。萧军又拒不服从，理由是“这是非法的”，为此，他与造反派进行激辩。他的这个行为被认为是“反抗”，而招致拳脚。

下午，大批红卫兵前来“增援”批斗萧军，他们给他挂了个“老牌反党分子——萧军”的牌子，还用带铜扣的皮带抽打他，直将有一身好功夫的他打翻在地。当时，北京市文化局和市文联的办公地在一个大院的一栋大楼里。在批斗萧军的时候，又“揪”出了一批文化局和文联的“牛鬼蛇神”，这其中就有荀慧生。萧军曾回忆说：“在红卫兵殴打了我，给我挂了黑牌子之后，忽然从市文联和文化局后院又揪出来一大批（约30人左右）挂上了牌子的，里头有荀慧生、白云生、侯喜瑞等若干年过七十的老艺人。”

关于荀慧生被“揪”出来的具体时间，还有另外一种说法，即不是在下午，而是在上午。据说，那天上午，作为文化局下属的戏曲研究所所长，在研究所研究员萧军被“揪”出来后，荀慧生也被“揪”了出来。当时，老舍激动地一下子从沙发上站起来，似乎想制止，但自知无能为力，便又颓然坐下。

萧军所说的“约30人左右”，准确地说，是28人。加上萧军本人，是29人，有文化局的人，也有市文联的人。除了荀慧生、老舍，还有文化局局长赵鼎新、作家骆宾基、端木蕻良，以及白云生、侯喜瑞、顾森柏、方华、郝成、陈天戈、王诚可、张梦庚、曾伯融、苏辛群、季明、张国础、商白苇、金紫光、王松生、张增年、宋海波、张治、张季纯、田兰、江风（尚缺两人）。

在将一个个“牛鬼蛇神”揪出来的同时，在孔庙（也就是文庙、国子监），造反派们正在破“四旧”。之前，就有人担心戏装可能被作为“四旧”而遭劫难，为此，市文化局决定将各剧团的戏箱统一集中存放于孔庙。23日上午，其中一个剧团的一个戏箱在刚刚运到孔庙时，意外散开了，戏装撒落一地，偏巧这时拥进来一批红卫兵，他们认为这是“四旧”，嚷嚷着要破。于是，所有戏箱都被从仓库中拖了出来，堆在院中焚烧。这还不够，他们又要求将文化局的“牛鬼蛇神”们拉过来。他们认为，在破“四旧”现场开批斗会，效果更好。

之后，荀慧生、老舍、萧军等29人被押到了孔庙。这时，大门前的大街上已挤满了人，大多数是红卫兵小将们。他们中有的人手里举着棍子，没有棍子的挥舞着拳头，叫嚷着“打黑帮，快来看打黑帮啊”。“黑帮们”被拖下汽车，被驱赶着一路趺趺撞撞。刚入大门，他们就看见院子空场地上有一个大火堆，正燃着熊熊大火，还有人不断往火堆中扔戏装。

面对此情此景，萧军以其作家的本能，极具想象力地以为他们即将被火葬了。唱了一辈子戏的荀慧生，却有一种在舞台上演戏的感觉。在他眼里，激动着的小将们，个个扮的都是丑角。他的心，暗暗的，凉凉的。

“黑帮们”的到来，更刺激了红卫兵们，他们血脉贲张，一边让火烧得更旺，一边像鞭挞牲畜一样喝斥着荀慧生们围着火堆跪成一圈。不知谁喊了一声：“打！”伴随着劈哩叭啦的火声，又有了皮带、藤条、竹片、棍子、枪把子落在肉体上的声音。一顿乱打后，他们问出身，出身好的，就不打，出身不好的，还要打。这几十人当中，大多数出身不好，荀慧生应该算是出身好的。

但是，紧接着的“担任什么职务”的问题，荀慧生就少不了也挨打了，因为他是戏曲研究所所长。第三个问题是“挣多少钱”，有人说一百，其他人也都胡乱说“一百”，他们也不知道究竟说多少才不挨打。于是，这轮，每人都挨打。萧军事后回忆说：“这样被轮番毒打了近三个钟头，最后还命令每个人跪在火堆边把胸前的牌子举在头顶上照了两次像。”

对于荀慧生来说，挨打似乎是可以忍受的，他从小就被师傅师娘毒打，早已受尽了皮肉之苦，习惯了。让他痛心的、难以容忍的是精神的摧残，以及对他奋斗追求了大半生的戏曲艺术的践踏。眼睁睁看着华丽绚烂的戏装在大火中燃为灰烬，他的心，颤栗不已。当晚回到家，他趴在床上，家人流着泪为他擦拭背上条条伤痕，他却仍然在为付之一炬的戏装哀叹惋惜。他的痛，不在身上，在心上。

第二天，一个惊人的、令人扼腕的消息传来：老舍投身太平湖，自尽了！

荀慧生知道，老舍是不堪其辱，才走上绝路的。他和老舍交谊深厚，他太了解老舍了。前晚，他曾对妻女说："每当小将棍棒将下未下之际，我都运气以对，皮肉虽伤，内脏无碍，独怜老舍，一介文人，体弱心刚，偏又受辱最重，我怕他一时想不开啊。"真是不幸而言中。

他理解老舍的行为，他自己，又何尝没有自尊心受到伤害而产生的屈辱感呢。不过，他没有自杀的念头。他未走老舍的路，不是因为他遭遇的侮辱和伤害小于老舍，而是他俩有不同的性格，以及因此所造就的不同的为人处世的态度，而这不同性格的产生，除了遗传因素外，也与身份、经历的不同有关。

老舍是典型的知识分子，有着知识分子特有的敏感和脆弱，同时又有着极强的自尊心，还有着"士可杀不可辱"的传统观念。他早年留学英国，曾在伦敦大学东方学院执教。回国后，他历任齐鲁大学、山东大学等大学教授，抗战期间他任中华全国文艺界抗敌协会总务部主任，之后又赴美讲学。解放初，他被授予"人民艺术家"的称号。他的身份，使他一直拥有较高的社会地位，结果便应了"峣峣者易折"的老话。

而荀慧生，尽管他是名旦名角儿，但在传统观念中，他只是一个"戏子"。这样的身份使他与老舍在社会地位上一个天，一个地。长期处于那样的社会地位，使他对社会的偏见和歧视习以为常，也就有了一定的免疫和抵御能力。加上儿时的苦难、成人后的挫折，都使他练就了超强的毅力、耐力和忍受力，磨难与人身攻击、人身摧残就都不能毁他了。

同样经历了孔庙事件，老舍死了，荀慧生却顽强地活了下来。

凄然告别人世

荀慧生的罪名，和当时大多数文艺界知识分子的罪名一样，无外乎“反动学术权威”、“文艺黑线的代表人物”，还有一个身为戏曲演员特有的罪名，“帝王将相的孝子贤孙”。除此之外，他还有“反江青”、“放毒”等罪名。对此，他颇为不解。关于“反江青”，他说：“我是见过江青的，因为她正拉着马连良握手，我没理她。后来实在是躲不过，只和她点了点头，这就说我反江青？”关于“放毒”，他说：“我培养学生，演戏，这是党交给我的任务，我受到过表扬。周总理还鼓励我要带出一批小红娘来呢，怎么现在都成了罪行？”

无论他是否想得通，他都百口莫辩地背负着这一系列莫须有的罪名，时常被揪斗、体罚，然后被下放到了北京北郊的沙河“农业劳动大学”接受劳动改造。他的夫人张伟君，两个儿子荀令香、荀令文也分别被隔离审查，一家人天各一方，无缘得见。那段时期，他的生活单调枯燥，每天只做两件事：劳动和思念。

此时的荀慧生，已是近七旬的老人了，却被强迫着从事繁重的、力所不能及的艰苦劳动，体力上耗费巨大。长时间见不到亲人，又使他的精神受尽煎熬。自然的生理老化，客观的身体透支，终于让他患上了严重的心脏病，却得不到治疗，更得不到安慰，只能上气不接下气地劳动，再劳动。

有一天，张伟君被意外获准前往探视丈夫，她高兴坏了。可是，当她赶到沙河，见到荀慧生时，又吓坏了。站在她面前的荀慧生，老态龙钟，头部和腿脚因肿胀而变了形，他那曾经细软娇嫩、变幻着种种奇妙兰花指的一双手，变得很粗糙，厚茧重重。他的臂膀上，新鲜的伤痕覆盖着旧的青紫。她的眼泪，哗哗而下。

荀慧生在张伟君面前，没有太多的抱怨，有的只是不解、担忧。他悄悄说：

“党对旧社会过来的知识分子、艺人，历来有政策，可现在……”

“百花齐放、百家争鸣、古为今用、洋为中用，这是党的文艺方针，可现在为什么解放后十七年里产生的作品，都变成毒草了呢？”

“京剧、地方剧、电影、舞蹈……就只能演这么几出戏，这还叫百花齐放？”

“每个演员，各有所长，各有所短，只有取人之长补己之短，才能成为一个好演员。现在，不管演员和演员之间有多少不同，都得一律取齐，这不成了‘削足适履’了吗？”

“这不像是党的路线。如果这样下去，艺术的前途是很难设想的。”

“周扬、田汉这些文艺界的领导都被打倒了，一个都不剩，这不是洪洞县内没有好人了吗？”

看得出来，他虽然平时话不多，一味地劳动，但他却从来没有停止过思想。他有太多的不理解，这些不理解压得他无法喘息。他需要倾诉，需要交流，但在那样的环境中，他和身边包括萧军等在内的“牛鬼蛇神”们一样，唯有沉默，只能不语。于是，一旦有了机会，他在张伟君面前，便滔滔不绝，尽情发泄心中不平。不为自己，为京剧，为戏曲艺术，为中国的现实。

短暂的相聚后，又是长长的分离。张伟君无论如何也没有想到，重见荀慧生时，见到的只是丈夫冰冷的尸体。1968年的冬天，对她来说，冷得透彻心肺。

12月下旬的北方天气，异常寒冷。那一天，荀慧生挣扎着拖着沉重的身体前往工地劳动。未走多远，就实在走不动了，咳嗽得相当厉害。农场的医生粗粗诊断后，认为他是感冒而已。他未被允许回去休息。他很想站起身来，继续走，可他就是站不起来。

他的神智开始变得恍惚，周围的一切，景、物、人越来越模糊，风声、人声也渐渐离他而去，他似乎入了梦境，想说说不出，想喊喊不出，想站站不起，想走走不动。有一个声音，他却听得很清楚："装死"。

几乎无法动弹的荀慧生，只能待在原地。这个"待"，有不同的解释。有人说，他当时是倒卧在寒风之中的，躺在冰天雪地的旷野里；有人说，他其实是坐在野地里的。无论是"躺"，还是"坐"，总之，他在北方严冬瑟瑟寒风中，等待着他人的救援，足足有四个小时之久。就这四个小时，使他的感冒急剧转化成了肺炎。一个身体和精神都受尽折磨的七旬老人，如何能够抵御暴风骤雨般、洪水猛兽般的肺炎？他哪里是在装死，他感觉到自己真的要死了。

关于荀慧生是如何被送回了城里，送进了医院的，目前有两种说法。一说来自于张伟君的回忆，她说："多亏当时较有'自由'的女儿令莱，冲破重重阻力，几经周折，才把她重病的爸爸送进了医院，可慧生已经气息奄奄了。"一说来自于荀慧生的女婿、荀令莱的丈夫崔惟民。据他说，当时，造反派见荀慧生真的病得不轻，赶紧将他送回到他们家。那天是1968年12月25日。[①]

当天晚上，荀慧生想回自己位于山西街甲13号自己的家——他很久没有回家了，很想家。自从"文革"开始后，他就一直住在女儿的家里。那是一幢楼房，他住惯了四合院，对住楼房有些不习惯。在沙河劳改期间，他偶尔获准回家，回的也是女儿的家。就在不久前，重病缠身的他又在女儿家住了几天。这一次，他见到了从未谋面的不满八个月的重孙女、长孙荀皓的女儿荀青。

当他将弱小的荀青抱在怀里时，老泪纵横。他紧盯着孩子的小脸，看了又看，又俯下身子，亲了又亲。他很遗憾地对不谙世事的重孙女说："老祖一无所有了，不能给你见面礼了。"他能够给予的，

① 2006年12月，在北京山西街甲13号荀慧生故居内，崔惟民接受了作者采访。

只有吃剩下的已经不新鲜的面包。他一再嘱咐女儿令莱，一定要去买点礼物送给荀青，就算是他这个老祖送的。

那一天，从上午到晚上，他一直抱着重孙女，不肯撒手。到了他们一家不得不走的时候，他似乎预感到他可能再也见不到孙子和重孙女了，千般不忍，万般不舍。祖孙四代难舍难分，场面很凄凉。果然，这是他们一家人最后的见面。

荀慧生提出要回自己家，荀令莱、崔惟民夫妇拗不过，就由令莱陪他返回山西街旧居。他在院子里转了转，又到各个房间看了看，然后进了书房。夜里，他咳嗽得更厉害，还吐了血。荀令莱慌了，连忙奔出去，向街坊邻居借来一辆平板三轮车，将荀慧生送到了附近的北京医院。

医院接诊医生看见挂号单上姓名一栏“荀慧生”三个字，以为荀慧生是阶级敌人不敢接收。荀令莱无奈，又拉着三轮车，将父亲送到了北医附属医院。荀慧生住下了，病情却因拖延太久，已经恶化。荀令莱将住院手续办妥后，打电话找来她的一个朋友，她请这位朋友替她照看父亲，因为她还得去上班。临走，她对荀慧生说：“爸爸，我去单位看看，然后请个假，很快就回来，你要等着我呀，等我回来。”荀慧生无声地微微点了点头，闭上了眼睛。荀令莱就走了。

荀慧生没有等到女儿回来。第二天，也就是12月26日上午，他悄然离世，身边没有一个亲人。荀令莱接到朋友的电话后，匆忙赶到医院，父亲的魂灵已经离身而去。她抚尸痛哭。然后，她打电话找丈夫崔惟民。

此时，崔惟民的单位正在隆重召开毛泽东诞辰75周年纪念大会。革委会的人找到崔惟民，对他说：“你岳父死了。”崔惟民不知道岳父死在哪里，只好先赶到山西街，四处打听，然后骑着自行车赶到北京医院，又赶到北医附属医院。在急救室里，他看到了白布

⊙ 荀慧生追悼会（1979年5月24日）会场。

覆盖着的岳父和伤心欲绝、孤苦无依的妻子。

三天后，张伟君获准前去看望丈夫最后一眼——只准看一眼，而且由两个红卫兵小将押着。在太平间里，她掀开荀慧生身上的白布，她猛地扑在荀慧生冰冷的身上，她没有大放悲声，她只默默地流泪，她用身子紧紧贴着丈夫，仿佛试图用自己热乎乎的身体温暖丈夫，让他重现生命之光。因为只准看一眼，她不得不很快起身。临走前，她将身边仅有的一块纱巾，盖在了荀慧生的脸上。

之后，长子荀令香也被两个红卫兵押着，来看父亲最后一眼，也只准看一眼。他不能守灵，不能送父亲上路，他只匆匆看了一眼后，就又被押走了。

荀派创始人、一代京剧名旦荀慧生，生前曾经被鲜花簇拥，被喝彩包围，死时却如此安静，安静得寂寥，安静得凄凉。这是上天刻意安排的平衡，还是人生无常的佐证？他唱的多的是喜剧，他人生的结局，却是一出悲剧；他也唱悲剧，他的死，比他唱过的所有悲剧，都更悲剧。

尾声

尾　声

山西街甲13号荀慧生故居，是一座精致的四合院，外带一个小花园，它是荀慧生于上世纪50年代初从一名萧姓晋商手中购得。故居占地东西长33米，南北长25米，院内房屋建筑风格为中西合璧。荀慧生在世时，这座四合院的最特别之处，是院内繁盛的各种果树，有栗子树、柿子树、苹果树、桃树、梨树、杏树、李树、枣树、山楂树、海棠树等，据说足有四五十株。凡是有幸走进故居的人，都为这许多挂满果实的果树惊叹，也就对主人的秉性爱好有个

⊙ 荀慧生先生故居庭院。

大致了解。

荀慧生爱树，几致成癖。他有一整套种树修枝、灌溉施肥的工具，件件被他擦拭得锃亮。他曾严令：“谁也不许动我的这些东西。”每到植树季节，从掘坑、栽植、浇水、施料，之后打旁杈、喷药、修剪，到最后摘果，他样样亲力亲为。在家时，他除了练功、吊嗓、看剧本外，将空余时间都贡献给了他的这些树；外出巡演回到家，他最先做的，就是给每一棵树浇水。

除了日常的精心养护，荀慧生还有一套独有的栽种方式，那就是常让家里的老帮佣、来自河北衡水的老李到菜市场买来鱼头、动物内脏等，埋在每株果树根部。不知道是否就是这个原因，总之，他种植的果树枝叶茂盛，果实硕大甘甜。到了秋天收获时，院子里一派丰收景象，树枝上红红黄黄挂满了喜气的栗子、柿子、苹果、桃子、梨子、杏子、李子、枣子、山楂、海棠。这个时候，他看待它们，像自己的孩子，疼爱地摸摸这个，摸摸那个，在树下来回转悠。他一个果儿也舍不得吃，心里却甜甜的。

当不得不打枣儿时，他一方面让孩子们、弟子们都去打枣儿，一方面又百般心疼，不住地喊着：“可轻着点儿，别把枝儿打折了。小心着点儿，这枣儿脆，别打坏了。别把枣儿打在地上，要打到垫子上，否则枣儿落地，要裂的。”有一次，梅兰芳夫人福芝芳为了那枣儿，带着保姆乘车来到荀家。一进门，她就高喊：“荀先生，您这大枣太甜了，市面上可吃不上，我还得打点给上海的亲戚捎去。”

说着，她就让司机小张打枣，让保姆拾枣，足足装了一大袋，然后心满意足地走了。荀慧生心疼得很，连说："枣树让小张打得太苦了。"

柿子树上的柿子，荀慧生不让人摘，就让它们黄灿灿地挂在树上，一直让它们由浅黄变深黄，再由深黄变浅红，再到大红。到了严冬，有客来访，他只要竖起一个手指头，家人就心领神会，忙去柿子树下，用竹竿挑下一个冻柿子，然后用水泡一会儿，洗干净沥干水分，放在青瓷碗碟中，再配上一把精巧别致的小铜勺，一并端给客人。这种美味，有一个好听的名字，叫"一嘟蜜"。

那么，荀慧生为什么爱树胜过爱花呢？他自己说："'花开哪有百日红'，确是那样，花开时人高兴，花落时人悲伤。老舍年年送我名贵菊花，有'醉杨妃'、'千丝连'，我当然也爱看，可是等它们耷拉着脑袋的时候，我心里就不舒坦了。到那会儿，扔掉要心疼，让它萎靡不振地戳在庭院中，我又难受。我不愿看到'花谢花飞飞满天'的景况，所以不爱种花爱种树。种树多好，春天开花，秋天结果，即使秋来叶落，却不给人以悲秋之感，想像明春又必是枝叶峥嵘。而且'前人栽树，后人乘凉'，还能吃果，共享丰收的喜悦，这总比种花'葬花'强吧。"

因为如此，摘下果实后，他自己一个也不吃，总是从中挑出色鲜个儿大的，分装在大蒲包中，每包分量相当、品种相同，然后他在蒲包外写好人名，一一分送给梅兰芳、尚小云、老舍、田汉、欧阳予倩等，让大家"共享丰收的喜悦"。他的这个习惯，按他自己的说法，是因为出身农民，自小受农民们有了好收成，总是把好的挑出来去卖，自个儿吃次的影响。

荀慧生对于树的喜好，以及他对树、对花的不同理解，其实也透出他的性格：心软重感情，有悲悯情怀，不虚夸不张扬，沉稳内敛。

爱树成癖的荀慧生，并非一概拒花于千里之外，甚至也养花。不过，他只养一种花，名“玉簪”，老北京称之为“玉簪棒儿”。花开时，他和夫人携篮采摘，然后送去给老舍、田汉。老舍一向爱花，田汉夫人安娥最爱玉簪。

他之所以愿意养玉簪，是因为这种花不娇贵、泼辣，它不需要太多的阳光，也不讲究土质，无论将它栽种在背阴处、树荫下，它都能泼辣辣长得欢实。秋冬季节，也不必将它移入暖房，它傲雪斗霜，依然挺拔。与其说荀慧生偏好玉簪花的奇异，不如说他更欣赏它生命力的顽强。他很愿意像它一样，无论身处顺境、劣境，都不屈不挠，坚持向上。

荀宅的树，荀宅的花，也在“文革”风暴中凋敝。荀家的一什一物，都在抄家时被抄了。被“抄”的，还有那树，那花。“孔庙事件”那天晚上，受辱后的荀慧生回到家，看见院中的一棵桃树已骨断筋裂，不免黯然神伤。他默默凝视了它很久很久，才对家人交代说：“去找一些小布条，和着泥水将折断处接好缠紧，或许还能活转。”

这棵受了伤的桃树，果然活了过来。受了伤的荀慧生，却没有

⊙ 家属护送荀慧生骨灰安放在八宝山革命公墓。

活过来。像是为追随他而去似的，在他去世后不久，一场罕见的冰雹从天而降，荀宅院中原本密密匝匝的果树，大半被毁，只留下几株小树，和那顽强的玉簪。张伟君颇为伤感地说：“小树如年轻人，还能抗住灾难活过来，老树则似慧生，一去而不复返。”

几番风雨，几度春秋，那几株小树也枝叶繁盛、开花结果时，时间已到了1979年。5月24日那天，荀家四代人齐聚树下花旁。他们和荀慧生的友朋、荀派弟子们一起在这里共进丧面。张伟君身着淡色素装；子辈荀令香、荀令文、荀令莱以及他们的爱人，均上着白色衬衣，下着蓝色裤子，臂戴黑纱；孙辈荀皓等，臂上黑纱上均缀红点；重孙辈荀青等的黑纱上缀蓝点。他们吃过丧面后，齐赴八宝山革命公墓，参加迟到了的荀慧生追悼会和骨灰安葬仪式。

参加追悼会的有1200多人,包括党中央领导人和文艺界知名人士。邓小平、胡耀邦、陈云、谭震林、方毅、宋任穷、习仲勋、康克清、许德珩、乌兰夫、彭真、李井泉、刘澜涛、周建人、史良、周扬、夏衍、贺敬之、巴金、黄镇等一一送了花圈。梅兰芳夫人、程砚秋夫人、尚小云夫人、马连良夫人、老舍夫人,以及荀派众弟子，亲临追悼会现场,缅怀一代艺术大师不平凡的一生。

著名戏剧家曹禺所致悼词中，对荀慧生的为人作了政治性总结："热爱中国共产党，热爱社会主义制度，决心为无产阶级文艺事业贡献自己的毕生精力……坚持政治理论学习，努力改造世界观。一向刻苦钻研业务，积极执行文艺为工农兵服务的方针，主动地深入到偏僻的农村、山乡，边远的工矿、营房，不畏艰苦，兢兢业业地为工农兵演出。他一直热心于对青年一代的培养工作，把它看成是自己义不容辞的政治责任，始终勤勤恳恳，毫无保留地向青年们传授技

⊙ 2006年11月27日东光县为建设荀慧生纪念馆奠基。

⊙ 2007年，北京长安大戏院与中央电视台举办“荀派艺术演出专场”。左起：朱俊好、吕慧敏、王桂荣、许翠、龚苏萍、宋长荣、孙毓敏、刘长瑜、耿巧云、续丽雯、管波、常秋月、王萍、张佳春。

⊙ 2007年，北京长安大戏院与中央电视台举办“荀派艺术演出专场”。左起：常秋月、续丽雯、管波、宋长荣、刘长瑜、孙毓敏、龚苏萍、唐禾香。

艺……毛主席、周总理、党和国家的许多领导同志，对荀慧生及荀派表演艺术，都给予了肯定和赞扬……”所谓盖棺论定，荀慧生终于可以瞑目、安息了。

荀宅的果树又结果了，玉簪又开花了，每到这个时候，荀家后人都会摘一束花儿，采一把绿叶，撷几粒果实，将它们供奉在荀慧生的遗像之下。这成了他们的习惯。他们知道，爱果树爱玉簪的荀慧生，更愿意让它们永远陪伴着他。

后　记

《荀慧生全传》终于写完了，总篇幅二百万字的《京剧四大名旦全传丛书》至此也告全部完成。没有欣喜若狂，只有深深的欣慰。在之后一段日子里，时不时地想起它来，心里还会有一阵一阵的快意，像多云的天上，压住速度游走的白云。

这四本书，按时间的跨度，自开始着手，到最后搁笔，长达十一年之久，这是一次路途不近的跋涉，而且没有捷径，不能假借车船，只能徒步，甚至跬步，每天也有每天的极限。这不是一场与时间的赛跑，而是与时间为伴的旅行。当终点终于来到脚下，当收获倏然瓜熟蒂落，生命的一部分却像一握轻烟，从指缝里四逸，飘散了。

用如许光阴从上帝手里换得这样的结果，终究是值得的。因为“四大名旦”，四位京剧艺术大师，他们的艺术太精彩，他们的人生太丰富，他们的人格太有魅力，不大书特书，对不起中国京剧史，对不起中国现代史，对不起中国传统，对不起中国文化。

四大名旦，他们四人，既有惊人相同的一面，又有明显相异的一面。他们都酷爱京剧艺术，对艺术都有苦心孤诣的钻研，天分也超群，勤奋也过人，也都把如何做人看得很重。他们性格各异，艺术风格各异，塑造的舞台形象也相应不同。梅兰芳性格温和，舞台形象温柔婉约、雍容华贵；程砚秋性格沉郁、孤傲，舞台形象悲切、沉郁；尚小云性格刚烈、直率、侠气，舞台形象豪爽、炽热；荀慧生性格文静，舞台形象活泼俏丽、明艳。如果用四季来形容他们的性情与艺术风格，那么梅兰芳像冬天，程砚秋像秋天，尚小云像夏天，荀慧生像春天。

吾生也晚，对四位京剧大师只能遥仰，无缘亲炙，无缘亲聆謦欬，没有机会直接感受他们的台上与台下，好在可以从大师们的子孙身上感受大师们的为人与家风。这本荀慧生全传，同前面三本都曾得到大师后人们的帮助一样，也得到了荀慧生长孙的支持，荀皓先生心底的敞亮，对人的信任和友善，给人很深印象。他还特别转达了他母亲的致意，对作者表示感谢。这些，都使人不禁生出感慨来。

在动笔之前，曾到荀慧生生前最后的居所，坐落在北京宣武区的一座四合院去，不远处的尚小云故居、余叔岩故居都已拆除，荀慧生的故居幸而保住了。在院落里，看到了荀慧生特别喜欢的果树。住在那里的荀慧生的女婿崔惟民先生谈了许多荀慧生的晚年生活，以及去世时的情形，使作者收获颇丰。谨在此致谢！

在此尤其要感谢本书的责任编辑常婷主任，不仅是这本书，整套全书，她付出了巨大的心血和精力；这么多年来，我们一直合作愉快。

完成这套书的今天是个不寻常的日子，这个日子里，在中国长江流域大面积可见到百年一遇的“日全食”。白日里重又拉上夜幕，好像老天忽然发现今天的节目没有准备好似的。一天有两次黎明，人们多了一次重新开始的机会。多么美妙！多么令人感动、震撼！

本书为南京市文联签约作品。

作者

2009 年7月22日于秦淮入江口

(京)新登字083号
图书在版编目(CIP)数据
荀慧生全传/李伶伶著.—北京：中国青年出版社，2010.5
(四大名旦丛书)
ISBN 978-7-5006-9233-1

Ⅰ.①荀… Ⅱ.①李… Ⅲ.①荀慧生（1900-1968）-传记
Ⅳ.K825.78

中国版本图书馆CIP数据核字(2009)第040671号

《荀慧生全传》
李伶伶/著

责任编辑 常婷
装帧设计 敬人书籍设计 吕敬人+德浩

中国青年出版社 出版发行 社址 北京东四12条21号 邮政编码：100708
网址 www.cyp.com.cn
北京顺诚彩色印刷有限公司印刷 新华书店经销

889×1194 1/32 19.625印张 4插页 500千字
2010年10月北京第1版 2010年11月北京第1次印刷 印数 1-5,000册
定价：70.00元
本图书如有印装质量问题，请凭购书发票与质检部联系调换
联系电话 (010)57350337